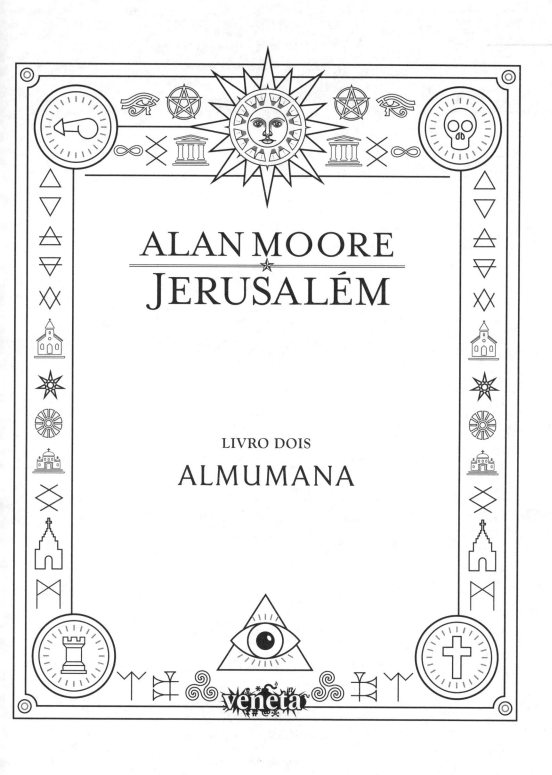

JERUSALÉM copyright © Alan Moore, 2016

Publicado com permissão da Knockabout,
Londres, Reino Unido

Todos os direitos desta edição reservados à Veneta.

Direção editorial:
Rogério de Campos
Letícia de Castro

Assistente editorial:
Guilherme Ziggy

Tradução:
Marina Della Valle

Ilustrações:
Alan Moore

Ilustração do box:
Rémi Pépin

Fotografias:
Mitch Jenkins

Capa e diagramação:
Lilian Mitsunaga

Emendas:
Carlos Assumpção

Preparação:
Alexandre Boide

Revisão:
Guilherme Mazzafera
Amanda Pickler

Esta edição teve o apoio de leitores por meio do Catarse.
Conheça os apoiadores em:

www.veneta.com.br/produto/jerusalem/forum

Dados Internacionais de Catalogação na Publicação (CIP)
(Câmara Brasileira do Livro, SP, Brasil)

M821	Moore, Alan Jerusalém: Livro Dois - Almumana. / Alan Moore. Tradução de Marina Della Valle. - São Paulo: Veneta, 2024. 552 p. Título original: Jerusalem. ISBN 978-85-9571-299-7 1. Literatura Inglesa. 2. Romance. 3. Romance Épico. 4. Literatura Fantástica. 5. Ficção Científica. 6. Autobiografia. I. Título. II. Almumana. III. Della Valle, Marina, Tradutora.

CDU 821.111.3 CDD 823

Rua Araújo, 124, 1º andar, São Paulo
www.veneta.com.br
contato@veneta.com.br

SUMÁRIO

LIVRO DOIS: ALMUMANA	7
No Andar de Cima	9
Um Voo de Asmodeus	55
Coelhos	107
O Poço Escarlate	157
Planolândia	199
Brigas Mentais	243
Espadas Insones	295
Espíritos Malignos e Refratários	345
As Árvores Não Precisam Saber	393
Mundos Proibidos	443
O Destruidor	497
NOTAS DA EDIÇÃO BRASILEIRA	547

LIVRO DOIS
ALMUMANA

Fico mais tocado quando o sol oblíquo desce
Em velhas casas de fazenda contra um cerro,
E pinta com vida as formas que permanecem
De séculos menos sonho que este se conhece.
Naquela luz estranha, sinto não estar tão retirado
Da massa fixa que tem as eras como lados.

H.P. Lovecraft, "Continuidade"
(*Fungos de Yuggoth*)

NO ANDAR
DE CIMA

Grandioso, grandioso, como foi grandioso. O menininho ascendeu com o estrondo estupendo ressoando ao seu redor, como uma banda de metais tocando cada vez mais alto. Era esse o som que o mundo fazia quando se saía dele.

Michael tinha a impressão de que flutuava em uma boia de borracha bem abaixo do teto amarelo e enfumaçado da sala. Não tinha certeza de como tinha ido parar ali, e não sabia se deveria se preocupar com a fada-do-canto que acenava para ele do recesso sombreado alguns centímetros acima. Embora parecesse familiar, Michael não tinha certeza se deveria confiar nela. Não tinha certeza nem de ter visto fadas-do-canto em sua casa antes daquele momento, ou de ouvir os pais falarem disso, apesar de achar que sim. O fato de que existiam pessoinhas nos cantos não parecia incomum, de qualquer forma, não no escuro refulgente através do qual subia, envolto em perplexidade.

Tentou descobrir onde estava e percebeu que não conseguia nem se lembrar direito de quem era ou onde estava antes de se encontrar à deriva em meio ao brilho e aos címbalos. Embora seus pensamentos parecessem mais inteligentes que quaisquer outros que tivesse tido antes — não que conseguisse se recordar de muitos pensamentos prévios, para dizer a verdade —, ainda não conseguia entender o que tinha acontecido. Teria sido alguém contando a ele uma história, uma das velhas histórias famosas que todo mundo conhecia, sobre o príncipe que engasgou com uma cereja malvada? Ou, por mais que parecesse improvável, ele teria sido alguém na própria história, talvez até o príncipe, e nesse caso todo o negócio de borbulhar através de números musicais e da escuridão era só a continuação da narrativa? Nenhuma daquelas ideias parecia certa, mas ele decidiu que não quebraria a cabeça tentando entender as coisas naquele momento. Em vez disso, prestou atenção no canto, de onde parecia se aproximar. Era isso, pensou, ou estava ficando maior.

Michael não conseguia decidir se sempre soube que os cantos iam para os dois lados, como aquele, se projetando para fora e para dentro ao mesmo tempo, ou se aquela era uma noção que tinha acabado de entrar em seus pensamentos. Agora podia ver que funcionava do mesmo modo que aquelas imagens enganosas nas caixas de giz na escola, com todos os cubos empilhados em uma pirâmide, mas não dava para saber se estavam se projetando para cima ou para baixo. Michael entendeu, agora que tinha chance de ver um canto de perto, que eles faziam as duas coisas. O que pensava ser um recesso se revelava uma protuberância, menos como o canto recuado de uma sala e mais como a ponta saliente de uma mesa, com extravagantes entalhes nas beiradas onde o teto tinha uma moldura adornada com contas. Mas, claro, se era como o tampo de uma mesa, isso queria dizer que ele estava olhando de cima, e não de baixo. Significava que estava descendo na direção dela, e não subindo para bater a cabeça nela. Também significava que a sala de estar tinha sido virada do avesso.

A ideia de que estava descendo, indo pousar no canto de uma mesa gigante, fazia mais sentido em relação à percepção das coisas para ele naquele momento, especialmente porque dava à fada-do-canto um ponto de apoio, enquanto antes ela parecia estar presa, de modo pouco convincente, em algum lugar acima do trilho de quadros. Porém, se estava mais abaixo que ele, por que o estaria chamando com sua vozinha de abelha dizendo para ele subir?

Olhou para ela com suspeita e tentou adivinhar se parecia do tipo que o enganaria ou lhe pregaria uma peça maldosa, concluindo que sim, provavelmente era. Na verdade, quanto mais perto Michael chegava, mais a fada se parecia com qualquer menina de dez anos da vizinhança, o que significava que devia ser cruel, como aquelas da Fort Street ou da Moat Street que o derrubariam no chão com sacolas de compras cheias de garrafas de refrigerante que levavam de volta para pegar o reembolso pelo vasilhame.

Assim como o canto onde estava, a fada foi ficando cada vez maior até que Michael tivesse uma visão melhor dela, que não era apenas um ponto azul e rosa acenando entre os cocôs de mosca que cobriam o teto.

Também viu que ela não era uma fada de verdade, mas uma menina de tamanho normal que antes estava longe e por isso parecia muito menor do que era de verdade. Tinha cabelos loiros com um toque de ruivo, descendo até dois ou três centímetros abaixo da orelha, em uma franja que parecia ter sido cortada em torno de uma tigela de pudim na cabeça. Se fosse alguém dos Boroughs, então, sem dúvida seria esse o caso.

Ele percebeu que aos poucos começava a se recordar de pedaços da vida ou da história em que esteve envolvido até pouco tempo, antes de descobrir que estava flutuando nos fluxos amarelados da parte de cima da sala. Conseguia se lembrar de tigelas de pudim e dos Boroughs, da Moat Street, da Fort Street e das garrafas de refrigerante. Recordava-se de que seu nome era Michael Warren, que a mãe era Doreen, e o pai, Tom. Tinha uma irmã, Alma, que o fazia rir ou o apavorava muito ao menos uma vez por dia. Tinha uma avó chamada Clara, de quem não tinha medo, e outra chamada May, que lhe dava pavor. Reconfortado por ter ao menos esses fiapos de quem era de volta à devida ordem, voltou suas atenções de novo para a questão da menininha, agora pulando para cima e para baixo a uns dois ou três centímetros acima dele. Ou abaixo.

Tinha calculado a idade dela entre nove e dez anos, o que Michael considerava um tempo de vida quase de adulto e, quanto mais se aproximava, mais ficava convencido de que estava certo. Era uma criança esguia, forte, um pouco mais velha e mais alta que a irmã dele, Alma, e também mais bonita e mais magra, com uma boca larga e sorridente, como se estive o tempo todo a ponto de se abrir em um riso maior que seu rosto. Estava certo também sobre ela ser dos Boroughs, ou ao menos de um lugar parecido. Tinha aquela aparência local no modo como se vestia e os joelhos cobertos de crostas. A pele branca, bronzeada apenas pela garoa dos Boroughs, tinha um brilho acinzentado nas dobras, da poeira da ferrovia, que cobria tudo e todos no distrito. Olhando para ela agora, Michael via que era o mesmo cinza pálido que as nuvens de tempestade às vezes tinham, com relances do arco-íris que tentava atravessá-las. Para ser sincero, achou que a sujeira caía muito bem nela, como se fosse um ruge ou pó caro que só se encontrava em ilhas raras e distantes no mundo.

Ficou surpreso ao perceber como sua visão estava boa. Não que tivesse algum dia tido problemas com os olhos, como a mãe e a irmã, mas sua visão simplesmente parecia muito mais clara agora, como se alguém tivesse removido teias de neblina de seus olhos. Cada pequeno detalhe da menina e das roupas que usava eram claros como um diamante, e as cores apagadas do vestido, dos sapatos e do cardigã que ela usava não estavam mais coloridas, mas de algum modo mais vividas, o que lhe causou fortes sentimentos.

A blusa rosa, puída até virar uma rede de fios soltos nos cotovelos, tinha o brilho de sorvete de morango das sobremesas de verão, quando os últimos raios do sol poente entravam pela janelinha de vitral na parede oeste da sala. Parecia tão natural com seu vestido azul-marinho quanto a ideia de marinheiros felizes comendo algodão-doce no palito em um calçadão iluminado. As meias de um branco encardido estavam amarrotadas como sanfonas ou peles trocadas de lagarta, uma notavelmente mais baixa que a outra, e os sapatos de pontas rotas eram tingidos ou pintados de um turquesa velho, profundo, com um mapa desbotado de rachaduras laranja onde se podia ver o couro mais abaixo. As tiras quebradiças, com suas fivelas prateadas baças, pareciam cheias de história, como rédeas de um cavalo de guerra com um passado de cavaleiros e castelos. E então havia a requintada estola de duquesa nos ombros. Aquilo deu um belo susto em Michael quando a examinou mais de perto.

Era feita de vinte e quatro coelhos mortos amarrados com uma corda ensanguentada, todos eviscerados, como marionetes de mão vazios, com patas e cabeças e orelhas de veludo e bundinhas de bola de algodão. Os olhos estavam, em sua maioria, abertos, negros como bagas de sabugueiro, ou os olhos de meia-noite com que as pessoas aparecem em negativos fotográficos. Embora imaginasse que um cachecol de cadáveres peludos fosse uma coisa bem horrenda, ao mesmo tempo algo naquilo parecia adulto e eletrizante. Com certeza era ilegal, pensou, ou ao menos era algo que poderia lhe render uma reprimenda, e só servia para fazer a menininha parecer mais glamorosa e aventureira.

A única coisa repugnante naquela guirlanda de peles dela era o fedor, o que fez Michael perceber que não era sua visão que estava mais sensível. O odor das coisas jamais tinha deixado uma grande impressão nele, ou ao menos não quando comparado com o cheiro amargo e intenso que experimentava agora. Era como ter orquestras de ambos os lados do nariz ao mesmo tempo, tocando sinfonias de fedor. As vidas da menina e dos vinte e quatro coelhos ao redor de seu pescoço eram histórias escritas de modo invisível, em perfume, e ele as lia apertando as narinas. A pele dela tinha um aroma quente de nozes, misturado com o odor de articulações avermelhadas pelo cáustico sabão carbólico e algo delicado como balas de violeta no hálito. Em volta disso tudo havia o aroma do colar sinistro dela, com fragrâncias de terra de túnel e cocô de coelho e suco verde de grama mastigada, o ranço de serragem de todos aqueles casacos vazios que balançavam, o cheiro metálico de sangue e podridão frutada subindo em ondas da carne minguada, suja. O fedor daquilo tudo combinado era tão intoxicante e interessante que nem o considerou exatamente horrível. Era mais como uma sopa acre de tudo que havia no mundo todo, as partes boas e ruins, tudo ao mesmo tempo. Era o odor amargo da vida e da morte, ambas como eram de fato.

Michael via, cheirava e até pensava com muito mais clareza do que se recordava de quando era um menino de três anos preso ao chão, quando todos os seus sentidos e pensamentos eram comparativamente confusos, como se vistos por um vidro pintado. Não sentia mais que tinha três anos. Sentia-se muito mais inteligente e crescido, como sempre achava que seria quando tivesse sete anos, digamos, ou oito, o que era o máximo que podia imaginar. Sentia-se realmente adulto. Aquilo trazia uma sensação de ser mais importante, como esperava que seria, mas também a noção perturbadora de que agora havia mais coisas com que se preocupar.

A mais urgente dessas novas preocupações era provavelmente a questão do que estava fazendo debatendo-se contra o teto com aquela menininha fedida. O que tinha acabado de acontecer com ele? Por que estava ali em cima agora, e não lá embaixo, onde estava antes? Tinha uma vaga lembrança de uma garganta dolorida e da segurança do colo da mãe, do ar fresco e das flores raquíticas enraizadas na fuligem entre velhos tijolos, então houve algum tipo de comoção. Todos corriam e pareciam apavorados, como naquela vez em que a avó soltou o coque e, penteando o longo cabelo de aço na frente da lareira aberta, acabou colocando fogo nele. Dessa vez, porém, tinha sido algo bem pior, ainda mais grave que a avó de Michael com a cabeça em chamas. Era possível saber pelo pânico na voz das mulheres. De forma vaga, ele se recordou do que causava todo aquele murmúrio de trovão em torno de si: era como os gritos agudos da mãe e da avó soariam se fossem desacelerados até quase parar, com todos os barulhos diferentes apenas pairando e tremendo no ar.

De forma repentina, como um gongo agourento soando em seu estômago, ele se deu conta de que o tormento da mãe e da avó poderia ter conexão com suas enigmáticas circunstâncias naquele momento. Era por causa de Michael que estavam aflitas, um fato tão óbvio que ele se perguntou como não havia percebido imediatamente. Devia ter sofrido um choque, e por isso que precisou de tempo para colocar os pensamentos em ordem. Parecia razoável imaginar que o motivo era a mesma coisa que fizera a mãe e a avó soarem mortas de medo...

Assim que a palavra entrou em sua mente, Michael, em um impulso de terror indefeso, entendeu exatamente onde estava e o que havia lhe acontecido.

Ele tinha morrido. A coisa que até adultos como a mãe e o pai temiam por toda a vida, era disso que se tratava, e Michael estava sozinho naquele momento como sempre temeu que fosse estar. Completamente sozinho e muito pequeno ainda para lidar com aquela coisa enorme do modo como achava que as pessoas velhas fariam. Não havia mãos grandes para levantá-lo dessa queda. Boca nenhuma poderia aplacar aquilo com beijos. Ele sabia que estava entrando em um lugar onde não havia pais ou mães, ou tapetes ao lado da lareira ou refrigerante Tizer, nada confortável ou aconchegante, apenas Deus, fantasmas, bruxas e o diabo. Tudo o que tinha e o que foi estava perdido, por um simples momento de descuido em que deixou a atenção se dispersar, e então, pum, havia tropeçado e caído para fora da vida. Ele gemeu, sabendo que a qualquer momento sentiria uma dor horrível que o esmagaria até virar uma pasta, e então haveria um nada que era ainda pior, porque não estaria mais ali, e jamais voltaria a ver a família ou os amigos.

Começou a se debater e espernear, tentando acordar e tornar aquilo apenas um sonho apavorante, mas essa atitude desesperada só serviu para tornar tudo ainda mais horrível naquela sua situação tão estranha. Para começar, seus movimentos bruscos fizeram todo o espaço vazio ao seu redor tremer como uma gelatina espessa, e mais, de repente ele notou que tinha muitos braços e pernas. Seus membros, como descobriu com um leve conforto, ainda vestidos com o pijama azul e branco e o roupão xadrez vermelho-escuro, deixavam cópias perfeitas de si mesmos suspensos no ar enquanto se moviam. Com um espasmo breve e súbito, ele se transformou em um arbusto animado, criando galhos de flanela listrada que tinham botões de dedos rosa-claro brotando às dúzias nos talos em processo constante de multiplicação. Ele gemeu e viu seu lamento viajar em uma onda brilhante de trompete através da cola de cristal do ar ao redor.

Isso apenas pareceu deixar a menininha loira no canto brava com ele, que, ao descobrir que estava morto e tudo o mais, tinha se esquecido de que ela estava ali. A menina estendeu as mãos sujas na sua direção, para cima ou para baixo, a depender de qual aspecto da ilusão de ótica de caixa de giz dela ele se concentrasse. E gritou para ele, perto o suficiente agora para que pudesse ouvi-la, com uma voz que não era mais a de um besouro em uma caixa de fósforos. Michael conseguia ouvir os Boroughs crepitando no sotaque dela, com seus pisos de madeira sebosos e portões com cadeados.

— Suba! Suba aqui, cê vai ficar bem! Me dá a mão, e pare de se mexer! Cê só vai piorar tudo!

Ele não sabia o que podia ser pior que estar morto, mas, como no momento mal podia vê-la por causa de uma floresta cheia de árvores xadrezes e arbustos listrados, achou melhor obedecer. Ficou o mais imóvel que podia e, depois de um momento ou dois, sentiu-se aliviado ao ver que todos os cotovelos, joelhos e pés com pantufas desapareciam pouco a pouco, bastava esperar. Assim que todas as partes supérfluas de seu corpo desapareceram e não obstruíam mais sua visão do canto da fada, ele se esticou com cuidado na direção da mão que ela estendia, para cima ou para baixo, movendo o braço muito lentamente, fazendo todo o rastro de imagens se reduzir a um mínimo.

Os dedos estendidos dela envolveram os seus, e Michael ficou tão surpreso com a sensação real e física que quase os soltou. Descobriu que, como aconteceu com a visão e o olfato, seu sentido do tato tinha subitamente ficado muito mais sensível. Era como se tivesse tirado um par de luvas acolchoadas preso aos seus pulsos desde o nascimento. Sentiu a palma da mão dela, quente como um bolo recém-assado e escorregadia de suor, como se a tivesse colocado no bolso segurando moedas por muito tempo. As almofadas macias entre os dedos dela tinham uma cobertura grudenta, como se tivesse comido peras maduras com as mãos e ainda não tivesse tido tempo para lavá-las, se é que as lavava. Ele não sabia exatamente o que esperava, mas talvez fosse que, estando morto, as pontas de seus dedos atravessariam tudo como se fossem feitas de vapor, mas não previa nada tão meladamente verossímil como aquilo, aquelas pernas de caranguejo úmidas buscando os seus pulsos e apertando o punho largo do roupão de Michael.

O aperto dela, não apenas assustadoramente real, era muito, muito mais forte do que teria pensado ao olhar para a menina. Puxando-o pelo braço, ela o arrastou para cima, não, para baixo, na direção dela, como alguém tentando colocar na terra um peixe que se debatia apavorado. Foi um momento desagradável, em que tanto os olhos quanto o estômago tiveram de reacostumar-se a não perceber a cena como se estivesse baixando até a quina da mesa, mas subindo para um canto escondido, onde a menina, como que à beira de uma piscina, estendia a mão para ajudá-lo a sair. Ela estava em segurança no seco, na esquina em que as beiradas se encontravam. O cômodo deu uma guinada de fora para dentro de novo enquanto ele era arrastado por um tipo de dobradiça, em que tudo o que se esperava que fosse para um lado no fim ia para outro, e quando percebeu Michael estava com os joelhos bambos apoiados no mesmo parapeito de madeira que a menininha.

A plataforma estreita corria ao redor do que parecia ser uma grande tina quadrada com nove metros ou mais de um lado a outro, com o poleiro precário deles no nível mais baixo de um anfiteatro de degraus que subia pelos quatro lados, como uma grande moldura abarcando o aquário largo do qual ele tinha sido resgatado. As escadarias de nove metros que saíam das beiradas da área parecida com uma piscina eram, mesmo para alguém em seu estado de confusão, obviamente impraticáveis e absurdas. Os pisos dos degraus eram muito profundos, com alguns metros da frente até o fundo, enquanto, por outro lado, os espelhos desses degraus eram todos muito baixos, com não mais que oito centímetros de altura. Seria mais difícil sentar-se ali do que num meio-fio de calçada. O rodapé parecia ser feito de camadas de pinho pintado de branco, com as quinas arredondadas, coberto com uma demão grossa de tinta que descascava, um creme brilhante amarelado que parecia ter sido retocado pela última vez antes da guerra. Para ser sincero, quanto mais olhava para aquilo, mais os degraus se pareciam com a moldura adornada com contas ao redor do teto da sala deles na Andrew's Road, só que muito maior e invertido. Ao ficar de pé de costas para o poço retangular de onde foi tirado, ele podia até ver um pedaço de madeira nua onde a pintura tinha descascado, deixando uma forma um pouco como a da Grã-Bretanha, como a que havia notado no friso decorativo sobre a lareira. A de sua casa, porém, não era maior que um selo de um centavo, enquanto essa era uma poça impossível de pular, ainda que tivesse certeza de que as linhas sinuosas do contorno se mostrariam exatamente iguais caso fossem examinadas de perto.

Depois de piscar espantado para aquele trabalho de carpintaria por alguns segundos, Michael se virou, pousou suas pantufas xadrezes nas tábuas de pinho e ficou cara a cara com a menininha durona com seu colar de coelhos rançosos. Era apenas um pouquinho mais alta que ele, o que, combinado ao fato de que usava roupas de verdade, enquanto ele ainda vestia as coisas de dormir, o fez sentir que estava em desvantagem. Percebendo que ainda estavam de mãos dadas, soltou a dela apressadamente.

Ele quis dizer algo do tipo "Você é quem" ou "O que aconteceu comigo", mas tudo o que saiu foi "Você hein", seguido quase imediatamente por "Mundos se curvam debaixo de mim". Alarmado, levou os dedos aos lábios e tateou em torno deles, para ter certeza de que a boca estava funcionando direito. Levantando o braço para fazer isso, Michael notou que não estava mais deixando cópias fotográficas a cada vez que se movia. Talvez aquilo só acontecesse naquele lugar flutuante de onde tinha sido pescado, mas no momento estava mais preocupado com as bobagens que saíam quando tentava falar.

A garota o olhava, divertida, com a cabeça inclinada para o lado, os lábios grossos franzidos em uma linha fina, para evitar o riso. Michael fez uma nova tentativa de perguntar onde estavam e o que tinha acontecido com eles.

— Niond estamos, estiamo? Equiem gasgo teceu tune migo?

Embora o fluxo de algaravias não fosse menos inquietante, Michael ficou atônito ao descobrir que quase entendia a si mesmo. Tinha perguntado a ela onde estavam, como pretendia, mas todas as palavras tinham saído transformadas e distorcidas, com significados diferentes enfiados em suas fissuras. Achava que havia dito algo que se traduzia mais ou menos como "Onde estamos, neste lugar em que me sinto tão consciente, que me faz ter vontade de gritar êêê, mas que me deixa tão desconfiado, parecendo tão exausto e enfraquecido desse jeito? E o que aconteceu comigo? Estava feliz onde estava, mas receio que possa ter engasgado com um Tune que sufocou minha canção alegre". Parecia meio pedante e chato falar assim, mas imaginava que eram os sentimentos que tentava expressar.

A pirralha de sorriso malicioso não conseguiu mais se segurar e riu na cara dele, em alto e bom som, mas não de modo cruel. Pequenas gotas de cuspe cor de opala, cada qual com o mundo refletido em si, saíram da boca dela para se partirem no nariz dele. Para sua surpresa, a menina parecia ao menos ter captado a essência do que ele queria dizer e, quando parou de rir, fez o que ele entendeu como uma tentativa sincera de responder a todas as questões do modo mais direto possível.

— Você hein para você também. Sou Phyllis Painter. A chefe do bando.

Não foram essas as palavras exatas que ela usou, e havia sílabas como saca-rolhas que o fizeram pensar em "tagarela" e "gongo grave", talvez uma referência ao quanto ela falava ou como era grossa sua voz para uma menina, mas ele conseguia entender sem dificuldade. Era óbvio que ela controlava melhor a boca do que Michael. A menina continuou falando e ele ouviu, com atenção e admiração.

— O que aconteceu é que o mundo dobrou debaixo do cê e cê caiu como todo mundo. Cê se afogou com uma bala.

Aquilo parecia dizer que ele havia sufocado ou engasgado até morrer, como suspeitava, embora com associações cômicas, como se nem a morte nem o sufocamento pudessem ser levados muito a sério por ali. A menina continuou.

— Então te puxei das joias e agora estamos no Andar de Cima. Estamos em Almumana. Almumana é o segundo Borough. Cê quer entrar no meu bando ou não?

Michael não compreendeu quase nada daquilo, a não ser a última parte. Pulou para longe dela como se tivesse tomado uma picada. Sua recusa categórica à proposta dela foi estragada apenas por não ser expressa em uma linguagem apropriada.

— Nanquer o não! Me peixe vou tarpra ondes tavantes!

Ela riu de novo, menos alto e, ele pensou, de forma menos benigna.

— Ha! Cê ainda não achou seus lábios de Lucy. É por isso que o que fala sai errado. Dá só um tempinho e logo vai estar assombrando direito. Mas quanto ao lugar que cê tava antes, não tem volta. A vida está atrás do cê agora.

Ela fez um gesto com a cabeça para trás dele, que percebeu que a última observação era mais do que um simples modo de falar. A vida estava de fato atrás dele no momento. Com os pelos do pescoço formigando e arrepiados, Michael virou cuidadosamente para olhar.

Descobriu que estava com as costas viradas para a mesma beirada do imenso tanque quadrado do qual havia sido retirado, com uma queda preocupante abaixo dele, ao lado dos calcanhares de suas pantufas. A área para onde olhava, embora não fosse muito maior que o lago para botes de criança que viu uma vez no parque, certamente era muito mais profunda, a ponto de Michael não ser capaz de determinar exatamente até onde descia. A grande piscina chata estava cheia até a beirada com o mesmo vidro instável, meio endurecido, no qual ele estava suspenso até há pouco. A superfície ainda tremia um pouco, sem dúvidas por causa do puxão violento com o qual ele foi retirado.

Enquanto olhava através da substância tremelicante, Michael podia distinguir formas imóveis que se estendiam pelas profundezas vítreas, troncos estáticos e retorcidos de pedras preciosas de textura intrincada que se enrolavam em torno uns dos outros enquanto se estendiam pelo espaço abaixo. Achou que parecia um pouco com um jardim de corais, embora não tivesse uma ideia clara do que aquelas palavras realmente significavam. Os fios entrelaçados com todos os galhos e suas superfícies pareciam ser feitos de algo translúcido, como uma cera clara e dura. Aqueles cabos rebuscados, emaranhados, não tinham cor própria, mas era possível ver dentro deles, onde luzes de todas as cores nadavam para lá e para cá. Ele conseguia distinguir ao menos três dos longos tubos retorcidos, cada qual com seu tom interno específico, serpenteando entre si através das braças borrachudas tremendo bem lá embaixo, como uma estátua de gelo de um belo nó.

O mais grosso e bem desenvolvido dos talos, iluminado por dentro por um brilho esverdeado, foi o que Michael achou mais bonito, embora não pudesse dizer exatamente por quê. Havia uma qualidade pacífica nele, com o galho esculpido esmeralda estirado bem no meio da imensa caixa de luz trêmula, de onde entrava através de um retângulo alto na parede mais distante do tanque e então se enrolava em torno do aquário monstruoso na direção dele antes de curvar para a direita de Michael e sair de seu campo de visão por outra abertura imponente.

Ele achou que era uma coincidência interessante que ambas as aberturas estivessem posicionadas uma em relação à outra da mesma forma que as portas que saíam da sala de estar deles na Andrew's Road para a cozinha e o corredor, embora essas entradas fossem imensamente maiores, mais como as que se encontram em uma catedral ou talvez uma pirâmide. Ao examinar mais de perto com seus olhos melhorados, viu que havia até um túnel escuro recortado abaixo na parede do lado direito, no local preciso em que a lareira deles ficaria se fosse muito maior e ele a estivesse olhando de cima.

Enquanto pensava naquela similaridade improvável, notou que sua fronde favorita, a verde, tinha um rufo ondeado e bonito de um lado perto do topo, parecendo uma tira de guelras móveis de cogumelo. No ponto em que o cabo de jade translúcido fazia uma curva para a esquerda, que era também o ponto mais próximo dele, tinha a oportunidade de ver essas guelras de lado e percebeu, chocado, que tinha diante de si uma fileira infinita de orelhas humanas duplicadas. Apenas quando Michael viu que cada uma delas tinha uma cópia idêntica dos brincos de pressão da mãe, Doreen, entendeu por fim o que olhava, boquiaberto.

A câmara cheia de geleia, estranha como um planeta desconhecido, era na verdade a sala querida e familiar, mas de algum modo inflada até um tamanho terrível. As hastes de cristal luminosas e contorcidas que formavam rendas eram os corpos de sua família, mas com as formas repetidas e projetadas através do melaço daquela atmosfera, do mesmo modo como os braços e pernas de Michael pareceram quando ele próprio patinou no vazio viscoso. A diferença era que aquelas figuras estendidas eram imóveis, e as imagens das quais eram feitas não desapareciam prontamente, da mesma forma que seus membros adicionais. Era como se, enquanto ainda vivas, as pessoas estivessem na verdade congeladas, imóveis, submersas no manjar branco coagulado do tempo, e apenas achassem que estavam se movendo, enquanto na verdade era apenas a consciência delas voejando pelo túnel preexistente de suas vidas como uma bola de luz colorida. Aparentemente, apenas quando morriam, como Michael parecia ter feito, as pessoas eram libertadas do âmbar que as continha e podiam subir, debatendo-se esbaforidas, pela gelatina salgada das horas.

A estrutura maior e mais verde, pela qual já tinha expressado uma preferência, era a mãe de Michael, passando em grande velocidade pela sala, da porta da cozinha para o corredor. Ele calculou vagamente que, em circunstâncias normais, a mãe levaria apenas alguns instantes, o que sugeria que a fatia de tempo em exposição permanente naquele tanque amplo tinha, no máximo, a espessura de dez segundos. Ainda assim, era possível saber, pelo emaranhado tortuoso dos pedaços afundados, que muita coisa estava acontecendo.

O veio curvado de vidro de garrafa que era a mãe — ele agora conseguia discernir os traços esverdeados arrastados pela saliência de cima da crista, como uma pilha de máscaras transparentes — parecia ter uma falha brilhante em toda a parte maior de seu comprimento extraordinário. No ponto em que ia para o recinto mais distante, através da abertura elevada abaixo da linha d'água que na verdade era a agora enorme porta da cozinha, a massa verde tinha uma forma menor dentro de si, uma mancha mais ou menos na forma de estrela amarela-pálida radiante correndo pelo centro como as cores decorativas no meio de uma bala. Aquele brilho interno ficava dentro da configuração cor de groselha do ponto em que surgia, pelo abismo da porta, virando-se brevemente para a direita de Michael e então voltando para seu caminho na direção dele, uma manobra feita para evitar o obstáculo de um planalto afundado que ele imaginou que fosse a mesa da sala. Era ali, porém, bem entre a mesa e a caverna aberta da lareira, que o brilho amarelo parecia vazar do recipiente cor de oliva que o continha. Uma pluma dourada difusa subia fumacenta pelo espaço negativo de gelatina, um fio de lã nublado e desfiado de limonada que subia pelo painel de goma da superfície do tanque perto dos pés envoltos em xadrez de Michael sobre a madeira da moldura. Parecia água limpa de banho na qual alguém havia feito xixi. A forma suave de estrela, com as cinco pontas embotadas, ainda estava dentro do volume maior que rolava ao ir para o lado e sair pela passagem colossal da porta bem à esquerda, mas agora era um buraco sem cor e vazio entre o verde quente, envolvente. A luz de verão tinha sido retirada.

Depois de um instante Michael percebeu que ele era aquele cravo de brilho com cinco pétalas que num primeiro olhar parecia estar dentro do arranjo cristalino maior que era sua mãe. Ela o tinha carregado com os dois braços na frente dela, então seus contornos maiores pareciam engolir os seus enquanto corria em seu fluxo de repetições. E naquele ponto da trajetória entre a mesa e a lareira, onde sua luz menor havia apagado, era onde tinha morrido, onde a vida se foi e sua consciência escorreu para o consomê de tempo coagulado ao redor. Os traços amarelos indo para cima no melado-prisma eram os que sua consciência envolta em pijamas deixou quando nadou até o teto.

Ele olhou dentro da gruta para as contorções submarinas das outras duas samambaias iluminadas, uma sebe espinhenta castanho-avermelhada do que parecia ser refrigerante de laranja e que ele presumiu ser a avó, e então um tubo pálido malva muito mais perto do chão com um raio de luz violeta dançando dentro de si. Imaginou que fosse a irmã, bruxuleando com todos os seus pensamentos purpúreos. Com suas cores deliciosas de estojo e camadas aquáticas de transparência, Michael podia ver por que a menina inquietante que o puxou para o alto tinha falado dela como "a joia". Era algo belo e delicado, mas achava que tinha algo de triste nela, também. Apesar dos brilhos reluzentes e mutantes, o diorama ornamental tinha a aparência de um emaranhado de sujeira do fundo de um rio, parecendo uma coisa comum e negligenciada.

A voz da menina veio de trás de Michael, por cima de seu ombro, recordando-o abruptamente de que ela ainda estava ali.

— É uma lata de feijão velha, mas cada bolha que cê já soprou ainda tá dentro.

Estranhamente, ele sabia o que ela queria dizer. Era um velho recipiente enferrujado e descartado, mas todas as suas esperanças e desejos estiveram ali, nasceram dali. Era um baú do tesouro que se transformava em balde de carvão assim que era visto de fora, mas sentiu falta daquele pedaço de carvão que, por sua inexperiência, ele tinha confundido com uma joia preciosa. Olhou por um instante para o rio acarpetado de filigrana de malaquita que era o cabelo da mãe, então virou os olhos para a menina. Ela estava sentada, batendo os pés nos degraus cor de creme desenxabidos em torno da sala afundada. Michael começava a aceitar que, de alguma forma, aquela moldura de madeira na verdade era a sanca em torno do teto, mas virada de dentro para baixo, ou de cima para fora, e aumentada. Ela o encarava com um olhar intrigado, então sentiu que precisava falar alguma coisa.

— Este fungar era-será o mel?

Sua pronúncia ainda estava enrolada, mas Michael achou que a comunicação aos poucos poderia ficar mais fácil. O truque parecia estar em querer expressar cada palavra de um jeito puro, preciso, que não deixava espaço para ambiguidades. Aquele parecia ser um lugar em que a linguagem irrompia do nada em conotações e enigmas à primeira oportunidade. Era preciso ficar atento a isso. Ao menos dessa vez sua nova colega póstuma não estava rindo de sua dificuldade de falar quando lhe respondeu.

— Isso, se quiser. Ou inferno. Era-será só o Andar de Cima, só isso. Era-será o alto da escada, o segundo Borough, o que chamam de Almumana. Estamos entre os ângulos, e não vai demorar até cê pegar o jeito. Teve sorte que eu tava passando, cê sem família aqui para te receber.

Michael considerou essa última observação, feita de modo casual. Pensando bem, essa coisa toda de estar morto e ir para o Céu parecia um tanto desorganizada. Não que tivesse muitas expectativas sobre anjos, trombetas, portais de pérola ou algo do tipo, mas não devia ser muito difícil arrumar um ou dois parentes mortos como um comitê de boas-vindas para esse além-vida estranho e desleixado. Bem, para ser justo, todos os seus parentes mortos tinham morrido antes de seu nascimento, então não o conheceriam de verdade, não a ponto de terem assunto para conversar. Quanto aos membros da família de quem era de fato próximo, ele tinha bagunçado as coisas morrendo fora da ordem. Imaginava que, do modo como as coisas ocorriam normalmente, as pessoas morriam de acordo com a idade, o que significava que sua avó May seria a primeira a partir, depois sua avó Clara, então o pai, a mãe, a irmã mais velha, ele próprio e por fim o periquito australiano, Joey. Se ele não tivesse morrido antes de sua vez, então todos, a não ser o periquito australiano, estariam ali para erguê-lo para fora da vida, para dar um tapinha em suas costas e apresentá-lo à Eternidade. Não teria ficado a cargo de uma menina qualquer, uma estranha total que calhou de estar passando ali.

Pior: do jeito em que as coisas ficaram, seria ele quem teria que providenciar sozinho a recepção para sua assustadora avó. E se demorasse anos até mais alguém morrer, com apenas ele e a avó vagando juntos naquelas tábuas estranhas e rangentes? Com um olhar desesperado e aflito só de pensar nisso, tentou transmitir alguns de seus pensamentos à garotinha. Não era Phyllis alguma coisa que ela disse se chamar? Ele falou com cuidado e devagar, certificando-se do intento de cada palavra antes que saísse de seus lábios, para que não o traíssem explodindo em trocadilhos e homônimos.

— Morri enquanto ainda sou pequeno. Por isso não fadinha ninguém aqui para me encontrar.

Ele estava progredindo, enfim. A frase ia bem até a parte em que sem querer se referiu a sua pequena benfeitora de cabelo tigelinha como "fadinha ninguém". Pensando bem, no entanto, não pareceu totalmente inapropriado, e ela mesma não pareceu ter levado a mal. Sentou-se ali na pintura antiga, endireitando o linho azul-marinho da saia sobre os joelhos sujos e empoeirados, cutucando distraidamente as beiradas amareladas e quebradiças da tinta que descascava. Olhou para ele quase com pena, e então balançou a cabeça.

— Não é assim que funciona. Todo mundo já tá aqui. Toda mãe sempre já esteve aqui. É só lá no andar de baixo que as horas e os ponteiros se misturam.

Ela fez um gesto com a cabeça para a cavidade brilhante do antigo quarto de Michael, atrás dele.

— Só quando estamos lendo as páginas tem ordem nelas. Quando o livro está fechado, todas as páginas ficam tão espremidas em centímetros de papel que não vão de verdade prum lado ou pro outro. Só tão ali.

Ele não tinha a menor ideia do que significava aquilo. Sendo bem sincero, Michael ainda estava entrando em pânico diante da perspectiva de ser o acompanhante de May Warren naquele paraíso descascado. Na verdade, a reação horrorizada e chocada a todo esse estado das coisas que ele estava tentando afastar da mente pareceu começar a se intensificar e a dominá-lo. À medida que se conscientizava do terrível fato de sua morte, bem quando imaginou que já tinha aceitado tudo, percebeu que suas mãos tremiam. Quando tentou falar, descobriu que a voz também estava trêmula.

— Não quero estar morto. Isso não era-será o certo. Se tudo isso for-fosse certo, teria alguém que eu conheço aqui esperando por mim.

Era-será? For-fosse? Michael percebeu que usava as palavras da menininha como se sempre as tivesse entendido perfeitamente. Por exemplo, sabia que "era-será" continha os termos "era", "é" e "será" dentro de si, como se dividir as coisas em presente, passado e futuro fosse visto como uma complicação desnecessária por aquelas bandas. Essa percepção só serviu para deixá-lo mais perdido e preocupado do que já estava. Sabia que, mesmo se ficasse ali até o fim dos tempos, jamais entenderia nada do que estava acontecendo. Sentiu um desejo urgente de fugir daquilo tudo, e a única coisa que mantinha seus pés parados era saber que não havia de fato nenhum lugar seguro no mundo para o qual ainda podia correr.

Sentada nos degraus baixos, brincando com a echarpe de coelhos podres, a menina agora lançava um olhar ainda mais desconfiado e incerto, como se ele tivesse dito algo que despertou sua suspeita, ou como se algum novo fato lhe tivesse ocorrido. Ela espremeu os olhos, marrons como bolinhas de chocolate, em duas fendas interrogativas, com a ponte sardenta do nariz arrebitado subitamente enrugada como consequência.

— Isso foi-será uma peculiariosidade, pensando bem. Até os Hitlers têm os avôs esperando por eles, e não acho que cê teve tempo para ser tão ruim assim. Cê tinha quantos anos, seis ou sete?

Pela primeira vez desde que chegou ali, ele olhou para o próprio corpo. Ficou satisfeito ao descobrir que, naquela nova luz, até sua velha roupa de dormir era tão fascinante com suas pregas e texturas quanto as da menininha pareciam ser. O xadrez de seu roupão, em vermelhos tão carregados que beiravam o marrom, explodia com histórias de sangue seco de clãs orgulhosos e trágicos. Seu pijama listrado como cadeira de praia, alternando faixas de nuvem de sorvete e céu de julho, fazia o ato de dormir parecer férias à beira-mar. Michael ficou feliz em notar também que estava maior do que era: ainda magrelo, mas uns bons trinta centímetros mais alto. Era mais o corpo de um menino de oito anos pequeno do que o do mero bebê que era poucos momentos antes. Tentou responder às perguntas da menina com honestidade, mesmo se isso significasse que ela o veria como um bebê.

— Acho que tinha três, mas agora que melhorei é como se fosse sete.

A menina assentiu, concordando.

— Faz sentido. Imagino que sempre quis ter sete, né? Assim a gente era-será aqui, com a aparência da melhor imagem que temos. A maioria se vende mais jovem, ou fica feliz do jeito que já está, mas infantasmas como você costumam a ter a idade que desejavam.

Adotando uma expressão mais séria agora, ela continuou.

— Mas como um menino de três anos não tem família no Andar de Cima para recebê-lo? Tem algo mais a seu respeito do que tô percebendo, meu menininho morto. Qual era-será teu nome quando cê tava em sua moldura?

Nada naquela conversa o deixava mais tranquilo, porém ele não sabia como explicar que revelar seu nome poderia piorar as coisas, então respondeu da melhor maneira que conseguiu.

— Sou Michael Warren. Pode ser que não tenha ninguém aqui porque eu não deveria subir para Deadforshire ainda. Deve ser uma conte fusão.

Ele quis dizer "confusão" e não sabia de onde "Deadforshire" tinha saído. Era como um tipo de gíria que captava no ar, do jeito que palavras e frases às vezes lhe apareciam em sonhos. De qualquer forma, a menina não parecia ter nenhum problema para entendê-lo, o que indicava que seu domínio do Esperanto de cemitério estava melhorando. Com um olhar perturbado no rosto, ela sacudiu a cabeça, fazendo a franja loira brilhar como uma cascata anã.

— Não tem conte fusão nenhuma. Eu devia saber que não estava passando pelos Sótãos do Alento por acaso quando cê deu de bater as botas. Achei que tinha tomado um atalho de onde tava afanando umas maçãs malucas no hospital enquanto voltava pros Prédios Velhos, mas agora vejo que tive superintenções que nem sabia. É como sempre dizem por aqui, o personagem não dá um passinho sem que o autor escreva um pouquinho.

Ela aspirou um prolongado "aaaah" de profunda exasperação, en tão ficou de pé com um ar decisivo, alisando o tecido pesado da saia azul-marinho por costume.

— Melhor cê vir comigo até descobrirmos do que se trata isso tudo. Podemos ir até as Obras e perguntar pros construtores. Vamos. Isso foi--será chato, todo esse passado engessado que tem aqui.

Ela se virou e começou a subir com determinação as escadas rasas de tábuas pintadas, obviamente esperando que ele a seguisse, subindo da cavidade embutida do anfiteatro deles. Michael não sabia o que devia fazer. Por um lado, Phyllis... Painter, era isso? Phyllis Painter era a única pessoa que tinha como companhia ali naquele além-vida ecoante e solitário, apesar de não estar seguro de que podia confiar nela. Por outro lado, o cubo de gelatina de quinze metros atrás dele era sua única conexão com a vida adorável e inconsciente que teve antes. Aquelas estátuas rebuscadas de dragão ali embaixo, no verniz de diamante do instante, eram a mãe, a avó e a irmã. Ainda que sua nova conhecida achasse chato, Michael não se sentia à vontade para sair e deixar tudo para trás. E se nunca mais encontrasse o caminho de volta, do mesmo jeito que nunca conseguia achar nos sonhos, que eram parecidos com aquela experiência? E se aquele fosse seu último vislumbre do número 17 da St. Andrew's Road, da sala bege, da família, de sua vida? Hesitante, ele olhou de volta para o tanque aberto que continha seu momento final, congelado e galvanizado como um par de sapatinhos de bebê. Então se virou para os pequenos degraus que sua salvadora subia além da beira da concavidade e para fora das vistas, sem olhar para trás.

Ele gritou "Pesa", notando como o grito reverberou no tipo diferente de arquitetura dali como um sussurro se propagando por distâncias inimagináveis, então correu atrás dela. Subiu desesperadamente as camadas descascadas cor de creme da madeira que emoldurava o local, com medo de que, quando chegasse ao topo, ela tivesse desaparecido. Não tinha, mas, ao lá emergir e ter pela primeira vez uma vista desimpedida de onde estava, sentiu o mesmo desespero que o dominaria caso ela não estivesse mais lá.

Era uma pradaria plana, embora o termo talvez não expressasse de modo adequado sua vastidão, nem o fato de que era feita apenas de tábuas rústicas sem polimento. Nem o formato, aliás. Surpreendentemente longo e ao mesmo tempo relativamente estreito, era mais como um grande corredor do que uma planície de arbustos, com talvez pouco mais de um quilômetro e meio de largura, mas com um comprimento que se estendia adiante e atrás dele até onde a vista alcançava, mesmo com sua nova visão. Para todos os intentos e propósitos práticos, o comprimento da planície de madeira era infinito. Além disso, toda a extensão embasbacante era coberta com um teto antigo e infinito de estação de trem, feito de ferro fundido elaborado e vidro tingido de assombrações trezentos metros acima. Parecia que havia pombos fazendo ninhos nas vigas mestras gigantes, ciscos cinza-claro contra o verde escuro do metal pintado. Acima disso, além da translucidez do fundo do mar do vidro, havia... mas Michael não queria olhar para aquilo ainda.

Ficou ali de pantufas, cambaleando desconcertado na beirada cor de manteiga suja do que havia sido sua sala de estar, o cômodo de sua morte, e forçou o olhar de volta das alturas inalcançáveis para as grandes vastidões de tábua que o cercavam. Não eram, como havia pensado no início, nada monótonas. Agora via que a moldura em camadas na qual tentava se equilibrar era na verdade apenas um de muitos retângulos de madeira quase idênticos cercando recortes afundados como aquele que ocupava. Estavam arranjados em uma extensa grade atravessada por passarelas largas e claras, como um tipo de padrão xadrez de quilômetros de largura. Pareciam fileiras de janelas por algum motivo insondável colocadas no chão, e não nas paredes. Como esse padrão regular e ordenado cobria todo o terreno entre ele e o horizonte distante e invisível, os recessos com alçapões mais distantes eram fundidos em uma tela com pontos bem próximos, como quando aproximava bastante os olhos das imagens impressas nas revistas de quadrinhos americanas que a irmã guardava.

Achou provável que ficasse com dor de cabeça se olhasse por muito tempo para as extremidades que desapareciam da galeria descomunal em que estava. "Galeria", tinha concluído Michael, era um termo que evocava melhor a atmosfera daquele imenso salão coberto de vidro, em vez de "estação de trem", sua primeira impressão. Na verdade, quanto mais pensava nisso, mais via que aquele lugar era exatamente como a velha galeria Emporium, na praça do mercado de Northampton, mas em uma escala gloriosa, titânica. Se olhasse para a direita ou para a esquerda da largura imensa do grande corredor, via que as paredes ao redor eram uma confusão de construções de alvenaria empilhadas umas sobre as outras e conectadas por lances de escada precários, com corrimões e sacadas. Entre elas, podia ver o que pareciam fachadas de lojas decoradas, ainda que dilapidadas, como as que ladeavam a ladeira em perpétuo crepúsculo da galeria. A balaustrada de madeira de lei manchada que beirava as sacadas parecia ser gêmea daquela que corria pelo piso de cima da galeria terrestre, mas ele estava muito distante, mesmo das paredes mais próximas daquele corredor gigante, para dizer se era esse mesmo o caso.

Tinha cheiro de grande, de uma manhã em um salão de igreja onde acontecia uma quermesse, com o ar parecendo uma infusão fraca em que se misturavam os casacos úmidos empapados com o rosa fresco e decadente de doce de coco feito em casa, as páginas cheias de ácaros de velhos anuários de crianças e o toque metálico amargo de carrinhos em miniatura descartados.

Passando os olhos em alguns dos pontos mais próximos, e tendo em mente que até os mais distantes eram aberturas de algumas centenas de metros quadrados, Michael viu que aqui e ali árvores gigantes despontavam de uma ou duas das aberturas retangulares mais distantes. Contou três delas, com uma possível quarta muito distante no diâmetro infinito da galeria, tão distante que poderia ser outra árvore ou, talvez, uma coluna de fumaça. Um par dos brotos folhosos, ramos e galhos muito ampliados, quase alcançava o teto de vidro, muito mais acima. Ele via pombos como ciscos cinza girando e voando em círculos para cima e para baixo e troncos protuberantes de poleiro a poleiro, com seu tamanho não aumentado do mesmo modo que a folhagem, então agora pareciam menos aves e mais joaninhas cinzentas peroladas. Eram tão pequenos, em comparação com a imensa estrutura arbórea na qual pousavam, que alguns se abrigavam confortavelmente nas rugas das cascas de árvore. Seus arrulhos farfalhantes, ecoados e amplificados pela acústica incomum do teto de vidro curvado da galeria, eram audíveis apesar das grandes distâncias envolvidas, um tipo de contracorrente de murmúrios que podia ouvir sob o rumorejo de fundo daquele espaço extraordinário. A presença das árvores, combinada com a imensa escala de tudo ao redor dele, significavam que Michael não sabia dizer se estava em um espaço confinado ou ao ar livre.

Com os olhos levantados para as folhas com tamanho de toalhas de mesa mais acima dos gigantes imensuráveis, Michael achou que poderia arriscar outra olhadela cautelosa para o firmamento improvável além dos ferros curvados e das vidraças de garrafa de Coca-Cola que formavam a cobertura da grande galeria.

Não era tão ruim quanto esperava, mas, uma vez que se olhasse, era muito difícil desviar os olhos. A cor, ou ao menos a cor sobre aquele trecho gigantesco de passagem onde se encontrava, era de um azul-celeste mais profundo e indefinível do que poderia ter imaginado. Mais além naquele poderoso corredor e nos limites do que conseguia ver, o azul majestoso parecia ter pegado fogo, fundindo-se numa fornalha de vermelhos e dourados. Michael olhou por cima do ombro, mirando o corredor formidável do outro lado, e viu que, em seus extremos mais remotos, o céu sem limites, visto pelas vidraças do teto da galeria, estava em chamas. Como no azul mais acima, os matizes mais quentes brilhando à distância pareciam quase fluorescentes em seu fulgor, como os tons irreais que às vezes se via em filmes. No entanto, embora as cores fervilhantes dos céus fossem impressionantes, foram os corpos sobrenaturais que flutuavam pela paisagem que capturaram a atenção de Michael. Eram eles que tornavam quase impossível desviar os olhos.

Não eram nuvens, embora também fossem de tamanhos variados e tivessem os mesmos movimentos graciosos e pacientes. Eram mais, ele pensou, como esboços de nuvens feitos por alguém. Para começar, só se viam as linhas pálidas de grafite prata, e não seus contornos. Além disso, todos os traços eram retos. Era como se algum estudante de geometria muito inteligente tivesse recebido a tarefa de modelar cada dobra e convolução dos cúmulos que pairavam mais acima, de modo que o formato de cada nuvem era construído com um milhão de minúsculas facetas. O efeito era mais como bolas de papel amassadas ao acaso, embora um papel através do qual ele podia ver, discernindo as linhas e ângulos de cada complexidade interna. Isso significava também que as cores flamejantes de fundo eram visíveis entre os esboços intrincados e fantasmagóricos dos diagramas flutuantes.

Além da flutuação gradual delas pela faixa de um quilômetro e meio de azul celestial visível através do teto da galeria, ele notou que as formas também se moviam e se contorciam lentamente sobre si mesmas enquanto avançavam pelo céu, assim como as nuvens reais. Em vez de línguas lânguidas de vapor que se desdobravam, porém, o movimento era, mais uma vez, o de um pergaminho muito amassado conforme era desdobrado aos poucos. Extrusões facetadas subiam e estalavam conforme as pilhas imensas de tempo-esquema se desembalavam, e havia algo na maneira como as linhas e ângulos anteriores se moviam que ele achava fascinante, embora tivesse dificuldade para definir o que era exatamente.

Era um pouco como estar diante de um cubo de papel, mas olhando para ele de lado, sem conseguir ver que era um cubo com faces, e tudo o que se via era um quadrado plano. Então, virando o cubo ou mudando levemente o ponto de vista, toda sua verdadeira profundidade surgia, tornando possível entender que era uma forma sólida, e não apenas um recorte.

Aquilo era assim, só que levado a um patamar acima. Nas mudanças dos emaranhados geométricos que observou, era como se olhasse diretamente para algo que imaginava ser um cubo, mas então foi girado, ou sua posição se alterou de algum modo, revelando-se uma forma muito mais complicada, tão diferente de um cubo quanto os cubos eram diferentes de quadrados planos de papel. Era muito mais cubificado, para começar, com as linhas correndo em pelo menos mais uma direção além das que realmente existiam. Ele ficou apoiado na beira do tanque quadrado atrás de si, com a cabeça jogada para trás para poder ver o espetáculo mais acima e tentar entender aquilo.

Os novos estranhos sólidos desabrochando dentro das crênulas das nuvens-diagrama eram algo que Michael não sabia nomear, embora achasse que tinha uma ideia do jeito que eram construídos. Pensando no cubo de papel imaginado antes, Michael percebeu que se o desdobrasse, teria seis quadrados planos de papel ligados em uma cruz de Jesus. As formas que se arrastavam pela faixa infinita de céu acima, porém, eram mais o que Michael achava que resultaria caso de algum modo fosse possível pegar seis ou mais cubos e juntá-los todos em um enorme supercubo.

Quanto tempo teria ficado paralisado na beira do tanque, boquiaberto com aquela matemática em movimento? Subitamente alarmado, olhou para a planície de madeira de janelas que se estendia diante de si e ficou aliviado ao ver que Phyllis Painter ainda esperava pacientemente a um ou três metros adiante nas tábuas aplainadas que eram o chão da galeria, perto de outro dos buracos incrustados. Lançou para ele um olhar acusatório, assim como as quatro dúzias de olhos de coelhos mortos e brilhantes que decoravam sua estola repulsiva, como projéteis disparados no veludo.

— Se terminou de olhar pasmo pras casonas como se tivesse acabado de chegar de Bugbrook, então podemos seguir andando. Tenho coisa melhor para desperdiçar minha morte do que andar por aí com criancinhas boquiabertas.

Intimidado pelo tom de irritação na voz dela, Michael desceu obedientemente da beirada em torno da antiga sala de estar para as tábuas de pinho aplainadas nas quais ela estava. Caminhou em passos largos até ela, com a faixa do roupão xadrez aberta e pendendo ao lado das pantufas, então a olhou como se esperasse novas instruções. Phyllis suspirou de novo, de modo teatral, e sacudiu a cabeça. Eram modos de adulto em contradição com sua idade, porém era como todas as meninas pequenas dos Boroughs agiam, como bonecas russas sido tiradas de dentro das mães e que eram exatamente iguais, só que menores.

— Bem, então vamos.

Ela se virou com o giro de um mastro de festa enfeitado de peles de coelho e começou a atravessar a largura do corredor titânico, na direção da parede à direita de Michael, com todas as suas sacadas, lojas e prédios empilhados desordenadamente, talvez a uns oitocentos metros. Depois de um momento de hesitação, Michael correu atrás dela e, ao fazer isso, calhou de olhar para dentro do grande tanque quadrado ao lado do qual ela estava, o próximo na fila depois daquele do qual ele tinha emergido.

Era quase perfeitamente idêntico, até nos detalhes da sanca com contas, aumentada e invertida, que formava os degraus dos lados do tanque até o cubo de gelatina afundado que era a peça central. Michael podia até distinguir o caminho de tinta descascada que parecia com a Grã-Bretanha estendida de costas, brincando com a Irlanda como um gatinho deformado com uma bola de lã. Era sua sala de estar de novo, mas, quando espiou nas profundidades do quadro central, Michael descobriu que as joias tinham sido alteradas. A forma-mãe verde que continha sua forma-criança amarela no centro havia agora desaparecido, e somente as lagartas de samambaia estendidas representando a avó e a irmã de Michael ainda permaneciam. O rocambole ametista que era a irmã percorria o chão do cômodo para cima de algum tipo de planalto elevado que Michael achou que devia ser a poltrona de um dos lados da lareira. Ali a coisa se enrolava em um laço estático no qual os brilhos violeta pareciam apagados e letárgicos, como uma roda de catarina desconsolada. Enquanto isso, o animal de vidro maior, mais espinhoso, que era sua avó, iluminada por dentro por luzes de fogueira de outono, espiralava-se para lá e para cá em laços apertados através da porta da cozinha gigantesca. Era como se a irmã estivesse encolhida e chorando na poltrona ao lado da lareira, enquanto a avó ia e vinha da cozinha para a sala para ver se a criança infeliz estava bem. Michael concluiu que aquela era a próxima fatia breve de tempo em continuidade na sala de trás, alguns momentos depois que a mãe, Doreen, saiu correndo pela passagem, carregando nos braços o filho que não percebeu já estar morto. Todas as janelas afundadas naquela fileira sem fim, ele pensou, devem se abrir para o mesmo lugar, mas em diferentes pontos do tempo. Teve vontade de correr pela fila de aberturas e seguir os vislumbres sequenciais de sua sala como se fosse uma história no gibi *Dandy*, mas sua acompanhante, envolta em coisas mortas, já tinha se afastado um tanto, atravessando o corredor interminável, e não seguindo por ele. Reprimindo a curiosidade, Michael se apressou para alcançá-la.

Quando alcançou o passo dela, Phyllis Painter lhe lançou um olhar de soslaio e fungou, como se em reprimenda por Michael ter ficado para trás de novo.

— Sei que é uma maravilhação para você, mas cê ainda tem quatro-sempre para explorar e ver as vistas. Tudo ainda vai estar ali quando cê voltar. A reternindade num vai para lugar nenhum.

Ele captou mais ou menos o que ela quis dizer, mas ainda queria entender o máximo que podia daquele novo território enquanto o percorria. Era algo compreensível, em sua opinião, então decidiu arriscar irritar mais a companheira com cadáveres pendurados no corpo com o que lhe pareciam perguntas totalmente naturais para um menino falecido em sua posição.

— Se as fileiras de comprido foram-serão nossa sala de novo, então o que foram-serão todas essas de través?

Ele fez um gesto, com a mãozinha aparecendo na manga xadrez comprida demais, na direção do tanque emoldurado pelo qual passavam. Em vez de uma beirada de madeira, todos os retângulos encrustados naquela fileira específica pareciam ser ladeados por gesso branco, ao menos por quase três dos quatro lados, com uma cimalha de tijolos azuis com pontas no resto da moldura. A garota apontou com o queixo de modo desinteressado para a área cercada mais perto deles à esquerda, à medida que desciam por uma das avenidas quilométricas que passavam entre os tanques, na direção no amontoado confuso do lado mais próximo da galeria.

— Cê mesmo pode ir ver, desde que não fique perdendo tempo aí.

Ele correu às pressas para a borda levantada do tanque quadrado de nove metros, apenas para convencê-la de que não estava enrolando, e espiou por cima de um lado. Levou alguns segundos para entender o que via, mas por fim compreendeu que era uma vista expandida do andar de cima do número dezessete da St. Andrew's Road, ou da parte dos fundos da casa, pelo menos. Degraus amontoados de argamassa com o que parecia papel de parede substituíam a madeira pintada descascada que emoldurara as elevações da sala, mas apenas em dois lados e um pedaço do perímetro oblongo nivelado. Aquilo acontecia porque a maior parte do espaço aberto emoldurado era tomado por uma grande forma de L feita de quartos, a abertura da escada e parte do patamar da escadaria vistos de cima. A barra vertical do L era formada pelo quarto dele e de Alma, com a parte de cima da escadaria e um pedaço do patamar visíveis de baixo, onde encontravam a linha horizontal, que era o quarto da avó. O lado interno da área mais ou menos quadrada contida dentro da moldura era responsável pelas bordas de papel de parede e gesso que podia ver ao menos em dois dos lados, enquanto o restante era tomado por uma vista do nível das calhas até a parte mais alta do quintal. Ocorreu a Michael que a cimalha azul ardósia beirando o canto mais alto à direita do tanque eram uma versão expandida das pedras que encimavam o muro do quintal.

Nenhuma das joias rebuscadas, rastejantes, que Michael sabia serem sua família estava aparente na cena mais abaixo, nem no andar de cima, nos quartos vazios, nem no quintal. O menino ainda podia, porém, distinguir a cadeira de madeira em que ele e a mãe estiveram sentados antes que sufocasse. Aquilo devia ser, pensou, poucos momentos depois que todos correram para dentro, saindo do quintal e deixando a cadeira para trás. Toda a atividade humana acontecia na cozinha e na sala, a cena que tinha acabado de ver, com a irmã sentada chorando e a avó de olho nela, então os dois quartos estavam vazios. A única coisa viva que tremeluzia no cenário cristalizado era uma incrível coluna iridescente que parecia ser feita de leques lindamente trabalhados. Aquilo parecia afundar no molho do tempo clarificado de um ponto perto do beiral do telhado, e então descrever uma trajetória de uma elegância impressionante para as profundezas do quintal. Ocorreu-lhe que provavelmente era um pombo, com as asas em movimento transformando-o em um refinado ornamento com barbatanas de vidro.

Consciente de que, se não tomasse cuidado, ia começar a enrolar, Michael deu as costas para natureza morta encantadora, ainda que com relutância, e se apressou para se juntar novamente à menininha. O problema com aquele lugar, pelo menos para Michael, era que não havia nada que não o fascinasse. Os menores detalhes pareciam convidá-lo a um olhar transfixado por horas. Ora, provavelmente até as tábuas de pinho simples sobre as quais andava, se olhasse bem para elas, iriam...

... iriam envolvê-lo em um universo de grãos em mapas de marés correntes, com estriamentos quase invisíveis ondulando do olho vórtice do buraco de nó em uma plumagem de pavão, com o pulso congelado de um campo magnético. Os âmagos entalhados de furacões, reverberando para fora em linhas concêntricas de força vegetal; os rostos acidentais de babuínos loucos, decompostos, rosnando presos na madeira; manchas de trilobitas com pernas que se arrastavam em isotermas. O aroma doce e paternal de serragem o sobrepujaria com sua atmosfera de trabalho honesto, o mergulharia em histórias longas e silenciosas de florestas encharcadas e tempo medido em musgo, se ele simplesmente olhasse além de suas pantufas tropeçantes e...

Michael despertou e se apressou em se emparelhar com Phyllis Painter, que não tinha parado de andar enquanto ele inspecionava a nova abertura. Era óbvio que ela havia deixado de ser complacente com os atrasos do menino. Seguiram pela avenida de madeira entre os tanques, na direção da parede lateral da grande galeria que ficava gradualmente maior diante deles, uma pilha desordenada de prédios descombinados, mais alta que uma cidade. Ele se perguntou que novos formatos incompreensíveis as nuvens de papel faziam além do teto transparente mais acima, mas prudentemente decidiu que não olharia. Em vez disso, achou melhor se concentrar em sua guia de passeio maltrapilha antes que ela perdesse totalmente o interesse nele. Com esse objetivo em mente, ele a bombardeou de novas perguntas.

— Isso que vemos aqui foi-será toda Northampton, aberta para que os homens do Andar de Cima olhem lá embaixo?

Ela lançou para ele um olhar de canto de olho e de inegável condescendência, deixando claro que o considerava um idiota.

— Claro que não. Isso foi-será só os Sótãos do Alento acima do seu pedaço da Andrew's Road. Na direção em que vamos agora, as portas do sótão se abrem para diferentes cômodos e andares e sei lá mais o que das casas na sua rua. A linha em que andamos agora são todos os lugares diferentes em uma fileira, então segue por um quilômetro e meio ou mais, mas não para sempre. Agora, o outro lado, no sentido do corredor...

Ela apontou o braço esquerdo magrelo para o comprimento imensurável do corredor vasto, onde os tanques de nove metros eram pontos próximos sob a luz sangrenta e dourada que atravessava o teto de vidro acima.

— Essa foi-será a direção que aqui em cima chamamos de permanência, ou quandura, de uma coisa, e *essa* segue para sempre. Quer dizer, se esse caminho que pegamos agora foram-serão todos os cômodos diferentes em seu pedaço da Andrew's Road, esse outro caminho, da permanência, foram-serão todos os momentos diferentes daqueles cômodos. É por isso que o céu em cima daquele pedaço que estamos agora fica sempre azul, porque foi-será a metade de um dia de verão. O pedaço do outro lado onde tudo foi-será cobre e fogos de artifício, ali fica o pôr do sol e, se cê seguir adiante, tem um pedaço onde foi-será tudo roxo e então preto, e aí cê tem a manhã de amanhã explodindo feito uma bomba, tudo vermelho e dourado de novo. Se cê se perder, então basta lembrar: pro oeste fica o futuro, pro leste fica o passado, todas as coisas permanecem, todas as coisas duram. Ah, e toma cuidado se for para os vinte e cinco, porque tão inundados.

Ela pareceu achar aquilo uma resposta suficiente à pergunta, e seguiram lado a lado pelas tábuas flexíveis sem conversar por um tempo, até que ele pensasse em outra coisa que pudesse questionar. Sentiu que não era uma pergunta tão boa quanto a anterior, mas a fez de qualquer jeito, pois achava que os lapsos na conversa lhe davam tempo para pensar no que havia acabado de acontecer, seu novo status como criança morta, e aquilo só o assustava.

— Como nossos quartos e o andar de baixo estavam tudo no mesmo piso daqui em cima?

Ele estava certo. Era mesmo uma pergunta idiota. Phyllis revirou os olhos e estalou a língua, sem se dar ao trabalho de disfarçar a exaustão e a irritação na voz ao responder.

— Bem, como cê acha? Se cê faz uma planta para um porão que foi desenhada no mesmo pedaço de papel que a planta para um sótão, cê ia pensar que era esquisito, que estavam na mesma folha, no mesmo nível um do outro? Claro que não. Usa o diacho da cabeça.

Repreendido, mas não esclarecido, Michael se arrastou em silêncio ao lado da menina um pouco mais velha, um pouco mais alta, correndo por alguns passos de vez em quando para compensar a diferença entre suas passadas. Uma olhada para o recesso emoldurado em madeira pelo qual passavam à direita revelou a visão de uma sala de estar desconhecida, com móveis diferentes dos da casa número dezessete, e com as portas e janelas do outro lado, como um reflexo no espelho. Estendidos pelas profundezas do cômodo aumentado havia mais tentáculos vítreos de Górgona com luzes dentro, mas com cores diferentes — vermelhos escuros e castanhos ardentes —, claramente de uma paleta bem distinta daquela da família de Michael. Talvez fossem os lares dos May ou talvez dos Goodman, mais adiante na fileira de casas?

Ele foi andando com Phyllis Painter, pensando por um breve momento na noção não-totalmente-desagradável de que se alguém os visse juntos em uma caminhada daquele jeito, então poderiam tomar Phyllis por sua namorada. Como uma criança de três anos, nunca havia experimentado aquele estado invejável, e o pensamento colocou uma bela ginga no andar de Michael por algumas passadas, até que ele se recordou de que estava usando pantufas, um roupão largo e seu pijama. O pijama, aliás, poderia ter uma manchinha amarela de xixi perto da braguilha, embora não fosse checar e chamar atenção para o fato. Alguém que os visse provavelmente acharia que Phyllis era sua jovem babá, e não namorada. De qualquer forma, estavam ambos mortos, o que tornava toda a ideia de ser o namorado de alguém menos romântica e sedutora.

Mais adiante, a pilha diversificada de paredes, escadas, sacadas e janelas estava muito mais próxima e maior do que da última vez em que havia olhado. Michael via pessoas se movendo nas saídas de emergência e passagens mais altas, embora ele e Phyllis ainda estivessem muito longe para distingui-las em detalhes. Aquilo provavelmente era bom, pensou, já que algumas das figuras desfilando não pareciam muito normais, e tinham ou o tamanho errado ou a forma errada. Ele se deu conta de que o lugar onde se encontrava não era nada como o que esperava depois da morte. Não era como o Céu que os pais um dia lhe descreveram vagamente, com degraus de mármore e pilares brancos altos como as propagandas da Pearl & Dean nos cinemas. Tampouco era o Inferno sobre o qual havia sido alertado, não que estivesse esperando ser mandado para lá. A mãe lhe tinha dito que ele não iria para o Inferno, a não ser por algo realmente ruim, como assassinato, e lhe pareceu uma possibilidade factível, imaginar que poderia atravessar a vida toda sem matar ninguém. Felizmente tinha morrido aos três anos e não precisou se arriscar por muito tempo. Se tivesse vivido até ficar mais velho, poderia ter assassinado Alma assim que tivesse forças. Então estaria queimando no tipo especial de fogo que a mãe descreveu vagamente como algo que nunca matava ou derretia a pessoa até sumir, mesmo sendo mais quente do que se poderia imaginar.

Levando tudo em conta, estava feliz por não estar no Inferno, ainda que isso não ajudasse a descobrir que lugar era aquele. Achou que já tinha se passado um tempo suficiente desde sua última pergunta hesitante para poder tentar outra.

— No Andar de Cima tem uma religadura? Tem portões do tipo o da Pearl & Dean, ou deuses de toga com tabuleiros de xadrez e poças para espiar, como nos filmes?

Embora os olhos dela não tivessem se acendido com a retomada das interrogações, ao menos essa pergunta não pareceu deixá-la mais irritada.

— Todas as religaturas estão certas em parte, o que significa que nenhuma delas está, porque todas acharam que só elas sabiam o que era-será o quê. Não faz diferença, de qualquer jeito, no que cê acreditava quanto tava lá no andar de baixo, apesar de ser bom para você acreditar em alguma coisa. Ninguém aqui em cima dá muita bola para o que era-será. Ninguém vai te obrigar a falar a senha, e ninguém vai te expulsar porque cê não se juntou com o grupo certo lá no andar de baixo. A única coisa que importa mesmo era-será se você era-será feliz.

Michael pensou nisso enquanto caminhava ao lado dela pela fileira de portas no chão. Se a menina estivesse certa e tudo o que importava na vida era a felicidade, então tinha se saído relativamente bem, desfrutando de três anos em que mal conseguiu parar de rir. Mas e se as pessoas tinham sido felizes fazendo coisas que eram desagradáveis, horríveis até? Existiam pessoas assim no mundo, ele sabia, e imaginou se os mesmos critérios se aplicavam a elas também. E quanto às que, sem ter culpa, eram infelizes a vida inteira? Aquilo seria usado contra elas ali, como se já não tivessem passado por poucas e boas? Michael não achava que parecia justo, e estava a ponto de se arriscar pedindo a Phyllis para explicar quando um movimento em uma das sacadas elevadas das quais se aproximavam atraiu seu olhar.

A dupla havia quase chegado ao lado mais próximo da galeria cavernosa, e portanto estavam perto o suficiente para que Michael notasse as várias pessoas indo e vindo em seus níveis em mais detalhes. Na plataforma que chamou sua atenção, uma passagem gradeada dois ou três andares acima, dois homens adultos estavam de pé, conversando. Ambos pareciam muito altos para Michael, e ele achou que eram bem velhos, com trinta ou quarenta anos. Mas um deles tinha suíças e o outro, cabelos brancos, então não dava para saber direito suas idades.

O homem barbeado de cabelos brancos estava vestido com uma camisola comprida e parecia ter acabado de sair de uma luta. Um dos olhos estava fechado e escurecido, e um pouco de sangue de um lábio partido manchava a túnica, que, a não ser por isso, estava impecável. O rosto dele era assustador de tão furioso, e ele apertava a grade de madeira com uma mão — na outra, segurava um longo cajado — como se tivesse saído para a varanda para se acalmar, embora não parecesse que o companheiro de suíças ao seu lado estivesse ajudando muito. Essa segunda pessoa, vestida com um grande arbusto de trapos verde-escuros, parecia ter ataques de riso com os apuros do primeiro sujeito. Com a barba bifurcada e uma massa de cachos castanhos sob o chapéu de couro de abas largas, parecia cutucar o homem de túnica branca nas costelas e dar tapinhas nas costas dele, e nenhuma das coisas parecia servir para aliviar o mau humor do colega de olho roxo.

Bem naquele momento uma brisa deve ter soprado pela passagem, com a confusão de trapos verdes do homem de barba voando de modo desenfreado como consequência. Michael ficou pasmo ao descobrir que cada pedaço voando era forrado por baixo com uma seda vermelha brilhante. Conforme o vento agitava os farrapos da figura risonha, os forros revoavam para cima, ondeando soltos, e o efeito era como o de um arbusto verde que súbita e espontaneamente pegava fogo. Era de se espantar, pensou Michael, que o chapéu de couro do homem não tivesse voado também. Provavelmente estava preso com um barbante amarrado debaixo do queixo barbado, como faziam os padres espanhóis.

Michael percebeu que corria o risco de se perder mais uma vez nos meandros daquele lugar, e baixou o olhar dos ninhos de corvo lá em cima de volta para Phyllis Painter. Ela agora estava um bom pedaço na frente dele, e Michael sentiu uma pontada de pânico ao correr para alcançá-la. Sabia que, se a perdesse de vista, seria como nos sonhos, em que jamais conseguia achar as pessoas que havia prometido encontrar.

Ele a alcançou bem quando ela chegava ao final de uma longa passarela, com a última fileira de tanques distanciando-se de cada lado. Uma olhada rápida em um deles revelou outra vista aérea de um quintal que não era o seu, apesar de algumas similaridades aparentes. Já que estava bem no fim de uma fileira de mais de um quilômetro e meio, ele se perguntou se poderia ser o jardim da casa da esquina, onde a St. Andrew's Road passava pelo início da Scarletwell Street. Michael não tinha tempo para pensar nessa ideia, porque Phyllis já saía da grade infinita de aberturas para onde o chão de tábuas terminava, de um modo um tanto surpreendente, em uma sarjeta feita de tijolos cinza gastos e depois uma faixa larga de calçamento de pedras envelhecidas e fraturadas, exatamente como as da St. Andrew's Road.

Do outro lado do calçamento de pedras, de frente para Michael e a menininha com o pescoço cheio de coelhos, o nível mais baixo da parede divisória da galeria-monstro os confrontava, uma fileira comprida formada de construções de tijolo que não combinavam e claramente não tinham sido feitas para ficarem lado a lado. Duas ou três pareciam casas da rua dele, mas mudadas, como se tivessem sido recordadas incorretamente, uma com a porta da frente na metade da altura da parede, no primeiro andar, com quase vinte degraus de pedra até lá, em vez dos três de costume. Outra tinha a entrada de terra ladeada de urtigas de um buraco de coelho onde estaria o intervalo entre os tijolos para o raspador de barro, no nível da calçada, ao lado dos degraus da entrada. Entre aquelas fachadas assombrosamente familiares, porém distorcidas, havia outras construções quase reconhecíveis, embora os lugares que faziam Michael recordar não ficassem na St. Andrew's Road. Uma delas tinha uma grande semelhança com a casa do zelador da escola no alto da Spring Lane, com grades de ferro preto fechando uma janela do andar de baixo, instalada com um recuo de uns trinta centímetros da rua. Ao lado, havia uma parte do muro da escola que cercava a entrada em arco sempre fechada, que dava no parquinho das crianças.

Em meio a essa seleção estranha de locações, que ao menos eram todas do mesmo bairro, havia uma porta com painel de vidro e uma vitrine ao lado que Michael considerou que combinava mais com o centro da cidade. Mais precisamente, na Galeria Emporium da vida real, a inclinação mal iluminada que subia dos portões chiques trabalhados em ferro na Market Square. A loja para a qual olhava, aninhada incompativelmente entre as casas deslocadas, era quase uma duplicata perfeita da Loja de Passatempos, Curiosidades e Brinquedos Chasterlaine's, no lado direito da rampa da galeria para quem subia. A vitrine larga com o nome da loja em letras antigas douradas mais acima, como ele via agora, era maior do que deveria, e as palavras na placa pareciam se contorcer em uma ordem diferente enquanto olhava, mas era definitivamente a Chasterlaine's, ou ao menos algo parecido. "Realist Chanes" parecia ser o nome da loja no momento, mas quando olhou de novo deu a impressão de ser "Hail's Ancester". Desde quando ele sabia ler, aliás? De qualquer forma, Michael estava tão surpreso com a loja conhecida em um lugar tão desconhecido que pensou em perguntar a respeito à menina enquanto caminhavam pelos últimos metros do chão de tábuas até o limite da imensa passagem.

— Estamos na Galeria Euphorium, tipo, no mercado? Aquele lugar parece a Loja de Mata-tempos.

Phyllis espremeu os olhos na direção vaga que a manga larga do roupão de Michael apontava.

— Como assim, cê quer dizer The Snail Races?

Michael olhou de novo para a loja em questão e descobriu que de fato "The Snail Races" era o nome sob o qual o estabelecimento funcionava naquele instante. Ele e Phyllis subiam na sarjeta que ladeava os Sótãos do Alento, como ela se referira ao imenso corredor, o que deixou Michael perto o suficiente para ver a mercadoria em exposição sob a iluminação de bulbos de 40 watts da vitrine. O que havia tomado por carrinhos Matchbox em um pódio das caixas de papelão vermelhas e amarelas nos quais vinham embalados, como teriam sido expostos na verdadeira Chasterlaine's, eram réplicas pintadas de lesmas em tamanho real. Cada uma ficava em sua caixinha individual, assim como os carros e caminhões de brinquedo, mas agora as embalagens mostravam uma imagem do modelo específico de lesma que continham. As reproduções de moluscos ostentavam conchas customizadas ou pintadas no estilo dos carrinhos Matchbox de verdade que tinha visto, então uma era azul-marinho com "Pickford's" em letras brancas, enquanto outra tinha a lesma em si em vermelho hidrante, com uma mangueira de bombeiros minúscula enrolada nas costas, onde a concha em espiral normalmente estaria. Olhando de novo para o letreiro acima da vitrine, Michael viu que ainda dizia "The Snail Races", então talvez estivesse errado sobre a mudança nas letras. Provavelmente era o que a placa dizia durante todo o tempo. De qualquer forma, aquilo não fazia diferença para sua questão principal, que era a de que o lugar parecia a caverna de curiosidades de Aladim da Chasterlaine's, na Galeria Emporium. Michael se virou para Phyllis Painter — estavam andando na faixa larga de calçamento rachado agora — e, teimoso, refez sua afirmação.

— Isso, The Snail Races. Parece a lós-já na galeria no mercado. Era-será onde estamos?

Soltando um suspiro profundo que soou falso e forçado, Phyllis parou de andar e deu o que seu tom de voz deixou claro que seria sua explicação final.

— Não. Cê sabe que não. A galeria que cê fala fica no Andar de Baixo. Por mais que for-fosse legal, era-será só uma planta baixa comparada com essa.

Phyllis fez um gesto para o plano de janelas no chão que se estendia atrás deles e o teto de vidro lá no alto, sobre o qual nuvens de origami se desdobravam de modo desconcertante contra um campo de azul iridescente perfeito.

— Na verdade, todo o Andar de Ba'xo era-será uma planta baixa do Andar de Cima. Agora, essa galeria que temos aqui em cima, nos Sótãos do Alento, aquilo era-será feito da mesma coisa que esses Prédios Velhos para onde estamos indo.

Ela girou o braço fino como um graveto, fazendo seu colar-troféu balançar repulsivamente, e indicou a longa e confusa fileira de casas do outro lado do calçamento cheio de fissuras.

— Isso tudo foi-será feito dos sonhos das pessoas, que se juntaram. Todas as pessoas que viviam por ali no Andar de Ba'xo, ou todos os que passaram por ali, todos sonhan'o com as mesmas ruas, os mesmos prédios. E todos sonham os lugares um pouco diferente, e cada sonho que eles têm deixa um tipo de resíduo aqui em cima, um tipo de espuma que forma uma crosta de sonho, tudo feito de casas, lojas e avenidas que as pessoas lembraram errado. É como quando todos os camarões mortos se juntam até virar recife de corais e tal. Se cê topar com alguém aqui que parece hipnotizado, andan'o por aí só de roupa de baixo ou de dormir, pode apostar que é alguém que tá dormin'o e sonhan'o.

A essa altura, ela parou e olhou com consideração para Michael, de pijama, roupão e pantufas.

— Se bem que eu podia dizer a mesma coisa d'ocê, mas acabei de ver cê morrer engasgado.

Ah. Aquilo. Ele tinha quase tirado todo aquele negócio desagradável da cabeça, e sinceramente desejou que Phyllis não fosse tão direta sobre o fato de que havia falecido pouco tempo antes. Era um tanto deprimente e ainda o assustava. Ignorando seu estremecimento aborrecido, Phyllis Painter seguiu com seu monólogo mórbido.

— Quer dizer, se cê estivesse morto, então eu acharia que cê ia usar as roupas prediletas que lembrasse. A não ser que seu pijama era-será sua roupa preferida, seu putinho preguiçoso.

Ele ficou chocado. Não pela implicação de que era preguiçoso — de fato, o pijama era sua roupa favorita —, mas pelo fato de que ela havia praguejado no Céu, onde não imaginava que isso fosse permitido. Phyllis continuou, alegremente despreocupada.

— Mas aí, se cê estivesse morto, por que não veio ninguém aqui para te puxar e te ajeitar, a não ser eu? Não, cê é tipo um indigentezinho, isso sim. Tem alguma coisa em você que não tá certa. Vamos. Melhor te levar para as Obras e deixar os construtores darem uma olhada em você. Vamos logo, e não vá se aborbalhar com todo esse cenário de sonho.

Aborbalhar. Era o mesmo jeito que a mãe de Michael pronunciava a letra "o" em abobalhar, hoje, total ou qualquer palavra remotamente parecida. "Não vá se aborbalhar". "Teve geada horje". "Quanto isso tudo vai me custar no tortal?". Não só sua acompanhante definitivamente era dos Boroughs, como deveria ser da baixada, perto de St. Andrew's Road.

Ele nunca tinha ouvido falar de ninguém com o sobrenome Painter por ali onde morava, a não ser que Phyllis tivesse vivido muito antes do seu tempo, claro. No entanto, Michael não teve um respiro para refletir a respeito. Cumprindo sua palavra, Phyllis Painter já saltitava pelo calçamento com limo brotando nas rachaduras, sem olhar para trás para ver se ele a seguia. Ele seguiu diligentemente atrás, mas sem correr, porque tinha medo de perder as pantufas.

Conforme pisoteava desajeitadamente as pedras, ele viu que havia aberturas para dentro da fileira de casas na extremidade mais distante da calçada, passagens que imaginava levarem ainda mais para dentro da montoeira confusa da arquitetura onírica. Sua companheira, com a estola de coelho de cabeça de hidra esvoaçando em torno de si, estava a ponto de desaparecer em uma dessas aberturas, uma viela que saía das fachadas das casas entre o lugar com a porta da frente na metade da parede e a fachada reconfigurada da Loja de Passatempos. Tendo como guia o estandarte rosa e azul-marinho flutuando mais adiante, Michael apertou o passo para alcançá-la.

A viela, quando chegou lá, era exatamente como a passagem estreita que ligava a Spring Lane à Scarletwell Street, por trás da fileira de casas geminadas de Michael. Também era de paralelepípedos, ladeada de mato, e ele até podia ver o teto cinza do estábulo com as telhas faltando no quintal da casa ao lado, o lugar em que Doug McGeary guardava sua carreta, mas visto de trás. A grande diferença era que, à direita, onde deveriam estar a cerca de arame e a sebe no fundo da área de lazer da Escola Spring Lane, agora havia toda uma fileira de casas com portões de trinco e os muros dos quintais com as janelas traseiras das construções de tijolo vermelho que se erguiam mais atrás. "Scarletwell Terrace" surgiu em sua mente, mas logo sumiu de novo. Phyllis Painter estava agora a alguma distância mais adiante na viela transformada e não dava sinais de afrouxar o passo ou se importar muito se ele ficasse para trás. Ele continuou a segui-los sobre os paralelepípedos da passagem que, na vida real ou em sonhos, sempre o deixava apreensivo.

Um corredor de muros pretos de trás o envelopava, os que ficavam à direita de Michael totalmente desconhecidos, e até os à esquerda muito alterados em relação a seus equivalentes atrás da Andrew's Road. Ele se arriscou a olhar para o céu acima da viela e descobriu que não tinha mais o azul sobrenatural de cartão-postal que admirou através do teto de vidro da galeria, nem havia nuvens de geometria rarefeita se desamassando enquanto deslizavam por ele. Em vez disso, era um pedaço do cinza desolador do céu dos Boroughs, confirmando a previsão pessimista de sempre. Michael ficou alarmado ao perceber como aquela mudança de cor tinha alterado todo o ambiente de sua experiência. Em vez de alguém em uma aventura estonteante, sentia-se órfão e destituído, patético e sozinho como uma criança perdida de pijama depois da hora de dormir, andando por uma viela dos fundos desolada e com ameaça de garoa. Só que aquilo era bem pior do que estar perdido. Ele já estava morto.

Preocupado, Michael baixou os olhos dos céus sombrios visíveis entre pontos de chuva e as chaminés e descobriu, para seu horror, que perdeu tempo enrolando. A menininha agora estava mais à frente dele na viela do que antes, reduzida pela distância ao tamanho que tinha quando a viu apenas como uma fada no canto, o que agora parecia ter sido várias horas antes. Ele se tranquilizou pensando que, se corresse mais depressa e conseguisse não desviar os olhos dela de novo, inevitavelmente a alcançaria.

Correr com o olhar fixo bem adiante, no entanto, significava que Michael não olhava direito por onde ia. Prendeu a ponta xadrez da pantufa em um buraco imprevisto de um paralelepípedo solto e caiu abruptamente sobre as mãos e os joelhos. Embora sentisse as pedras arredondadas duras e sólidas através do material fino do pijama, Michael ficou agradavelmente surpreso ao descobrir que a queda na verdade não o machucou. Tinha ficado assustado, e um pouco chateado, mas não sentiu dor, nem havia ferimentos que pudesse ver. Um joelho da calça listrada estava um tanto molhado e sujo, mas o tecido não havia rasgado e, levando tudo em conta, não achou que tinha se dado tão mal.

Phyllis Painter, porém, havia desaparecido.

Mesmo antes de levantar os olhos para ver a viela vazia a não ser por sua presença, Michael soube que ela não estaria lá, com um certo fatalismo que só havia sentido antes em pesadelos, naqueles sonhos em que a coisa mais temida é a que você sabe que vai acontecer.

Em torno dele havia os tijolos do beco, desgastados e cobertos de fuligem. O que estava à direita de Michael parecia ser o muro traseiro de uma fábrica ou galpão interrompendo a longa fila de quintais enfeitados com varais. Seriam "as Obras" que a garota tinha mencionado como destino dos dois? Era possível ver um alambrado através da poeira grossa das janelas altas, isoladas do estabelecimento, e uma roda de polia enferrujada presa ao lado da plataforma de madeira com portões do que Michael achou que fosse um local de carga e descarga. A viela vazia se estendia mais adiante, com uma distância muito maior do que a que lembrava ter sua equivalente mortal, e Michael não achou que Phyllis Painter a teria percorrido até o fim antes que ele levantasse os olhos, mesmo levando em conta seu tropeção desajeitado. Parecia muito mais provável que tivesse saído da passagem lúgubre para dentro de alguma porta ou portão nos fundos da fábrica do lado direito.

Tendo em mente essa noção esperançosa, ele avançou um pouco mais pela viela, como um leito de córrego coberto de paralelepípedos sob a luz cinza nublada, até chegar ao ponto em que a garota estava quando a viu pela última vez. Entre as pedras rombudas do chão da viela, brotava grama cor de sálvia, e aqui e ali havia os mesmos restos de lixo que teria esperado ver normalmente: uma guimba de cigarro sem filtro, uma tampa de garrafa de cerveja afundada no meio por um abridor, algumas lascas de caco de vidro. A tampa de garrafa tinha "Mask-Mask" impressa onde deveria estar o nome da cervejaria, e os fragmentos de vidro, inspecionados mais de perto, pareciam cacos de bolhas de sabão estilhaçadas, mas Michael teimosamente se recusou a prestar atenção nessas coisas. Foi prosseguindo devagar, procurando uma abertura no muro, uma porta ou brecha pela qual Phyllis pudesse ter sumido, e por fim encontrou uma.

Nos fundos da fábrica ou galpão havia uma escadaria coberta, de pedra velha e gasta, que saía de trás de um portão de ferro gradeado que estava meio aberto para a viela deserta. O estranho arranjo parecia conhecido, e Michael se lembrou de uma escadaria com portão que tinha visto uma vez em Marefair, do lado oposto da igreja de St. Peter. Ele perguntou à mãe sobre aquilo, e ela se recordou com um estremecimento que, durante a infância, Doreen e a melhor amiga, Kelly May, tinham subido a velha escadaria de pedras como um desafio, apenas para descobrir um cômodo elevado deserto, a não ser por folhas mortas e "um grande ninho de tesourinhas". Michael não gostava de tesourinhas, já que a irmã uma vez lhe contou que elas entravam pelo ouvido das pessoas e iam devorando o cérebro até chegar à luminosidade rosa da luz do dia filtrada pelo outro tímpano. Alma havia criado efeitos sonoros para ilustrar o que ele ouviria durante a semana ou o tempo que levaria para que o inseto determinado fizesse um túnel pela sua cabeça infantil desgrenhada: "Come, come, come... arrasta, arrasta, arrasta... come, come, come... arrasta, arrasta, arrasta".

Por outro lado, aquela escadaria assustadora parecia sua melhor chance de alcançar Phyllis Painter, que, apesar de não lhe agradar muito, era a única pessoa naquele paraíso decrépito cujo nome Michael conhecia. Se não conseguisse encontrá-la, estaria perdido, *além* de morto. Com isso em mente, reuniu toda sua determinação e abriu o portão de ferro um pouco mais, para poder entrar. A grade que apertou era áspera e abrasiva ao toque, com uma espécie de ardência suave em sua textura. Abrindo a mão, viu que uma mancha de ferrugem na palma. Tinha cheiro de chá fervido.

Encolhendo a barriga para não sujar o pijama de ferrugem e lama, deslizou pelo espaço aberto entre o portão e a estrutura de tijolos. Assim que Michael entrou, fechou o portão atrás de si sem saber realmente por quê. Talvez fosse para encobrir o fato de que estava invadindo um local, ou só o fizesse sentir-se mais seguro sabendo que nada poderia subir sorrateiramente a escada atrás dele sem que ouvisse o portão se abrindo mais abaixo. Ele se virou e espiou, inseguro, para a escuridão que começava apenas seis degraus acima. Em circunstâncias normais, imaginava que sua respiração estaria trêmula e irregular, e a pulsação, disparada, mas Michael logo percebeu que seu coração não fazia nada, e que apenas respirava quando se lembrava de fazer isso, mais por hábito do que por necessidade. Ao menos não sentia dor de garganta, pensou consigo mesmo para se consolar, enquanto começava a subir as escadas. Aquilo estava realmente o deixando perturbado.

Vinha subindo no escuro fazia alguns minutos quando lhe ocorreu que sua incursão escada acima tinha sido uma ideia desastrosa. Seus pés calçados em pantufas esmagavam, a cada degrau, detritos que sentia serem folhas mortas e quebradiças, mas que bem poderiam ser montes pretos de cascas de tesourinhas. Para piorar as coisas, a escadaria que esperava ser reta na verdade era em espiral, forçando Michael a seguir mais lentamente na escuridão, com a mão esquerda pousada na parede do torreão e seguindo seu contorno conforme prosseguia aos tropeços, sem se apoiar com muita força, para o caso de haver lesmas e outros bichos rastejantes nos quais não queria enfiar os dedos sem querer.

Torcendo para chegar logo ao topo, Michael continuou a subida além do ponto em que a ideia de dar meia-volta e descer se tornou insuportável. Cinco minutos mais de rangidos pela escuridão, porém, o convenceram de que não havia um topo, que ele não veria mais Phyllis Painter e que aquilo era como estava condenado a passar a Eternidade, sozinho e subindo por um blecaute infinito com a possibilidade da aparição de tesourinhas. Come, come. Arrasta, arrasta, arrasta. O que tinha feito, em seus três anos, para merecer uma punição como aquela? Foi quando ele e Alma mataram aquelas formigas? Um assassinato de formigas pesava contra você no além? Agora preocupado, seguiu em seu processo vacilante de subida, sem ideia do que mais fazer. Seu único outro plano era começar a chorar, mas pensou em deixar isso para depois, quando as coisas se tornassem desesperadoras.

No fim, isso aconteceu mais ou menos nove degraus depois. Michael sentia falta da mãe, da avó, do pai. Até da irmã. Sentia falta do número 17 da St. Andrew's Road. Sentia falta da sua vida. Tentava decidir em qual degrau deveria se sentar aos prantos até o fim dos tempos quando notou que o breu mais acima parecia ter uma qualidade acinzentada. Poderia ser, porém, por que seus olhos estavam gradualmente se ajustando à escuridão, ou significar que havia luz um pouco acima. Encorajado, retomou a subida e ficou aliviadíssimo ao descobrir que as formas crocantes que vinha esmagando não eram folhas nem tesourinhas. Eram as embalagens de papel encerado das pastilhas para tosse individuais, centenas delas, cobrindo os degraus. Cada um tinha a palavra "Tunes" em letras pequenas, cor de cereja, repetida várias vezes em cada pedacinho.

Após uma curva final, viu uma abertura em forma de porta por onde a luz fraca da manhã entrava, a apenas alguns degraus acima. Com as flores de um rosa medicinal dos embrulhos de pastilha para garganta flutuando em torno dos pés, ele saiu correndo acima desses últimos degraus, ansioso por estar em um piso nivelado e capaz de ver de novo para onde ia.

Era um longo corredor interior, pintado de verde-claro até a metade das paredes altas, com tábuas manchadas e envernizadas como piso. Era o tipo de corredor que Michael esperava ver em uma escola ou hospital, só que com um pé-direito enorme, fazendo até um adulto se sentir do tamanho de uma criança. Dos dois lados, o corredor tinha janelas que deixavam entrar a luz pálida do dia, embora fossem altas demais para que ele pudesse enxergar através delas. As que estavam do lado direito, se olhasse por elas, revelavam apenas o mesmo céu pardo de chumbo que tinha visto do lado de fora sobre a viela. A fileira de janelas à esquerda, por outro lado, parecia dar em uma espécie de sala de aula. Em suma, um lugar coberto, do qual Michael apenas podia vislumbrar as vigas e tábuas que formavam o telhado pontudo. O corredor estava vazio, a não ser por dois ou três grandes radiadores de metal, pintados do mesmo verde-escuro das caixas de passagem elétricas, espaçadas pela extensão daquele ambiente silencioso. Havia um cheiro enfumaçado e pungente de borracha e um odor de tinta em pó, como farinha tóxica. Fosse o que fosse aquele lugar, não parecia ser a fábrica ou galpão que havia imaginado quando estava do lado de fora, mas, depois dos giros e curvas da escadaria sem luz, Michael não tinha mais nem certeza de que estava ainda no mesmo prédio. A única coisa que sabia de verdade era que não havia nem sinal de Phyllis Painter.

Provavelmente a melhor coisa que poderia ter feito era descer os degraus sem luz de volta para a viela, para ver se conseguia encontrá-la, mas Michael descobriu que não conseguia enfrentar a perspectiva de outra confusa peripécia na escuridão, ainda mais considerando que descer representava um risco maior de tropeçar e cair. Não havia nada a fazer a não ser continuar adiante, pelo corredor silencioso e com aroma de equipamento-para-consertar-pneus até o final.

No caminho, pensou em assoviar para manter o astral elevado, mas se deu conta de que ainda não tinha aprendido nenhuma música. Além disso, não sabia assoviar. Como uma outra maneira de interromper o silêncio opressor, arrastava as unhas pelas barras robustas dos radiadores quando passava por eles. Gelados ao toque, indicavam que o sistema de aquecimento do qual faziam parte tinha sido desligado para o verão. Além disso, para sua surpresa, Michael descobriu que cada haste oca de metal tinha sido afinada de algum jeito para produzir uma determinada nota. Cada radiador era equipado com sete barras e, quando ele passou os dedos pela primeira fileira de canos, elas tocaram a abertura de "Brilha, Brilha, Estrelinha", uma das poucas melodias conhecidas em sua limitada experiência com música. Intrigado e seduzido, correu até o radiador seguinte, mais adiante no corredor, que estava afinado para tocar a parte "Quero ver você brilhar" quando ele o roçou.

Na hora em que chegou ao "Lá no céu pequenininha", Michael estava no fim do corredor, que virava totalmente para a esquerda. Cauteloso e furtivo como um batedor indígena, se esgueirou pelo canto da parede e viu apenas outro trecho de patamar vazio, sem nada que o diferenciasse do primeiro. Tinha as mesmas tábuas de madeira no chão e as mesmas paredes, verde-claras na parte de baixo, brancas como gesso acima. A fileira de janelas altas à direita deixava entrever um céu de lã melancólico, enquanto as da esquerda davam para as vigas da ala ou sala de aula que ele não tinha altura para enxergar. Pelo lado positivo, porém, havia mais três radiadores, e aquele pedaço de corredor parecia terminar não com outra volta, mas em uma porta de madeira branca, fechada, mas, com um pouco de sorte, não trancada.

O primeiro dos três radiadores que encontrou tocou "Nessa noite de luar" quando Michael passou os dedos retesados e esticados, como se estivesse dedilhando uma harpa industrial. Os dois a seguir, como ele já esperava, soaram o último par de versos que completava o refrão ecoando seus versos de abertura, com a conclusão "Quero ver você brilhar" apenas a uns dez passos da porta fechada na qual a longa passagem terminava. Nervosamente, ele foi na ponta dos pés até ela e então estendeu a mão para virar a maçaneta simples de metal e descobrir o que havia do outro lado. Como ele imaginava que seria.

Não estava trancada. Pelo menos funcionou a seu favor, mas ele ainda assim se encolheu diante de toda a luminosidade e ar fresco inesperados que entraram pela porta aberta. Piscando algumas vezes, ele entrou em uma brisa fraca refrescante e descobriu que estava em uma sacada, com o gradil de madeira preta indo da esquerda para a direita à sua frente, com uma pintura que parecia uma camada protetora de piche. Andando pela sacada e olhando através do gradil, Michael mirava um grande salão, com a parede de muitos níveis a mais de um quilômetro e meio de distância. O chão era dividido em uma grade extensa de aberturas afundadas que pareciam janelas instaladas por engano na superfície errada. Acima daquela planície de buracos, através do teto de vidro de uma galeria vitoriana, nuvens facetadas se desdobravam languidamente na impossibilidade contra o fundo de um azul incomparável. Estava de volta aos Sótãos do Alento, ou ao menos para as passagens ladeadas por balaustradas acima deles. Aquilo poderia estar certo? Ele não achava que havia feito curvas suficientes para um círculo quase completo, mas aquela longa escadaria em espiral o confundiu, então não sabia para qual direção estava seguindo.

Olhando para a esquerda ao longo da passagem elevada, podia ver uma figura distante que andava resolutamente pelas tábuas, se afastando dele. Michael torceu por um breve instante para que fosse Phyllis Painter, mas isso durou pouco. Para começar, a pessoa que recuava era muito mais alta que a menininha. Além disso, apesar do cabelo meio comprido e da longa veste branca que usava, era claramente um homem. A figura que se afastava pela sacada tinha uma constituição poderosa e estava descalça, além de levar uma mão no rosto, como se cuidasse de algum machucado. Na outra mão, tinha uma vara ou cajado fino que batia nas tábuas a cada passo. Com um leve susto, Michael se recordou do homem de aparência furiosa com o lábio partido e o olho roxo que ele viu do chão enquanto andava com Phyllis. Era a mesma pessoa mesmo? Só podia, ou alguém muito parecido.

Michael então se recordou que havia outra pessoa conversando com o brigão de túnica branca, alguém com suíças e um casaco de trapos verdes com forro vermelho brilhante. Pelo arrepio que sentiu no pescoço, soube que era quem encontraria ao virar, mesmo antes que a voz de couro marrom rachado falasse bem acima do ombro de tartã de Michael.

— Ora, veja só... É um anãozinho fantasma.

Michael se virou relutantemente, com as pantufas xadrezes se movendo como os ponteiros de um relógio desorientado.

O gigante corado e de suíças, que era uns bons quarenta e cinco centímetros mais alto que o pai nada pequeno de Michael, estava encostado com um cotovelo sobre o gradil revestido de piche, fumando um cachimbo de barro. Seu chapéu de padre de aba larga jogava uma faixa de sombra sobre os olhos fundos e enrugados que Michael notou, com um desconforto crescente, serem de duas cores totalmente diferentes, um como rubi incrustado e o outro de um verde reptiliano. Brilhavam como luzes de Natal impossivelmente antigas nas sombras de sobrancelhas pesadas, irregulares, sobre um nariz aquilino com uma curva que descia quase reta para baixo, como o bico de uma águia. A pele do homem, na parte inferior do rosto e na pele dos braços que saía de seu casaco de trapos, estava queimada de sol e manchada aqui e ali por nódoas do que parecia ser piche ou óleo de motor. Ele cheirava a carvão, a vapor e a casa de caldeiras, e debaixo dos trapos esvoaçantes havia culotes verde-escuros e botas costuradas de couro bem curtido. Embora não se pudesse ver sua boca em meio ao emaranhado da barba e do bigode, era possível saber que sorria pelo modo que suas bochechas se apertavam em bolas brilhantes de carne torrada pelo sol e vasinhos partidos. Ele baforou em seu cachimbo de barro, que Michael agora via que tinha a imagem de um homem gritando entalhada na cabeça, e soltou uma nuvem de fumaça violeta ondulando para cima da sacada antes de falar de novo.

— Você parece perdido, menininho. Ah, puxa, ah, puxa. Não podemos deixar isso assim, podemos?

A voz do homem era preocupantemente grave, crepitando como algum grande monstro pré-histórico abrindo as asas. Michael decidiu que era melhor agir como se aquilo fosse uma conversa normal com alguém que se oferecesse a ensinar o caminho. Notando que à sua direita havia mais das janelas vistas quando estava no corredor, fingiu interesse nelas com uma voz que era vergonhosamente fina e gritada depois do rugido de adulto do homem.

— Está certo. Estou perdido. Pode olhar naquelas janelas para mim, para eu saber onde estou?

O homem barbado franziu a testa, intrigado, então fez conforme lhe foi pedido e olhou pelas janelas que davam para a sacada. Tendo assim ficado satisfeito, ele se voltou novamente para observar Michael.

— Parece ser a sala de costura que fica no andar de cima da Escola Spring Lane, só que um tanto maior. Eu fico por aqui porque gosto muito de trabalhos manuais. É uma das minhas grandes especialidades. Também sou muito bom em somas.

Ele inclinou sua cabeça encaracolada e peluda para um lado, fazendo a aba do chapéu se inclinar, e sugou mais uma vez o cachimbo, com uma névoa cinza saindo dos lábios carnudos quando abriu a boca para falar.

— Mas você não parece exatamente com nada que eu conheça. Vamos, camaradinha. Diga-me seu nome.

Michael não estava certo de que podia confiar seu nome àquele estranho, mas não conseguiu pensar em um pseudônimo convincente a tempo. Além disso, se fosse flagrado mentindo, poderia acabar encrencado.

— Meu nome é Michael Warren.

O homem alto deu um passo para trás, com os olhos descombinados se arregalando no que parecia ser uma surpresa genuína. Os triângulos soltos de pano que formavam seu casaco subitamente esvoaçaram para cima para revelar o forro vermelho da parte de baixo, fazendo-o parecer envolto em chamas, embora Michael não tivesse sentido nenhum sopro de vento. Com uma sensação crescente de que tudo aquilo estava indo de mal a pior, entendeu que não tinha sido a brisa que moveu o casaco do velho, e sim mais uma ação como um pavão eriçando as penas. Só que isso significaria que os trapos de pano de dois tons eram parte dele.

— Você é Michael Warren? O culpado por toda essa encrenca?

O quê? Michael estava pasmo, tanto por seu nome ser conhecido ali em cima como por já ter sido acusado de algo que, pelo que parecia, era muito sério. Brevemente pensou em tentar fugir antes que o homem pudesse pegá-lo e submetê-lo a alguma punição por sua transgressão, mas o grandalhão apenas jogou a cabeça para trás e começou a rir com gosto, o que acabou com o impulso de fuga de Michael. Se tinha causado alguma encrenca, de acordo com o que o homem esfarrapado havia dito, como aquilo era engraçado?

Parando o vendaval de risos por um instante, ele olhou para Michael com o que pareceu um lampejo perigoso de divertimento brilhando em seus olhos de jade e granada.

— Espere até eu contar para os rapazes. Eles vão morrer de rir. Ah, isso é bom. É muito mais que bom.

Ele começou de novo a urrar de hilaridade, mas, dessa vez, quando jogou a cabeça para trás em uma gargalhada gutural e farta, o chapéu largo de couro caiu e ficou preso nos ombros por uma corda que ele tinha amarrado debaixo do queixo.

O homem tinha chifres. Brancos com um tom amarronzado como se fossem marfim sujo, saíam dos cachos e anéis da linha do cabelo dele, protuberâncias atarracadas com apenas alguns centímetros. Aquela era a hora, Michael decidiu, para começar a chorar. Olhou para a aparição de chifres com lágrimas nos olhos, e quando falou, foi um com resmungo acusatório, soando ferido pela peça cruel que o homem tinha lhe pregado.

— Você é o diabo.

Aquilo pareceu sufocar o riso rouco e exaltado. O homem olhou para Michael com as sobrancelhas levantadas em um espanto quase cômico, como se ele estivesse terrivelmente surpreso que o menino pudesse ter pensado que ele fosse qualquer outra pessoa.

— Bem... sim. Sim, acho que sou.

Ele se agachou até que seu olhar inquietante estivesse no mesmo nível que o do menininho, imobilizado de medo. O homem com chifres inclinou a cabeça um pouco mais perto de Michael com um sorriso preguiçoso e espremeu os olhos de pedras preciosas de maneira inquisitiva.

— Por quê? Onde você achou que estivesse?

UM VOO DE ASMODEUS

O diabo não conseguia se recordar da última vez que tinha se divertido tanto. Foi uma grande diversão no maior sentido da palavra: grande como uma guerra, um tubarão branco ou a Muralha da China. Ah, meus queridos em danação, foi impagável.

Ali estava ele, observando o sonho antigo de alguém de uma sacada e baforando seu cachimbo favorito. Esse era o que tinha esculpido a partir do espírito picante e temperado com loucura de um adorador do diabo francês do século XVIII. Considerava que aquele cachimbo fazia seu melhor tabaco ter sabor de Paris, relação sexual e assassinato, algo entre carne e alcaçuz.

Enfim, estava vadiando pelos Sótãos do Alento, perto do ponto crucial de Angulândia, quando apareceu esse construtor, um *Mestre* de Obras, ora essa, com o lábio cortado e um olho roxo como se tivesse acabado de sair de uma briga. Quer dizer, o diabo pensou, quantas vezes você tem a oportunidade de tirar um sarro numa escala imensa como aquela?

— Meu caro menino! Deu de cara em um portão perolado?

Nada mau para uma observação de abertura, aliás, expressando uma preocupação obviamente falsa, como se perguntasse pela saúde de um sobrinho irritante que não fazia nenhuma questão de esconder que detestava. A questão com os construtores, *Mestres* de Obras nesse caso, era que, apesar de serem capazes de destruir uma cidade ou dinastia, odiavam ser tratados com indulgência.

O Mestre de Obras — o de cabelos brancos que ganhou alguma fama jogando bilhar e, aliás, segurava o taco na mão naquele momento — parou e virou para ver quem falava com ele. Ao descobrir, fez naturalmente uma careta como a de um coroinha bolinado. Aquela coisa que os construtores faziam para que os seus olhos brilhassem um segundo antes de incinerar você. Puxa, como ele estava de mau-humor, o Poderoso Brancão.

Para ser sincero, era uma mudança revigorante em relação àquele olhar de piedade não solicitada e perdão infinito que normalmente gostavam de exibir. Construtores ordenavam apontando um taco de bilhar que você habitasse profundezas indizíveis, mais baixas que as toleradas por tiranos sifilíticos, e então pioravam as coisas com seu perdão. Era um deleite topar com um nos estertores de um chilique degradante. A riquíssima possibilidade de produzir uma sátira inflamatória fez até o saco do diabo se arrepiar.

O construtor, ou melhor, *Mestre* de Obras, parecia estar com o raciocínio divertidamente lento, com a fala atrapalhada pelo lábio inchado ao responder.

— Nom ziombes de meo estrado verguonhoso, espionho de estroume...

Era a mesma baboseira profunda e bombástica que todos os construtores falavam, aquelas palavras estranhas, ressonantes e ardentes que reverberavam como sussurros nos tantos cantos que havia por ali. Deliciosamente, porém, até frases de incrível fúria apocalíptica, faladas por um lábio partido, eram um tanto engraçadas.

Sem perceber que soava comicamente bêbado em tudo o que dizia, o Mestre de Obras indignado foi justificar sua condição lamentável explicando que havia acabado de sair de uma briga com um de seus melhores amigos por causa de um jogo de sinuca. Parecia que o camarada havia colocado em perigo uma determinada bola em que todos sabiam que o Mestre de Obras de cabelos brancos estava de olho. Tecnicamente, isso era permitido, mas muito malvisto. Como nunca deixava de ser, aquela bola era vinculada a um nome humano preso a ela, mas de alguém de quem o diabo jamais tinha ouvido falar. Não até então, pelo menos.

O que aconteceu foi que os construtores começaram uma indecorosa briga em torno da mesa de bilhar, e o de cabelos brancos por fim chamou o colega de algo horrível e sugeriu que ambos fossem resolver a questão lá fora. Interromperam a partida, saíram e trocaram seus socos, e agora voltavam de cara feia para o salão de jogos para continuar a competição inacabada. Mais escandaloso, impossível. Todos os fantasmas mendicantes dos Boroughs tinham formado uma roda gritando frases de incentivo, como meninos exaltados de colégio em uma briga no recreio.

"Vamos! Dá uma bem no halo!" Mais irritante, impossível. Era tudo tão maravilhosamente ridículo que o diabo não tinha como não rir.

— Mas não é sua culpa, meu velho. Esportes competitivos em bairros como este são assim mesmo. Despertam o lado desordeiro de todo mundo. Já vi gargantas cortadas por causa de uma amarelinha. O que você precisa fazer é deixar a sinuca de lado e voltar a organizar danças em cabeças de alfinete. É bem menos violento, e você teria uma boa desculpa para usar vestido de baile o tempo todo.

O diabo cutucou o construtor nas costelas, bem-humorado, depois riu e deu tapinhas nas costas dele. A única coisa que eles detestavam mais do que a condescendência era o excesso de intimidade, especialmente se chegassem a ponto de tocá-los. Todas aquelas imagens que mostravam construtores de mãos dadas com granadeiros feridos ou crianças doentes eram, na opinião do diabo, só fingimento para fins publicitários.

Lentos como os construtores costumavam ser para entender brincadeiras, o sujeito de cabelos brancos finalmente percebeu que era motivo de chacota, o que odiavam quase tanto quanto a condescendência ou o contato físico. Cuspiu alguma besteira santa horripilante que se resumia mais ou menos a um "para com isso, cara, ou vai se ver comigo", mas com nuances adicionais que envolviam ser preso em baús de bronze e lançado nas profundezas de um vulcão por mil anos. Chicotes, escorpiões, rios de fogo, a lenga-lenga de sempre. O diabo levantou as sobrancelhas afiadas em uma expressão ofendida de surpresa.

— Ah, meu caro, te deixei nervoso de novo. Eu deveria saber que você estava naqueles dias, mas me intrometi fazendo observações insensíveis. E bem quando você com certeza estava tentando se acalmar para uma jogada importante. Eu ficaria inconsolável se quando estivesse alinhando a tacada pensasse em mim e rasgasse a baeta ou quebrasse o taco ao meio. Ou alguma coisa assim.

Com um súbito clarão de fogo de santelmo surgindo em torno da cabeça nevada, o furioso Mestre de Obras berrou algo multifacetado e bíblico, essencialmente refutando que estivesse naqueles dias. A segunda parte do que o diabo falou pareceu ser compreendida, sobre arruinar o jogo por estar nos estertores da raiva. Ele pensou bem, respirou fundo e soltou o ar com força. Então se seguiu uma explosão celestial de poesia-nonsense quando um pedido de desculpas brusco e sem adornos teria sido o suficiente. O diabo cogitou uma provocação a mais, mas decidiu não abusar da sua famosa sorte.

— Isso não é nada, meu chapa. Foi culpa minha, sempre levo as brincadeiras longe demais e acabo estragando tudo para todo mundo. Na verdade, tenho medo de que no fundo eu não seja uma pessoa muito bacana, sabe? Por que sou agressivo o tempo todo, mesmo quando estou fingindo ser jovial? Por que tenho todos esses problemas desagradáveis de personalidade? Às vezes me convenço de que tem relação com o trabalho, como se ter sido condenado aos tormentos infinitos do inferno sensorial fosse uma desculpa para meu comportamento deplorável. Boa sorte no campeonato de sinuca. Tenho muita confiança em você. Com certeza é capaz de superar esse ataque pouco importante de raiva homicida, e não vai bagunçar irremediavelmente a vida mortal de alguém por ter agido feito um bufão petulante.

O outro pareceu não ter certeza de como entender aquilo, estreitando com desconfiança seu único olho que funcionava. Por fim, desistiu de tentar descobrir quem exatamente tinha culpa ali, e se limitou a um esgar, como se indicando que a conversa havia sido concluída de modo satisfatório. Com um breve aceno de cabeça para o diabo, que inclinou galantemente a aba do chapéu de couro em resposta, o Mestre de Obras seguiu pela passagem, levantando uma das mãos de tempos em tempos para examinar com cuidado a carne roxa em torno do cenho socado.

Era possível saber pela rigidez com que ele se conduzia ao ir embora que o camarada de túnica branca ainda estava furioso. A raiva, assim como o artesanato e a matemática, estava entre as especialidades do diabo. Todas as três eram lindamente complicadas e intrincadas, o que combinava bem com a admiração do diabo pela complexidade. Ele podia se divertir por horas com qualquer uma dessas coisas. Ah, e mentes desocupadas. Ele gostava delas também. E de boas intenções.

Ele reacendeu o cachimbo, extraindo uma faísca da unha de um polegar como a carapaça de um besouro, e observou o construtor que andava furioso na direção do ponto de fuga da longa sacada. Coitadinhos. Andando por aí o dia todo com essa aparência romântica, sentindo-se como a própria engrenagem que fazia funcionar o Universo quádruplo, com todos cantando canções sobre eles. Todas aquelas imagens de cartões de Natal que precisavam justificar, e o trabalho que devia dar manter aquelas túnicas limpas o tempo todo. Como eles conseguiam, os preciosos bonequinhos?

Estava apoiado na balaustrada manchada de piche, imaginando o que deveria fazer em seguida para se distrair, quando subitamente, como se fosse uma resposta para suas preces quase nunca respondidas, uma porta se abriu em um longo corredor de sonhos acumulados atrás dele, e um menininho vestindo pijamas, roupão e pantufas pisou de modo hesitante nas tábuas nuas da sacada. Era adorável, e o diabo não admitia, mas tinha um fraco por crianças pequenas. Elas tinham medo de absolutamente tudo.

Com cachos loiros e olhos azuis de letra de música, o pequeno sonâmbulo de início não parecia perceber que estava na presença do diabo, já que a porta de onde havia saído estava a alguns metros do demônio. Parecendo apreensivo e com as sobrancelhas levantadas em susto perpétuo, o pequeno deslizou até o gradil enegrecido da passagem e observou por entre as barras os Sótãos do Alento. Ficou assim por alguns momentos, parecendo intrigado e desorientado, então virou a cabeça e olhou para o patamar onde se podia apenas divisar o construtor espancado desaparecendo à distância, tocando levemente o olho.

A criança ainda não tinha notado que o diabo estava atrás de si, mas as pessoas nunca notavam. O diabo se perguntou se o menino estaria morto ou apenas dormindo, já que vestia suas roupas de dormir. Era possível que não fosse nem uma criança humana. Poderia ser uma invenção que escapou do sonho de outra pessoa, ou um personagem saído de uma história de ninar, uma ficção que ali ganhava substância com as imaginações acumuladas ao longo de muitas leituras, muitos leitores.

Na avaliação do diabo, porém, aquele garoto parecia ser real. Sonhos e personagens de histórias tinham um aspecto organizado em suas construções, como se tivessem sido simplificados, enquanto o menininho demonstrava uma confusão mal planejada em sua personalidade que cheirava a autenticidade. Era possível saber por ele estar ali, preso naquele lugar e olhando para o construtor que ia embora, que o menino não fazia a menor ideia de onde tinha ido parar ou do que deveria fazer a seguir. As pessoas em sonhos ou histórias, por outro lado, eram sempre cheias de propósito. Então aquele homenzinho era definitivamente mortal, mas saber se estava morto ou sonhando era mais difícil de determinar. Os pijamas indicavam que era um sonhador, mas as crianças pequenas morriam geralmente no hospital ou doentes na cama, então a mortalidade infantil ainda era uma possibilidade. O diabo pensou em investigar mais.

— Ora, veja só... É um anãozinho fantasma.

Pronto. Não tinha sido uma observação inicial muito apavorante, em sua opinião. Embora de vez em quando se divertisse um pouco com humanos indefesos, até o ponto de deixá-los loucos ou matá-los, isso não significava que não tivesse discernimento. As crianças, como tinha notado, já eram assustadas por natureza, como consequência de serem crianças. Basta explodir um saquinho de batatas fritas e elas pulam. Onde estava a diversão ou a sutileza naquilo?

O menininho se virou para ele, com uma expressão ridícula em seu rosto delicado, com olhos arregalados e a boca esticada dos dois lados em uma caixa postal de borracha. Parecia tentar esconder sua expressão real, que devia ser de puro pavor, para não ofendê-lo. A mãe provavelmente o ensinou que era falta de educação gritar para os deformados e monstruosos. Sinceramente, aquela mistura de medo paralisante e preocupação genuína com os sentimentos alheios pareceu ao diabo ao mesmo tempo cômica e um tanto doce. Ele pensou em tentar outra observação agradável, agora que tinha a atenção do menino, por assim dizer.

— Você parece perdido, menininho. Ah, puxa, ah, puxa. Não podemos deixar isso assim, podemos?

Embora o tom do diabo fosse claramente o de um infanticida avuncular, o fedelho descabelado pareceu tomar aquilo ao pé da letra, relaxando visivelmente e imaginando que estava fora de perigo ao primeiro som de uma voz simpática. O pestinha cheio de confiança era um achado, e não um engano. O diabo imaginou como ele tinha conseguido durar mais de cinco minutos nos mecanismos implacáveis do mundo dos vivos, e então refletiu que provavelmente não era o caso. Na verdade, quanto mais tempo passava na companhia do malandrinho, mais parecia que era alguém morto, em vez de um sonhador, atraído até o carro de um estranho ou uma geladeira jogada em um terreno baldio fora do alcance dos ouvidos.

Observando os traços do menino, era quase possível saber no que ele pensava, observar as engrenagens girando em sua mente ainda não desenvolvida. Ele parecia achar que estava invadindo uma propriedade, mas que, se continuasse fingindo, o diabo não iria perceber. Parecia tentar inventar uma desculpa para estar ali, mas, por ser tão jovem, ainda não tinha grande experiência com mentiras. Como resultado de sua tentativa de construir um álibi, quando enfim abriu a boca, soou culpado e ame-

drontado, ainda que sua história fraca fosse provavelmente a verdade.
— Tudo bem. Estou perdido. Pode olhar naquelas janelas para mim, assim vou saber onde estou?

O menino indicava as memórias brilhantes de janelas na parede de sonho da qual tinha saído. Claramente não se interessava nem um pouco pelo que estava do outro lado, mas, assim que tivesse uma resposta, iria fingir ter se localizado e então agradecer graciosamente ao diabo antes de fugir com a maior rapidez que suas pernas curtas permitissem, sem se importar com a direção. Estava obviamente assustado, mas tentava não demonstrar seu medo, como se o diabo não fosse mais que um cachorro grande e intimidador.

Contorcendo o rosto em um leve divertimento, o arqui-inimigo da humanidade lançou um olhar casual através das janelas de vidro que a criança havia indicado. Nada de muito interesse estava do outro lado, um fantasma exagerado de uma sala de aula local arrancado dos pensamentos noturnos de alguém. Era um lugar que o diabo conhecia, não era nem preciso dizer: não havia lugares que não conhecesse. O mundo do espaço e da história era grande, sem dúvidas, mas *Guerra e Paz* também, e ambos eram finitos. Com tempo suficiente — ou, se você preferisse, tempo nenhum —, era possível obter com facilidade uma ideia detalhada de ambos. Não havia nenhum grande truque na omnisciência, pensou o diabo. Bastava ler a história algumas vezes em seu quase infinito tempo livre e você vira um especialista. Ele olhou de volta para o menininho apreensivo.

— Parece ser a sala de costura que fica no andar de cima da Escola Spring Lane, só que um tanto maior. Eu fico aqui porque gosto muito de trabalhos manuais. É uma das minhas grandes especialidades. Também sou muito bom em somas.

Era tudo verdade, é claro. Um dos grandes equívocos das pessoas em relação ao diabo, lamentavelmente, na sua opinião, era achar que estava sempre mentindo. Inclusive, porém, nada poderia estar mais longe da verdade. Não conseguia mentir nem se fosse pago para isso, bem... ninguém jamais o pagou para fazer o que quer que fosse. Além disso, a verdade era uma ferramenta bem mais sutil. Basta dizer a verdade às pessoas e deixar que elas enganem a si mesmas, esse era seu lema.

A verdade a respeito daquele menininho, porém, não estava realmente clara. Supondo que a criança estava morta e não apenas sonhando, parecia ter morrido havia pouco tempo. Parecia que tinha acabado de aparecer no segundo Borough, em Almumana, alguém que ainda precisava descobrir onde estava. Se era esse o caso, o que ele fazia por ali, correndo nos sedimentos de sonho? Por que não tinha simplesmente mergulhado de volta em sua vidinha no ponto do nascimento, para mais uma rodada em seu pequeno carrossel individual? Talvez depois de um milhão de voltas no mesmo brinquedo, ele tenha sentido que finalmente absorvera tudo o que havia para oferecer e escolhido vir para a cidade desdobrada. Mas, se foi isso, por que estava desacompanhado? Onde estavam as multidões celebrantes formadas por ancestrais cheirando a cerveja? Mesmo se alguma circunstância sem precedentes estivesse acontecendo ali, ainda era de se imaginar que a administração teria providenciado um acompanhante. Na verdade, a administração era tão eficiente que um descuido era um tanto impensável. De fato, pensou o diabo, era uma boa questão. Sugeria que havia mais coisas acontecendo ali do que parecia.

O diabo baforou seu cachimbo e contemplou o pequeno espécime intrigante que trocava de pé diante dele, apreensivo, visivelmente tentando compor uma fala para encerrar a conversa. Isso não seria bom, então o diabo tirou o cabo do cachimbo da boca fumegante e tratou de dar seu pitaco antes que a criança fizesse isso.

— Mas você não parece exatamente com nada que eu conheça. Vamos, camaradinha. Diga-me seu nome.

Foi nesse momento que a criança enjeitada fez sua revelação surpreendente.

— Meu nome é Michael Warren.

Ah, meus caros, meus primos de enxofre, podem imaginar? Era ainda melhor que a vez em que ele havia enganado o presunçoso e taciturno Uriel para que revelasse onde ficava o jardim secreto (era em uma poça efervescente na Pangeia). Em termos de comédia, superava a expressão dos traços perfeitos de sua ex-namorada quando o sétimo marido em um ano morreu na noite de casamento, tendo o diabo parado o coração dele um segundo antes da consumação planejada. Ora, até ganhava daquele momento de hilaridade durante a Queda, quando um dos diabos de baixa patente, Sabnock ou algum outro marquês, que por isso havia sido empurrado mais fundo no atoleiro de consciência material que os outros, gritou: "Este mundo sensorial é mesmo além de qualquer tolerância, embora esteja feliz em avisar que meus genitais começaram a funcionar", no que os construtores, e os diabos que usavam como um tipo de lixão psíquico, tiveram que baixar seus tacos de sinuca flamejantes por alguns minutos até pararem de rir. Aquele bebê atordoado, porém, ultrapassava tudo aquilo, era muito melhor: seu nome era Michael Warren. Ele mesmo havia acabado de dizer. Como se não tivesse nenhum significado, o putinho modesto.

Michael Warren era o nome associado à bola de bilhar precariamente equilibrada que causou a briga entre os construtores.

E eles não brigavam desde o que, Gomorra? Egito?

Os acontecimentos orbitando em volta daquela criança inadvertida tinham um cheiro intoxicante de confusão, era complexo como o mecanismo de um formigueiro mecânico, complexo como a matemática de um furacão. As possibilidades intricadas de entretenimento que aquela alminha sem noção apresentava ao demônio eram um presente tão inesperado que ele deu um passo involuntário para trás. Todas as franjas de dragão que emolduravam a imagem que usava ondearam em antecipação, abrindo-se e exibindo suas cores heráldicas, vermelho e verde, de derramamento de sangue e ciúmes.

— *Você* é Michael Warren? Você é o culpado por toda essa encrenca?

Ah, o jeito como o pequeno queixo dele caiu, deixando claro que era a primeira vez que ouvia falar de sua súbita notoriedade. A coisa toda ficava mais deliciosa a cada momento, e o diabo riu até pensar que ia explodir um testículo. Limpando as lágrimas hidroclorídricas de alegria dos olhos peculiares, ele os fixou novamente no menino.

— Espere até eu contar para os rapazes. Eles vão se acabar de rir. Ah, isso é bom. Isso é muito mais que bom.

Isso o fez começar a rir de novo, pensar como seus colegas diabos reagiriam quando os informasse de seu último golpe de sorte sem merecimento. Belial, o sapo em diamante, apenas piscaria seu anel de sete olhos e tentaria fingir que não tinha ouvido. Beelzebub, aquele muro feroz de ódio porcino, ia provavelmente cozinhar na própria raiva. E quanto a Astaroth, simplesmente franziria a boca de lábios cobertos de batom em sua cabeça humana em um bico cruel, ficando carrancudo pelos trezentos anos seguintes. O diabo realmente não conseguia parar de rir agora. Riu tanto que seu chapéu de aba larga caiu para o pescoço, e nesse momento a criança já nervosa abandonou todos os modos incutidos pela mãe e gritou como um aviário eletrocutado. Os olhos do menino começaram a se encher de lágrimas apavoradas.

Ah, sim. Os chifres. O diabo tinha se esquecido de que tinha chifres naquela aparência específica. Os chifres, por alguma razão insondável, sempre provocavam sobressaltos, quando na verdade deveriam ser vistos como um sinal de sorte. Os chifres não eram nada. Eram só suas roupas de trabalho. Deveriam vê-lo de roupa de gala, para questões de Estado ou coisas assim, vestindo uma das túnicas mais lindamente costuradas da imagística. A combinação aranha/lagarto coruscante, por exemplo, ou a gema do regresso infinito. Ora, aí sim teriam motivo para chorar.

Agora chorando profusamente, o menino olhou para cima com aquela mistura de acusação e traição ultrajada com que as pessoas pelo jeito costumavam saudá-lo. Ele a tinha visto nos rostos de alquimistas da Renascença e de simpatizantes do nazismo. A mensagem que transmitia, em essência, era: "Isso não é justo. Você não deveria ser real". Essa era a tônica principal do que o querubim choroso e magoado agora lhe dizia.

— Você é o diabo.

Crianças. São tão maravilhosamente perceptivas, não? Devem ter sido os chifres que o denunciaram. Ele sentiu uma leve centelha de irritação com o fato de que, embora as pessoas nunca falhassem em identificá-lo como um diabo, ninguém sabia qual diabo ele era. Era como se alguém cumprimentasse Charlie Chaplin na rua gritando: "Você é aquele cara naquele filme". Era um insulto, mas ele não se deixou abater. Estava com um humor bom demais para isso. Deteve o ataque de riso e olhou de modo bem-humorado para o pequeno.

— Ora... sim. Sim, acho que sou.

Pobre menino. Parecia estar ficando com torcicolo de tanto inclinar a cabeça para para cima e manter o olhar lacrimoso sobre o diabo regente. Por pura consideração e preocupação, o diabo se agachou e se inclinou para frente, ficando da mesma altura do menininho, com as poças azuis da criança olhando com seriedade para o sinal de trânsito que eram os do diabo. Ele pensou em provocar o menino, apenas por diversão. Que mal poderia haver nisso? Fez uma pergunta fingindo absoluta inocência, falando em um tom intrigado.

— Por quê? Onde você achou que estivesse?

Relembrando tudo, aquela parecia ter sido a observação que finalmente desmanchou o fedelho. Ele gritou algo que soou como "Mas eram só formigas", e então saiu pelo patamar infinito em uma corrida desenfreada, segurando as calças do pijama com uma das mãos enquanto corria para impedir que caíssem até os tornozelos.

Ah, bolas. Ele e sua boca grande. Apesar da intenção inocente por trás da pergunta inofensiva do diabo, parecia que Michael Warren tinha deduzido que seria enviado para o Inferno, provavelmente por um crime envolvendo formigas. De onde esses macacos assustados tiravam essas ideias? Não que aquilo *não fosse* o Inferno, é bom lembrar. A questão era que a situação era muito menos simplista que esse termo implicava e, no que dizia respeito àquele diabo, uma simplificação prejudicial.

Então ali estava ele, observando o famoso Michael Warren correndo pela passarela, tentando segurar a calça, guinchando como uma *banshee* recém-chocada. Era de se admirar que o diabo não conseguisse se recordar da última vez que tinha se divertido tanto?

Ele voltou a ficar de pé e flexionou seus trapos de duas cores para endireitá-los. O menino em fuga estava a uma boa distância na sacada monstruosamente extensa, com as pantufas batendo comicamente contra as tábuas sob os pés. O diabo se perguntou para onde a criança achava que ia.

Vagarosamente, bateu o cachimbo com o rosto de homem aos gritos contra a balaustrada para esvaziá-lo e então o guardou em um bolso de si mesmo. Era evidente que sua pausa para fumar havia acabado, e ele não podia ficar por ali o dia todo. Olhou para a agora minúscula figura da criança, que seguia sua retirada desorganizada à distância pela passagem elevada. Estava na hora de um pouco de trabalho.

O diabo deu um passo curto, sem pressa, posicionando a bota sobre as tábuas, primeiro o calcanhar, então a parte dianteira, em uma batida de dupla percussão, um pouco como de um coração: *tum-tum*. Deu outro passo, dessa vez mais longo, que percorreu mais chão, de modo que pareceu haver uma pausa prolongada antes que a passada dupla viesse novamente: *tum-tum*. Deu mais um passo. Dessa vez, a pausa se prolongou. A batida dupla que marcaria o fim do passo não chegou.

O diabo pairava a alguns metros sobre o chão, ainda levado lentamente adiante pelo impulso leve dos passos que tinha dado ao decolar. Apertou os olhos descombinados, como óculos 3D maléficos, fixos na forma decrescente da criança em fuga na extremidade da sacada. Sorriu e deixou as rêmiges vermelhas e verdes estalarem como bandeiras tempestuosas atrás de si quando começou a ganhar velocidade. Ele estalava e queimava. Soltou o risinho que era sua marca registrada.

Com uma cauda de cometa soltando brasas coloridas como fogos de artifício atrás de si, o diabo foi chiando pela passagem, guinchando atrás do pequeno fugitivo, percorrendo a distância entre eles sem esforço. De certo modo, a tentativa intuitiva do menino de tratar o demônio como um cachorro grande e intimidador não tinha sido tão errada. Certamente não era boa ideia correr de diabos. Sua corrida apenas lhe daria a aparência de uma presa em fuga, o que, quando se trata de cães e demônios, apenas serve para fazer com que sigam.

Ouvindo a investida de fogos de artifício que se aproximava por trás, misturada à gargalhada do diabo, cada vez mais alta, o menino olhou por cima do ombro e pareceu se arrepender.

Vuuush. O diabo estendeu as duas mãos chamuscadas e cheias de bolhas para pegar o fugitivo que guinchava pelos sovacos, levantando-o rapidamente pelo ar uivante, passando pela balaustrada para alcançar as alturas de vidro e ferro ornamental acima dos Sótãos do Alento. Os gritos da criança subiam junto aos dois, espiralando em voo junto a eles para ecoar entre as vigas mestras pintadas, assustando os pombos aninhados em um breve alvoroço cinza. Com os pés calçados nas pantufas balançando freneticamente, o menino primeiro implorou ao diabo para soltá-lo, mas então percebeu a altura em que estava e suplicou para não ser derrubado.

— Ora, decida-se — disse o diabo, e pensou em soltar Michael Warren algumas vezes e então pegá-lo antes que batesse no chão, mas então pensou melhor. Isso seria exagerar na dose. Pegar muito pesado.

Os dois pairavam no ar a trezentos metros ou mais da vasta toalha xadrez de buracos quadrados estendida mais abaixo. Depois de avaliar todos os aspectos e ângulos daquela circunstância nova, o diabo optou por uma abordagem mais gentil em suas comunicações com o menino. Era mais fácil apanhar moscas com mel do que com vinagre, e mais com merda do que com qualquer um dos dois. Inclinando a cabeça chifruda para a frente, sussurrou no ouvido do menino para ser ouvido acima do alvoroço e das batidas de suas bandeiras, vermelho e verde, brasas quentes e absinto.

— Algo me diz que não começamos bem, não é? Estou sentindo, com toda essa gritaria e fuga, que sem querer eu disse alguma coisa que incomodou você. Que tal deixarmos isso para trás e começarmos de novo?

Com olhos assustados ainda fixos na distância horrenda sob as pantufas em movimento, Michael Warren respondeu com um falsete trêmulo, conseguindo soar como um idiota assustado e indignado ao mesmo tempo.

— Você falou que aqui era-será o Inferno! Você falou que era-será o diabo!

Humm. Bom argumento. O diabo tinha ao menos dado a entender essas duas coisas, mas tomou cuidado para soar aflito e miseravelmente incompreendido em sua resposta à acusação do menino.

— Vamos, isso não é justo. Eu não disse que isso era o Inferno. Só perguntei onde achou que estava, e você tirou suas próprias conclusões. Quanto a ser o diabo, bem, eu sou mesmo. Não tenho como negar. Mas não o Diabo, pelo menos não aquele que você provavelmente esperava. Não sou Satanás, e além disso ele não tem essa aparência. Você ficaria surpreso ao ver Satã, e garanto que jamais o reconheceria em, hã, o que, nove bilhões de anos?

Agora mais confiante que seu corpinho não despencaria lá de cima, o bonitinho dependurado tentou girar a cabeça para olhar o demônio sobre o ombro enquanto falava.

— Bem, se você não é ele, quem é, então? Qual é o seu nome?

Era uma pergunta capciosa. As regras que governavam o que ele era — essencialmente, um campo de informação viva — meio que o obrigavam a responder a qualquer pergunta direta, e dizendo a verdade. Isso não significava, claro, que tivesse alguma obrigação de facilitar as coisas para quem perguntava. Como os diabos relutavam em revelar os próprios nomes, que poderiam ser usados para prendê-los, geralmente usavam algum tipo de código, ou envolviam os interrogadores humanos em um jogo de adivinhações. Com Michael Warren, decidiu dar a resposta na forma de uma dica de palavras-cruzadas.

— Ah, recebi uma dezena de apelidos, mas na verdade sou apenas o simples e bagunçado Sam O'Day. Por que não me chama de Sam? Pense em mim como um tio brincalhão que sabe voar.

Sem entender o anagrama, a criança pareceu aceitar a sugestão, ainda que de má vontade. Apesar de novinho, obviamente já conhecia o conceito de tio brincalhão, porém ainda estava em uma idade em que provavelmente não sabia ao certo se eles sabiam ou não voar. Parou de se debater inutilmente e se deixou levar. Quando voltou a falar, o diabo notou que ele estava de olhos fechados, para bloquear a vista da queda horrenda sob os dedos dos pés que formigavam.

— Por que você me disse que eu estava numa encrenca?

Quantas malditas perguntas. O que havia acontecido com os dias em que as pessoas o exorcizavam ou tentavam negociar um bom preço por suas almas? O diabo suspirou e novamente usou o mesmo tom levemente ofendido de antes.

— Eu não disse que você estava em uma encrenca. Eu disse que você tinha causado uma encrenca. Sem querer, claro, e ninguém culpa você por isso. Pensei que você fosse gostar de saber, só isso.

A criança insistiu. Era um grande problema naqueles dias; todo mundo conhecia seus direitos.

— Bem, se não estou encrencado, poderia me colocar no chão, por favor? Você vai fazer meus braços caírem me segurando assim.

O demônio riu de um jeito cacarejante e reconfortante.

— Claro que não. Ora, aposto que não estão nem doendo. Não sei como você pode confundir esse lugar com o Inferno. Dor corporal é uma coisa que não existe aqui.

Tormentos agonizantes do coração e do espírito, porém, existiam em todo lugar, mas o diabo naturalmente nem cogitou mencionar isso. O que fez foi continuar elaborando sua arenga persuasiva.

— Quanto a colocá-lo no chão, tem certeza de que é isso o que quer? Quer dizer, seus braços não estão doendo de verdade, não é? E você *não* parecia saber para onde ia quando estava lá. Se eu colocá-lo de volta no chão e deixá-lo sozinho, você só vai se perder de novo. Além disso, sou um diabo um tanto famoso. Posso fazer todo tipo de coisa. Se me mandar embora, vai perder a oportunidade de uma morte.

Os olhos do menino se abriram, apenas uma fresta.

— O que isso quer dizer?

O diabo olhou de modo desinteressado para os Sótãos do Alento abaixo. Alguns dos fantasmas vagantes e aparições de lá olhavam para Michael e o diabo, flutuando bem abaixo do vidro verde da grande galeria.

O demônio via um grupo de pirralhos, mortos ou dormindo, que pareciam prestar uma atenção toda particular. Sem dúvida viam que tinha pegado uma criança e se perguntavam se seriam os próximos. Não tenham medo, criancinhas. Pelo menos por hoje estão salvas. Talvez em outra oportunidade. Voltando o olhar para a cabeça loira do menino pendurado e soltando um bafo quente no cangote dele, o diabo respondeu à última pergunta.

— Isso quer dizer que existem coisas que posso lhe dizer. Existem coisas que posso lhe mostrar. Isso é uma questão bem conhecida. Sou praticamente proverbial. Sou mencionado na Bíblia... bem, nos livros apócrifos, só que mesmo assim é impressionante, não acha? E fui o segundo marido da primeira mulher de Adão, mas isso ficou de fora do Gênesis. É como qualquer adaptação, na verdade. Personagens secundários omitidos para acelerar a história, situações complexas simplificadas e por aí vai. Dá até para entender, eu acho. E fui muito próximo de Salomão uma época, mas, de novo, não dá para deduzir isso pelo Livro dos Reis. Shakespeare, porém, abençoado seja, Shakespeare me dá o devido crédito. Ele fala de um tipo de viagem em que eu levo as pessoas. É chamada de "Voo de Sam O'Day", mais maravilhosa e empolgante que a maior atração de parque de diversões com que você já sonhou. Quer uma?

Pendurado sem se mexer nos braços do diabo, o menino Warren parecia pouco entusiasmado.

— Como vou saber se vou gostar? Posso não gostar. E, se não gostar, como vou saber que você iria parar quando eu quisesse?

O Quinto Duque Infernal, notando que não era exatamente uma recusa, curvou a cabeça para perto da orelha rosa do menino ao se aproximar para fazer a proposta.

— Se ouvir você me pedir para parar, paro imediatamente. Que tal? E, quanto ao pagamento, bem, vejo que é filho dos Boroughs, então não imagino que tenha dinheiro para gastar, não é? Não importa. Vou dizer uma coisa: como gostei bastante de você, jovem, posso fazer como um favor. Então, em algum momento remoto do futuro, se houver algo útil que puder fazer por mim, ficamos quites. Isso lhe parece justo?

Os olhos da criança agora estavam arregalados, ao menos no sentido mais literal. Ainda tentando não olhar diretamente para baixo, curvava a cabeça cacheada para observar a geometeorologia que se desenrolava através do teto da galeria. O diabo podia ver um encantador arranjo barroco de várias dezenas de tesseratos que se ocupavam de se dobrar para formar algo parecendo uma dez- ou vinte-esfera. Não era surpresa que o menino parecesse hipnotizado e soasse distante quando eventualmente respondia.

— Ah... sim. Sim, acho que sim.

Aquilo era tudo de que o demônio precisava. Na verdade, uma afirmação verbal de um menor de idade não podia tecnicamente ser considerada um contrato vinculativo, sem nada por escrito, nada em branco e vermelho, mas o diabo achou que aquilo poderia ser interpretado como uma permissão para seguir em frente.

Ele mergulhou.

Mergulhou como um bombardeiro avariado, com o zumbido de motor em descendência, e caiu como uma pedra ou uma coruja que tinha avistado seu jantar, desceu como o decote impressionante de sua ex-mulher, caiu das alturas arqueadas dos Sótãos do Alento como só ele era capaz, com suas bandeirolas coloridas farfalhando como uma cacofonia ensurdecedora. A criança estava gritando alguma coisa, mas, com o vento da descida, não era possível entender. Assim, o diabo poderia afirmar, com toda honestidade, que não havia ainda ouvido o menino lhe pedir para parar.

No último momento, a uns quinze metros acima do chão de tábuas com seus tanques enormes, o diabo interrompeu sua descida com uma guinada brusca de ângulo reto que os levou em disparada pela extensão da imensa galeria. Os tontos desmazelados que estavam espionando o diabo e seu cativo havia apenas alguns momentos agora corriam buscando abrigo, provavelmente convencidos de que ele se precipitaria para pegá-los nas suas garras também. Ele chamuscou o corredor gigantesco, um perigoso raio globular faiscante e lamentoso com o próprio processo de combustão, espalhando as poucas almas que estavam pelos Sótãos naquela precisa conjuntura do século, do ano, da tarde, segurando um bebê em seus braços tórridos. O uivo da criança se estendia no lamento Doppler de um trem que se aproximava pela velocidade de seu trânsito borrado, atingindo metros abaixo as tábuas pálidas que se iluminavam brevemente pela passagem do demônio, vermelho e verde, papoulas e putrefação.

Seguiam para oeste, na direção da explosão de sangue do pôr do sol daquele dia, no qual a luz se derramava como metal derretido através dos painéis de vidro do teto da galeria. O diabo sabia que os olhos do pequeno estariam bem abertos durante tudo aquilo. Em velocidades como aquela, com toda a carne extra do rosto ondulando para a parte de trás do crânio, era impossível fechá-los. Dizer qualquer coisa, mesmo uma palavra curta como "pare", estava fora de questão.

A cabeça do menino estava virada para baixo, observando os imensos tanques quadrados passando como raios abaixo deles. A experiência, o diabo sabia, era muito parecida com a de assistir a um filme abstrato cativante. As filas de aberturas que corriam pela extensão da grande galeria permitiam uma visão de um só cômodo em diferentes estágios de sua progressão na quarta direção. Seres vivos naqueles cômodos apareciam feito tentáculos estáticos de gemas preciosas, iluminadas por dentro e imóveis como estátuas conforme se enrolavam em torno umas das outras, com apenas as luzes elusivas que eram suas consciências dando a ilusão de mobilidade e movimento. Voar bem acima de uma fileira de tanques, no entanto, os fazia parecer quadros de um rolo de celuloide que se desenrolava. As formas sinuosas, congeladas, pareciam se mover nos limites imutáveis do cômodo repetido infinitamente que os continha, às vezes saindo totalmente por breves trechos em que o espaço estava vazio, voltando de novo à vista um momento depois para recomeçar sua dança estranha fluorescente. As flutuações das formas coloridas mapeavam movimentos mortais aleatórios através daquelas câmaras mundanas de um jeito hipnótico e às vezes assustadoramente belo. O menininho, ao menos, parecia estar absorto, pois seu guincho agudo havia baixado para um gemido baixo. Aquilo provavelmente significava que estava na hora de acelerar, já que o diabo não queria que seu passageiro cochilasse de tédio. Ele tinha uma reputação a zelar.

Um repique reverberante de trovão em camadas marcou o ponto em que ultrapassaram a velocidade do som, e então um pouco depois houve um bolsão de quietude sobrenatural, quando ultrapassaram até a velocidade do silêncio. O diabo resplandecente e o pestinha de quem tomava conta rugiram pela garganta interminável da galeria, com o céu além do teto de vidro mudando de cor a cada instante conforme avançavam através de dias e dias. O vermelho do pôr do sol se tornou primeiro violeta e então púrpura, intensificando-se em um negro profundo no qual as linhas de construção do hipertempo se destacavam em prateado.

A isso se seguiu mais roxo, então os tons cereja e pêssego do amanhecer. Manhãs azuis e tardes cinzentas passavam como borrões em camadas estroboscópicas. Noites longas e insones passavam em segundos, engolidas no clarão breve de outro nascer do sol derretido. Avançaram ainda mais rápido até que nenhum deles conseguisse distinguir o ponto exato em que um tom se transformava em outro. Tudo se transformou em um túnel de brilho prismático.

Com uma manobra milimétrica e sem reduzir a velocidade, o diabo deu uma guinada repentina, colocando-os em rota de colisão com uma das árvores enormes que se projetavam pelos buracos quadrados de quinze metros na ponta mais distante da galeria: um olmo expandido em uma sequoia ancestral, pela variação que havia entre as dimensões. O guincho ensurdecedor que veio de Michael Warren indicou ao demônio que ao menos sua carga havia saído do tédio de que parecia estar sofrendo antes.

O trecho de corredor com o olmo gigantesco irrompendo do chão estava nos quilômetros noturnos que pontuavam a vasta extensão dos Sótãos em intervalos regulares. O firmamento visto através do vidro escurecido acima era um ébano lustroso. Arabescos cromados de gosma de lesma delineavam os contornos que se desenvolviam das nuvens lá fora, a radiância daqueles corpos imensos conferindo aos cantos mergulhados nas trevas do corredor sem fim uma aparência enluarada e crepuscular. O enganoso Sam O'Day, o Rei da Ira, o matador de noivos, o diabo, passava chamuscando através das sombras e da luz das nuvens, se dirigindo para a torre de madeira verdejante que se assomava de modo aterrorizante da escuridão prateada diante deles.

Pombos, quase microscópicos em comparação com os imensos galhos que os abrigavam, despertaram de seus sonhos em câmera lenta e voaram alarmados com a pirotecnia barulhenta e expectorante da aproximação do demônio. O diabo sabia que essa família especialíssima de pássaros era quase única na habilidade de transitar entre o Andar de Cima e o mundo do Andar de Baixo, e com frequência se refugiava nas dimensões mais altas de uma árvore, onde sabia que estaria a salvo dos gatos. Os gatos de fato às vezes podiam se esgaravatar através de uma abertura para os Sótãos do Alento — o demônio imaginava que tinham aprendido aquele truque originalmente subindo atrás dos pombos —, mas o reino superior era apavorante para um felino vivo. Em geral eles evacuavam ruidosamente os intestinos e pulavam pela janela mais próxima de volta ao mundo. A manobra toda era tão estressante que pareciam usá-la apenas quando precisavam ir de um cômodo para outro sem passar pelo espaço intermediário. Aquele talento não tinha nenhuma utilidade, porém, quando se tratava de caçar, então os pássaros pousados estavam a salvo. Não do diabo, claro, mas de quase qualquer outro predador que eles pudessem esperar razoavelmente que surgisse do escuro na direção deles, cuspindo fogo. O bando tinha acabado de ser despertado de forma surpreendente e inesperada. Não existe muita coisa, pensou o diabo, que pegue um pombo de surpresa. Aquilo era sem dúvida o motivo da agitação deles.

Um segundo antes que ele e Michael Warren se espatifassem no tronco de dez metros de largura, o diabo executou um de seus movimentos mais ostentosos, uma arremetida em espiral súbita que combinava de modo inteligente a Proporção Áurea e a sequência de Fibonacci, ardendo em uma trajetória de saca-rolhas que os levou para baixo e a contornar a árvore a apenas centímetros da pele de elefante de seu tronco aumentado. O vigor e a energia daquilo, o zunido de tobogã, eram intensamente estimulantes. Deram cinco voltas no Golias de madeira, e em algum ponto no redemoinho apavorante da descida o diabo sentiu sua bússola interna apontar para a nova orientação que servia o mundo inferior, de três lados. Ele e seu passageiro estavam agora imersos na tenebrosa gelatina do Tempo, adernando em uma linha esquerda em torno de um olmo que agora parecia ter uma escala normal. Saíram da queda brusca em espiral apenas metros acima dos nós com tufos das raízes, então subiram para o cintilar intermitente do céu nublado mais acima. Nadando como estavam no caldo sequencial de minutos, horas e dias, deixaram uma bagunça em Technicolor atrás de si, uma procissão de imagens gastas em um rastro extravagante, predominantemente na paleta característica de vermelhos e verdes do diabo, uma listra de jardim de rosas silvestres explodindo do nada que desceu em torno da árvore e então se projetou para cima na direção da escuridão e da luz das estrelas.

A nove metros acima do chão, o diabo acionou seu freio e parou de repente, flutuando na brisa fresca noturna e nas sombras com aroma de verão com suas bandeiras de trapos em torno de si como um ramo vivo de cravos. Ainda preso no aperto fuliginoso do diabo, o menininho de olhos esbugalhados respirou pela primeira vez no último meio minuto e gritou "Pare", um tanto sem necessidade, já que tinham acabado de parar. Ao perceber isso, a criança girou a cabeça até onde possível, olhando sobre o ombro para o diabo. Era um daqueles olhares que as crianças dão quando fingem estarem traumatizadas, com o lábio inferior tremendo, os olhos assombrados e o fingimento óbvio de um espasmo de choque.

— Eu não falei isso! Eu não falei que queria ir no seu Voo. Eu só queria ir para casa.

O diabo fez o seu melhor para parecer surpreso.

— Está falando do quê? Desse pequeno passeio que acabamos de dar? Isso não era o meu Voo. Foi um salto de aquecimento. Me dê algum crédito, meu camarada. Aquilo foi apenas rápido, não foi fabuloso. O verdadeiro passeio é muito mais lento e muito mais misterioso. Eu prometo que vai gostar. Quanto a querer ir para casa, talvez seja melhor dar uma olhada ao redor e descobrir onde estamos antes de começar a reclamar.

Pronto. Aquilo fez o sujeitinho calar a boca.

Estavam suspensos no ar da noite sobre a intersecção formada no local onde a Spencer Bridge e a Crane Hill cruzavam a St. Andrew's Road. Abaixo deles, enquanto flutuavam mais ou menos de frente para o sul, havia a campina onde os velhos banhos vitorianos tinham sido convertidos em um banheiro público. Um caminho largo de asfalto se estendia diagonalmente através da faixa de grama abaixo, da Spencer Bridge até o deposito de carvão de Wiggins, mais adiante na rua. Entre as árvores que ladeavam o caminho de terra, ali estava o discreto olmo ao redor do qual o demônio e sua carga relutante vieram girando pouco tempo antes do domínio superior para o inferior. À esquerda, um punhado de faróis se amontoavam na Grafton Street, subindo a ladeira do vale entre fábricas e bares de um lado e o terreno baldio cheio de terra e tijolos que dez anos antes formavam moradias.

Adiante, à direita deles, estava a teia de aranha iluminada da Estação Castle, com fios de luz correndo na direção dela e para longe através da escuridão ao redor. Aquele local era talvez o predileto do diabo entre as muitas vistas arruinadas que os Boroughs tinham a oferecer. Ele se recordava do castelo que a estação de trem havia deposto com uma afeição duradoura. Muitas centenas de anos antes, o diabo tinha conseguido um lugar para ver de camarote a traição espiritualmente destruidora do rei Henrique II ao seu velho amigo Tommy Becket, convocando o aprendiz de santo ao Castelo de Northampton apenas para surpreendê-lo com um júri de barões bêbados gritando pela cabeça do arcebispo (e pelas terras dele, embora o diabo não conseguisse se recordar de ninguém dizendo isso em voz alta na ocasião).

Sam O'Day, o Oblíquo — um nome que o agradava cada vez mais —, também tinha lembranças afetuosas do castelo da vez em que passou sem ser visto pelo cotovelo de Ricardo Coração de Leão e tentou evitar um risinho sarcástico quando o rei saiu em sua cruzada, a terceira cruzada, e portanto um dos primeiros grandes contatos do mundo cristão com o mundo do islã, dando o tom para algumas altas travessuras de rachar o bico mais adiante. Ah, puxa, e como não? Foi no castelo também que o demônio teve a oportunidade de sentar-se no primeiro parlamento do mundo ocidental, o Parlamento Nacional criado em 1131, e acompanhar com um sorrisinho o tanto de dificuldades que aquilo iria causar. E, por favor, nem o faça começar a falar do imposto por cabeça que tanto irritou Walter Tyler e seu exército de camponeses em 1381. A natureza intrincada dos problemas que desabrocharam ali, perto do cerne do país, transformava aquele em um dos locais de piquenique prediletos do diabo, não apenas em Angulândia, mas no mundo 3D como um todo.

Aninhado nos braços ternos do diabo sobre o cruzamento, Michael Warren olhou para as ruas que havia conhecido em vida com uma expressão de assombro e saudade. Para ajudar a criança, o diabo executou uma pirueta aérea lenta, girando em sentido anti-horário, para mostrar o panorama noturno brilhante que os cercava. Com esse movimento vagaroso, a trilha distrativa de imagens consecutivas que deixavam atrás de si era reduzida. O olhar dos dois se arrastava amorosamente pelos Boroughs, passando pelo canto sudoeste que os construtores simbolizavam na mesa de jogos dele com a cruz de ouro. Avançando, a Grafton Street subia para o leste na direção das luzes dos cafés e das lojas como uma tiara no topo da Regent Square. Então, conforme o diabo monarca se virou, as pistas paralelas de tobogã feitas de asfalto da Semilong surgiram à vista, com seus telhados com um brilho grafite que coroava a fileira de casas geminadas enquanto descia até o fundo do vale, até a St. Andrew's Road e o rio serpenteando no lado mais distante. Continuando seu giro preguiçoso, Michael Warren e o demônio olharam a seguir para a extensão escura de grama de Paddy's Meadow, com o Nene como uma fita de níquel que se desenrolava através dela e as árvores refletidas como destroços negros e emaranhados nas profundezas turvas do rio.

Era seguindo para o norte, se o intrincado Sam O'Day bem se lembrava, que o muro do Priorado de St. Andrew um dia se ergueu. Nos anos 1260, rei Henrique III enviou um pelotão de soldados a cavalo para acabar com a agitação e a insurreição nessa cidadezinha belicosa, e o exército foi levado para dentro por uma brecha no velho muro do priorado por um prior cluniacense francês que simpatizava com a monarquia francesa. Eles basicamente destruíram, estupraram e pilharam a cidade antes de tocar fogo nela, marcando aquele canto noroeste dos Boroughs como o ponto de penetração. Na mesa de bilhar dos construtores — ou mesa de trilhar, como era chamada de modo mais preciso —, aquele ponto era representado pela caçapa com o pênis dourado entalhado na madeira ao lado. A Regent's Square, ao nordeste, em contrapartida, era o canto da morte onde as cabeças cortadas dos traidores um dia foram exibidas, e a caçapa de sinuca correspondente era adornada com uma caveira dourada.

Eles rodopiaram sobre o cruzamento, olhando para os prédios comerciais um pouco acima da Spencer Bridge e as novas propriedades de Spencer e King's Heath mais além. Spencer. Outro nome local, notou o diabo, com repercussões interessantes aqui e ali naquela trajetória. Como figuras circulando no topo de uma caixa de música decrépita, o diabo e seu passageiro rodopiavam sem pressa para ver Jimmy's End e então o Victoria Park, belo e melancólico como uma noiva abandonada, chegando finalmente às luzes distantes da Estação Castle, onde a órbita chegou ao fim. Tinindo e manobrando no escuro, o terminal ferroviário ficava no canto sudoeste dos Boroughs, com um torreão dourado riscado na madeira da caçapa apropriada da mesa dos construtores, representando a autoridade severa. Agitando-se nas garras do diabo, o menininho por fim conseguiu falar.

— Ali está. Era-será onde eu estava. Era-será onde eu moro.

Uma mão minúscula saindo da larga manga de seu roupão para apontar a fileira de casas geminadas parcialmente acesa à esquerda, um pouco ao sul na St. Andrew's Road. O diabo riu e o corrigiu.

— Não exatamente. Ali é onde você morava. Até você morrer, claro.

A criança pensou a respeito e assentiu.

— Ah. Sim. Eu tinha me esquecido disso. Por que tudo ficou escuro tão rápido? Antes tudo estava ensolarado, e não fiquei fora por muito tempo. Não pode ser noite já.

Obviamente, o demônio observou, seu jovem amigo precisava ser corrigindo nesse ponto, também.

— Bem, na verdade, pode sim. Aliás, não é nem o mesmo dia em que você partiu. Quando voamos pelos Sótãos do Alento agorinha mesmo, devemos ter passado por três ou quatro crepúsculos, o que significa que no momento estamos em algum ponto mais tarde naquela mesma semana. Com todos os carros na Grafton Street, diria que parece uma noite de sexta-feira. Sua família provavelmente está no meio da refeição da noite agora. Como gostaria de vê-los?

Era possível adivinhar, pelo silêncio prolongado, que o menino estava pensando antes de responder. Naturalmente iria querer ver as pessoas que amava mais uma vez, mas vê-los em luto por ele devia ser uma perspectiva atemorizante. Por fim, disse:

— Pode mostrá-los para mim? E eles vão ser formas com luzes dentro, como eram no Andar de Cima?

O diabo bufou de modo bem-humorado, fazendo espirais de fumaça azul como de escapamento vazarem de suas narinas alargadas.

— Ora, claro que posso mostrar. Essa é a parte principal do Voo de Sam O'Day, na verdade. É pelo que sou famoso. E, quanto à aparência, não será a mesma de quando foram vistos de cima. Você sabe o que a palavra "dimensão" significa?

A criança sacudiu a cabeça desgrenhada. Aquela seria, o diabo pensou, uma longa noite.

— Enfim, basicamente é apenas outra palavra para plano, como nos planos diferentes em um objeto sólido. Se algo tem comprimento, largura e profundidade, dizemos que tem três dimensões, que é tridimensional. Ora, na verdade, todas as coisas neste universo têm mais que três dimensões, mas existem apenas três que os humanos parecem notar. Para ser bem sincero, existem dez, ou onze em caso de necessidade, mas só precisa se preocupar com quatro delas no momento. Os três planos que acabei de mencionar e uma quarta dimensão que é sólida como as outras, mas que os homens mortais percebem como o tempo que passa. Essa quarta dimensão, em sua luz verdadeira, é como a vemos de Almumana, o reino do Andar de Cima, uma dimensão ainda mais alta. Quando vemos lá de cima, não existe tempo. Todas as mudanças e os movimentos são apenas representados pelas formas de cristal serpenteantes com luzes dentro que você viu antes, enrolando-se pelos seus caminhos predeterminados. Mas só você está olhando lá de cima, não esqueça.

— Sobre onde estamos agora, não estamos mais lá em cima — continuou o diabo. — Estamos no mundo de três lados, onde o tempo existe, mas ainda o vemos com olhos superiores. Esse pequeno detalhe, em termos gerais, é a base de meu lendário Voo, o que, se você agora me permitir, vou demonstrar.

O pequeno nos seus braços, que havia ouvido o monólogo do diabo sem compreender a maior parte, fez um som lamentoso e ambíguo com uma leve inflexão ascendente, que portanto podia ser tomado como um consentimento condicional. Indo devagar para não alarmar a criança sem necessidade, e também para restringir o rastro e imagens correntes dos dois, o demônio começou a flutuar na direção da fileira curta e semiescurecida de casas que o menino havia indicado, do lado oposto ao depósito de carvão mais adiante na St. Andrew's Road. Passaram sobre os banhos públicos convertidos, com os trapos esmeralda e rubi do diabo chiando como um rádio do mal, e através do triângulo de mato crescido, indo para o sul. À esquerda, conforme se aproximavam da esquina da Spring Lane, passaram pelo imponente curtume, com suas chaminés altas de tijolo e os quintais fechados com aparas de pele tingida amontoadas em pilhas de tesouro turquesa, os cotos nus e brancos de caudas deixados nos pavimentos e se dissolvendo em sabão e cartilagem. Daquela altura, as poças perto dos galpões de retirada de lã eram fragmentos de madrepérola, brilhantes e descascando.

Michael Warren e o diabo flutuaram imóveis sobre o depósito do vendedor de carvão, de frente para o leste e olhando para baixo para a extensão de casas geminadas do lado oposto que corriam entre as aberturas de baixo da Scarletwell Strett e da Spring Lane. Abaixando a cabeça acastanhada e com chifres, o diabo sussurrou no ouvido do jovem.

— Sabe, quando descrevem esse passeio que posso fazer, sempre entendem errado. Dizem que o grande e malandro diabo Sam O'Day, se pedirem, leva você acima do mundo e permite que veja suas casas e lares sem os telhados, deixando ver as pessoas dentro. Isso é até verdade, em certo sentido, mas não explica direito o que realmente está acontecendo. Sim, levo as pessoas para cima do mundo, mas apenas no sentido de que posso suspendê-las, se quiser, até uma dimensão matemática mais elevada do que as que estávamos discutindo. Quanto à minha suposta habilidade de fazer desaparecer todos os telhados, para que feiticeiros possam espiar as mulheres dos vizinhos na hora do banho, como poderia fazer isso? E se pudesse, por que me daria ao trabalho? Este voo é meu atributo mais lendário, tirando todos os assassinatos. As pessoas não acham que eu poderia ter algo a transmitir que é um pouco mais importante do que o vislumbre de um mamilo? Ali, olhe para as casas por si mesmo e me diga o que acha que está vendo. Fiz ou não fiz os telhados todos desaparecerem?

Claro que o diabo sabia que aquela estava longe de ser uma pergunta simples. Era muito por isso que a fazia, apenas para ver a expressão perplexa e indecisa no rosto da criança enquanto tentava responder.

— Não. Todos os telhados ainda estão ali e eu consigo ver, mas...

O menino parou por um momento, como se debatesse internamente alguma coisa, então continuou.

— ... mas estou vendo as pessoas dentro dos cômodos também. Na casa da sra. Ward, lá no canto, estou vendo a sra. Ward no andar de cima colocando uma botija de água quente de pedra na cama e o sr. Ward no andar de baixo. Ele está sentado, ouvindo rádio. Como consigo ver os dois se estão em andares diferentes? Não deveria ter um teto no caminho? E como estou vendo qualquer um deles se o telhado ainda está ali?

O diabo estava impressionado, ainda que a contragosto. As crianças às vezes o surpreendiam desse jeito. No meio do falatório e das bobagens, a tendência era se esquecer de que suas percepções e suas mentes trabalhavam muito, muito mais que as dos adultos. Aquela criança havia feito uma pergunta mais incisiva, com mais curiosidade genuína, do que os quinze necromantes anteriores a caminho do inferno do camuflado Sam O'Day. Assim, fez seu melhor para apresentar àquela consulta inteligente uma resposta adequada.

— Ah, eu diria que um jovem brilhante como você saberia responder essa sozinho. Olhe com mais atenção. Você não está olhando *através* do telhado e do teto, certo?

Michael Warren estreitou os olhos, obediente.

— Não. Não, é mais como se estivesse olhando pela borda das casas.

O diabo abraçou o menino até que ele ganisse.

— Bom garoto! É exatamente isso o que você está fazendo, espiando dentro de uma casa fechada por uma borda que normalmente não consegue enxergar. É como se existissem pessoas planas, o que chamam de bidimensional, que morassem em uma folha de papel plana. Se você desenhasse uma caixa ao redor de uma delas, a aquela pessoa plana estaria separada do resto do mundo plano e seus habitantes. Eles não o veriam, já que estaria atrás das paredes de linha que você desenhou, nem ela poderia vê-los, fechado em sua caixa plana.

"Mas você é quem desenhou as linhas, e tem três dimensões. Comparado a todas as pessoinhas planas, você tem toda uma dimensão a mais para atuar, o que é uma grande vantagem. Você pode olhar através do lado aberto de cima do quadrado que desenhou, através de uma dimensão que as pessoas planas não podem ver e não conhecem. Pode olhar para o camarada plano na caixa por um ângulo que, para ele, não existe. Agora você entende como pode ver os vizinhos do andar de cima e do andar de baixo ao mesmo tempo, apesar do telhado e do teto no caminho? É só uma questão de perspectiva. Isso não faz muito mais sentido do que eu conspirar para esconder todos os telhados de algum jeito inimaginável? O que eu faria com todas as telhas?"

A criança estava olhando para a fileira de casas com uma expressão atordoada, mas assentia lentamente, como se tivesse entendido ao menos o básico do que tinha acabado de escutar. Crianças tinham uma flexibilidade e uma resiliência em suas ideias sobre a realidade que os adultos em geral não demonstravam. Na opinião do intrincado Sam O'Day, tentar destruir o espírito ou a sanidade das crianças exigia mais esforço do que a recompensa valia. Por que se importar com isso? Havia adultos em todo lugar, e adultos quebravam como gravetos. Afeiçoando-se de modo relutante por seu passageiro asquerosamente amável e belo como um cartão-postal, o diabo continuou com seu monólogo de guia turístico.

— Na verdade, se você olhasse mais de perto para seus vizinhos, iria descobrir que pode ver os órgãos internos e os esqueletos pela borda da pele deles. Se chegasse ainda mais perto, poderia olhar por um canto escondido dos ossos deles e ver o tutano, embora eu não recomende. Essa é a principal razão por que mantenho meu voo acima dos telhados, para ser sincero. Se estivéssemos muito mais perto, você ficaria distraído demais com o sangue e as entranhas para entender como deveria os aspectos mais importantes dessa experiência educativa. Gostaria de olhar a casa em que morou?

Michael Warren olhou para o demônio por cima de um ombro xadrez. Parecia ansioso, apreensivo e um tanto triste. Era um olhar adulto e complicado demais para um rosto tão jovem, o diabo pensou.

— Sim, por favor. Só que, se todo mundo estiver chorando, podemos ir embora de novo? Isso me faria chorar também, se estiverem infelizes.

O matreiro Sam O'Day não achou necessário comentar que a família de Michael dificilmente estaria usando chapéus de festa e soprando línguas de sogra tão cedo depois da morte dele, mas se limitou a levar a criança morta algumas portas mais adiante na fileira de casas, no sentido sul. Uma brisa do oeste trouxe o perfume de ferro e mato do pátio de manobras onde tênderes esquecidos descascavam e enferrujavam e as luzes brancas eram uma cobertura de açúcar escassa, racionada, no escuro ventoso dos Boroughs. O diabo parou sobre o número 17.

— Aqui, pronto. Vamos ver o que está acontecendo.

O diabo soltou um suspiro de susto no mesmo momento que o menino. O que podiam ver dentro da casa era, francamente, a última coisa que qualquer um deles tinha previsto. Talvez o demônio tenha ficado mais atônito que o menino, por estar muito menos acostumado com surpresas. Aquilo era um choque, e não um engano, como quando o expulsaram da Pérsia tantos séculos antes, queimando fígados de peixe e incenso. Ele não esperava por aquilo, e tampouco por isso.

O patamar de cima do número 17 estava vazio no momento, assim como a sala de visitas e o corredor. Apenas a sala de estar e a cozinha estavam acesas e ocupadas, com meia dúzia de pessoas, pelas estimativas do diabo. Uma velha senhora magra com cabelo cinza cor de fumaça preso em um coque estava na pequena cozinha dos fundos, esperando que uma chaleira amassada sobre o fogão fervesse. Todos os outros estavam à toa na sala adjacente, em torno de uma mesa arrumada para o chá. Em uma ponta, perto da porta aberta da cozinha, uma menininha de cinco ou seis anos estava sentada em um cadeirão infantil, pequeno demais para ela. Uma vasilha de pudim virada para baixo tinha sido colocada na sua cabeça, de modo que o homem que estava atrás dela na cadeira, um sujeito de cabelos escuros com seus trinta anos, podia cortar em torno enquanto aparava a franja da menina. Outra mulher, também com seus trinta anos, estava entre a mesa e a lareira. Estava no ato de tirar um pratinho de manteiga do lado da lareira, onde estava derretendo em um óleo dourado, e colocá-lo no centro da toalha de mesa branca. Enquanto fazia isso, olhava na direção da porta que dava para o corredor, que se abria para alguém entrar. Era um homem alto, de aparência sólida, com uma pele avermelhada e casaco de ombros de couro de um trabalhador. Em seus braços, ele segurava...

— Sou eu — disse Michael Warren, em um tom perplexo de descrença.

E era mesmo. Não havia como contornar aquilo, mesmo na quarta dimensão.

Entrando pela porta na sala com um sorriso largo em seu rosto avermelhado, o trabalhador robusto carregava uma criança, talvez de três anos de idade, um menino com traços delicados e cachos louros que eram um tanto inconfundíveis. Era uma versão levemente menor do pequeno espírito que o demônio suspendia sobre os telhados. Era Michael Warren, evidentemente muito vivo e inconsciente de que naquele momento era observado por seu próprio fantasma confuso.

— Ora, agora é que me desgraço — previu o convicto e ferrado Sam O'Day.

Como o construtor de cabelos brancos tinha conseguido aquilo, especialmente com um olho roxo e uma concussão leve? Como tinha escapado da sinuca que seu colega e oponente o havia colocado? O diabo tentou imaginar uma tacada matreira que pudesse provocar o resultado sem precedentes que testemunhava no momento, mas descobriu, para sua vergonha, que não conseguia. A bola de trilhar que representava Michael Warren em algum momento deveria ter entrado na caçapa decorada com a caveira dourada, o buraco da morte na quina nordeste da mesa. De outro modo, a alma dele não estaria adernada de pijama pelos Sótãos do Alento. Obviamente, também, a bola tinha então de algum modo pulado para fora, ou de alguma outra forma voltado ao jogo, voltado à vida. Se não, quem era o malandro de cachos loiros quase brancos sendo recebido de volta no seio da família, abaixo no livro pop-up aberto do número 17 da St. Andrew's Road? Aquilo merecia, pensou o diabo, uma investigação mais detalhada.

— Essa é certamente uma surpresa para ficar registrada nos livros. Aqui em cima você está morto, mas lá embaixo está vivo de novo. Por que será? Você é algum tipo de zumbi de algum filme de vodu? Acho pouco provável que possa ser o messias. O que você acha? Houve algum sinal ou presságio coincidindo com seu nascimento, nuvens com forma de corvos, raios de luz sobrenatural ou qualquer coisa assim?

O jovem sacudiu a cabeça, ainda de boca aberta para a cena alegre acontecendo abaixo dele.

— Não. Somos só pessoas comuns. Como todo mundo na Andrew's Road. O que isso significa, eu estar lá embaixo? Quer dizer que não vou ficar muito tempo morto?

O diabo encolheu os ombros.

— Certamente é o que parece, mas devo confessar que não consigo entender como. Tem alguma coisa muito complicada acontecendo com você, jovem, e eu sou como o diabo para a complexidade. Talvez sua origem possa dar algum tipo de pista? Vamos, me conte quem são aquelas pessoas, as que estão dando gritinhos de alegria com a sua volta e indo e vindo no cômodo ali embaixo. Quem é a velha senhora na cozinha?

Michael Warren soou cautelosamente orgulhoso e cativantemente protetor ao se atrever a responder.

— Aquela é Clara Swan, e ela é minha avó. Tem o cabelo mais comprido do que o de qualquer pessoa do mundo, mas está preso em um coque porque, quando fica solto, pega fogo. Ela era empregada doméstica de umas pessoas em uma casa imensa.

O diabo levantou uma sobrancelha eriçada, pensativo. Havia um grande número de casas imensas por aquelas bandas. Não era provável que a avó do menininho tivesse trabalhado para os Spencer em Althorp, mas nunca se sabia. O menino continuava seu inventário.

— A outra mulher é minha mãe, que se chama Doreen. Quando ela era-será pequena, teve uma guerra, e ela e minha tia Emma viram um bombardeiro cair na Gold Street pela janela do quarto. Aquele homem que está me carregando, vindo pela porta, ele era-será meu pai. O nome dele é Tommy, e ele rola barris grandes e pesados na cervejaria. Todo mundo diz que ele se veste muito bem e que é bom dançarino, mas nunca vi ele fazer isso. O outro homem era-será meu tio Alf, que dirige um ônibus de dois andares e anda de bicicleta quando vem para ver nossa avó no caminho de volta para a casa dele. Ele corta nossos cabelos para a gente, do jeito que está fazendo com a minha irmã Alma. Ela era-será a menina mandona no cadeirão.

Sem que seu pequeno passageiro percebesse, as íris do diabo se tornaram negras por vários segundos por causa da surpresa, então voltaram às cores iniciais, vermelhas ou verdes, as manchas da guerra ou então do amor ao ar livre. Sua jovem carga tinha uma irmã, e o nome dela era Alma. Alma Warren. O reconstruído Sam O'Day tinha ouvido falar de Alma Warren. Ela seria uma artista moderadamente famosa com suas capas de livros e discos, e teria espasmos visionários intermitentes. Durante um desses, ela tentaria, em uns trinta anos, fazer um retrato do Quinto Duque Infernal em sua roupa de gala completa, a imagem reptiliana e aracnídea com enfeites de pena de pavão elétrica. A imagem não seria muito semelhante, e ela nem tentaria retratar o forro de lagarto da sua aura sob medida, mas o diabo se sentiria vagamente lisonjeado do mesmo jeito. A artista claramente considerava belo aquele que retratava e, se ele achasse a mesma coisa dela, sua paixão persa poderia se repetir de novo. Infelizmente, Alma Warren viraria uma mocreia assustadora, e o ziguezagueante Sam O'Day era muito exigente quando o assunto era mulheres. Na Pérsia, a filha de Raguel, Sarah, era voluptuosa. Nem mesmo Lil, sua ex-mulher, que havia fornicado com abominações, tinha se descuidado da aparência como Alma Warren faria. Embora o diabo admitisse que gostava bastante da mulher, também se apressaria em dizer que não gostava dela *nesse* sentido, para o caso de alguém entendê-lo mal.

Então, Michael Warren era o irmão bonito da assustadora Alma Warren, que de algum modo conseguia persuadir demônios a posar para ela. E ainda havia aquele estranho acontecimento de significado críptico que ocorreria quase cinquenta anos adiante, em 2006, em que a artista teria grande envolvimento. Dentro do quebra-cabeças de trilhões de fragmentos da mente intricada do rei demônio, as peças começaram a se juntar em novos arranjos intrigantes. Algo positivamente bizantino estava acontecendo, e o diabo tinha mais certeza a cada momento. Repassou o que podia pré-relembrar do padrão labiríntico de acontecimentos que envolveria os primeiros anos do século seguinte, procurando pistas e conexões. Havia toda aquela coisa de uma santa nos vinte e cinco, com quem o diabo tivera envolvimento pessoal. Aquele caso tinha ligações tênues com os acontecimentos de 2006, relacionados à linhagem de Alma Warren...

E o irmão dela.

Ora, aquilo era interessante. Eles eram irmãos, então faziam parte da linhagem.

Isso significava que Michael Warren também era um Vernall. Não importava se ele sabia disso, e menos ainda se gostava da ideia. Estava ligado por laços de sangue à velha profissão, ao ofício ancestral.

O demônio sabia que a maior parte da terminologia única de Almumana vinha dos normandos ou dos saxões, expressões como Frith Bohr, Porthimoth de Norhan e afins. Vernall, porém, era mais antigo. O diabo se recordava de ouvir a palavra naquela região desde o que, a ocupação romana? E tinha noção de que ela poderia vir de tradições ainda anteriores, dos druidas ou dos homens-trasgos de galhadas que os precederam, figuras estranhas agachadas em meio à fumaça da antiguidade. Embora Vernall fosse a descrição de um trabalho, remetia a uma ocupação baseada em uma visão de mundo arcaica, não estava em evidência por uns dois mil anos e que não abordava a realidade em termos que o mundo moderno fosse capaz de reconhecer.

Um Vernall cuidava dos limites e cantos, e foi no sentido mundano de um sacristão comum que o termo veio a ser compreendido nos Boroughs durante a época medieval. As beiradas rotas do que constituía a jurisdição de um Vernall, porém, não eram originalmente limitadas àquelas margens cobertas de mato do mundo mortal e material.

Os cantos que um Vernall tradicionalmente marcava, mensurava e cuidava eram aqueles que se curvavam para a quarta direção; eram as junções entre a vida e a morte, a loucura e a sanidade, o Andar de Cima e o Andar de Baixo da existência. Os Vernall vigiavam os entroncamentos de dois planos muito diferentes, sentinelas escanchados em um abismo que ninguém mais podia ver. Por isso, eram propensos a certas instabilidades, mas ao mesmo tempo muitas vezes demonstravam percepções, talentos e capacidades além do normal. Apenas na linhagem recente de Michael Warren e sua irmã Alma, o sacudido Sam O'Day conseguia se lembrar de três ou quatro exemplos notáveis daquelas estranhas tendências hereditárias. Houve Ernest Vernall, trabalhando na restauração da St. Paul quando entrou em uma conversa com um construtor. Snowy Vernall, o filho destemido de Ernest, e Thursa, irmã de Ernest, com seu entendimento sobrenatural da acústica do espaço superior. Houve a feroz May, a defunteira, e a magnífica e trágica Audrey Vernall, no momento estagnada em um decadente hospital psiquiátrico nos limites de Berry Wood. Os Vernall observavam os cantos da mortalidade e a esquina que com muita frequência eles próprios acabavam dobrando.

Pairando sobre a St. Andrew's Road com a pequena essência de Michael Warren entre as garras, o diabo contou todos os ases na mão de informações que recebeu. Aquela criança perdida, no momento morta, mas em alguns dias aparentemente viva, tinha sido a causa de uma briga colossal entre os Mestres de Obras. Mais que isso, era um Vernall por descendência, parente de uma artista central ao acontecimento definidor que ocorreria no primeiro semestre de 2006. Esse evento vindouro era conhecido em Almumana como o Inquérito de

Vernall. Muita coisa dependia disso, não só o destino final de certas almas condenadas nas quais o demônio tinha um interesse específico. Poderia haver uma maneira para o descaracterizado Sam O'Day modificar os fios orvalhados da circunstância entremeada a seu favor. Seria preciso pensar a respeito.

Embora empolgado pela rede fervilhante de possibilidades, o diabo conseguiu soar indiferente ao falar com o menino cativo.

— Humm. Ora, sua família toda parece muito feliz por ter você de volta, mas parece que houve um engano terrível aqui. Em algum momento do dia seguinte ou por aí, você volta a viver, então provavelmente não deveria estar correndo pelo Andar de Cima. É melhor terminar meu voo e levá-lo de volta para os Sótãos do Alento até decidir o que deve ser feito com você.

O menininho astral se virou nas garras do demônio. Era como se, uma vez reassegurado de que estar morto não era permanente em seu caso, Michael Warren estivesse começando a gostar da viagem prometida e estivesse relutante em vê-la concluída. Ele concordou com um suspiro profundo, como se fizesse um enorme favor ao diabo.

— Imagino que sim, mas não vá tão rápido dessa vez. Você disse que iria responder perguntas para mim, mas não posso fazer nenhuma se minha boca estiver toda cheia de vento.

Com toda a seriedade, o diabo virou os chifres na direção do menino que se balançava debaixo dele.

— É justo. Vou prosseguir com tranquilidade, assim pode me perguntar qualquer coisa que quiser.

Ele virou em um grande leque espiral de vermelho e verde e começou a se dirigir para o norte, ao longo da St. Andrew's Road, na direção do gramado ao pé da Spencer Bridge. Mal tinham chegado às alturas com sabor de lareira acima do carvoeiro antes que o menino tivesse formulado sua primeira pergunta irritante.

— Como isso tudo funciona, então, vida e morte?

Que ótimo. Ele tinha um pequeno Wittgenstein como companhia. Sem ser visto, pelas costas da criancinha, o demônio abriu bem a boca cheia de presas e fez em mímica que arrancava a cabeça do menino, mastigava uma ou duas vezes e a cuspia nos vãos com pilhas de pó de carvão mais abaixo. Desfrutando daquela fantasia fugaz, deixou que seus traços voltassem ao insidioso olhar malicioso de costume ao responder.

— Na verdade só existe vida. A morte é uma ilusão de perspectiva que aflige a terceira dimensão. Apenas no mundo mortal, de três lados, você vê o tempo como uma coisa que passa, desaparece atrás de você até virar um nada. Você pensa no tempo como algo que um dia vai ser usado até não restar mais, que um dia vai acabar. Visto de um plano superior, o tempo não é nada além de outra distância, assim como altura, largura ou profundidade. Tudo no universo do espaço e tempo acontece de uma só vez, em um superinstante, com a aurora do tempo de um lado e o fim do tempo no outro. Todos os minutos entre eles, inclusive os que marcam as décadas de sua vida, estão suspensos na grande bolha imutável da existência pela eternidade. Pense em sua vida como um livro, uma coisa sólida cuja última linha já está escrita quando você está começando a primeira página. Sua consciência progride através da narrativa do começo até o fim, e você fica preso na ilusão dos acontecimentos e o tempo que se passa à medida que essas coisas são experimentadas pelos personagens dentro do drama. Na realidade, porém, todas as palavras que formam a história estão fixas nas páginas, presas em sua ordem invariável. Nada no livro está mudando ou se desenvolvendo. Nada no livro se move, a não ser pela mente do leitor que avança pelos capítulos. Quando a história acabou e o livro é fechado, não entra em combustão espontânea. As pessoas na história e suas reviravoltas de sorte não desaparecem sem vestígios, como se não tivessem sido escritas. Todas as frases que as descrevem ainda estão lá em um tomo sólido e imutável, que pode ser lido de novo ao seu bel--prazer, quantas vezes desejar.

"É a mesma coisa com a vida. Ora, cada segundo é um parágrafo que você vai revisitar inúmeras vezes e encontrar novos sentidos, embora as palavras não mudem. Cada episódio permanece inalterado em seu ponto designado dentro do texto, e assim cada momento dura para sempre. Momentos de êxtase refinado e de profundo desespero, suspensos no âmbar infinito do tempo, todo o inferno ou céu que qualquer pregador apocalíptico poderia desejar. Cada dia e cada ação são eternos, garotinho. Trate de viver de um modo que torne suportável o convívio com eles para sempre."

A dupla flutuava entre as copas das árvores do gramado escurecido, indo mais ou menos na direção dos banheiros públicos que um dia tinham sido banhos, na extremidade mais distante. Uma cauda de instantâneos fumegava atrás deles. A criança balançante ficou em silêncio por um tempo enquanto digeria o que o diabo tinha acabado de dizer, mas apenas por um tempo.

— Bem, se minha vida é uma história, e quando chegar ao final simplesmente volto e vivo tudo de novo, então onde ficava aquele lugar no Andar de Cima onde você me encontrou?

O diabo fez uma careta, já começando a ficar entediado com as responsabilidades da paternidade.

— O Andar de Cima está simplesmente em um plano mais alto, com mais dimensões que as três ou quatro que você conhece aqui. Pense nele como um tipo de biblioteca ou sala de leitura, um lugar onde todos podem ficar fora do tempo, relendo suas próprias aventuras maravilhosas, ou, se quiser, seguir adiante para explorar outras possibilidades naquele lugar marcante e eterno. Por falar nisso, esse olmo a que estamos chegando é aquele que podemos usar para ascender aos Sótãos do Alento. Se preferir, vou mais devagar, para você entender o que está acontecendo.

Pendurado na brisa perfumada por carvão e clorofila, suspenso como se fosse o trem de pouso de algum zepelim pirata espalhafatoso, Michael Warren emitiu um murmúrio desconfiado de concordância. Conforme navegavam para mais perto do olmo, o diabo saboreava a perplexidade do menininho com as mudanças de percepção que sem dúvida experimentava. A árvore parecia ficar maior à medida se aproximava, como era de se esperar, mas isso não era acompanhado da sensação de que os dois estavam realmente chegando mais perto de seu destino. Era mais como se, quanto mais seguissem na direção da árvore, menor eles mesmos ficassem. Em um esforço para esvaziar a enxurrada de perguntas de seu passageiro, o demônio escolheu em vez disso explicar o processo para o garoto.

— Você deve estar se perguntando por que parece que estamos ficando menores, ou então por que o olmo parece monstruosamente aumentado quando chegamos mais perto. É tudo por causa da discrepância entre as maneiras que as dimensões aparecem uma para a outra. Já falamos da noção de pessoas planas com apenas duas dimensões, vivendo hipoteticamente dentro dos limites de uma folha de papel. Bem, imagine que essa folha de papel em que estão vivendo na verdade tivesse sido dobrada para formar um cubo de papel. Assim estariam vivendo em um mundo de três dimensões, mas, com suas percepções limitadas a apenas duas dimensões, jamais poderiam ver ou entender isso. É assim como os seres humanos, criaturas com três dimensões vivendo em um universo de quatro dimensões que não conseguem captar direito.

"Agora você foi levado para um plano ainda mais elevado, como se nosso sujeitinho plano fosse movido para um espaço de onde pudesse não apenas observar seu mundo plano de duas dimensões, mas também ver o cubo que na verdade era parte dele. Como uma forma de três dimensões se traduziria nos pensamentos e percepções de um ser que tem somente duas? Sem o conceito de um cubo, nosso camarada planificado não poderia enxergá-lo de modo parecido com o mundo plano e quadrado com que está acostumado, mas de algum jeito maior, de um modo que não conseguia definir? Esse é o efeito que você está experimentando agora, e que sentiu quando olhou de volta pelo portal que usou para subir para os Sótãos do Alento, seja lá qual for. O cômodo em que você morreu não parecia muito maior do que tinha sido em vida? Inclusive, você já teve febre ou delírio quando ainda estava vivo, com as paredes do quarto parecendo estar assustadoramente longe? Teve? Aquilo às vezes acontece quando um humano está vagando pelos territórios espremidos entre a vida e a morte. Eles vislumbram a verdadeira escala de seus ambientes, como serão vistos quando tiverem subido um plano ou dois. Enfim, olhe para o olmo agora. Está enorme."

E de fato estava, assim como o gramado antes pequeno que o cercava. O diabo entrou em uma trajetória em espiral em torno do panorama vertical e sulcado do tronco, refazendo a manobra executada ao levar Michael para dentro desse mundo, mas com uma velocidade muito reduzida, e indo para cima em vez de para baixo. Conforme fizeram o primeiro círculo lento em torno da árvore e viraram, a fita fantasma de imagens em stop-motion que deixavam atrás de si se tornou mais evidente, predominantemente vermelha e verde, serpenteando pelo terreno gramado para se enrolar em torno do olmo agora gigante. Espiralaram para cima na direção do ponto escondido no qual o caótico Sam O'Day sabia que havia uma porta torta que os levaria de volta aos Sótãos, mas, antes que chegassem, sua carga cada vez mais exasperante tinha pensado em outra pergunta cansativa.

— Como as árvores crescem até o lugar no Andar de Cima, se têm as raízes aqui perto dos banheiros públicos? E os pombos que estavam pousados nos galhos mais acima? Como podem ir e voltar sem estarem mortos como eu?

O anagramático Sam estava feliz por seu relacionamento com Lil não ter gerado uma prole. Bem, ela tinha dado à luz uma grande gosma monstruosa, claro, coisas como cães com as entranhas viradas para fora e como caranguejos chatos de um metro com a cor rosa vívida dos chicletes. Esses horrores, porém, não faziam mais que balbuciar coisas sem sentido ou uivar até que a mãe ficasse de saco cheio e os comesse durante as depressões pós-parto. Mal tinham consciência de suas próprias existências grotescas, muito menos a habilidade de formular questões irritantes, então eram preferíveis a crianças humanas como aquela, que só dispunha de dois olhos azuis, enquanto eles não tinham nenhum ou vários olhos vermelhos agrupados no centro dos rostos, como as tarântulas. O diabo tentou manter um tom civilizado ao responder.

— Ah! Estou vendo que você é um pequeno estudioso bem perguntador. Enfim, a resposta é que nesse caso das árvores, e com certas outras formas de vida vegetal, elas já têm uma estrutura que expressa perfeitamente uma vida eterna em mais de três dimensões. Como permanecem imóveis, o único movimento que fazem é o do crescimento, o que deixa um rastro sólido de madeira atrás, de um jeito muito parecido com que deixamos um longo fluxo de imagens fantasmas. O formato da árvore é sua história, cada ramo, a curva de uma estátua-tempo magnífica, e posso assegurar que nós, as pessoas do Andar de Cima, as apreciamos com o mesmo entusiasmo que vocês, humanos.

"Quanto aos pombos, não são nem um pouco como os outros pássaros e estão submetidos a regras diferentes. Para começar, as percepções deles são cinco vezes mais rápidas do que as das pessoas ou da maioria dos outros animais. Isso significa que têm uma sensação diferente do tempo, com todas as coisas no mundo a não ser eles reduzidas a um rastejar em suas mentes agitadas. E, o que é ainda mais interessante, são os únicos pássaros, na verdade as únicas criaturas vivas não mamíferas, que podem alimentar seus filhotes com leite. Não vou fingir que sei exatamente por que os pombos fazem por merecer essa distinção entre todos os outros animais em suas relações com o reino superior, mas imagino que essa coisa do leite tem muito a ver com isso. Provavelmente engrandece o valor simbólico deles na visão da administração, e assim têm permissão especial para se comportarem como psicopompos e voejar para lá e para cá entre os pastos dos vivos e dos mortos, ou coisa do tipo. Não sei para que servem, mas escute só, existem mais coisas nos pombos do que a maioria das pessoas pensa."

Eles circulavam para cima em um ritmo majestoso em torno de um tronco agora com uns dez metros de diâmetro, chegando a trinta metros de circunferência. Ciente de que a porta torta que dava acesso aos Sótãos do Alento estava a apenas um giro acima na espiral, o bem urdido Sam O'Day decidiu que era melhor informar seu jovem e cansativo viajante o que era a porta antes de levá-lo através dela, para evitar a inquisição em voz aguda que inevitavelmente acompanharia tal iniciativa.

— Antes que você pergunte, bem ali na próxima curva está uma coisa chamada porta torta. É um tipo de dobradiça de quatro lados entre as dimensões que vai nos levar de volta para o Andar de Cima em Almumana. A maioria dos cômodos terrenos tem uma porta torta em ao menos um dos cantos superiores, e a maioria dos espaços abertos também, embora nos espaços abertos só seja possível ver os cantos quando você está no Andar de Cima, olhando para baixo. A não ser, claro, que você seja alguém que tenha feito a jornada inúmeras vezes, digamos, um demônio ou um pombo, e sabe de cor onde fica cada entrada. Esteja preparado agora. Há uma porta torta bem na nossa frente e, quando passarmos por ela, você vai sentir algo se revirar dentro do seu corpo ao mudarmos da perspectiva deste mundo inferior para a do plano superior lá em cima.

O demônio acelerou um pouco a velocidade, disparando na direção do canto oculto que podia sentir, invisível, não muito acima. Conforme os dois e a procissão verde e vermelha atrás deles giravam para mais perto da abertura invisível, como água tingida circulando um ralo celeste invertido, todos os barulhos do bairro eram esticados e alongados no som crescente de uma orquestra com muitos instrumentos de corda. Os carros na Spencer Bridge, os trens de carga chocalhando e o murmúrio do rio, todos aqueles sons eram puxados em um zumbido grave cavernoso pela acústica do mundo do Andar de Cima que os esperava mais acima.

Como a salada silábica que era Sam O'Day tinha previsto, quando entraram pela porta torta e atravessaram a junção dos dois planos, houve um momento em que sentiram que seu estômago tinha virado, mas dentro da cabeça. Então, em uma enxurrada de cores vivas de maçã, explodiram de uma abertura de quinze metros com uma borda de casca de árvore muito aumentada, giraram mais uma vez em torno do olmo titânico e ondularam entre uma guerra de travesseiros de pombos até as alturas reverberantes acima dos Sótãos do Alento.

Além do teto de vidro, linhas prateadas sobre o preto mapeavam as facetas de um dodecaedro planificado que se movia lentamente, como um galeão de luzes em águas tranquilas através da escuridão sem limites fora da imensa galeria. O diabo flutuou por um momento com a criança de roupão apertada contra o peito, contra o clangor de seu poderoso coração de bigorna, e então começou um voo sossegado de volta pela vasta extensão da galeria, na direção do roxo e vermelho do pôr do sol ao leste. Levaria o menino de volta para o pedaço daquele corredor colossal, o começo da tarde de alguns dias antes, quando tinham se conhecido. Uma vez lá, decidiria o que deveria ser feito com aquele pequeno enigma, que estava morto em um minuto e vivo no outro, cuja situação aflitiva tinha feito os próprios construtores entrarem em uma notável briga de tapas.

Esperava passar a jornada repassando consigo mesmo todas as suas opções, todos os movimentos que poderiam ser feitos no jogo de xadrez transtemporal que era sua existência elaborada, sua teia decorada. Idealmente, teria tempo de refletir com cautela sobre cada modo pelo qual seu encontro oportuno com aquele menino ossudo, esse Vernall que encontrara no canto costumeiro deles entre aqui e o além, poderia ser transformado em uma vantagem futura para o embaralhador Sam O'Day. Infelizmente, sua previsão se provou otimista demais, e mal tinham navegado uns cem metros quando o diabinho pendurado começou outra rodada de Vinte Perguntas.

— Então, por que este lugar é chamado de Almumana?

O diabo estava sentindo que seu pavio notoriamente curto estava começando a queimar. Sim, tinha prometido que responderia a qualquer pergunta que o menino lhe fizesse, mas aquilo estava virando palhaçada. Aquele furão estridente ia fazer alguma pausa em suas interrogações? O suspeito Sam O'Day estava modificando sua avaliação do modo como a vida de Michael Warren tinha acabado. Se antes havia imaginado que a natureza confiante do menino pudesse tê-lo levado para mãos assassinas ou uma geladeira abandonada, agora pensava que era mais provável que o menino tivesse sido morto por seus parentes em uma tentativa de calar o pestinha. Embora obrigado por todas as regras da demonologia a dar uma resposta, o diabo não conseguiu esconder por completo a amargura ao obedecer.

— É chamado de Almumana porque Almumana é o seu nome. É como alguém perguntar por que você se chama Michael Warren. Você é chamado assim porque é quem você é, e Almumana se chama Almumana porque é o que é. Enfim, não poderia ser mais simples. É um nome totalmente autoexplicativo, e qualquer um que tenha juízo aceitaria isso, mas estou vendo que você não está incluído nessa categoria. Um de seus melhores poetas humanos, Bunyan de pé ferido, John presidiário, costumava vagar pela municipalidade terrena de Northampton a partir de sua casa em Bedfordshire, não muito longe dali, e ao mesmo tempo vagava em suas visões poéticas através do aspecto superior do lugar. Algum espírito que passava deve ter dito a ele o nome do lugar, e por algum grande golpe de sorte ele foi capaz de lembrar quando voltou à consciência mortal, pelo menos por tempo suficiente para escrevê-la e usá-la em seu panfleto *Guerra Santa*.

Eles flutuaram pelo salão eterno, enquanto mais acima as cores do firmamento voltavam no tempo, da meia-noite negra ao amanhecer violeta e o pôr do sol como um abatedouro em chamas. Abaixo, a fileira vertiginosa de tanques passava brilhando, buracos no rolo de música que se desenrolava de alguma pianola velha. Conforme seguiam sob o céu azul-acinzentado do dia anterior na direção da concha de ostra brilhante do amanhecer, o diabo teve certeza, pela qualidade do silêncio pensativo de Michael Warren, que a criança estava formulando mais outra pergunta fátua, e pelo menos nisso sua expectativa não foi frustrada.

— Por que você disse que foi-será por um golpe de sorte que o homem conseguiu se lembrar de alguma coisa? E eu, vou me recordar de tudo isso quando voltar à vida?

O diabo rosnou sua resposta, cuspindo gotas inadvertidas de veneno cáustico no colarinho do roupão do menino e alvejando o tecido xadrez em uma trilha de queimaduras branco-amareladas fumacentas.

— Não, filhinho, não vai. É uma das condições imutáveis que acompanham o modo como a coisa que você enxerga como o tempo é estruturada. Nada do que ocorre aqui, neste lugar fora do tempo, tem tempo de verdade para entrar na memória mortal. Se passar pela narrativa que é sua vida mil vezes, ainda assim cada pensamento e ato vão ser exatamente o que eram em sua primeira passagem. Não vai haver tempo para se recordar de ter dito ou feito essas coisas antes, a não ser por aqueles lapsos momentâneos de esquecimento que as pessoas conhecem como déjà vu. E, a não ser por fragmentos como os que se pode trazer dos sonhos, ou raridades como a visão de John Bunyan, ninguém jamais teve a menor recordação do que acontece com eles nestes ambientes elevados. Então, na verdade, não há por que me fazer essas perguntas estúpidas, certo? Você vai se esquecer de toda essa experiência assim que voltar à vida, e isso significa que foi uma perda do seu tempo e, ainda mais lamentavelmente, do meu. Se você tivesse alguma ideia do que um diabo precisa passar no curso normal de sua existência, não iria me infernizar com essas trivialidades que em última análise são inúteis.

Eles viajavam pela atmosfera de pérola e amora do amanhecer de sexta-feira, seguindo para o túnel negro com fios iluminados que era a noite de quinta-feira. Virando o pescoço para espiar o demônio por cima de um ombro chamuscado de baba, a expressão no rosto querúbico de Michael Warren era tal que se poderia pensar que ele estava tentando ser astucioso ao responder à explosão do diabo, se sua astúcia não fosse tão desajeitada e transparente.

— Ora, por que não me diz pelo que um diabo precisa passar, então? O que você era-será, aliás? Foi-será alguém que se portava muito mal, ou sempre um diabo? Como disse que ia responder qualquer coisa que eu perguntasse, então responda isso.

O diabo moeu suas presas em pedra-pomes brilhante, mas, olhando pelo lado positivo, se precisava conversar com aquele jovem leitão insuportável de pijama, então bem que poderia ser sobre algo do qual jamais se furtava a falar muito, a saber, ele mesmo.

— Bem, já que você perguntou, não. Não, não fui sempre um diabo. Quando o halo luminoso que é o espaço-tempo surgiu da não existência, de uma só vez, então eu vi a totalidade do meu ser imortal, o que incluía esse período incivilizado que preciso passar servindo como um humilde demônio. Mas o que sou agora não é como eu era no começo das coisas, nem como serei mais adiante no meu caminho. Lá no meu princípio, eu era apenas uma parte gloriosa de uma miríade que constituía uma mesma entidade maior que se deleitava em apenas ser, antes do advento tanto do mundo quanto do tempo. Eu era um construtor naquela época, se consegue acreditar. Tinha a túnica branca e o taco de bilhar e tudo mais.

"Você precisa ter em mente que isso foi antes que existisse o tempo como o conhecemos agora, ou um universo material de qualquer tipo. Não existia nenhum problema. Naturalmente, isso não durou. Foi decidido lá em cima que parte do grande ser do qual eu era um componente deveria ser empurrado duas ou três dimensões para baixo, para criar um plano de existência física. Para todos os efeitos, alguns de nós foram rebaixados de um mundo de nada além de luz e êxtase para essa nova construção, esse novo reino de sensações corpóreas, de emoções, e a corrente infinita de deleites e tormentos que essas coisas exigem. Admito de muita má vontade que essa reorganização desastrosa pode muito bem ter sido necessária, por um motivo que aqueles que trabalhavam nas fileiras inferiores não têm consciência. Ainda assim, isso dói.

"Não estou reclamando, veja bem. Houve outros bem piores que eu. Você deve se recordar que mencionei Satã antes, e disse que você não o reconheceria se o visse. Isso é porque ele foi o primeiro e o maior a ser lançado no vazio, com suas energias flamejantes esfriadas e condensadas em matéria, sua magnificência sublime reduzida a um aterro. Dê uma olhada abaixo de nós, para os tanques sobre os quais voamos, para as aberturas que dão para o plano mortal. Nas profundezas deles, é possível ver as hastes retorcidas de coral que na verdade são os viventes vistos sem o tempo. Suas qualidades luminosas de pedras preciosas deram a esses corpos, entre a população de espíritos de Almumana, o nome de 'joias'. Mas não é assim que os diabos os chamam. Nós nos referimos a eles como 'tripas de Satã'. É ele, em cada partícula misteriosa que estremece no universo corpóreo. É no que se transformou seu corpo ardente imortal. Como eu disse, não me saí tão mal, em termos de comparação."

O voador Sam O'Day, feito uma pipa oriental de desenho ameaçador, flutuou em silêncio por um momento pelos Sótãos do Alento, ao longo do trecho iluminado de estrelas da passagem que era a noite de quarta-feira, na direção do pôr do sol final. Tinha se chateado bastante ao falar do herói reluzente que havia se transformado no mundo sólido, em Satã, o grande obstáculo, a pedra no caminho. Ainda assim, a história angustiante tinha calado a boca do passageiro pagante tagarela... e, aliás, Michael Warren em algum momento iria pagar a tarifa combinada, o diabo se certificaria disso. Ainda não tinha decidido como, só isso. Consciente de que uma pausa muito longa desencadearia uma nova torrente de perguntas e queixas, o demônio recomeçou sua narrativa.

— Então lá estávamos nós, em um mundo nascente construído da substância viva de nosso antigo governador, ainda abalados com o ataque violento de novos sentimentos e percepções, deixados à nossa própria sorte tanto quanto é possível em um universo predeterminado. Aqueles eram bons tempos para estar vivo, vou lhe dizer. Ainda são, se eu voar para o leste longe o suficiente ao longo do eixo temporal do meu ser. Todos aqueles grandes dias ainda acontecendo, lá onde ainda somos jovens, irascíveis e invencíveis.

"Logo descobrimos, de um dos construtores mais fáceis de enganar, para o que todo esse novo plano terreno tinha sido criado. No fim era algo chamado vida orgânica. Isso, aos nossos olhos, era uma só poça de lama excepcionalmente complexa, ainda que vocês talvez a vissem como sua tataratataratataravô de um trilhão de gerações atrás. Mas muito antes que qualquer coisa vagamente parecida com um ser humano aparecesse, percebemos que esse negócio carnoso era o único lance rolando na cidade. Enfim, para dar crédito a quem merece, foi só quando as pessoas saíram, molhadas e trêmulas, daquele caldo genético que percebemos o quanto aquilo era sensacional. Naturalmente, àquela altura já tínhamos visto uma prévia da coisa toda no nível simbólico, com o homem e a mulher no jardim deles e tudo mais, só que a bagunça esquálida da realidade era ainda melhor.

"Mas é preciso admitir que a versão simbólica teve seus pontos altos. A jovem inicialmente escalada como a mulher de Adão antes que Eva conseguisse o papel era uma figura espantosa chamada Lil. Eu depois me casei com ela, depois que abandonou o marido no primeiro divórcio de celebridades, com a incompatibilidade como a principal razão. O que aconteceu foi que Adão, lá em cima no plano dos símbolos, tinha uma visão que percebia o mundo em quatro dimensões. Era como quando você estava olhando de cima para sua casa agora mesmo e via o interior espiando em torno das paredes, em torno de uma beirada que normalmente não está lá. Foi assim que aconteceu com Lil e Adão. A primeira olhada que ele deu nela foi um desastre. Conseguia ver atrás da pele da mulher, dos músculos debaixo, das vísceras até onde o quimo se movia lentamente por elas. Ele vomitou em toda a Árvore do Conhecimento. Lil ficou compreensivelmente ofendida, e saiu para copular com monstros, entre os quais, por sorte, eu estava entre os primeiros."

O Rei da Ira e Michael Warren deslizaram pela extensão da quarta-feira, com o céu além da cobertura de vidro curvo de um cinza nublado e nacarado, com os traços e ângulos de seus hipercúmulos realçados pelo rosa fantasmagórico. O pacote xadrez que o despreocupado Sam O'Day carregava parecia estar absorto no desenrolar da biografia do demônio e, grato pelo silêncio, a eminência infernal decidiu continuar com sua historinha da hora de morrer.

— Perto do começo, há um trecho em que eu e Lil somos casados, mas não vai para a frente. Ela era muito grudenta quando conseguia começar a sugar, e eu era cabeça-dura demais, e tinha várias cabeças. Além disso, a raça humana estava à espera logo ali, com todas aquelas belezas. As mulheres humanas foram uma revelação para mim, vou lhe dizer, depois de Lil. Depois que você experimenta vertebrados, não tem mais volta, e quando você vê alguma coisa que tenha uma espinha não tem mais como tirar os olhos. Você é jovem, então não vai entender nada disso, mas confie em mim. Eu sou o diabo e sei do que estou falando.

"De todos os demônios no Inferno, gosto de pensar que era o mais romântico e o que mais apreciava os charmes femininos. Na Pérsia, muito tempo atrás, houve uma ocasião em que caí de quatro por uma flor exótica chamada Sara, filha de um sujeito chamado Raguel. Você precisava ver como ela era tímida quando cortejada. Eu dava a ela presentes preciosos e mal deixava que me visse, só deixava algum sinal para dizer que tinha passado por lá: um colar em uma almofada de seda, talvez, enquanto parte do tapete do quarto estava em chamas ao lado. Quando por fim me apresentei timidamente a ela, tendo em mente A Bela e a Fera, a reação transtornada dela não foi nenhum idílio de conto de fadas, posso garantir. Mal as palavras "eu te amo" foram ditas por uma de minhas bocas, minha amada sofreu o que vocês humanos chamam de derrame. Não foi nada sério, e depois de alguns dias ela podia falar normalmente de novo, e foi quando começou a descrever seu encontro comigo nos termos menos lisonjeiros.

"Fui tratado como uma abominação, um destruidor, sendo que a mulher mal me conhecia. Ela ignorou completamente as coisas admiráveis que existem em mim e em vez disso me pintou como um estereótipo violento e desumano. E, o que é pior, ela ainda jogou sal na ferida anunciando de repente seu casamento com outro pretendente. Eu o sufoquei até a morte na noite de núpcias dos dois, claro, mas isso é o que qualquer um faria diante de tamanha provocação. E além disso, apesar de tudo o que disse depois, eu tinha certeza de que ela só estava flertando com esses outros homens porque gostava de me ver furioso. Por que outro motivo ela anunciaria seu casamento com um segundo noivo antes que o primeiro fosse enterrado, se não quisesse chamar minha atenção e me deixar com ciúmes? Então dei um fim nele também. Joguei de uma sacada. Para encurtar uma história tediosa, fiz a mesma coisa com os cinco seguintes. Foram sete homens no total que despachei por sufocamento, queda, afogamento, queimaduras, decapitação e uma hemorragia interna, e por fim um ataque cardíaco. Eu pensava nisso quase como mandar buquês para ela. Achei que ela devia estar bem interessada em mim. Por que mais tentaria constantemente despertar meu instinto assassino anunciando mais um casamento? Qualquer mulher normal, certamente, depois que a cabeça do número cinco tivesse saído rolando pelas escadas do quarto, teria simplesmente desistido do matrimônio e se resguardado em um convento.

"Bem, no fim eu estava errado. Ela não estava bancando a difícil. Realmente não gostava de mim. Lá foi ela ver um conjurador... um tipo de pessoa, a propósito, que eu desprezo... e fez com que emitisse o que nesses dias seria conhecido como uma medida protetiva. Ele queimou certas substâncias em um braseiro, me impedindo de chegar perto dela, na prática me deportando da Pérsia para o Egito. Quanta ingratidão! De onde aquelas pessoas achavam que tinham adquirido seu conhecimento sobre números e padrões refinados senão de mim? Então, sabendo que não era desejado, levantei acampamento para o Egito e levei todos os matemáticos comigo. Aquilo daria uma lição a eles, ou, para ser mais exato, não daria."

Acima do teto de vidro, a aurora da quarta-feira brilhou brevemente antes de dar espaço para os quilômetros de negrume da noite de terça-feira. O menininho pendurado ainda ouvia atento o monólogo do diabo.

— Mas no Egito me meti numas confusões. Naquela época, o lugar tinha uma reputação de centro de atividades demoníacas e dezenas dos nossos estavam por lá. Eu não poderia ter escolhido um grupo pior para me associar. Aquilo claramente era um problema esperando para acontecer.

"As coisas chegaram a um ponto crítico quando um dos diabos inferiores passou a atormentar construtores mortais perto de Jerusalém. Quando as vítimas incomodadas buscaram a proteção do rei Salomão, ele conseguiu usar a magia para pegar o demônio responsável. Salomão era um sujeito inteligente, pode acreditar. Esse diabo foi então pressionado e ameaçado até dar os nomes de todos do grupo, todas as seis dúzias de nós, de Bael até Andromalius. Eu fui basicamente o único que tentou resistir de alguma forma, mas no fim foi inútil. Salomão nos pegou com a boca na botija e colocou todos nós para trabalhar construindo o templo para ele, em um tipo de esquema de trabalho comunitário. Mas não deixamos barato. Existem problemas na construção naquele templo no local onde fica que são de uma escala que as pessoas não entenderiam nem em três mil anos ou mais.

"Desde então, perambulamos pelos mundos inferiores e superiores sem supervisão, vivendo aventuras, condenando ocultistas à destruição, nos dedicando a vários hobbies e esse tipo de coisa. Em termos mortais, somos provavelmente mais bem definidos como padrões vivos feitos de desejos distintos e diferentes, energias diferentes. Também estamos uma dimensão abaixo do reino humano de três lados, e nele, comparados a vocês, somos planos como piso de parquê, ainda que naturalmente nossas tesselações sejam muito mais elaboradas.

"Nós tivemos tempo, desde que fomos expulsos pela primeira vez, de aceitar nossa condição e entender nosso lugar no arranjo divino. Acreditamos que, como tudo o que foi criado, temos a capacidade de mudar e crescer. Esperamos que em mil anos mortais ou algo assim vamos alcançar de novo o estado elevado e sem limites em que nascemos. A humanidade é o único impedimento para nossas ambições. Se queremos alcançar o reino mais alto a partir do nosso lugar atual no mais baixo, então primeiro o reino do meio precisa ser empurrado para cima, à nossa frente. Caso contrário, acho que nossa única alternativa é abrir caminho através de vocês, se quisermos ver o sol novamente."

Lá fora, os céus mudavam de negro para malva e dourado, de dourado para cinza, da noite para a manhã de terça. Enquanto o não padronizado Sam O'Day retrocedia ao longo dos dias com Michael Warren em seus braços farfalhantes, um dos compartimentos da caixa chinesa que era seu intelecto seguia calculando os meios possíveis para explorar seu encontro com o menino. Algumas décadas adiante, havia alguém desprevenido nos Boroughs que o arquidemônio queria ver morto, e uma outra pessoa que queria salvar. Talvez ainda tivesse algum jeito de persuadir aquela confiante criança a ajudá-lo com uma dessas coisas, ou ambas.

Avançando contra as correntes de vento frias do corredor sem fim, eles arremeteram pelo amanhecer pálido para a madrugada e os quilômetros da meia-noite de segunda-feira. No leste, o pôr do sol da tarde em que seu passageiro havia morrido se aproximava. Tendo percebido que a narrativa do diabo tinha acabado, seu dependente com cachos brilhantes de manteiga batida havia logo inventado outra questão pungente.

— Bem, o que não entendo foi-será o que você está fazendo nos Boroughs, sendo que era-será alguém tão importante. Por que não algum lugar famoso, como Jerusalém ou o Egito?

O céu acima da galeria agora estava derretido enquanto saíam de um pôr do sol gradual e lilás. Embora levemente aborrecido pelo tom de descrédito do jovem intrometido, o demônio concordou que a questão levantada era justa, que merecia uma resposta.

— De verdade, pensei que seria um tanto óbvio, mesmo para você, que alguém com acesso a essas extensões superiores eternas pode facilmente estar em quase todos os lugares ao mesmo tempo. Não estou *apenas* nos Boroughs, e neste dia específico de 1959 estou metido em travessuras no que as pessoas costumavam chamar de Terra Santa, e em vários outros lugares voláteis e ensolarados também. Mas, para ser sincero com você, como sou inclusive obrigado a ser, fiquei muito afeiçoado a esse pouco mais de um quilômetro quadrado de terra ao longo dos séculos.

"Para começar, há cerca de mil anos, os Mestres de Obras escolheram essa cidade para colocar seu cruzeiro, sua cruz de pedra, marcando o centro de sustentação de carga desta terra. Ali, no canto sudeste do distrito humilde, está o ponto capital da Inglaterra. Saindo desse ponto central estende-se uma teia de linhas, pregas conectivas no mapa do espaço-tempo, ligando um lugar ao outro, caminhos impressos no tecido da realidade por trajetórias humanas múltiplas. Para chegar a essa junção crucial, as pessoas vieram da América, de Lambeth e, se incluirmos o monge que seguiu as instruções dos construtores para entregar a cruz de pedra, da própria Jerusalém. Apesar de todas essas regiões serem distantes umas das outras no plano material, vistas desses âmbitos matemáticos superiores, são interligadas dos modos mais flagrantes e óbvios. Na verdade, são quase o mesmo lugar.

"Os destinos desses locais estão emaranhados de um modo que as pessoas vivas não podem ver. Elas têm seu efeito, e assim afetam umas às outras, mas de forma remota, à distância. Se o monge que eu mencionei não tivesse vindo para cá de Jerusalém no século VIII, lá do chão oco perto de onde eu e os rapazes construímos o templo para Salomão, não haveria canal para as energias das Cruzadas quando partiram daqui para Jerusalém uns trezentos anos depois. E, é claro, depois de uma das primeiras Cruzadas, um dos reis normandos de vocês foi bom o suficiente para construir uma réplica perfeita, na Sheep Street, do templo que o rei Salomão nos obrigou a erguer para ele na Cidade Santa. Na trama do acontecimento e da consequência, seu distrito minguado é um cruzamento vital, onde guerra e maravilhamento se encontram para apertar as mãos. Não, ouça o que digo, esse bairro tem brigas e incêndios que o tornam fascinante para coisas como eu, e também para presenças menos ignóbeis.

"Mas, além disso tudo, sabe, eu comecei a gostar das pessoas daqui também. Gostar talvez seja uma palavra muito forte, mas vamos dizer que sinto uma certa simpatia e proximidade. Destituídas e sujas, bêbadas sempre que têm algum dinheiro, evitadas com repugnância e reprovação por qualquer um com educação, como eu e os meus, elas sabem o que é ser expulso e transformado em um demônio. Bem, boa sorte para elas. Boa sorte para todos nós, diabos desonrosos."

Das alturas de magnetita do pôr do sol, Michael Warren e o demônio começaram uma descida lenta de vagem de plátano para as atmosferas lânguidas de verão da tarde de segunda-feira. Através do teto transparente da galeria mais acima, linhas de branco polar descreviam os contornos facetados de joia de um cirro algébrico que se desdobrava contra um cerúleo espetacular. Abaixo, a música de pianola do chão do Sótão se aproximava, com suas fileiras de grandes olhos mágicos quadrados abrindo-se para mundo e tempo, para o emaranhado de pedras preciosas das Tripas de Satã.

No lado norte do corredor, o desmembrado Sam O'Day via a madeira coberta de piche da sacada na qual tinha apreendido o pequeno peregrino envolto em um roupão e, um pouco mais abaixo, nos andares mais baixos onde sonhos acumulados haviam subido como estalagmites de guano psíquico, formando uma longa fileira surreal de fachadas de casas e lojas. Um desses estabelecimentos, um amontoado de absurdos chamado "The Snail Races", estava próximo da abertura de uma viela, onde uma velha rotunda que estava morta, sonhando ou sendo sonhada, parecia assar castanhas em um braseiro de vigia noturno. Além da velha, encurvada sobre seu carvão quente e totalmente alheia ao diabo ou seu jovem refém, não havia ninguém nos Sótãos do Alento, ao menos nas proximidades daquele momento específico do dia. E, o que era ainda mais gratificante, não havia construtores de olhos negros andando para lá e para cá com seus tacos de trilhar para atacar do Duque do Inferno raptor de crianças em seu retorno. Parecia um lugar seguro para colocar o menino até que o espiralado Sam descobrisse o que fazer com ele.

Como uma flor maligna cujas pétalas ondulavam ao vento com os tons verde e vermelho de um Meccano, o diabo pousou suavemente nas tábuas de pinho rachadas do chão. Fez um grande espetáculo para recolocar Michael Warren em segurança em terra firme, para que o menino se sentisse mal por ter duvidado das intenções honrosas de seu benfeitor infernal.

— Pronto! Estamos de volta bem no lugar onde o encontrei, e sem um cacho louro fora do lugar. Aposto que está começando a apreciar a decência que eu também posso ter. Além disso, aposto que está preocupado em saber como exatamente vai me pagar pela excursão maravilhosa que acabamos de fazer. Bem, não precisa se afligir. Tenho em mente uma pequena tarefa que você poderia fazer para mim. Nesse caso estaríamos quites, como acertamos. Você se lembra de nosso acordo, não?

Os olhos do menino iam de um lado para outro enquanto considerava e descartava rotas de fuga. Era quase possível ver os dentes de engrenagem em miniatura girando na cabeça dele antes que chegasse à conclusão desoladora de que não havia nenhum lugar para onde pudesse fugir e não ser pego pelo diabo antes de dar três passos. Com o olhar ainda voejando evasivamente, assentiu com relutância em resposta ao questionamento do demônio.

— Lembro. Você disse que se eu fizesse um favor um dia, então me levaria de graça. Mas isso foi-será há pouco tempo. Você deu a entender que eu não ia precisar retribuir o favor até que tivesse passado muito tempo.

O diabo abriu um sorrisinho indulgente.

— Acho que vai ficar claro que o que eu disse foi que você poderia me fazer um favor mais adiante, o que quer dizer em algum ponto no futuro. Por acaso, é exatamente aonde minha pequena tarefa vai levá-lo. Existe uma pessoa vivendo a uns quarenta anos a oeste daqui, no século que vem, com quem não estou muito feliz. Eu ficaria muito agradecido se você conseguisse para mim que essa pessoa desagradável morresse. Especificamente, quero o osso esterno dela quebrado até virar lascas de giz. Quero o coração e os pulmões dela esmagados em uma massa indistinta. Basta fazer essa pequena tarefa para mim e vou cancelar magnanimamente todas as dívidas pendentes entre nós. Não é uma bela proposta?

A boca de Michael Warren se abriu e ele balançou a cabeça de um lado para o outro mudo, começando a se afastar com passos inseguros do furtivo Sam O'Day. O diabo suspirou seu lamento e deu um passo na direção do menino. Talvez uma cicatriz pálida e perpétua atravessando sua barriga-espírito o convencesse de que não havia realmente muita margem para negociações ali.

Foi nesse momento que a voz distinta da mulher das castanhas soou de trás das costas do demônio.

— Para esse lado não, querido. Venha aqui até mim. Não deixe essa coisa aí lhe dizer o que é o quê.

Indignado, o diabo virou para a fonte daquela interrupção mal-educada. Agora endireitada ao lado de seu braseiro fumegante, o sonho ou fantasma da velhota tinha bochechas rosadas e olhos férreos que estavam resolutamente cravados no diabo. Por cima da saia preta, vestia um avental que também era preto, com escaravelhos iridescentes e discos solares alados bordados na barra. A mulher era uma defunteira, e o diabo pressentiu que a presença dela ali não era um bom presságio para suas intenções imediatas em relação a Michael Warren. Ela falou de novo, sem tirar os olhos escuros do arquidemônio por um instante.

— Bom menino. Dê a volta e venha para cá. Não se preocupe, querido. Não vou deixar ele machucar você.

Do canto do olho esquerdo vermelho, ele viu a criança passar correndo na direção do brilho amuado do braseiro. Enfurecido, o diabo lançou o pior olhar de derreter ossos de que era capaz para a velha relíquia ao falar diretamente para ela.

— Ah. Você não vai deixar que eu o machuque, é? E como vai fazer isso das profundezas sépticas do meu sistema digestivo?

Os olhos da velha se estreitaram. Saindo timidamente das sombras da boca da viela atrás dela veio um grupo de crianças sujas e com modos de delinquentes, possivelmente as mesmas sobre as quais dera uma rasante mais cedo, quando ele e Michael Warren estavam partindo em seu voo. A defunteira falou de novo, dessa vez devagar, em um tom deliberadamente frio.

— Sou uma defunteira, meu caro, e nós conhecemos todos os remédios mais antigos. Temos até um remédio para você.

Tirando sua mão pequena de trás das costas, ela jogou um punhado de alguma substância viscosa sobre os carvões que acinzentavam. Em seguida, sacou do bolso do avental uma garrafinha de perfume barato que virou sobre o braseiro de vigia noturno. Um aroma estagnado chiou sobre as brasas onde as entranhas de peixe rançosas já cozinhavam, e o diabo gritou. Ele não conseguia... aaah! Não conseguia suportar aquilo. Um espasmo alérgico abalou toda sua substância e seus trapos ficaram duros enquanto se contorcia de ânsia de vômito. Era o conjurador amaldiçoador na Pérsia, era o fedor da Pérsia de novo, e como naquela vez podia sentir sua própria imagem começando a se desfazer. Ele se reduziu a outro corpo, um enorme dragão de bronze com um homem de três cabeças berrando sob seu dorso e bufando pela cabeça de touro, mugindo como um carneiro negro e batendo os pés até que toda a madeira do Ático eterno chacoalhasse como palha, como água. Abaixo dele, podia ver a silhueta xadrez de Michael Warren escapulindo enquanto o menino corria para se esconder nas saias da defunteira.

Ele engolia seu próprio cuspe vulcânico, com a náusea e o tormento destruidor ameaçando estilhaçá-lo. Ele tossiu, e por seu nariz humano saiu um catarro ardente, sangue negro e um emaranhado de partículas subatômicas exóticas, mésons e antiquarks. O diabo sabia que não podia manter aquela forma por muito mais tempo antes que desabasse em um fluxo piroclástico de raiva e pesar. Fixou todos os seus oito olhos ardentes e inchados sobre o menino agachado, e sua voz soou como uma bomba atômica em uma catedral, rachando cinco dos painéis de vidro sobre os Sótãos do Alento.

— NÓS TÍNHAMOS UM ACORDO!

Suas duas peles, tanto a parecida com a de um homem como as escamas de dragão, irromperam em bolhas com superfícies como borbulhas morrendo, nadando com um espectro de cores de petróleo pouco antes de explodirem. Perdendo rapidamente toda uma dimensão, ele vazava forma e modelagem no éter. Percebendo que só tinha poder suficiente para uma exibição plana, o diabo se contorceu em uma borealis monstruosa, cortinas brilhantes e aracnídeas feitas de luz que pareciam preencher estonteantemente todo o empório. Por alguns momentos, era como se todas as tábuas e vigas estivessem em chamas com ele, e seus olhos devoradores de pássaros em aglomerados de faróis brilhavam de cada chama que se retorcia, uma hora vermelho, outra verde, carros de bombeiro e portas de câmaras de gás.

Então não restou nada dele a não ser poucas faíscas que se dispersaram pelo corredor eterno em uma brisa com cheiro de peixe.

COELHOS

Ah, e não era a conversa do Andar de Cima, o Bando de Mortos de Morte, suas palhaçadas e travessuras em torno dos canos de esgoto eternos, façanhas famosas que rendiam cicatrizes tratadas como medalhas? Eram muito amados nas sarjetas de merda do Elísio, procurados para interrogatório em quatro ou cinco dimensões e admirados por meninos e meninas pela quandura e permanência deste século brilhante, surrado. Eram uma matilha de animaizinhos sujos e rápidos, e havia muitos deles, correndo para cima e para baixo do mundo o dia todo.

Eles invadiam sonhos de bebês e tomavam atalhos pelos pensamentos dos escritores, eram a inspiração e o ideal de cada clube secreto e todo o mistério da Children's Film Foundation, para todos os livros, para cada Os Sete Secretos, cada Os Audazes Cinco[1]. Eram esses os moldes; o modelo com seus apertos de mão com cuspe e marcas secretas de andarilhos, covis precários e testes de iniciação notoriamente duros: você precisava ter sido enterrado ou cremado antes de poder se juntar ao Bando de Mortos de Morte.

A chefe deles era Phyllis Painter, parcialmente porque dizia ser, mas também porque a gangue de que fez parte enquanto viva tinha um status e uma reputação melhores do que todos os outros bandos. Apesar de ter morado na Scarletwell Street, Phyllis era uma das Meninas da Compton Street, muitos patamares acima do Bando Verde ou dos Meninos dos Boroughs ou de qualquer um daqueles bandos maltrapilhos. Não por serem melhores de briga, obviamente. Era mais por pensar um pouco nas coisas antes de fazer, o que era mais do que se podia dizer de todos os rapazes. *Nós somos as meninas da Compton, Nós somos as meninas da Compton,*

Temos bons modos, Gastamos nossos trocos, Somos respeitadas aonde vamos, Sabemos dançar, Sabemos cantar, Sabemos fazer o que for, Por que somos as meninas da Compton! Tudo aquilo tinha sido fazia um bom tempo, claro, mas ainda se podia contar com a liderança de Phyllis se surgissem problemas.

Portanto, a uma distância segura atrás da defunteira severa e seu braseiro, observando um demônio importante se desfazer luminosamente em pedaços como um acidente em uma Noite de Guy Fawkes, havia uma medida de satisfação lúgubre em seus lábios franzidos e olhos estreitados. Era uma pena, Phyllis pensou, que aquele demônio de alta patente logo seria pulverizado para fora da existência visível. Se ao menos deixasse um pedaço fumegante de sua cauda barbada ou, melhor ainda, um crânio com chifres, Phyllis poderia pregá-lo no fantasma do portão norte da velha cidade. Então todas as seis dúzias de demônios, que ela considerava uma gangue rival, mais bruta e adulta, saberiam que aquele distrito de Almumana, com sua grama amarelada, era território sagrado do Bando de Mortos de Morte e que deveriam deixá-lo em paz. Os únicos demônios que permaneceriam por ali seriam aqueles tão pequenos como ela, seu menino Bill, e John Belo; como Reggie Bowler e Marjorie Afogada. Então o bando não teria mais o que fazer além de brincar pelos sonolentos dias da doce e decrépita eternidade até a hora de dormir que nunca chegaria.

Phyllis tinha saído do fim da longa viela de sonhos e estava na metade da Spring Lane quando percebeu que Michael Warren não a seguia mais. Pensou por um minuto se realmente valia a pena o esforço de voltar e encontrá-lo, por fim decidindo que talvez fosse melhor fazer isso. Aquele negócio de não haver ninguém nos Sótãos do Alento para recebê-lo quando morreu cheirava a circunstâncias suspeitas, se não a alguma malandragem das bravas. Nunca dava para saber. O pirralho de pijamas poderia acabar sendo importante, ou, no mínimo, ao menos era uma novidade divertida e um potencial recruta novo. Com isso em mente, assoviou para os outros membros da sua turma e os mandou vasculhar o bairro movediço atrás do menininho post-mortem. Ela e Bill tinham repassado a memória das lojas. Os outros três tinham vasculhado os Sótãos para o caso de ele estar aprontando e escondido.

Por fim, Marjorie Afogada viu a criança perdida lá em cima, perto do teto transparente da galeria, aparentemente prisioneiro de um dos demônios mais malévolos que podia ser encontrado pela área. Quando aquele horror flamejante pareceu vê-los e mergulhou, correram como loucos até terem certeza de que não estava em seu encalço e então se reagruparam na loja The Snail Races para discutir o que deveriam fazer. Phyllis preferia ir às Obras para avisar os construtores, como tinha planejado desde o início, mas então Bill assinalou que, por serem construtores, eles já saberiam. Tirando o chapéu para coçar os cachos negros em busca de inspiração, Reggie Bowler sugeriu que esperassem de tocaia pelo demônio-rei. No entanto, quando Marjorie Afogada perguntou sensatamente sobre a parte seguinte do plano, questionando o que fariam se o arquidemônio de fato aparecesse, Reggie colocou o chapéu de novo e ficou taciturnamente em silêncio.

Por fim, John Belo, por quem Phyllis nutria uma admiração secreta, disse que deveriam encontrar uma defunteira. Se os construtores não estavam disponíveis para lidar com aquilo ou ocupados demais em outro lugar, e se não havia nenhum santo por perto, então uma defunteira seria a figura de maior autoridade. Marjorie Afogada timidamente sugeriu a sra. Gibbs, que em vida fez um belo trabalho com ela, quando a menininha de seis anos, de óculos e gorducha, foi retirada do rio frio e barrento sob a Spencer Bridge. Tanto John Belo como Phyllis disseram que também tinham ouvido falar da sra. Gibbs durante seus dias mortais nos Boroughs, o que tornou a decisão mais ou menos unânime. Os cinco então se espalharam para vasculhar os espaços mais próximos de Almumana atrás da respeitada e experiente defunteira, por fim localizando-a dentro de um sonho antiquado do salão do bar Green Dragon, perto dos Sótãos do Alento, sobre a Mayorhold no começo dos 1930. A sra. Gibbs levantou os olhos de seu meio quartilho de cerveja stout fantasma e não-exatamente-sorriu para eles.

— Muito bem, meus caros, o que posso fazer por vocês?

Contaram a ela sobre Michael Warren e o demônio — ou, mais precisamente, Phyllis fez isso, por ser a única envolvida naquela aventura desde o começo. John Belo e a sra. Gibbs ambos pareceram perplexos quando ouviram o nome completo da criança, com a defunteira subitamente se tornando toda solene e séria ao perguntar a Phyllis detalhes do diabo que tinham visto raptando o menininho. Como era a sua coloração? Ele cheirava a quê? O que conseguiam lembrar da sua disposição geral? Tendo recebido, respectivamente, as respostas "vermelho e verde", "tabaco" e "muito bravo", a defunteira logo chegou a um diagnóstico.

— Isso parece o trigésimo-segundo espírito, queridos. Ele é um dos importantes e ferozes, do tipo que dá mais do que que só uma mordida feia. Ele é perverso, e ainda bem que vieram me procurar. Levem-me até onde o viram com esse menininho e vou dar um sermão nele, dizer para implicar com alguém do tamanho dele. Vou precisar de um braseiro ou algum tipo de fogão, e outras coisas que posso pegar no caminho. Vamos. Podem se animar agora.

Na opinião de Phyllis Painter, havia poucas coisas mais impressionantes do que uma defunteira, viva ou morta. De todas as pessoas no mundo, essas mulheres destemidas eram as únicas que cuidavam dos portões de ambas as pontas da vida, na verdade levavam adiante o negócio imemorial de Almumana enquanto ainda estavam entre os vivos. Nenhuma outra profissão tinha uma ligação tão ininterrupta entre o que a pessoa fazia quando estava nas vinte e cinco mil noites e o que era seu trabalho depois, quando tudo estava feito. As defunteiras, em vida, sempre tinham um ar que sugeria que estavam semiconscientes de ter ao mesmo tempo uma existência em um andar de cima. Algumas delas, postumamente, retornavam aos funerais que conduziram durante a vida, para que pudessem ser a pessoa a receber o falecido em sua chegada desorientada ao mundo do Andar de Cima, uma continuidade de serviço e dedicação a um trabalho que Phyllis considerava incrível. Cuidar das pessoas do berço até a cova era uma coisa, mas se responsabilizar por sua passagem além daquele ponto era outra bem diferente.

Encontraram um braseiro fumegante que havia sobrado de um pesadelo de um vendedor do mercado para a sra. Gibbs. John Belo e Reggie Bowler o carregaram cuidadosamente, com trapos velhos envolvendo as mãos. A defunteira havia entrado no fantasma de uma peixaria, a Perrit's, na Horsemarket, e conseguido tripas de peixe de um homem a quem se referiu como "o Xerife". Ao entregar o pacote malcheiroso, embrulhado em jornal, para a sra. Gibbs sobre o balcão, o peixeiro com nariz de gancho e um bigode enorme simplesmente grunhiu um "Diabos, foi-será?", ao que a sra. Gibbs respondeu assentindo com a cabeça e soltando um "Arr" cansado e fraco de afirmação.

Quando o Bando de Mortos de Morte e a sra. Gibbs voltaram para a seção dos Sótãos que era a tarde específica de 1959 em que Phyllis havia topado com Michael Warren, quase não havia ninguém por ali. Viram o ser em sonho de uma mulher de rosto duro com seus quarenta anos, de pé, olhando confusa através do mar infinito de aberturas antes de balançar a cabeça e sair andando pela galeria. Tinha mãos vermelhas como bacon cozido, então Phyllis achou que poderia ser alguém que lavava muita roupa. Além disso, estava nua. O seu Bill e Reggie Bowler começaram a dar risinhos maliciosos sobre este último detalhe, até que Phyllis disse a eles para deixarem de ser crianças, apesar de ela ter consciência de que isso jamais aconteceria.

Enquanto isso, a defunteira instruiu os dois meninos maiores a colocar o pote de brasas quentes na entrada da viela de paralelepípedos que ia dos Sótãos até as ruas de memória misturada mais além, que Phyllis e os amigos chamavam de Prédios Velhos.

— Podem colocar aqui, meus queridos. Se aqui é onde aquela criatura horrenda roubou a criança, podem apostar que é onde vai trazê-la de volta depois que tiver acabado com ela. Peguei minhas entranhas de peixe com o Xerife e acho que tenho uma gota de perfume no bolso do meu avental, então estaremos prontos para ele.

Os aventais da sra. Gibbs eram quase tão famosos em Almumana quanto a própria defunteira. Tinha um par deles, assim como quando ainda estava no Andar de Baixo: o branco com borboletas bordadas em torno da barra, para as ninhadas, e o preto, para os despachos. Neste reino superior usava seu avental ofuscante adornado com borboletas para receber alguma alma que cruzasse a janela do chão dos Sótãos do Alento para aquela vida além do tempo. O avental preto, em vida, tinha sido liso, sem nenhuma decoração, embora parecesse, pela aparência que tinha agora, que a sra. Gibbs sempre havia pensado nele como algo mais elaborado. Em torno da barra havia escaravelhos feitos de linha verde iridescente, buris egípcios e olhos com cantos de khol em pontos de dourado metálico. Ela só usava aquele quando alguém precisava ser afugentado, e Phyllis se perguntou como a defunteira sabia que deveria colocá-lo naquele dia. O mais provável era que fosse algo que tivesse sentido na água que a constituía, em seu pó, em seus átomos. Você meio que conseguia sempre saber quando havia diabos por perto. Ficava aquele cheiro, e todos pareciam se sentir rabugentos e de saco cheio de si mesmos.

Os seis esperaram por um tempo, à espreita em torno da abertura da viela. Marjorie Afogada e o pequeno Bill haviam roubado uns pedaços de carvão do sonho do depósito dos Wiggins ali perto, para que a sra. Gibbs pudesse manter o braseiro aceso até que Michael Warren e o demônio aparecessem, isso se fossem mesmo aparecer. Phyllis e John Belo ficaram encostados contra a vitrine da loja The Snail Races, olhando para os diagramas meteorológicos que se desdobravam sobre o empório, além dos painéis de vidro do teto da galeria. Nuvens facetadas se amassavam de um jeito inacreditável, traçadas com linhas brancas sobre um azul brilhante perfeito. Nenhum dos dois jovens falou, e Phyllis se perguntou por um momento se John não pegaria na sua mão úmida. Em vez disso, ele se virou e espiou através da vitrine da loja para um dos modelos decorados de lesmas, uma branca com uma cruz vermelha pintada na concha de metal para deixá-la parecida com uma ambulância de brinquedo. Tentou esconder a decepção na voz quando John lhe perguntou o que achava da lesma, e falou que achava que era-será legal. Às vezes se perguntava se era seu cachecol de coelhos que desencorajava as pessoas.

Não estavam ali por muito tempo quando Reggie Bowler, que tinha saído para vagar sozinho pelo corredor na direção oeste, voltou correndo pela galeria, todo empolgado, desviando das aberturas de quinze metros, com uma das mãos levantada para segurar o chapéu amassado no lugar e seu sobretudo longo do Exército da Salvação esvoaçando em torno dos tornozelos enquanto corria.

— Eles estão saindo do pôr do sol! Acabei de ver! Puta merda, aquele diabo é grande.

Olhando na direção apontada por Reggie, Phyllis esquadrinhou aquela parte do vasto teto de cristal até aquela erupção de cor de tangerina e bronze do pôr do sol a oeste. Em meio àquela profusão de luz sanguínea, a silhueta de um ponto tremeluzente, como um pedacinho de papel, voando alto nas partes superiores dos Sótãos, parecia crescer à medida que avançava na direção deles, vindo do futuro. Reggie estava certo. Antes, quando ele deu uma rasante sobre o bando, Phyllis estava muito ocupada correndo e não conseguiu vê-lo direito, mas agora dava para perceber que aquele com certeza não era um diabrete menor.

Considerando que o diabo deveria ter tido mais tempo para observar Phyllis e seus amigos do que eles tiveram para observá-lo, ela mandou todos irem para a viela, para que não fossem reconhecidos e revelassem o esquema.

— Vamos. Entrem na viela e vão para trás da sra. Gibbs, para que ele não veja a gente. É só deixar tudo com ela.

Ninguém pareceu inclinado a discordar daquela ideia eminentemente sensata. Àquela altura, o demônio tinha chegado mais perto, tornando seu tamanho alarmante mais aparente, assim como suas cores brilhantes em verde e vermelho, como se um copo de sal tivesse sido jogado em uma fogueira. Até Reggie Bowler não protestou ao receber instruções para se abrigar atrás da sra. Gibbs. Era evidente que tinha reconsiderado sua ideia original, que era arrumar um jeito de saltar de um esconderijo para as costas do demônio.

John Belo, de modo surpreendente e gratificante, pegou Phyllis por um braço magrelo e a levou para a segurança da viela. Estava olhando para trás, com o brilho rosa do oeste sobre o rosto esbelto e a onda de cabelo loiro escuro. Ele franziu o cenho e vincou a mancha de sombra fuliginosa e poética em torno de seus olhos pálidos, de um cinza luminoso como luzes de uma tocha brincando sobre água.

— Maldito inferno, Phyll. Parece um biplano alemão descendo para um rasante nas trincheiras. Vamos entrar na viela onde é seguro.

Eles se abrigaram, ofegantes, na entrada da viela, com as costas tão prensadas contra a parede de tijolos vermelhos que Phyllis pensou que poderiam deixar as suas cores e linhas para trás como decalques de tatuagem quando saíssem. O seu Bill estava mais perto da esquina, espichando a cabeça ruiva, todo circunspecto, e então a puxando de volta, de olho no demônio que se aproximava. A sra. Gibbs, posicionada no centro da abertura da viela e à vista do enorme corredor, continuou calmamente a cuidar do fogo com um atiçador torcido, que estava dentro do braseiro quando o encontraram. Conforme deixava o ar passar entre os carvões escuros, um brilho de ferreiro subia para iluminar o seu rosto por baixo, sempre impassível, a pele como uma fruta de outono. Bill gritou da ponta da fileira de crianças, tentando esconder o nervosismo da voz.

— Ele está circulando para pousar, e é horrível. Tem chifres, e os olhos são de cores diferentes.

Phyllis levantou uma das mãozinhas e fez o sinal do coelho, com o dedo médio e o anelar contra o dedão para formar o nariz, o indicador e o mindinho levantados como orelhas. Silencioso como coelhos na grama, o bando todo seguiu furtivamente na ponta dos pés para se juntar a Bill perto da esquina, de onde podiam ver mais do chão quilométrico dos Sótãos. Apesar do aviso, todos eles, a não ser pela sra. Gibbs, tiveram um sobressalto visível quando o ser infernal enfim surgiu à vista, descendo lentamente de cima como uma flor imensa e sinistra com cores de papagaio, com a criança vestindo pijamas bem presa nos braços queimados de sol.

A criatura estendeu uma perna para que a ponta da bota de couro pousasse lépida, com a graça de um bailarino, sobre as tábuas de pinho que cercavam os tanques afundados. Apesar de toda sua massa aparente, o monstro pousou quase em silêncio, de costas para eles, com seus trapos vívidos flutuando para cima com a corrente de ar da descida, exibindo um vermelho crista de galo e um verde maçã envenenada.

O feitiço que vestia o deixava muito parecido com um homem, embora um de dois e meio de altura. Um chapéu de couro de padre pendia entre seus ombros de um cordão amarrado sob o queixo barbado, revelando uma juba de cabelo cacheado castanho-avermelhado da qual saíam dois chifres como os de um bode. De onde estava, ao lado de John, Phyllis não conseguia ver o rosto dele, e se sentiu imensamente grata por isso. Jamais tinha visto um diabo assim de perto e para ser sincera já estava tendo problemas suficientes tentando lidar com sua atmosfera perturbadora para ainda precisar lidar com o estresse adicional de pensar no que fazer se ele se virasse e a olhasse.

Com uma gentileza surpreendente, a hirsuta bola de fogo de más intenções coaguladas colocou Michael Warren no chão dos Sótãos diante de si. O pobrezinho ficou ali tremendo em seu pijama listrado e seu roupão, que parecia mais desgastado do que quando que Phyllis o viu pela última vez. Havia pequenos rasgos no tecido xadrez, onde as garras do monstro tinham evidentemente perfurado, e na gola e nos ombros era possível notar manchas descoloridas onde parecia que alguém derrubou ácido de bateria. Uma mancha ainda fumegava levemente. Pobre menino, parecia morto de medo e trazido de volta à vida com um susto terrível. Embora estivesse de frente para Phyllis e a abertura da viela, claramente não conseguia tirar os olhos do diabo ali próximo e, portanto, ainda não tinha notado a presença dela.

A coisa parecia estar falando com o menininho, inclinando-se na direção da criança trêmula com um ar que parecia ameaçador e condescendente na mesma medida. Falava em uma voz muito baixa, impossível de ouvir onde Phyllis estava, como o rugido de jato de gás de uma floresta em chamas a mais de quinze quilômetros de distância, mas suas intenções eram mais do que claras. Phyllis já tinha visto aquela postura encurvada e intimidadora em mais de uma dúzia de valentões dos Boroughs, mas, ao contrário deles e negando tudo que sua mãe uma vez lhe disse, esse valentão não parecia do tipo que acabaria se revelando um covarde. Phyllis duvidava que poderia existir muita coisa mais apavorante do que ele e se perguntou pela primeira vez se a sra. Gibbs conseguiria lidar com aquilo.

Àquela altura, Phyllis teve a impressão de que o horror farfalhante tinha sugerido algo terrível ao menininho, que começou a se afastar, balançando a cabeça loira. O que quer que a proposta envolvesse, não parecia que o demônio estava disposto a tolerar qualquer recusa. Com sua folhagem matizada estremecendo de modo ameaçador, incluinou-se sobre a criança que recuava, com uma das mãos calosas levantada para mostrar o marfim afiado de suas unhas, como se quisesse abrir Michael Warren como uma vagem de flanela, e Phyllis Painter fechou os olhos. Esperava ouvir a seguir um grito gorgolejante, como o de uma lebre capturada. Em vez disso, o que ouviu foi a voz rouca da sra. Gibbs, tranquilizadora como o rangido de uma cadeira de balanço.

— Para esse lado não, querido. Venha aqui até mim. Não deixe essa coisa aí lhe dizer o que é o quê.

Cautelosamente, Phyllis deixou que as pálpebras se abrissem o bastante para ter uma fresta de visão difusa e embaçada.

Ficou surpresa ao descobrir que Michael Warren não estava morto, ou pelo menos não mais morto do que alguns momentos antes. O menininho tinha notado a presença de Phyllis e do bando àquela altura, alertado pela intervenção da defunteira. Parou de ir para a parede distante da vasta galeria e agora se esgueirava para um dos lados, em uma tentativa de ir na direção deles e da viela, ainda mantendo o máximo de distância possível do demônio.

O diabo ficou totalmente imóvel por um instante exagerado, então se virou lentamente até ficar de frente para a sra. Gibbs e as cinco crianças agachadas. Cada uma das testemunhas da cena, a não ser a defunteira, respirou fundo com aquele primeiro vislumbre dos traços arquetípicos dele, nos quais um imenso mal se expressava de modo tão perfeito que se tornava um desenho animado horrível, grotesco e aterrorizante a ponto de ser quase cômico, mas não exatamente. Era uma máscara fervida em que as sobrancelhas e suíças castanho-avermelhadas boiavam em um vapor químico grosso. As orelhas subiam em pontas curvadas, mas, ao contrário dos elfos em livros ilustrados, na vida real aquilo parecia asqueroso e deformado. Os chifres eram de um branco sujo, com manchas enferrujadas em torno da base que poderiam ter sido sangue seco e, como o seu Bill havia notado, os olhos tinham cores diferentes. Contavam histórias diferentes, tinham quase personalidades distintas. O vermelho irradiava interlúdios de salas de tortura, rancores milenares e atritos impiedosos, enquanto o verde falava de casos amorosos malfadados, infâncias feridas e de paixões e sofrimentos mais violentos e exaustivos que a malária. Juntos, eram como um par de alvos pintados, e estavam cravados na sra. Gibbs.

A defunteira não parecia impressionada. Rebateu o olhar da criatura enquanto falava quase casualmente para Michael Warren.

— Bom menino. Dê a volta e venha para cá. Não se preocupe, querido. Não vou deixar ele machucar você.

Apesar dos encorajamentos da defunteira, o pirralhinho (que, Phyllis Painter já tinha decidido, era meio mole) estava apavorado demais. Mesmo assim, seguiu a orientação da sra. Gibbs e começou a fugir. Era tamanho o medo de se aproximar de seu atormentador que o menino deu uma grande volta à esquerda do diabo e à direita do resto deles, em uma rota até a loja The Snail Races antes de vir na direção da viela e de seus salvadores. Phyllis e seus quatro comparsas haviam se desgrudado do muro de tijolos vermelhos da viela e se moveram discretamente para formar um semicírculo maltrapilho, contando com a segurança de estarem alguns metros atrás da sra. Gibbs. Remexendo nervosamente seu colar de coelhos, Phyllis alternava sua atenção entre Michael e o demônio, de modo que viu o momento em que o olhar atroz do diabo seguiu de soslaio o menininho que escapava e então voltou-se, com uma renovada sede de vingança, para a velha de avental de escaravelhos. O que a mirada da criatura prometia à sra. Gibbs eram coisas que Phyllis não queria nomear ou pensar a respeito. A voz viscosa era como um melado sulfúrico flamejante quando ele falou, roxo e tóxico.

— Ah. Você não vai deixar que eu o machuque, é? E como vai fazer isso das profundezas sépticas do meu sistema digestivo?

Phyllis, se ainda fosse capaz, quase certamente devia ter feito xixi nas calças. A criatura disse que iria comê-los. Era isso que tinha dito, ainda

que de forma um tanto rebuscada. Não apenas comê-los, mas digeri-
-los. Suas essências imortais ainda conscientes da escuridão escaldante
dos intestinos de um monstro. Bem naquele momento, Phyllis esteve a
ponto de dizer ao arquidemônio que ele podia ficar com Michael Warren e fazer o que quisesse com ele, se não os engolisse e os transformasse
em cocô de demônio. A defunteira, porém, era durona. Tinha olhado
para o que quer que fosse o caos abatedouro-selva fervilhando atrás das
íris descombinadas daquele pesadelo, mas nem havia piscado. Manteve
a voz firme e impassível ao responder.

— Sou uma defunteira, meu caro, e nós conhecemos todos os remédios mais antigos. Temos até um remédio para você.

O que aconteceu a seguir foi uma daquelas coisas que ocorriam tão
rápido que ninguém conseguia dizer a ordem exata dos acontecimentos até muito mais tarde, quando todos tinham repassado tudo dez
vezes. A sra. Gibbs estava segurando um punhado gosmento de entranhas de peixe longe das vistas, atrás das costas, e então o levantou à
frente para exibi-lo antes de jogá-lo nas brasas quentes com um gesto
dramático, magnífico. Os corações, fígados e miúdos rançosos chiaram
e crepitaram ao derreter, enquanto a defunteira pegava no avental uma
garrafinha em forma de lágrima do que parecia ser um perfume barato
comprado na Woolworths de baixo, ou o sonho melancólico de um.
Removendo primeiro a tampa com uma facilidade que só vem com a
prática, a defunteira o virou sobre o braseiro, fazendo o conteúdo descer sobre as pedras brilhantes. O vapor subiu em uma coluna com um
cheiro absolutamente horrendo, como flores silvestres crescendo em
uma privada imunda. Até mesmo para Phyllis, que havia muito deixara
de sentir o perfume de sua própria guirlanda de coelhos, aquela foi
uma experiência de fazer lacrimejar os olhos. A reação do demônio ao
buquê rico e singular, porém, foi muito pior.

Ele se arqueou, a espinha ondulando como um gato nauseado, e
todos os trapos coloridos se esticaram como triângulos achatados,
como se fossem os espinhos de um porco-espinho de brinquedo. O
regente infernal cuspiu e estremeceu, e as beiradas de sua imagem
começaram a coalhar biliosamente, em um branco derretido borrado
como em uma fotografia arruinada, afligido por uma acne de magnésio
fervente. Ao contato com a fumaça nociva do braseiro da defunteira,
a substância do diabo pareceu tornar-se vaporosa, desfazendo-se em um

gás denso e pesado em fumaças retorcidas que retinham a forma básica da criatura, mas que tinham em sua textura algo da aparência intrincada e sulcada de uma couve-flor. Como se um duto de gás tivesse explodido, aquela nuvem de quase três metros de fumaça venenosa irrompeu subitamente para cima, transformando-se em um pilar de fumaça vermelho e verde com centenas de metros de altura. Phyllis observou com fascinação e horror enquanto aquele cúmulo parecia tramar uma nova configuração, tão enorme e complexa que no início ela não conseguia saber para o que olhava.

Ah, nossa. Caramba, foi terrível.

Um dragão gigante, com centelhas vermelhas e verdes chamativas brilhando de um milhão de escamas grandes como címbalos. Montado lascivamente nas costas largas do colosso que rugia e batia os pés estava um ser nu que, apesar do tamanho horripilante, tinha as proporções de um bebê ou um anão. Uma cauda de cobra se debatia atrás dele, embora Phyllis não soubesse dizer se pertencia à montaria furiosa ou a seu cavaleiro. As cabeças, porque eram três, da direita para a esquerda eram a de um touro enlouquecido, a de um colérico tirano homicida com uma coroa de rubis e a de um carneiro negro cujos olhos se reviravam como se ele estivesse no cio. Em uma das mãos, segurava uma lança de ferro, alta como a torre Eiffel e coberta por uma camada grossa de sangue e excremento seco, como se tivesse atravessado alguma criatura da bunda até o cérebro. Um estandarte verde tremulava com um emblema vermelho que era todo de flechas, cachos e cruzes, e o demônio irado, em agonia, batia o punho da lança contra o chão dos Sótãos em um turbilhão de berros e guinchos. O pior de tudo, na opinião de Phyllis, tinham sido os pés da coisa quando se agachou em seu corcel fumegante e prismático. As panturrilhas e os tornozelos do rei do inferno se afunilavam horrendamente em hastes rosadas e eriçadas, das quais brotavam os pés palmados de algum pato monstruoso. As membranas estiradas entre dedos amarelados eram de um cinza nada atraente, com pedaços brancos descoloridos que pareciam alguma doença aviária e deixaram Phyllis enjoada só de olhar.

Os Sótãos do Alento estremeciam com as pisadas do dragão e o estrondo implacável provocado por aquela lança estarrecedora, batendo repetidamente nas tábuas de madeira do chão até que Phyllis achasse que todo o Andar de Cima fosse entrar e colapso, com todos os sonhos e fantasmas e arquitetura rolando por um grande buraco no céu acima do perplexo mundo mortal. De onde estava, encolhida perto de John Belo e espiando entre os dedos abertos, Phyllis via de longe a mancha xadrez que era Michael Warren aparecer correndo em seu campo de visão, indo para algum lugar à direita, com seu choro aterrorizado subindo como a buzina de um trem que se aproximava enquanto entrava tropeçando pela entrada da viela e se escondia atrás das saias escuras e largas da defunteira. Phyllis mal o notou, com toda a sua atenção voltada para o espetáculo de cair o queixo acima deles, com as três cabeças quase tocando o teto de vidro da imensa galeria.

A raiva e a angústia dele eram horrendas de se ver. Uma grande convulsão o dominou, e ele pareceu tossir ou vomitar pela boca central, quase humana, um jorro ardente de fogo, sangue e piche junto a outros destroços mais insondáveis que deixavam rastros de luz atrás de seus fragmentos enquanto espiralavam até desaparecer. O diabo parecia a ponto de se desmanchar, e parecia saber disso. Juntando o que Phyllis esperava que fossem suas últimas reservas de força e concentração, ele fixou todos os olhos turvos... os do touro, os do carneiro, os do tirano que gritava e do dragão que montavam... no menininho de pijama, espiando apavorado por trás do acumulado de tecido preto que pendia do quadril da defunteira. O demônio apontou para Michael Warren com o indicador em garra da mão que não segurava a lança e, quando gritou sua maldição de despedida, foi o pior barulho que Phyllis Painter tinha ouvido, viva ou morta. Era como uma grande aeronave decolando com as turbinas aceleradas ao máximo, ou como todos os elefantes do mundo em um estouro frenético. Um poderoso *uffff* de chamas azuis saiu da cabeça coroada central quando abriu a enorme boca para falar, e ao mesmo tempo, Phyllis e o Bando de Mortos de Morte tiraram dos olhos as mãos que vinham usando como vendas, colocando-as nas orelhas em vez disso. Não deu muito certo, e todos ainda ouviram exatamente o que o diabo gritou para a criança que estremecia ali atrás da sra. Gibbs.

— NÓS TÍNHAMOS UM ACORDO!

Isso era o que Phyllis mais ou menos esperava de Michael Warren. Bastou tirar os olhos dele por meio segundo e ele assinou um pacto com uma coisa saída da fornalha eterna. Era uma criança meio abestada ou o quê? Nem seu pequeno Bill, que podia ser tonto até não poder mais, nem mesmo Bill jamais faria uma coisa estúpida como aquela. Foi preciso se recordar de que Michael Warren tinha apenas três ou quatro anos quando morreu e era ainda mais novinho do que parecia no momento, enquanto ela e seu Bill tinham sido um pouco mais velhos. Por outro lado, não se podia simplesmente desculpar o menino pela inexperiência: o fato de que Michael Warren, antes de completar cinco, tinha conseguido não só morrer como também enfurecer uma das grandes forças bíblicas minutos após a morte sugeria que a criança não era apenas desastrada, e sim praticamente uma catástrofe ambulante. Como alguém tão parecido com um Ovaltiney[2] conseguiu irritar tanto um horror das profundezas em tão pouco tempo? Ela deveria ter dado atenção ao instinto inicial e simplesmente deixado o putinho sonolento vagando pelos Sótãos do Alento de pijama.

Mas não fez isso. Sempre teve uma queda pelos verdadeiramente patéticos, aquele era o problema de Phyllis Painter. Era um de seus maiores defeitos. Ela se lembrava de quando estava viva, brincando no Vicky Park com Valerie e Vera Pickles e o irmãozinho delas, Sidney. As três crianças eram de uma família de catorze pessoas que morava no final da Spring Lane, um pouco depois dos Spring Gardens, mas Sidney Pickles, de três anos, era de longe o mais feio. Era a criança mais feia que ela já tinha visto, o coitado. Ela sabia que não deveria tirar sarro, mas francamente, Sid Pickles. O rosto dele tinha feições quase nulas, como se tivesse desenhado a si mesmo com giz de cera. Tinha as pernas tortas e ciciava ao falar — língua curta, era como chamavam isso na época —, e quando veio bamboleando até onde ela e as irmãs mais velhas construíam barracas com pedaços de tecido de juta ao lado do córrego no Victoria Park, elas perceberam pelo cheiro qual era o problema, mesmo antes que ele anunciasse orgulhosamente:

— Fif cocô na calfa.

Sem pensar duas vezes, Vera e Valerie se recusaram a fazer a longa caminhada com Sidney, atravessando a Spencer Bridge para voltar à Spring Lane, então Phyllis sentiu que não tinha opção a não ser ela mesma levar o menino, apesar do fedor. Uma fedentina que chegava até os céus. E, para piorar a situação, ele atraía o olhar de cada passante entre o parque e a Spring Lane e anunciava triunfantemente "Fif cocô na calfa", mesmo com Phyllis implorando que não fizesse isso, e apesar de a confissão, pelo olhar nos rostos das pessoas, claramente não revelar nada que já não tivessem descoberto sozinhas. Ela só tinha se oferecido para acompanhá-lo até sua casa porque ficou claro que ninguém mais faria aquilo, o que era mais ou menos a razão para ter ajudado Michael Warren a sair de sua vida para as tábuas do assoalho de Almumana. Isso e o fato de que ele parecia perturbadoramente familiar. Embora tivesse de algum jeito conseguido provocar o ódio implacável de um demônio, pelo menos não tinha um nabo amassado no lugar da cabeça, e pelo menos não tinha feito cocô nas calças, até onde Phyllis sabia.

Ela tentava tirar algum leve consolo dessas duvidosas vantagens enquanto olhava petrificada para o enorme demônio, que tinha bolhas e vergões grandes como rodas de trator irrompendo da pele, retorcendo-se no bafo venenoso do braseiro da defunteira. As bolhas explodiam e espirravam seu pus dourado quente em um aerossol fino, como explosões de pólen em chamas ou detonações de bufas-de-lobo. Olhando mais de perto, com a visão aperfeiçoada pelo além-vida, ela viu que as gotículas infinitesimalmente pequenas eram na verdade um borrifo ardente de números, símbolos matemáticos e letras iluminadas de um alfabeto estrangeiro intricado que Phyllis achou que fosse árabe. Esse turbilhão de anotações brilhava como centelhas por um só instante, então sumia. Era como se todos os fatos e somas do diabo estivessem vazando. Quase parecia que o diabo estava murchando, embora Phyllis soubesse que isso não descrevia exatamente o que estava vendo.

Mais precisamente, conforme as letras e números em néon escapavam, o demônio não parecia tanto um pneu furado quanto algo que na verdade sempre tinha sido plano e achatado. Talvez por ter uma cabeça de touro e outra de carneiro, ela se lembrou dos animais de fazenda de brinquedo com que brincava quando era bem pequena. Eram lindas ilustrações coloridas de galos, porcos e vacas gordos, impressas em papel brilhante e então coladas em folhas de madeira cortadas no formato certo com uma serra. De pé em suas bases de madeira, eram totalmente realistas se fossem olhados de viés. Mas, mudando só um pouco o ângulo de visão, passavam a parecer achatados e todos errados. Vistos por trás das caudas permanentemente levantadas e balançantes, os animais de aparência tão sólida eram quase imperceptíveis. Era isso o que acontecia com o monstro agora colossal, de muitas cabeças, enquanto cuspia álgebra fosforescente de espinhas de um metro de largura e se desmanchava em um desenho detalhado e meticulosamente ornamentado de si mesmo.

Pelas expressões em seus quatro grandes rostos, mesmo aquela condição reduzida era difícil de manter. Soltando um último rosnado estrondoso de ódio e frustração, a enorme aparição se estilhaçou em incontáveis contas de brilhos com cores natalinas que pareciam lamber cada tábua e viga dos Sótãos do Alento, como se toda a galeria estivesse em chamas com a imagem que se dispersava do demônio. Em cada clarão havia o mesmo padrão repetido, intrincado e contorcendo-se em uma filigrana do que em um momento pareciam salamandras verde-limão e no outro uma renda escarlate de tarântulas assassinas. Lagartos múltiplos ou formas de aranhas em diferentes escalas se formavam na estampa de papel de parede mais perturbadora que Phyllis poderia conceber, com tudo isso reiterado a cada giro de chama através dos ecos da galeria.

Então tudo acabou, e todos os fogos de artifício do diabo sibilaram até desaparecer, deixando apenas o fedor penetrante de entranhas de peixes e uma atmosfera de choque espalhados naquele corredor monumental. O diabo-rei não estava mais lá.

A sra. Gibbs se limitou a balançar uma única vez o queixo em uma demonstração silenciosa de satisfação profissional, então tirou o lenço que tinha uma abelha bordada na beirada para limpar o verniz de hadoque das pontas rosadas dos dedos. Educadamente, instruiu John Belo e Reggie Bowler a levantar o braseiro não mais fumegante, porém ainda repugnante, e arrastá-lo a uma boa distância pela viela onde, se ninguém sonhasse com ele por uma ou duas semanas, se desmancharia no resíduo mental homogêneo do qual as avenidas e vielas de Almumana, o Segundo Borough, eram construídas. Enquanto os meninos maiores enrolavam trapos nas palmas novamente e se dedicavam à tarefa a contragosto, a defunteira dobrava meticulosamente o lenço agora fedendo a peixe, enfiando-o de volta em qual fosse o canto obscuro do seu avental funerário de que havia saído. Depois de se limpar e se arrumar, ela virou a cabeça e deu uma boa olhada, na medida do possível, para Michael Warren, que, apesar do desaparecimento do arquidemônio, ainda se abrigava atrás do Niágara negro das saias dela.

Phyllis ainda se recuperava dos acontecimentos dos minutos anteriores. Ocorreu-lhe que, por mais assustador que fosse o visitante do Inferno, aquela velha de bochechas rosadas era um terror com que todos deveriam tomar cuidado. Se as defunteiras vivas já eram impressionantes, as mortas eram ainda mais. Do ponto de vista de Phyllis, Michael

Warren e os outros nanicos do bando, a silhueta da sra. Gibbs contra o azul brilhante sobre a galeria parecia uma grande bola de boliche preta com uma touca. Parecia observar com toda a atenção o menininho louro que lançava para ela um olhar inseguro, vestindo pijama, pantufas e o roupão xadrez roxo manchado por alguma coisa amarela e sulfúrica, provavelmente baba de demônio.

— Então, você é o Michael Warren de quem tanto ouvi falar. Não se esconda atrás de mim quando tento falar com você, querido. Venha para onde eu possa vê-lo direito.

Apreensivo, o menininho saiu de trás da defunteira e foi para a frente dela, conforme pedido. Seus olhos azuis de boneca se voltavam para todos os lados, da sra. Gibbs para Phyllis Painter, e dela para Bill e Marjorie Afogada. Encarava todos como se fossem seu pelotão de fuzilamento, sem uma palavra de agradecimento para aqueles que, momentos antes, o salvaram do fogo do inferno e da danação eterna. Quando voltou o olhar apreensivo para a sra. Gibbs, tentou abrir um sorriso simpático, mas seu rosto só foi capaz de fazer uma careta esquisita. A defunteira pareceu incomodada.

— Não precisa ter medo de mim, querido. Muito bem, aquele bruto machucou você enquanto estava nas garras dele? Que negócio foi aquele de você ter um acordo com ele? Espero que não tenha feito nenhuma promessa para um tipo perigoso daqueles.

O menino recém-morto trocou o peso do corpo de uma pantufa xadrez para a outra, mexendo nervosamente no cinto do roupão.

— Ele me faltou que estava me levitando para um asseio, e disse que eu mordia vagá-lo depois fervendo um pavor a ele.

Como um citadino ridicularizando um caipira, Bill gargalhou grosseiramente da pronúncia descarrilhada do menino, que revelava sua condição de recém-chegado a Almumana. Phyllis notou que a habilidade do menino Warren para se comunicar tinha regredido um pouco desde a última vez. Quando ela o acompanhou através dos Sótãos pela viela em que estavam agora, ele parecia estar encontrando seus lábios de Lucy e começava a falar com clareza, sem mutilar cada frase no nascedouro. Mas, ao que parecia, a visão do ataque de raiva extraordinário do demônio o fez escorregar um pouco para trás. Suas frases se espalhavam como palitos de fósforo de uma caixa aberta de ponta-cabeça. Por sorte, a sra. Gibbs, em razão de seu trabalho de ambos os lados do canto agudo da morte, entendia a dicção dos recém-falecidos e conseguia lidar bem com as algaravias de Michael Warren.

— Entendi. E ele levou você para esse passeio que prometeu, querido? Para onde ele voou com você, posso perguntar?

Com isso, o rosto do pirralho se iluminou, como se um adulto tivesse acabado de lhe pedir para contar de qual brinquedo tinha gostado mais em um parque de diversões.

— Ele me nevou para a prótima festa à noite, para onde minta causa está na Andrew's Road. Eu ri com meus próprios ovos, e eu estava vivo de novo!

Agora todos encaravam Michael Warren com perplexidade, e não por causa de sua elocução explosiva. Todos estavam muito surpresos com o que ele tinha acabado de dizer para reparar em como fez isso. Aquilo poderia ser verdade? O arquidemônio poderia ter transportado o menino para o futuro imediato, onde pôde ver a si mesmo de volta à vida? A não ser por um milagre, não fazia o menor sentido, e Phyllis tentou encontrar uma explicação mais provável para aquela história improvável. Provavelmente o demônio o transportou ao passado, e não para a noite da sexta-feira seguinte, como o menino obviamente acreditava. O demônio havia enganado o menino a sangue frio, dando a ele um vislumbre de si mesmo no seio da família, e então dizendo que era algo que aconteceria em alguns dias, em vez de algo vivido uma semana ou duas antes que o menininho morresse engasgado. Era uma farsa cruel e desdenhosa, com a intensão de dilacerar a alma infantil de Michael Warren lhe dando falsas esperanças. Embora Phyllis preferisse sua interpretação cética à alternativa mais milagrosa, algo ali não parecia totalmente verdadeiro.

Para começar, Phyllis e seu bando tinham visto o demônio indo com Michael para o oeste vermelho com seus próprios olhos, a mesma direção de onde tinham acabado de vê-lo voltando. *Oeste é o futuro, leste é o passado, tudo perdura, tudo permanece.* Além disso, era de conhecimento geral que um diabo tinha a mesma capacidade de mentir que uma página de dados estatísticos brutos. Assim como os números, eles apenas podiam induzir ao erro. E mais, embora Phyllis odiasse os demônios em geral, precisava admitir a contragosto que eles raramente pensavam pequeno. Pregar peças cruéis em meninos de três anos provavelmente não era uma ocupação digna deles, pelo menos não dos demônios de patente mais alta, como o que havia levado Michael Warren parecia ser. Essa linha de raciocínio, claro, levava à conclusão inaceitável de que o menino estava certo e que em um dia ou dois estaria vivo novamente, de volta ao convívio da família na St. Andrew's Road. Phyllis olhou a sra. Gibbs e viu, pela maneira como ela observava o menininho, que a velha tinha chegado ao mesmo impasse em seu raciocínio.

— Ora, está aí uma bela confusão. E por que, eu me pergunto, aquela velha serpente se interessou por você, para começo de conversa? Pense bem, meu querido, e me diga se ele disse alguma coisa estranha que possa me dar uma pista.

O menino em roupas de dormir, que evidentemente não tinha consciência da tremenda importância do que estava tagarelando, tentou parecer pensativo por um momento, então sorriu para a sra. Gibbs.

— Ele me faltou que eu cavei anum problema aqui no Amar de Cinta.

A defunteira pareceu confusa no começo, então lentamente enrugou a testa marcada pelas manchas de idade como se estivesse compreendendo.

— Ah, querido. Você não é o menininho que causou a briga entre os construtores? Alguém me contou antes que eles armaram uma tremenda confusão em Mayorhold porque um deles tinha roubado no jogo de trilhar, mas nunca nem sonhei que você era o motivo por trás disso.

Que conversa era aquela? Uma briga entre os construtores? Phyllis abriu a boca, incrédula, e a julgar pelos arquejos altos que vinham de seu Bill e de Marjorie Afogada, era a primeira vez que ouviam aquilo também. Uma briga entre os construtores não significava que o mundo todo ia se partir ao meio, uma coisa terrível desse tipo? Parecendo empolgado com a perspectiva, Bill transmitiu seu entusiasmo óbvio para a defunteira.

— Nossa! Quando foi isso, os ângulos se socando? Eu queria estar lá para ver isso.

Mais uma vez, Phyllis ficou envergonhada por seu menino ser um rufiãozinho assumido. A sra. Gibbs respondeu para o jovem Bill, em tom de reprovação:

— Isso não é brincadeira, querido, e se os construtores estão em desacordo seria muito desrespeitoso ficar lá olhando para eles. E, claro, seria muito perigoso, principalmente para uma criança pequena, então tire essa ideia da cabeça.

Embora Phyllis soubesse que ele não havia tirado a ideia da cabeça coisa nenhuma, Bill fez cara de arrependido e abatido para que a defunteira achasse que sim. A sra. Gibbs deu as costas para ele e seguiu com sua avaliação do caso do desafortunado Michael Warren.

— Ora, querido, me parece que você está no meio de algum acontecimento bem esquisito. Não estou surpresa, considerando o que sei sobre seu pessoal e a família de que você faz parte. Mesmo assim, nunca ouvi falar em nada parecido com isso. Você chamou a atenção de um diabo... o trigésimo segundo demônio, que é terrível... e aprontou alguma que causou um desentendimento entre os construtores. Além disso, está morto em um minuto e vivo no outro, pelo que me falou. Muito bem, quanto àquele demônio, quando ele disse que queria que fizesse um favor em troca de um passeio, por acaso falou que favor era-será esse?

O menininho parou de sorrir e ficou pálido o suficiente para se destacar inclusive na companhia de fantasmas.

— Ele me disse que eu tinha que ajudar a matar alguém.

Phyllis percebeu o quanto aquela ideia deixava Michael Warren abalado ao vê-lo terminar uma frase sem embaralhar nenhuma palavra. Era uma perspectiva horrenda, assustadora o suficiente para curar uma gagueira. Bill soltou um "puta merda" e Phyllis o acertou com uma pancada na perna, abaixo das calças curtas, antes que a sra. Gibbs fizesse isso. Com um olhar de esguelha fulminante para Bill, a defunteira voltou toda a atenção de novo para o menininho de aparência preocupada.

— Então ele estava muito errado, querido. Se ele quer alguém morto, pode fazer isso sozinho. Pelo que sei dele, tem experiência mais do que suficiente para isso. Francamente, estou surpresa por ele ter permissão para pegar você e dizer coisas tão horríveis...

A defunteira se interrompeu e inclinou a cabeça para o lado. Para Phyllis, parecia que a sra. Gibbs tinha acabado de entender todas as implicações daquelas palavras, o que fez com que a menina refletisse a respeito também. Permissão: aquela palavra era o cerne da questão. Por que todas aquelas falhas sobrenaturais na regulamentação normal tinham sido permitidas, aliás? Como Phyllis tinha observado quando estava ajudando Michael Warren a subir nos Sótãos do Alento, nada em Almumana acontecia por acidente, nem o fato de não haver ninguém lá para receber a criança, nem ter se deparado com essa cena enquanto ia na direção de casa depois de uma expedição de roubo. Phyllis sentia o toque sutil de uma mão maior nessas questões, fazendo a memória de sua pele se arrepiar. Pela expressão no rosto da sra. Gibbs, parecia que a defunteira fazia muitas das mesmas considerações. Por fim, ela falou novamente.

— Para ser bem sincera, querido, não sei o que pensar de você. Tenho a impressão de que existe muito mais aqui do que os olhos veem, mas se os construtores estão envolvidos então é coisa demais para eu descobrir sozinha.

Nesse ponto, John Belo e Reggie Bowler voltaram pela viela, limpando as mãos ao se juntar de novo ao bando, depois de deixarem responsavelmente o braseiro de sonhos em algum lugar das profundezas da ruazinha. A sra. Gibbs os recebeu com um leve gesto de assentimento, então continuou o que estava dizendo.

— Como eu disse, querido, está além da minha competência. O que sugiro é não sair correndo por aí sozinho de novo, ou quem é que sabe o que poderia acontecer? Fique com essas crianças mais velhas, que com certeza vão impedir que você caia em algum truque. Enquanto isso, vou falar com alguém acima de mim, que saiba o que está acontecendo. Acho que vou ver o sr. Doddridge e descobrir o que ele tem a dizer. Trate de fazer o que mandei e fique em segurança com esses meninos e meninas. Vejo você mais tarde, quando tiver descoberto essas coisas todas, então seja um bom menino até lá.

Com isso, a defunteira virou e saiu deslizando pela grande galeria, indo para o leste, na direção do amanhecer, sobre a faixa de pedras beirando o mar quilométrico de madeira e janelas dos Sótãos. Em silêncio na boca da viela, as crianças a viram partir, um grande travesseiro preto diminuindo até se tornar uma almofadinha de alfinetes enquanto ela se afastava para as regiões mais distantes, para o ontem e para fora das vistas.

Surpresa pela partida abrupta da defunteira, Phyllis não sabia ao certo o que pensar. Por um lado, entendia que a sra. Gibbs estava apenas fazendo o que era necessário, com a rapidez e a eficiência de costume, mas por outro não conseguia deixar de se sentir um pouco abandonada. Além de mantê-lo longe das confusões, o que ela e o Bando de Mortos de Morte iam fazer com Michael Warren? Pelo que a defunteira tinha dito, parecia que aquele fedelho de roupão era um problema mais complicado do que parecia no início. Se a sra. Gibbs, que encarou o que o

Inferno tinha de pior quase sem piscar, se ela havia falado que Michael Warren era um dilema grande demais para decifrar sozinha, então como Phyllis Painter e seu bando poderiam cuidar dele? Ela fuçou nervosamente na ponta puída dos dois barbantes de sisal em que suas peles de coelho estavam penduradas, pensando a respeito.

Depois de um tempinho de reflexão, porém, Phyllis entendeu melhor o que a defunteira tinha feito ao deixar o menino sob responsabilidade dela. Houve aquela sensação de uma mão superior em tudo aquilo, e Phyllis percebeu que a sra. Gibbs também sentia a mesma coisa. Em Almumana, nada acontecia por acidente e, como ela havia sido a primeira a receber o menino em sua chegada, isso significava que estava envolvida no desenrolar dos acontecimentos. Aquele menininho indefeso e grudento evidentemente precisaria estar com Phyllis, não porque *fef cocô na cafça*, e não só porque a sra. Gibbs mandou. Era uma coisa decidida lá em cima, por quem mandava, e Phyllis sabia que ela e seus quatro comparsas apenas teriam de dar o melhor de si. Em certo sentido, era uma honra, e naquele momento ela decidiu que o Bando de Mortos de Morte se mostraria digno da incumbência que receberam. Não queria que se falasse pelos Sótãos do Alento que eles não estavam à altura, ou que não tinham conseguido provar que eram mais que só pequenos vândalos, como todos os consideravam. Repartindo as obrigações, se sairiam muito bem com aquele trabalho de babá e então mostrariam a todos. Seus vários talentos, que não eram poucos, seriam todos usados para dar conta do recado.

O Bando de Mortos de Morte podia ser o que quisesse na grande liberdade que havia no além da vida e da substância. Podiam correr pelos arbustos e vielas da Eternidade e virar o tormento de fantasmas e demônios, ou poderiam ser mirmidões corajosos, ou selvagens dissimulados, ou mestres do crime. No caso de Michael Warren, com todos os mistérios que o cercavam, ela achou que poderiam ser facilmente detetives espiões secretos. Descobririam quem ele era, e o que era aquela confusão toda, e... ora, iriam garantir que tudo terminasse bem, mas Phyllis ainda não havia tido a chance de pensar em como fazer isso. Sabia que sua ideia ia muito além do papel de babá que a sra. Gibbs tinha em mente, mas sentia que estava agindo de acordo com o espírito das instruções da defunteira, em vez de levá-las ao pé da letra. Se os poderosos não tinham a intenção de deixar que Michael Warren se misturasse com uma turma de crianças maltrapilhas, Phyllis não estaria passando pelos Sótãos bem no momento em que ele passou pelo alçapão do além-vida. Uma coisa tão improvável de acontecer era o mesmo que dizer que Phyllis Painter havia sido designada como responsável pelo menino de pijama e a grande aventura que aparentemente o cercava. Os comentários de despedida da sra. Gibbs apenas confirmavam isso. Phyllis ainda era uma líder do Além e sabia que o Bando de Mortos de Morte dependia dela para bolar algum tipo de plano, já que havia feito isso em todas as suas outras aventuras de mortos de morte.

Àquela altura, a figura da defunteira estava fora de vistas na luz úmida e cor de salmão que banhava a ponta do amanhecer do corredor sem fim. Phyllis se virou para Michael Warren, se perguntando mais uma vez de quem ela havia se lembrado quando o viu pela primeira vez, com quem ele se parecia de maneira tão torturante. Primeiro pensou que poderia haver uma vaga semelhança com John Belo, apesar da diferença de cinco anos entre as idades aparentes dos dois, com Michael Warren tendo aparentes sete anos e John tendo aparentes doze, mas olhando para eles agora não conseguia ver isso. O menininho loiro não tinha a magreza heroica e esculpida do rosto de John, nem a sombra fuliginosa em torno dos olhos profundos, aquele ar triste e romântico. Não, estava convencida de que conhecia o menininho de outro lugar, mas não conseguia se lembrar de onde. Possivelmente se recordaria, porém no momento tinha coisas mais importantes para cuidar. Michael Warren agora olhava de volta para Phyllis, encarando-a com uma expressão infeliz em seu roupão surrado pelo diabo, com o colarinho manchado de baba. Ela retribuiu com um olhar impassível, que em seguida suavizou.

— E então? Como é que tá? Aposto que ficou apavorado, com aquele diabo te levando embora daquele jeito.

O menino assentiu, bem sério.

— Isso. Ele não foi-será muito legal, mas ele queria me fazer pensar que foi-será. Obrigado por voltar para me encontrar e me ressalvar.

Phyllis fungou e abaixou a cabeça, modesta, sem aceitar o crédito que lhe foi dado. Seus coelhos podres chacoalharam com o movimento. Ficou feliz em notar que as faculdades linguísticas de Michael estavam progredindo de novo, depois da recaída que o encontro com o demônio tinha provocado. Talvez ele tivesse encontrado seus lábios de Lucy, afinal.

— De nada. Agora, o que vamo fazer com 'ocê? O que me diz de te levarmos para nosso esconderijo até decidir?

A criança abriu um sorriso de alegria.

— Isso quer dizer que faço parte do seu bando?

Ah, *agora* ele queria ser um integrante, então? Ora, tinha mudado de ideia desde mais cedo, então. Apesar do fato de que Phyllis estava enfim começando a desenvolver um grau de simpatia por seu menino perdido de pijama, precisava ser firme com ele. Ela era a líder e, se fosse flexibilizar as regras por causa de todo mundo por quem sentisse uma pontada de pena, onde iriam parar? Ela fez uma cara séria e sacudiu a franja loiro-avermelhada de um jeito convicto, mas não grosseiro.

— Não. Sinto muito, mas não pode entrar agora. Não depois do que cê acabou de dizer sobre viver de novo até sexta-feira. No Bando de Mortos de Morte temos cerimônias de iniciação e coisas assim. Existem testes que cê não ia conseguir passar.

Magoado e um pouco indignado, Michael Warren parecia achar que Phyllis estava só fazendo pirraça.

— Cosmo você sabe? Eu poderia ser o melhor no teste. Eu comeria ser um campeonauta.

Nesse ponto, para surpresa de Phyllis, John Belo interferiu por ele, colocando uma mão amiga e consoladora sobre o ombro xadrez da criança, salpicado por espuma de demônio.

— Vamos, menino. Não leva para o lado pessoal. Ela só está te contando como as coisas são aqui em cima. Para entrar no Bando de Mortos de Morte, as regras dizem que você precisa ser cremado ou enterrado. Quase as duas coisas no meu caso, no fim das contas, mas o importante é que, se você vai estar vivo de novo na sexta-feira, então não passou por nenhuma das duas coisas. Vou dizer uma coisa, vamos deixar você ser um membro honorário pelo tempo que estiver aqui em cima, tipo um mascote, ou um bode do regimento[3]. Aí, se você um dia conseguir morrer de verdade, aceitamos você de vez. Que tal?

O menininho inclinou a cabeça para trás para observar John com atenção e pareceu parcialmente apaziguado, disposto a confiar na aparência impecável e no tom de voz razoável do rapaz. Apenas um leve traço de incerteza permaneceu, provavelmente porque o menino não sabia quem John era e não tinha sido apresentado de modo apropriado a ele. Phyllis decidiu sanar esse último descuido.

— Eu tava esquecendo que cê não conhece ninguém do bando. Esse aqui era-será o John, e ali tá o Reggie, com o chapéu. O Reggie entrou no bando antes que qualquer um, a não ser eu e nosso Bill, porque ele tá gelado tem mais tempo. Essa é a Marjorie, que se afogou em Paddy's Meadow, e esse é o nosso Bill. Somos o Bando de Mortos de Morte, então brincamos lá fora depois de escurecer e depois de morrer, e só vamos para casa se chamarem. Agora, quer ver nosso esconderijo? É ali descendo a viela e subindo um pouco a Spring Lane.

Sem concordar vocalmente com nada do que foi proposto, o menininho acompanhou o bando de crianças mortas quando começaram a descer pela viela e deixaram os Sótãos do Alento para trás. Michael Warren trotava diligentemente pelos paralelepípedos úmidos, cor de neblina, entre a própria Phyllis e John Belo. A criança olhava primeiro para um deles e depois para o outro, franzindo levemente o cenho e sem esconder que ainda estava com uma série de perguntas em mente.

— Por que vocês se chamegaram de Bando de Mortos de Morte? Fica engraçado falar assim.

John deu uma risadinha, um som adorável e quente que Phyllis teria comido no café da manhã se pudesse.

— Bem, quando vivos, nossos bandos eram diferentes. Eu e meus irmãos andávamos com o Bando Verde, a Phyllis aqui andava com as Meninas da Compton Street, enquanto o velho Reggie foi-será integrante da Máfia da Gas Street e depois dos Meninos dos Boroughs. A Marjorie Afogada, acho, andava com um clube secreto de Bellbarn. O único de nós que não cresceu nos Boroughs foi o pequeno Bill da Phyll, e ele andava com um grupo de meninos em... Kingsthorpe, era isso, Phyll?

Olhando para onde Bill estava, mais adiante pela fenda urbana lúgubre da viela com Marjorie e Reggie Bowler, Phyllis se manifestou brevemente para uma correção.

— Kingsley. Ele andava co'os Rapazes de Kingsley.

— Kingsley, isso mesmo. Então, em vez de discutir sobre o nome do bando antigo de quem íamos usar, Reggie disse que nosso nome devia ser Bando Mortos de Morte. Pelo que consigo me lembrar, foi-será de um sonho que ele teve enquanto ainda estava vivo. Sonhou que estava na escola, tendo aulas, e o professor levantou um livro que disse que eles iam ler. Tinha uma capa de tecido verde com uma linha desenhada em relevo dourado que mostrava um monte de crianças, e uma delas tinha um chapéu-coco e um sobretudo até os tornozelos como o que Reggie usava. O livro se chamava o *Bando de Mortos de Morte*. Reggie sugeriu que fosse nosso nome, e todo mundo achou que soava bem, e então concordamos com ele.

Descendo a viela estreita com muros de tijolo de um lado, portões traseiros de outro e a memória de um céu de chumbo acima, John sorriu para Michael.

— O significado eu não sei dizer muito bem qual é. Só o que consegui pensar foi que algumas pessoas ficam mortas de fome, outras mortas de cansaço, mas não nós. Estamos mortos de morte mesmo.

Um pouco à frente na viela, o jovem Bill evidentemente havia feito algum comentário engraçadinho que tinha incomodado Marjorie Afogada. Uma disputa de empurrões se seguiu, e Phyllis ficou alarmada ao notar que Marjorie, com os lábios contraídos em uma linha reta, tinha tirado os óculos e dado para Reggie Bowler guardar. Aquilo nunca era um bom sinal no caso de Marjorie, e Phyllis achou melhor alguém interferir antes que as coisas saíssem de controle.

— John, vai dar um jeito neles. Fala pra Marjorie colocar os óculos de volta e fala pro Bill que, se ele não se comportar, vô dar na bunda dele com tanta força que ele vai terminar em outro cemitério.

John sorriu e assentiu, trotando na frente de Phyllis e do menininho com suas pernas longas com as meias cinza elegantemente puxadas para cima. Ao alcançar Bill e Marjorie, ele passou um braço amigo em torno dos ombros de cada um, andando no meio de ambos, impedindo que um pudesse dar um golpe violento no outro, conduzindo-os pela viela de paralelepípedos ao mesmo tempo que conduzia a conversa para águas mais calmas. Quase sempre era possível contar com John Belo para resolver as coisas de modo que ninguém ficasse achando que estava errado, Phyllis observou com um leve orgulho, só por estarem os dois no mesmo bando. Ele tinha um talento tão natural para pacificar uma situação que Phyllis se deu conta de que não conseguia imaginá-lo na guerra, por mais que soubesse que era destemido.

Caminhando ao lado dela, Michael Warren apontou subitamente na direção da entrada recuada de uma escadaria escura atrás de um portão de ferro no muro da viela à direita.

— Ali foi onde achei que você tinha ido quando te perdi, subindo as escadas. Os degraus estavam escuros, e tinha coisas estalando neles que pensei que eram-serão tesourinhas, mas no fim eram-serão embalagens de Tunes. Tinha um horredor até o topo com um radiaodor que tocava "Brilha, Brilha, Estrelinha", então depois disso o diabo me pegou.

Phyllis assentiu enquanto passavam pela alcova bloqueada pelo portão. Como líder do Bando de Mortos de Morte, conhecia todas as passagens secretas e atalhos do além.

— Isso. Vai dar no sonho de alguém da Escola Spring Lane, se me lembro bem. Spring Lane é uma bela escola se cê ainda tá nas Vinte e Cinco Mil Noites, mas se cê tá ali em sonho é meio assustador, e coisas assustadoras podem acontecer. Principalmente à noite, mas mesmo de dia nunca é muito iluminado lá dentro. Não me espanta que aquele coisa-ruim te achou ali.

Estavam passando pelo lindo poste de luz imaginário que, na opinião de Phyllis, era uma das coisas mais belas da viela. O que, no mundo sólido, era apenas um cabo e um cilindro simples, tinha sido transformado em bronze ali em cima e tinha na parte superior uma escultura: um dragão de aparência oriental descolorido até assumir um tom pálido de verde-mar com escamas douradas de metal em um baixo-relevo que descia como uma espiral em torno do poste até perto da base, onde uma nostalgia de grama saía em tufos da areia de verão e das poças. No topo do poste envolvido pela serpente, a lâmpada em si tinha painéis de vitral em suas quatro janelas afuniladas. Apenas três deles estavam visíveis, com o painel de trás continuamente fora de vista, e como a lâmpada não estava acesa no momento até esses três eram difíceis de distinguir.

O painel que ficava mais à esquerda, visto de frente, era decorado pelo retrato de um cavalheiro do século XVIII, com um rosto direto e agressivo, usando, porém, a peruca, a batina e o colarinho de um pastor. No painel do lado direito havia a imagem translúcida de um homem negro com cabelos brancos, montado em uma bicicleta cheia de gambiarras que tinha cordas, e não borracha, presa aos aros das rodas. Phyllis sabia que deveria ser Black Charley, que tinha morado em Scarletwell Street quando ainda estava vivo e que às vezes ainda era visto pedalando pelo Andar de Cima. O painel central entre os dois não tinha cores, apenas linhas pretas de chumbo no vidro claro. Mostrava um símbolo mal desenhado em vez de uma figura de verdade: a tira solta de uma estrada ou caminho e, mais acima, uma balança rudimentar, pouco mais que dois triângulos ligados por duas linhas retas. Aquilo, Phyllis sabia, era o brasão da cidade de Almumana e era visto por todo lado, embora não tivesse certeza do que deveria representar.

Ao seu lado, Michael Warren não dava a menor atenção ao seu poste de luz favorito, mas, pela expressão no rosto dele, estava ocupado pensando em outra pergunta boba.

— O que foi aquilo que você disse, Vinte e Cinco Mil Noites? Parece as histórias sobre tapetes voadores ou um gênio de turbante na garrafa.

Phyllis olhou para o céu cor de água de lavar louça sobre a viela e fez um bico enquanto pensava naquilo por um momento.

— Bem, acho que *era-será* um monte de histórias sobre coisas maravilhosas que aconteceram uma vez e depois nunca mais, mas são as *nossas* histórias que o povo quer dizer quando fala isso, Vinte e Cinco Mil Noites. É só o número de noites, falando por cima, que a maioria das pessoas tem, setenta anos, por aí. Alguns têm mais, claro, enquanto outros... especialmente por aqui... têm muito menos. O coitado do Reggie Bowler morreu congelado quando tava dormindo no relento no velho campo--santo perto da igreja Doddridge, isso foi-será lá pelos mil oitocentos e sessenta, ou setenta, e ele não tinha mais que treze anos. Quatro mil noites, tirando ou botando umas centenas. A Marjorie entrou no rio ali em Paddy's Meadow quando tinha nove, tentan'o salvar o cachorro dela, a pobre tonta. Ele escapou, mas a Marjorie não. Foi levada pela água até onde fica raso debaixo da Spencer Bridge. E só acharam no dia seguinte. Três mil noites, por aí, foi o que ela teve. Quando dizem vinte e cinco, é só a média.

O menininho pareceu pensar a respeito por um tempo, talvez tentando calcular quantas noites ele teve. Pelos cálculos de Phyllis, eram pouco mais de mil, o que por si só não era razão para ele se sentir injustiçado. Havia os que morriam bebezinhos, que tiveram apenas umas dezenas ou poucas centenas de dias... e, ao contrário de Michael Warren, não voltariam à vida para acumular sabe lá quantas outras mil noites antes que finalmente falecessem em definitivo. Ele não sabia o quanto tinha se saído bem. As crianças fantasmas de hoje em dia, pensou Phyllis mais uma vez, elas não sabem que morreram.

Contra o muro da viela à esquerda diante dela e de Michael, Phyllis notou o braseiro da sra. Gibbs, que ela mandou John e Reggie jogarem fora. Já estava começando a se desfazer no húmus de sonho que se juntava nas sarjetas e nos cantos de Almumana, começando a perder a forma e a função, com o braseiro enferrujado se enrolando para trás em pétalas corroídas e se distanciando do carvão usado no centro enegrecido. As pernas do tripé estavam se juntando, fundindo-se em uma só haste, fazendo parecer que a coisa toda estava se transformando em um girassol de metal, chamuscado por ter crescido muito perto do sol. Não fazia muito sentido ficar imóvel por muito tempo ali no Segundo Borough, onde as coisas iam se desfazendo e mudando e você nunca sabia como terminaria.

Aos tropeções ao seu lado, Michael Warren se virou para ela com o que era provavelmente o mais próximo que conseguia de um olhar de admiração.

— Quantos anos você tinha, quentão, antes de morder? Você teve quantas noites?

Phyllis lançou para ele um olhar capaz de fritar um ovo.

— Não seja engraçadinho. Cê nunca deve perguntar a uma dama quando foi-será que ela morreu. Velha feito minha língua, e um pouco mais velha que meus dentes, eu era-serei, e isso é tudo que cê vai tirar de mim.

A criança pareceu mortificada e levemente assustada. Phyllis decidiu dar uma colher de chá para ele.

— Agora, se cê tivesse perguntado quando eu nasci, seria diferente. Nasci em 1920.

Claramente aliviado por descobrir que não tinha ultrapassado os limites de uma forma indesculpável, o menininho recorreu a um terreno mais seguro quando recomeçou seu interrogatório.

— Foi-será por aqui, nos Boroughs?

Phyllis soltou um pequeno ruído de afirmação.

— Nasci em Spring Lane, lá em cima. Quando tava atrasada para a escola, trepava no muro detrás de casa e entrava no parquinho. No nosso porão, cê podia afastar uma tábua e olhar no escuro para a fonte, a que deu esse nome para Spring Lane[4]. Nunca tínhamos nenhum dinheiro, mas minha infância ali foi-será a época mais feliz que tive. É por isso que fui-serei assim agora. Fui-serei como me lembro de mim no meu melhor.

Mais adiante, os outros quatro tinham alcançado o fim da viela, que dava na Spring Lane. Bill e Reggie Bowler já estavam fora das vistas, aparentemente depois de virarem à direita e começarem a subir a ladeira, mas John Belo e Marjorie Afogada esperavam para ver se Phyllis e seu pequeno companheiro sabiam para onde estavam indo. John acenou para ela da boca da viela e apontou para a Spring Lane, indicando que era para onde ele e Marjorie iam dali, e Phyllis sorriu, levantando um braço fino em resposta. A criança arrastando as pantufas ao lado de Phyllis ainda parecia preocupada com sua última declaração, sobre sua aparência agora ser como ela se via em seu melhor.

— Bem, se esse foi-será seu melhor, por que então essas reles de joelhos fedidos no seu pescoço?

Se quisesse, Phyllis poderia ter ficado ofendida por ter o odor rançoso de sua guirlanda mencionado na conversa, quando era um cheiro que já quase não sentia. No entanto, começava a achar Michael Warren uma companhia ao menos tolerável e não queria estragar as coisas quando estavam indo tão bem. Manteve a leve afronta fora da voz ao responder.

— Tem muitos motivos. Os coelhos são os únicos animais mágicos por aqui, junto com os pombos. Há quem diga que é por isso que os Boroughs têm esse nome... porque o povo aqui faz filhos feito coelhos e as ruas são todas emaranhadas como as labirínticas "burrows", ou seja, tocas de coelho. Não é por isso que é chamado de Boroughs, é claro, mas mostra como algumas pessoas pensam. Um dos motivos para andar com eles é que aqui o coelho quer dizer menina, assim como o pombo quer dizer menino. Na Abington Street, no centro, tinha o que chamavam de Corrida de Coelho, por causa das meninas das fábricas que passavam lá perambulando de um lado para o outro, e tinha os sujeitos que ficavam nas esquinas, assovian'o e piscan'o. Me disseram que Coelho era-será uma velha expressão dos Boroughs para menina, porque outro nome para coelho era-será láparo, também chamado de caçapo, e... enfim, tem uns palavrões que eu não deveria dizer, então cê vai ter que acreditar em mim. E, claro, dizem que os chineses veem uma mulher na lua, onde nós vemos um homem, e que ela tem um coelho, então tem mais de uma razão para os coelhos terem a ver com as meninas.

"Sobre os Boroughs, os coelhos são um resumo da vida por aqui. Tinha tantos nos terrenos baldios e nos gramados espalhados por aí, a gente via eles como pragas, como todas as pessoas que moravam na parte melhor da cidade viam a gente: pulan'o por aí no meio do mato, procurando sobras para comer, todos de cinza e marrom e preto e branco, todos tendo um monte de filhos, porque a gente sabia que a natureza ia levar alguns deles embora. Eram vistos como pragas, os coelhos, ou como jantar, e nosso pai saía caçando eles e depois trazia pra casa e tirava a pele do lado da lareira. A gente comia a carne e pendurava as peles num barbante e, quando juntava o suficiente, nossa mãe me mandava até o depósito do trapeiro, onde o homem me dava umas moedas por elas. As peles ficavam em um colar comprido, assim como agora. Uma vez eu não fui direto pro depósito do trapeiro com eles porque estava me divertin'o fingindo que era-serei uma duquesa com meu casaco de pele nos ombros. Estava brincan'o com as outras Meninas da Compton Street, na Bellbarn e na Andrew's Street e por ali, e na igreja de St. Andrew estava acontecen'o um casamento. Achamos tudo muito chique, claro, então entramos na capela e pegamos um lugar num banco nos fundos, para poder assistir. O cheiro das minhas peles de coelho era-será tão ruim que precisaram parar o casamento enquanto os assistentes colocavam a gente pra fora. Eu não liguei. Gostava delas, e ainda gosto. Depois de todo esse tempo, já nem sinto mais o cheiro delas. Cê espera um tempinho que também não vai mais perceber."

Agora estavam quase no final da viela, onde ela encontrava a ladeira da Spring Lane em uma junção em T. Phyllis notou que Michael Warren olhava para a velha placa de metal presa no muro da viela, com letras pretas pintadas em um fundo branco salpicado de laranja fecal, e as pontas da placa oxidadas até uma lasca de ferro quebradiça. Nenhuma das duas palavras na placa estava totalmente visível, obliteradas pela ferrugem, somente a mensagem críptica SCAR WELL RACE permanecia. Phyllis traduziu para ajudar o menininho.

— Scarletwell Terrace. Isso era-será o que a viela era-será antes de virar uma viela. O que eram-serão todos esses portões pretos que passamos à direita. No Andar de Baixo, no mundo de três lados, tudo isso foi-será desmanchado na sua época, e só tem a área de lazer atrás da Escola Spring Lane, mas aqui na crosta de sonho ainda tá de pé.

Michael não comentou o que Phyllis tinha acabado de dizer, mas pareceu entender. Eles perambularam em torno da esquina, virando à direita na Spring Lane e ficando de frente para a ladeira. A vista fez a companhia diminuta de Phyllis parar sobre as pantufas e arquejar, e ela precisou se obrigar a recordar que tudo aquilo era novo para ele. Além dos Sótãos do Alento e da viela de onde tinham acabado de sair, o menininho não tinha visto nada de Almumana em si. Observando os sentimentos e reações passarem pelo rosto erguido do menino enquanto ele olhava para a subida, Phyllis lembrou-se do que ela própria sentiu ao chegar ali no Segundo Borough, tentando ver o morro de sonho como a criança via.

Claramente não era a habitual abundância da fantasmagoria de Almumana que tanto havia surpreendido o menininho: a Spring Lane estava mais ou menos igual a quando Phyllis havia morado ali, só que ainda mais. Mal se viam os toques de sonho que caracterizavam o mundo superior, nenhuma grade de porão com dentes escurecidos em vez de barras, nada de pedras peludas na calçada. Em vez disso, apenas aquela subida já familiar, mas inflamada por uma chama interior e fazendo brilhar sua identidade, uma existência gasta pela passagem dos pés e de todas as luzes que saturaram o local ao longo dos mil anos de sua existência.

A Spring Lane ardia com uma mitologia de pedras lascadas, azul-claro da água de lavagem e se esfarelando nas extremidades. O brilho amarelo de verão de um amanhecer iminente se espalhava, diluído no céu de milhões de galões sobre o curtume que ocupava a parte mais baixa do antigo declive, do outro lado da rua estreita onde Phyllis e Michael estavam, já fora da entrada da viela. As paredes altas do curtume, de tijolos escurecidos com tela de arame sobre as janelas altas, não tinham a aura brutal que a construção exibia no domínio dos vivos. Em vez disso, eram suavemente iridescentes, com um brilho de lembrança afetuosa — os claustros de algum ofício medieval que não existia mais — e tinham o perfume caseiro de esterco e balas. Passando os portões tortos de madeira descascada, havia poças de vívida cor tangerina refletindo tremulantemente as chaminés negras. Entre essas piscinas de aparência flamejante estavam montes de aparas de couro tingidas com safira corrosiva, um azul profundo moldado em ninhos fantásticos por pássaros-trovão para chocar seus filhotes lendários. As calhas corroídas pelo tempo tinham gotas de diamantes em suas bocas rachadas de metal, e cada lasca e pedra caída cantava com um ser infinito.

Michael Warren estava em transe, e Phyllis Painter ficou ao lado dele, compartilhando de seu encantamento, contemplando a vista comovente através dos olhos dele. Os sons de verão do distrito foram, em seus ouvidos, reduzidos em boa parte. Os longos intervalos entre os zumbidos ruidosos de automóveis distantes, a filigrana gorjeante do canto dos pássaros pendurada nos beirais, o gorgolejo prateado de uma torrente enterrada ecoando no fundo da garganta noturna de um ralo, tudo isso se comprimia em um único sussurro, a reverberação sibilante e formigante de um címbalo atingido por uma vassourinha. O instante tilintava na brisa.

Subindo a ladeira, os outros quatro membros oficiais do Bando de Mortos de Morte avançavam por uma névoa prismática provisória que parecia embaçar — deliciosamente — cada peitoril de janela e meio-fio na rua inclinada. Com um grande esforço, suas formas que caminhavam a duras penas pareciam tão maravilhosamente típicas quanto as soleiras esfregadas pelas quais passavam, pareciam também indispensáveis para a composição sedutora da cena. O Bill de Phyllis e Reggie Bowler eram os mais próximos do topo, com John Belo e Marjorie fazendo piada enquanto subiam pela entrada da Monk's Pond Street, que se abria à esquerda no outro lado da Spring Lane. Trocando um olhar em que ambos reconheceram a maravilha que era aquilo tudo, Phyllis e Michael começaram a subir pela rua perfeita atrás de seus companheiros.

Apertando o roupão vermelho-vinho com mais força na cintura, o menino dava grandes passadas para acompanhar Phyllis, olhando o tempo todo, abismado, para a longa fileira de casas que ia do sopé da colina até o topo, a sequência quase ininterrupta de portas de madeira pintada à sua direita enquanto subiam. Por fim, não pôde mais conter sua curiosidade.

— Que eram-serão todas essas casas? A Spring Lane não era-será assim quando eu ainda estava vivo.

Colocando um sapato azul diante do outro na calçada rosa e desgastada pelo tempo enquanto subia a ladeira, Phyllis observou as casas por onde passavam com um olhar melancólico em seu rosto de pele clara.

— Cê tá certo, não era-será, mas era-será quando eu era-serei pequena. A maior parte delas foi derrubada um pouco antes da guerra, e então era-será só um terreno baldio pras crianças brincarem, até que foi transformado na área de lazer da escola. Aquela fileirinha de casas onde tava a sua, a St. Andrew's Road, foi-será tudo que sobrou de um grande quarteirão de casas. Elas ocupavam toda a Scarletwell Street e a Spring Lane, toda a Crispin Street até lá em cima, e tinha ruas inteiras entre elas que sumiram de lá agora. A Scarletwell Terrace, essa de onde acabamos de sair, essa era-será uma, e um pouco para cima, desse lado da rua, tem a Spring Lane Terrace.

Michael Warren ainda escutava, mas deixava o olhar vagar para o outro lado da rua, onde agora se abria a entrada para a Monk's Pond Street, seguindo para o norte da linha leste-oeste da Spring Lane. Phyllis refletiu que essa rua lateral também pareceria muito alterada, do ponto de vista do garotinho. Mais perto deles, do lado esquerdo, quando olhavam para a Monk's Pond Street, ficava o muro leste do curtume, que seria reconhecível na vida de Michael. Em frente e à direita, porém, cerca de duas dezenas de soleiras bem-cuidadas se estendiam para o norte para se conectarem com a Crane Hill e a ponta inferior da Grafton Street. Duas dezenas de grandes famílias, talvez duzentas pessoas em sua fileira orgulhosamente mantida, que, na época de Michael Warren, se tornaria um pedaço de escombros que as crianças locais chamavam de "Os Tijolos", ou então seria propriedade da fábrica, cercada por tapumes de metal corrugado. Só aqui em cima, nos campos magnéticos do sonho e da memória, as velhas construções se manifestavam.

Ao longo da extremidade da via, no lado oeste, mais à esquerda, havia a atração que evidentemente chamou a atenção do jovem. O extenso lago que batizava a rua, seco no mundo temporal desde o final do século XVI, brilhava à luz de um sol que não se via. Duas ou três figuras sem pressa, de hábitos pardos, conversavam à beira da água, uma delas carregando uma vara de pescar.

— São monges — Phyllis explicou a Michael. — São monges que viveram muito tempo atrás no Priorado de Andrew, que ficava perto de onde a igreja St. Andrew fica agora, de onde fui expulsa quando minhas peles de coelho estavam feden'o muito. Eram-serão franceses, a maioria, acho, e foi-será um deles que deixou os soldados do rei entrarem para saquear tudo, há oitocentos anos. Aqui em cima tudo isso foi perdoado, em termos gerais, mas na maior parte do tempo eles não se misturam com os fantasmas locais e ainda ficam isolados. Ou às vezes os mais bêbados vão assombrar um bar, só pela companhia. Tem muitas estalagens aqui com um monge fantasma na adega de trás ou na salinha, mas só me lembro de um pelo nome, que é o Velho Joe, que flutua pelo Jolly Smokers, na Mayorhold. Velho Joe não é o nome dele de verdade, porque devia ser alguma coisa em francês, isso era-será só como o povo do Andar de Baixo chama ele.

Michael Warren olhou para ela, perplexo.

— As pessoas que ainda estão vivas conseguem ver fantasmas, então?

Phyllis deu de ombros.

— Algumas conseguem, mas só quem ficou meio esquisito da cabeça, como os místicos, ou os loucos. O pessoal que bebe muito ou que fuma ópio ou coisas assim também consegue ver fantasmas. É por isso que tem mais bares assombrados do que qualquer outro tipo de construção, porque os mortos gostam de ir a lugares onde existe a possibilidade de haver alguém bêbado o suficiente para ver eles. Mas até as pessoas que podem ver eles só conseguem quando estão andando pela costura-fantasma.

A Monk's Pond Street desaparecia atrás deles à esquerda conforme seguiam subindo o delírio afetuoso e brilhante da colina. A atenção do menininho vestido de xadrez agora estava totalmente fixa em Phyllis.

— O que é uma costura-fantasma?

Phyllis não conseguiu deixar de responder com a famosa frase de Almumana: "É engraçado até você conhecer". Mas o menininho confuso claramente não entendeu, então ela respondeu de novo, falando mais sério.

— A costura-fantasma é como o nome diz. É uma costura esfarrapada que une o Andar de Cima com o Lá-embaixo, e é onde todos os fantasmas de verdade ficam, todos os que não tão confortáveis aqui em cima. É como se o Segundo Borough ficasse em cima, com o Primeiro Borough embaixo, e entre eles tem uma costura-fantasma, como quando cê vai em um bar e toda a fumaça dos cigarros fica no ar como um cobertor cinzento e ondula quando as pessoas se mexem e fazem uma corrente de ar. Uma costura-fantasma é assim. Aqui, olha ali à direita. Era-será a Spring Lane Terrace que eu falei, uma das ruas derrubadas para fazer a área de lazer.

Eles passavam pela esquina onde a fileira de casas ia para o sul, à direita, com as fachadas enfileiradas de cada lado das pedras empoeiradas manchadas com uma fina margarina da luz da manhã. Em vez de espiar a rua lateral, no entanto, Michael Warren estava mais interessado na esquina mais adiante daquela por onde ele e Phyllis haviam acabado de passar, a esquina de que se aproximavam ao atravessar a entrada da Spring Lane Terrace. Em vez de portas e janelas com cortinas de rede no andar de baixo, como as que começavam mais abaixo na rua lateral, desse lado havia apenas uma parede de tijolos simples sustentando telhados baixos de telhas, que Phyllis sabia ser a parte de trás de uma fila de estábulos. Enquanto os dois continuavam subindo a

Spring Lane, deixando a fileira de casas para trás, passaram pelo pátio fechado à direita por onde os estábulos se abriam. Lá havia o quente e peludo cheiro equino, semelhante ao extrato de carne Bovril, e o odor ainda mais forte de desinfetante, que, embora Phyllis não gostasse, sempre despertava seu olfato.

Enquanto subiam a colina, o garotinho olhou pensativo para o portão fechado. Após décadas de abandono, o vermelho tão intenso que um dia cobriu a madeira roída havia desbotado até ficar com a cor de um beijo. Phyllis explicou, antes que o garoto pudesse perguntar:

— Acho que esse pátio ainda está aqui quando cê estava vivo, mas como parte de uma fábrica no seu tempo. Quando eu tava viva ali, era-
-será o lugar onde guardavam a carroça da febre.

Aquilo fez a substância fantasmagórica dela tremer, até mesmo para pronunciar as palavras. A carroça da febre, para Phyllis, desde pequena, parecia ser o lado obscuro dos Boroughs. Chacoalhando pelos atalhos amontoados, foi um daqueles fenômenos sinistros, como as defunteiras ou os monges fantasmas, que ela acreditava ser peculiar à região. Eram as coisas que remetiam à relação do bairro com a morte, uma estranha terra habitada por tigres, perigosa para menininhas que amam balas de alcaçuz e desfolhar margaridas.

O pequenino vestido com suas roupas noturnas, trotando ao lado dela, apenas a olhou sem expressão.

— O que é uma carroça da febre?

Ela suspirou teatralmente e acionou a memória dos seus olhos de infância. Estava obviamente certa em sua suposição de que a criança tinha sido criada sem um pulso firme. Phyllis acreditava que a maioria dos nascidos nos anos cinquenta tinha encontrado uma vida mansa, com toda a ciência e medicina que tinham à disposição. Não dava nem para comparar com a situação em que ela viveu quando era jovem.

— Cê não sabe de nada, né? O que era-será a carroça da febre? Era-
-será uma carreta grande onde colocavam as crianças quando pegavam varíola e difteria e coisas assim. Levava as crianças para um campo perto da cruz de pedra que fica do lado de Ardingstone, que tá lá pra marcar o lugar onde o corpo da rainha Eleanor foi-será colocado no chão quando era-será levado de volta para Londres. No campo da febre, ao ar livre com todas as crianças que tavam doentes, iam morrer ou melhorar. Normalmente morriam.

A criança agora a encarava com um novo olhar em seus olhos azuis de cílios longos. Acima deles, o céu recordado dos Boroughs ia do amarelo Páscoa até o rosa-aquoso.

— Tinha muita coisa para te deixar doente, quando você estava embaixo daqui? Foi-será isso que te deixou morta?

Sacudindo a cabeça, ela o corrigiu.

— Não. Tinha um monte de doenças ruins, verdade, mas nenhuma delas deu fim em mim.

Phyllis enrolou uma manga cor-de-rosa da blusa, com uma expressão dura e séria, como se fosse um estivador em miniatura. Estendendo o braço ossudo sob o nariz de Michael Warren, mostrou duas áreas esbranquiçadas com o tamanho e a forma de moedas de seis pence, próximas uma da outra, em seu bíceps pálido e macio.

— Eu me lembro de que tava brincando pelos Boroughs com a nossa irmã. Oito anos, eu devia ter, então isso foi-será nos anos vinte. Vimos essa fila grande de pessoas indo para a porta da Missão da Spring Lane ali, aonde íamos para nossa escola dominical.

Ela fez um gesto para o fim da viela que estavam subindo, onde as pedras marrons da fachada simples da missão mostravam sua humildade e fragilidade com um orgulho quase luminoso.

— Quando vi a fila, pensei que estavam dando alguma coisa, então entrei no fim e mandei nossa irmã fazer a mesma coisa. Achei que poderia ser brinquedo ou alguma coisa gostosa para comer, porque naquela época às vezes cê recebia uns pacotes dados por gente mais rica, que distribuíam nos Boroughs. Bom, no fim era-será a fila da vacina, contra varíola e difteria, então tomei também.

Ela desenrolou de novo a manga da blusa, escondendo outra vez as cicatrizes de inoculação. Seu jovem companheiro olhou para trás, para o pátio por onde tinham acabado de passar e então olhou de novo para Phyllis.

— Os outros lugares em Northranço todos tinham suas próprias carroças da febre também?

Dessa vez Phyllis não bufou ou revirou os olhos diante da ingenuidade dele, só pareceu um pouco triste. O menino não era burro, ela concluiu. Era só inocente.

— Não, querido. Só os Boroughs tinham uma carroça da febre. Só os Boroughs precisavam de uma.

Eles subiram a ladeira em silêncio. À esquerda, do outro lado da via, passaram pela abertura da Compton Street, que corria para o norte em direção a uma lembrança da Grafton Street e uma Semilong nebulosa mais adiante. O lustre brunido de Almumana pairava sobre tudo, lindo e ligeiramente errado, como nas fotografias de cartões-postais coloridos à mão: as portas que se estendiam para cada lado da rua pareciam recém-pintadas, de vermelho-maçã ou azul de anil, e ficavam uma diante da outra em duas fileiras como guardas com o peito estufado, esperando a inspeção. As maçanetas tão lustradas pareciam mais de ouro do que de latão e, no menisco empoeirado da estrada de verão, pintas de mica piscavam a promessa de uma mina de joias. *Nós somos as meninas da Compton, Nós somos as meninas da Compton...*

Phyllis se lembrava de cada uma delas. Cath Hughes. Doll Newbrook. Elsie Griffin. As duas irmãs, Evelyn e Betty Hennel, e Doll Towel. Podia ver seus rostos nítidos de tudo, lembrava-se delas com muito mais clareza do que se lembrava das pessoas com quem se sentava nas congregações da igreja e nas salas de aula da escola enquanto viva. Essa era a grande questão nas alianças dos bandos. Eram criadas quando sua alma era pura e, portanto, contavam muito mais do que a religião, ou o partido em que votou quando tinha idade suficiente, ou se entrou para os maçons ou algo assim. Ela reprimiu a vontade de correr pelo fantasma da Compton Street até o número 12 e chamar Elsie Griffin, mas em vez disso voltou suas atenções para Michael Warren. Ele era, afinal, o trabalho que tinha em mãos.

Os outros quatro, mais à frente, já haviam alcançado o cume, onde a linha norte-sul da Crispin Street e da Lower Harding Street atravessava a extremidade superior da Spring Lane. Reggie e Bill estavam no meio da esquina da fábrica, no canto superior esquerdo, desaparecendo na Lower Harding Street, com Marjorie e John Belo um pouco atrás. Phyllis sabia que John estava esperando para fazer companhia à garota afogada, já que ela tinha pernas mais curtas e não conseguia subir tão rápido quanto ele. Phyllis achava John Belo maravilhoso.

Um pouco mais acima, à direita, a soleira sagrada da porta de baixo da própria Phyllis se projetava cinco ou seis centímetros na rua. Quando chegaram ao nível dela, Phyllis pôs a mão no braço coberto de xadrez de Michael e o parou para que pudessem olhar. Não podia passar por lá sem parar para prestar sua homenagem, silenciosa ou não. Era um hábito seu, ou uma superstição que ela tinha prazer em alimentar.

— Aqui era-será onde eu morava, quando tava viva.

Acima de quatro degraus de pedra, a porta do número 3 da Spring Lane era verde-oliva, clareando para o cinza como sálvia velha ao sol. A casa era estreita e claramente tinha sido metade de um lugar um pouco maior, junto com o número 5, ao lado e descendo um pouco à direita. Ainda mais abaixo naquela direção ficava o muro dos fundos e o portão dos fundos da Escola Spring Lane, então, nas manhãs em que acordava tarde demais, Phyllis podia usar seu truque de sair pela porta de trás, atravessar o quintal que dividiam com o número 5 e escalar o muro para cair direto no parquinho da escola. Isso significava que o boletim de Phyllis sempre tinha notas altas para pontualidade, embora tanto a menina quanto seus pais soubessem que não eram merecidas, estritamente falando.

Phyllis sabia que além da porta desgastada, na qual a tinta quebradiça descascava em lascas para revelar continentes imaginários de madeira lisa por baixo, além da porta não havia passagem ou corredor. Entrava-se sem preâmbulos na sala de estar da família Painter, o único cômodo da casa no andar de baixo. Um lance de escadas tortuosas levava até o único quarto, o de seus pais, e sobre ele o sótão em que Phyllis e suas irmãs dormiam. Nas noites de sexta-feira, quando fazia calor, eles se sentavam no parapeito da janela e assistiam às brigas diante do bar do outro lado da rua na hora de botar as pessoas para fora. Gritos e estilhaços chegavam através do ar quente com cheiro de lúpulo e cobre, sangue e cerveja. Eram os anos 1920, e não tinha televisão na época.

Com apenas um espaço no andar de baixo, obviamente não havia lugar para uma cozinha, e o mais próximo que tinham disso era a torneira de água fria e o velho balde de lata em cima de um bloco de concreto molhado e brilhante no topo do lance de degraus de tijolos azuis que levava ao porão. Era compartilhado, assim como o quintal, com o número 5 ao lado e, consequentemente, era cavernoso, com muitas voltas e reviravoltas e reentrâncias onde era possível se perder. Em um canto do porão, sob o número 5, portanto tecnicamente na casa ao lado, e não da de Phyllis, havia uma laje de pedra no chão que podia ser movida por duas pessoas. Deitado ali, com a barriga pressionada contra o frio e a poeira de carvão do chão do porão, era possível espiar por uma chaminé preta curta, com anéis de prata pálida e ondulações dançando nas laterais, a fonte que deu nome à rua, rugindo ladeira abaixo através da escuridão. Embora a torrente secreta fizesse uma espuma branca como cuspe, Phyllis sempre se sentia como uma médica, olhando fascinada por uma abertura em uma veia, uma parte do sistema de circulação dos Boroughs que se ligava à Monk's Pond e à Scarlet Well. Havia muita água escondida debaixo do bairro, e Phyllis tinha convicção de que a água era onde todas as emoções e as memórias se acumulavam como elementos residuais que davam ao córrego seu sabor cortante e reminiscente; o borrifar frio e fresco que umedecia o ar do porão.

Phyllis olhou para o lado, para Michael Warren, de pé ao lado dela.

— Quando eu estava viva, sabe, se tivesse muito doente ou muito perturbada por alguma razão, sempre tinha o mesmo sonho. Eu tava na rua, na Spring Lane, onde estamos agora, e começava a anoitecer. Eu tinha a mesma idade de agora, uma menina, e em vez de ir pra casa só ficava ali, olhando como a luz do lampião a gás na sala ficava toda verde e rosa quando atravessava as cortinas do andar de baixo no pôr do sol. No sonho, eu sempre tinha a sensação de que não importava pra onde tinha ido, não importava o quanto a jornada tivesse sido longa ou difícil, quando tava sentada ali, olhando a luz brilhar pelas rosas naquelas cortinas, finalmente tinha chegado em casa. Eu sempre tive certeza de que, quando tivesse morta, esse lugar ainda ia estar aqui esperando por mim, e tudo ficaria bem. Enfim, eu tava certa, como sempre. Nem um minuto da nossa vida se perde, e todas as casas demolidas que nos deixam com saudades estão aqui pra sempre, em Almumana. Não sei por que ficava tão preocupada.

Phyllis fungou, deu uma última olhada em sua antiga residência e continuou subindo a colina junto de Michael. A porta seguinte à direita, à esquerda do número 3, era a dos Wright, a confeitaria, com a robusta janela saliente que exibia suas mercadorias atrás de pequenos e grossos painéis formados por vidros convexos logo atrás da porta com campainha. Como essa paisagem superior era acrescida das cascas dos sonhos, a fileira de jarros de vidro de lustre reluzente que a loja usava como seu melhor colar na vitrine não estava cheia de doces de verdade, mas de sonhos de doces. Havia pequenos scottish terriers feitos de açúcar de cevada âmbar que tinham o meio retorcido, muitos deles fundidos em bolas de nove cachorros pelo dia quente, e no pote de sorvete de arco-íris (a partir do qual se poderia fazer água de kali) havia extratos extras dos pós de cores diferentes que, ao contrário dos comuns, eram fluorescentes. Havia uma camada arroxeada que realmente não se podia ver no topo, e no fundo do frasco, uma camada rosada que era igualmente difícil de olhar, mas que fazia sua língua parecer cozida se comesse um pouco. Apenas as gotas de chocolate pareciam normais, ou pelo menos até ela ver que duas ou três delas subiam dentro do pote e perceber que eram joaninhas enormes com cascas revestidas de centenas e milhares de confeitos coloridos, cor-de-rosa, brancos e azuis. Embora a mobilidade delas tirasse o apetite de Phyllis, as belas contas de açúcar em suas costas significavam que ainda pareciam boas para comer. Não se podia culpar a criança que ela escoltava por permanecer diante da loja de doces, olhando ansiosamente através da vitrine, até Phyllis puxá-lo pelo punho do pijama e o apressar.

Antes que se dessem conta, estavam no topo e olhando para a longa rua que tinham acabado de subir. Ela sabia que, no mundo dos vivos, a Spring Lane não era nem de longe tão longa, nem tão íngreme, mas era assim que as crianças pequenas se lembrariam, penduradas irritantemente nas abas do casaco da mãe enquanto tentavam fazer com que as rebocassem para cima do exigente aclive. Phyllis e Michael, de pé na extremidade superior da Spring Lane, olharam para o oeste através do fundo do vale, sobre as memórias do depósito de carvão na St. Andrew's Road, riscado como se pelos raios de um sol baixo. Mais além havia pátios de ferrovias onde colunas espectrais de vapor como espíritos de trens que partiram seguiam os trilhos perdidos, mortos em leitos de ervas daninhas, e além deles o amanhecer verde do Victoria Park inundava a borda mais distante do céu com uma cor de limão que parecia bebível. Depois de admirar por um momento o brilho suave do panorama do mundo morto, ambos viraram à esquerda e seguiram John Belo, Bill, Marjorie e Reggie até a Lower Harding Street.

Margeando a Grafton Square, onde um dia o conde de Grafton teve uma propriedade, a Lower Harding Street ressuscitada tinha uma atmosfera diferente das ruas ao redor no bairro dos sonhos. Não havia sido lembrada em seu melhor estado, com toda a alvenaria e o reboco como novos, de um laranja vivo que parecia ter sido pintado. Em vez disso, foi lembrada com carinho em algum momento posterior, durante seu declínio. Onde antes duas fileiras de casas geminadas se estendiam uma diante da outra sem interrupção, a não ser pela abertura para a Cooper Street, que subia à direita, havia brechas ao longo da fileira do lado esquerdo, onde as moradias foram esvaziadas antes da demolição. Alguns dos prédios abandonados já estavam em via de serem derrubados, com telhados e canos e andares de cima visivelmente ausentes. A meio caminho de uma parede escarpada, transformada em um palimpsesto de papel de parede de várias gerações, com uma antiga porta de quarto pendurada em suas dobradiças, abrindo não mais para a promessa de uma boa noite de sono, mas para uma queda súbita nos escombros. Meia dúzia de casas em frente aos baixos da Cooper Street mal se faziam presentes, com seus contornos meramente sugeridos por algumas estruturas remanescentes de tijolos que eram como peças de quebra-cabeça perdidas, despontando do mato e das ervas daninhas que haviam suplantado um amado tapete de sala.

Com o fulgor elegíaco de Almumana a iluminar tudo, a degradação não tinha cara de abandono ou feiura, era mais como uma poesia triste e comovente. Para Phyllis, o efeito era, de alguma maneira, reconfortante. Parecia dizer que, nos sonhos ou nas memórias de alguém, até os estágios dominados pelo musgo daquela lenta deterioração eram valorizados. A visão da Lower Harding Street confirmou sua sensação de que os Boroughs ainda eram uma coisa bela durante sua indigna e gradual capitulação. Embora em 1959, na época de Michael Warren, o equivalente a essa área no andar de baixo fosse um ermo, Phyllis estava confiante de que ainda manteria seu lugar nos corações locais, ou pelo menos nos mais jovens.

Ao lado dela, Michael tinha a cabeça loira voltada para cima, para olhar as fachadas das construções parcialmente demolidas das quais se aproximavam enquanto seguiam seus quatro companheiros mortos ao longo da fileira de casas fantasmas. O menino parecia absorto com a extremidade exposta de uma parede divisória, ou uma lareira ornamentada esquecida em um quarto superior que não tinha piso. Ele se virou e lançou para Phyllis um olhar confiante, o que a fez se inclinar para mais perto dele com uma das mãos em concha na orelha para descobrir o que o menino tinha a dizer.

— Essas casas são um pouco como a minha casa na Andrew's Road estava quando o diarvixe mostrou para mim, e eu conseguia olhar por trás das paredes para ver o que tinha dentro.

A própria Phyllis nunca havia feito um passeio como aquele do demônio com Michael Warren, e só tinha ouvido relatos de décima mão dos raros indivíduos que o fizeram. Portanto, tinha apenas uma ideia vaga do que o garoto estava falando e respondeu com um grunhido indeterminado, mas que dava a entender que entendia. Para evitar mais comentários, Phyllis se afastou de Michael e se virou para o resto de seu Bando de Mortos de Morte, reunido nas pedras queimadas de sol do lado de fora das casas semidemolidas diante da passagem para a Cooper Street e obviamente à espera de que o par de retardatários o alcançasse. Como passatempo, Reggie e Bill brincavam de socar dolorosamente as mãos um do outro. John Belo se mantinha com os braços cruzados e sorrindo enquanto olhava mais para trás na rua, na direção dela e seu menino de pijama. Marjorie Afogada sentou-se sozinha na beira da calçada e observava a ladeira da Cooper Street, que subia rumo a Bellbarn, onde residia antes de, sem saber nadar, mergulhar no Nene para salvar um cachorro que evidentemente sabia.

Com Michael Warren andando atrás de si, Phyllis caminhou até os outros e reafirmou sua autoridade.

— Certo, vamos lá, então. Como isso pode ser nosso esconderijo secreto se sempre ficamos parados na rua, deixamos todo mundo saber onde fica? Precisamos ir pelos quintais onde ninguém pode ver e então, se for seguro, deixamos o rapaz aqui ver o covil. Bill, cê e o Reggie façam o que mandei antes que eu dê uma bela surra n'ocês. E Marjorie, anime essas ideias. Vai ficar com hemorroida sentan'o assim na sarjeta.

Com variados graus de insubordinação resmunguenta, as crianças mortas atravessaram a mera ausência de alvenaria onde antes ficava a porta do número 19 da Lower Harding Street e seguiram em fila indiana pelo piso rangente entre os escombros — colonizados por caracóis — que em algum momento serviram de sala de visitas, sala de estar e cozinha da casa. A parede dos fundos da cozinha havia desaparecido completamente, o que tornava difícil dizer onde terminava o que antes fora o interior da casa e onde começava o quintal. A única demarcação era de vestígios de lixo doméstico, jogados contra a única camada de tijolos que ainda restava, um acúmulo de rejeitos que, de tão íntimo e familiar, chegava a ser tocante. Havia uma cabeça de boneca feita de plástico duro e antiquado, marrom e quebradiço, com um olho morto e fechado, o outro bem aberto, como se a moeda do barqueiro tivesse escorregado. Havia um caixote de cerveja quebrado e a parte de baixo de um carrinho de bebê, além de sapatos solitários, o perigoso gargalo quebrado de uma garrafa de leite e um exemplar encharcado e desintegrado do *Daily Mirror* com uma manchete que se referia a Zeus, embora a notícia em si fosse sobre a crise em Suez.

Depois de superar a precária pista de obstáculos do interior da casa sem teto, o bando se reuniu no que restava do quintal comunitário antes compartilhado pelos números 17 a 27 da Lower Harding Street. Era uma área de mais ou menos trinta metros de largura, que despencava em uma avalanche de grama alta e seca na direção de uma parede desmoronada no fundo, a pouco menos de vinte metros abaixo. As ruínas de duas latrinas duplas se apoiavam contra esse limite inferior, que de tempos em tempos desmoronava em cascalho de tijolos cor de salmão, e aqui e ali, do outro lado do recinto coberto de vegetação, havia pilhas de lixo transformando-se em entulho de sonhos entre os brotos amarelados. Phyllis se permitiu um sorriso tenso de satisfação consigo mesma. Caso não se soubesse que estava lá, a toca escondida do Bando de Mortos de Morte não poderia ser vista.

Ela liderou o bando e Michael Warren ladeira abaixo, passando por uma pilha aleatória de chapas de ferro corrugado, portas de armários descartadas e caixas de papelão amassadas. Em um ponto mais ou menos na metade, ela se abaixou e gesticulou com orgulho para o declive gramado, chamando a atenção de Michael.

— O que cê acha?

Perplexo, Michael olhou de soslaio para a tela de caules murchos e depois para Phyllis.

— Quê? O que eu acho do quê?

— Ora, da nossa toca. Vem. Chega mais perto e dá uma boa olhada nela.

Levantando a calça do pijama em um gesto envergonhado, o garotinho se inclinou ainda mais, conforme pedido. Depois de um tempo, deu um gritinho levemente desapontado ao descobrir algo, embora pelo som não fosse nada de muito bom.

— Ah. Era-será disso que você estava falando, esse buraco de couvelho?

Ele apontou para uma toca pequena, com apenas alguns centímetros de largura, e Phyllis riu.

— Não isso! Como a gente ia entrar aí? Não, olha um pouco mais pra direita.

Ela o deixou fuçar na região vazia do lado esquerdo da toca por um momento e então disse a ele qual era a direita. Ele retomou sua busca e encontrou o que deveria quase imediatamente, embora não parecesse saber o que era.

— É a carabine de um avião que foi para baixo da terra?

Não era, claro, mas era possível ver de onde vinha aquela impressão. Na verdade, o que o menino estava olhando era o para-brisa Perspex esverdeado de um sidecar de motocicleta, embutido na encosta e depois coberto com lama ocre para eliminar qualquer brilho revelador. Tinha sido ideia de John Belo, aquele toque militar inteligente.

— Não. É a janela da nossa toca. Quando a gente estava brincan'o aqui um dia, encontrou os buracos e achou que deveriam dar em uma toca maior lá atrás. Os meninos pegaram umas pás, e cavamos até as folhas de metal, lá na colina. Levou um tempo, mas entramos no que tinha sido uma velha toca de coelhos, mas que tava vazia. Derrubamos todas as paredes velhas dos túneis e cavamos mais um pouco até que ficamos com um buraco enorme, como se tivesse sido feito por um bombardeio. Então a gente alargou o buraco de coelho maior, para fazer uma janela, e colocou esse para-brisa de sidecar de moto que achamos. A gente arrastou umas portas velhas de perto e colocamos no buraco pra fazer um teto, mas de um jeito que parecesse lixo que alguém tinha jogado.

Ela acenou com a cabeça, e Reggie Bowler recuou alguns metros pela grama alta, subindo o quintal inclinado até onde a aparente pilha de lixo estava localizada. Curvando-se o suficiente para que o chapéu surrado caísse, vasculhou entre os restos até que os dedos encontraram a beirada de uma tela de compensado em ruínas. Grunhindo de esforço — Phyllis achou que ele estava exagerando um pouco, verdade seja dita —, puxou a folha de madeira manchada de lama para trás, raspando sobre o ferro, até revelar a entrada escura de um túnel. Abaixando-se para recuperar o chapéu caído, Reggie sentou-se na borda do buraco com as pernas pálidas penduradas na escuridão e então, com um movimento deslizante muito parecido com o de uma doninha, desapareceu de vista.

Dando a Reggie tempo para encontrar e acender a única vela do Bando de Mortos de Morte, Phyllis em seguida enviou Bill e Marjorie Afogada para o covil subterrâneo, com ela e Michael Warren logo atrás, enquanto John Belo vinha na retaguarda, porque era alto o suficiente para alcançar e puxar folha de compensado de volta para o lugar mais acima, uma vez que estivessem todos dentro.

A cova era mais ou menos circular, talvez com dois metros e meio de largura e um metro e meio de profundidade, com piso plano e laterais de terra compactada. A parede curva era cavada de modo a formar uma saliência logo abaixo da metade, para que todos tivessem um lugar para sentar, ainda que não confortavelmente. A mesma prateleira, percorrendo todo o perímetro da toca, também fornecia um espaço de alcova, escavado na seção sul do arco. Aqui todos os pertences do bando eram mantidos em segurança, não que fossem muitos: dois exemplares danificados pela água de *Health and Efficiency*, com loiras em preto e branco com bolas de praia em suas capas, que tanto Bill quanto Reggie Bowler tinham insistido para que fossem incluídas na tesouraria; um maço de dez cigarros Kensitas que ainda tinha três cigarros dentro, embora a foto na caixa tivesse sido lembrada equivocadamente, fazendo com que o pomposo mordomo levantasse uma das mãos enluvadas para segurar o nariz e dissesse "Fedor do Mar" onde o nome Kensitas deveria estar; uma caixa de fósforos com o capitão Webb, o nadador do canal, na frente, e, por fim, a vela. Estava presa com cera a um pires rachado e fornecia a única fonte de iluminação da toca subterrânea, sem contar o brilho subaquático esverdeado que se infiltrava pelo para-brisas revestido de lama na parede oeste.

Eles se sentaram em círculo na saliência estreita, com o brilho da vela flutuando em seus rostos sorridentes, e apenas as pernas de Michael Warren eram curtas demais para alcançar o chão. Seus dedos dos pés balançavam para a frente e para trás a poucos centímetros do resto de carpete mofado que escondia a maior parte de um piso de terra preta pisada. Parecia tão pequeno que Phyllis quase sentiu uma pontada de carinho por ele, sorrindo de modo tranquilizador ao se dirigir ao menino.

— Certo, e então? O que cê acha?

Ela não esperou pela resposta, pois não tinha dúvidas sobre o que ele pensaria, e qualquer um, aliás. Era a melhor toca de Almumana, e Phyllis sabia disso. Ora, ainda não haviam nem mostrado ao menino a coisa mais interessante do lugar, e ele já parecia hipnotizado. Ela continuou com seu discurso entusiasmado e empolgado.

— Nada mau para um bando de crianças, hein? Porque fomos nós que fizemos, não é? Enfim, é melhor começar esse encontro do Bando de Mortos de Morte, assim podemos decidir o que vamos fazer c'ocê. Acho que cê foi-será um mistério que precisa ser resolvido, com toda essa bobagem de ser levado por demônios, de provocar brigas entre os construtores e então voltar à vida na sexta-feira. Então cê tem sorte de ter vindo parar aqui com a gente, já que somos os melhores detetives dos

Boroughs, no andar de cima ou de baixo.

Marjorie Afogada disse "Somos?" em um tom perplexo que Phyllis apenas ignorou.

— Agora, o que precisamos descobrir primeiro foi-será quem você é. Não qual era-será seu nome, cê já falou isso, mas quem foi-será sua família, e de onde cê vem. E não tô só falando de vir da St. Andrew's Road, mas de onde vem a coisa que te fez antes disso. Tudo que acontece no mundo, todo mundo que já nasceu, é tudo parte de um padrão, e o padrão se estica pra trás muito antes da nossa chegada e segue um longo caminho depois que morremos. Se quer descobrir o que foi-será a vida, precisa ver direitinho o padrão, e isso significa que cê precisa olhar pra todas as idas e vindas no passado que fizeram do seu padrão o que foi-será. Cê precisa seguir todas as linhas para trás, entende? Anos pra trás, séculos, às vezes. Nós podemos precisar ir por um longo caminho até descobrir qual é a sua.

O garotinho já parecia desanimado.

— Precisamos voltar anos por toda aquela grande galeria? São muitos quilômetros pra um dia só.

Marjorie Afogada, que estava sentada diante de Michael Warren na prateleira de terra batida, virou-se para tranquilizá-lo com a luz da vela manchando cada lente dos nada lisonjeiros óculos do Sistema de Saúde que a garota usava. Seus olhos espantados e sérios estavam perdidos em poças de chamas refletidas.

— Isso não ia adiantar. Aqui no Segundo Borough, não era-será como era-será lá embaixo. É um tipo de sonho de como as coisas costumavam ser, então podemos andar de volta pelos Sótãos até onde vão e nunca descobrir nada que vale a pena. Podemos achar só pensamentos e imaginação, sem muito a ver com a vida real de ninguém.

Era quase possível ouvir o mecanismo girando na cabeça da criança enquanto refletia a respeito.

— Mas não daria para olhar dentro de todos aqueles buracões quadrados e ver o que estava acontecendo lá embaixo?

Nesse momento, John Belo se inclinou para a frente, enfiando o rosto heroico no halo da vela ao intervir.

— Só íamos ver joias, as formas sólidas que as pessoas deixam atrás delas quando se movem através do tempo. Se ficar olhando por um bom tempo, pode até mais ou menos entender o que acontece, mas leva anos e quase sempre você não descobre nada no final.

O menininho estava claramente pensando de forma tão intensa agora que Phyllis temeu que aquela cabeça loira pudesse inflar e explodir em pedaços.

— Mas e se a gente descer pelos buracos do sótão como eu fiz com aquele diabo? Aí daria para ver as coisas normalmente.

Phyllis, nesse momento, bufou com escárnio.

— Ah, e ver as pessoas com as tripas e os ossos do lado de fora foi-será normal? De qualquer jeito, não foi-será qualquer um que pode te levar para um passeio por cima do mundo do andar de baixo daquele jeito. Existem poderes mágicos que só demônios e construtores têm. Não, para descobrir todas as pistas e provas que têm a ver com você, só tem um jeito. Vamos precisar usar uma das nossas passagens secretas, que ligam Almumana com o que tem lá embaixo. Você faz as honras, Reggie.

Ficando de pé meio agachado, mas com o chapéu-coco raspando no telhado de zinco do esconderijo mesmo assim, o moleque vitoriano desengonçado formava uma figura estranha e fantástica à luz da vela, com seu sobretudo do Exército da Salvação balançando sobre os joelhos brancos e ossudos. Ele se agachou em uma postura muito parecida com a de uma aranha-armadeira e começou a enrolar o pedaço de tapete mofado a partir de uma das pontas. Um dia tinha sido estampado, algo com formato de diamantes em dois tons de marrom, mas através da escuridão e da podridão apenas o mais ínfimo vestígio de desenho era visível quando Reggie Bowler o enrolou para trás. Enquanto estava ocupado dessa maneira, Phyllis percebeu que Michael Warren e os outros membros do bando se afastavam pouco a pouco ao longo da saliência dura e preta em que estavam sentados. Percebendo depois de alguns momentos que era o odor de suas peles de coelho naquele espaço confinado que os afastava, ela virou a cabeça com desdém e jogou uma ponta do colar de peles de volta em seu ombro como uma atriz com uma estola. Eles que aguentassem mais um minuto ou dois. Em breve, todos estariam em um lugar onde ninguém sentiria o cheiro de nada.

O resto do tapete estava agora enrolado em um charuto úmido em uma extremidade do fosso arredondado, revelando o que estava antes escondido sob o tecido mofado: o mogno gasto de uma velha porta de guarda-roupa aparentemente pressionada na terra mais abaixo.

— Me dá uma mão, John.

Era Reggie falando enquanto enfiava as unhas imundas no solo solto em uma extremidade da porta embutida, tateando à procura de algo. John Belo se levantou o melhor que pôde sob o teto baixo e então se ajoelhou na extremidade do retângulo de madeira, empurrando os dedos para baixo na fresta entre a porta e a terra ao redor, como Reggie tinha feito. Após a contagem de três, e com um grunhido mútuo de esforço, John e Reggie Bowler levantaram a porta para um dos lados.

Era como se alguém tivesse ligado uma televisão em um quarto escuro. Uma enxurrada de luz cinzenta e nacarada irrompeu para preencher a toca apertada, brilhando em um raio de arestas duras pelo buraco irregular que havia debaixo da porta do guarda-roupa, escondida pelo tapete encharcado. Michael Warren soltou um suspiro de susto, neófito que era. Todos os rostos das crianças mortas estavam agora iluminados por baixo, como se pela luz de estrelas enterradas, e a vela não era mais necessária. Phyllis a apagou, para não desperdiçar, e recebeu uma segunda pele de cera quente no polegar e no dedo indicador pelo esforço. O Bando de Mortos de Morte e seu membro honorário de pijama desceram de seus poleiros de terra compactada, ajoelhando-se em um círculo ao redor da luz de pérola da abertura enquanto olhavam silenciosamente para baixo.

O vazio, com cerca de um metro de largura, era como um olho mágico que espiava um reino de fadas luminescente sob o solo, uma paisagem detalhada mantida a salvo em uma caixa de música mágica cuja tampa acabava de ser levantada. Nada era colorido. Tudo era em preto ou branco ou de um entre dezenas de tons neutros finamente graduados.

Eles olhavam de cima para um trecho prateado de terreno baldio, com um solo argiloso escavado do qual cresciam ranúnculos e epilóbios em um monocromo vibrante. A grama metálica cravava as folhas entre uma extensão desmoronada de tijolos cinza molhados, e a água da chuva acumulada em uma calota virada para cima refletia apenas faixas de sombra trêmula e enfumaçada e as nuvens plúmbeas acima. Era exatamente como se alguém sem experiência com uma câmera tivesse apertado o obturador por acidente enquanto a caixa estivesse apontada para o chão sob seus pés e tirado uma fotografia fortuitamente iluminada e detalhada de nada. O mundo daquele instantâneo que eles podiam ver, embora tridimensional, tinha até vincos brancos correndo de um lado para o outro, como uma foto de casamento esquecida em uma gaveta desordenada do aparador, ainda que, em uma inspeção mais atenta, Phyllis soubesse que eram trajetórias deixadas pelo rastro de insetos fantasmagóricos, que desapareceriam das vistas em instantes.

Michael Warren ergueu os olhos da paisagem de platina queimada, com o brilho de álbum de fotos iluminando por baixo seu queixo enquanto olhava interrogativamente para Phyllis. Então se voltou para a visão de filme mudo através do buraco em forma de borrão e em seguida de novo para ela.

— O que foi-será isso?

Phyllis Painter pendurou sua bandoleira ensanguentada de couro de coelho mais confortavelmente em volta dos ombros magros e foi incapaz de conter um sorriso presunçoso ao responder. Havia algum outro bando de engraçadinhos em todo o Céu com um esconderijo tão bom quanto o Bando de Mortos de Morte?

— É a costura-fantasma.

Lá embaixo, a brisa cinzenta soprou uma folha de embrulho em branco e manchada de gordura em um canto da cena. Superexposta em sua extremidade, a imagem granulada e nostálgica sangrou para um branco flamejante e, um após o outro, todos os meninos e meninas desceram pela mancha de zebra e dálmata da costura-fantasma, para o daguerreótipo branqueado de um mundo recordado que era o mezanino da morte.

O POÇO
ESCARLATE

Diretamente pela toca do coelho através da porta do guarda-roupa: para Michael, parecia uma maneira totalmente apropriada e consagrada de entrar em outro mundo, embora não tivesse a menor ideia do motivo por que achava isso. Talvez apenas se lembrasse de algo semelhante de uma velha história que leram para ele algum dia, ou então estava mais acostumado com o modo como as coisas aconteciam naquele lugar novo e curioso onde estava perdido.

Depois de toda a confusão e pirotecnia de seu sequestro pelo aterrorizante Sam O'Day e, em seguida, seu resgate pelos estranhos maltrapilhos do Bando de Mortos de Morte, concluiu que a melhor coisa a fazer era tratar a coisa toda como um sonho. Certamente era um sonho, apesar da longa e perturbadora duração, um pouco como entrar no quintal e encontrar meia dúzia de bolhas de sabão sopradas três dias antes ainda rolando no ralo..., mas no fundo de seu coração, Michael sabia que não era um sonho. Ainda assim, com aquelas cores e estranheza, era fácil fingir que estava sonhando, o que era melhor do que se lembrar a todo momento de sua real situação, de que estava morto e em um pós-morte desordenado, mas familiar, com demônios e crianças-fantasmas em todos os lugares, pelo menos por ora. Tratar tudo como um pesadelo ou um conto de fadas era muito menos incômodo.

Mas isso não equivalia a dizer que fosse fácil. Ele descobriu que precisava se esforçar muito para ignorar todos os indícios de que aquilo era mais do que apenas um sonho de longuíssima duração e o quanto todas as pessoas pareciam ser reais. As pessoas dos sonhos, deu-se conta, não eram nem de longe tão complicadas quanto as reais, nem tão imprevisíveis, e geralmente faziam o que se esperava que fizessem.

Nunca parecia haver muita coisa a respeito delas, pelo menos da perspectiva de Michael. Por outro lado, todos os que conheceu em Almumana pareciam tão confusos e genuínos quanto sua própria família ou seus vizinhos. A mulher que o salvou do demônio, a sra. Gibbs, que se definia defunteira, era tão real para ele quanto sua avó May. Na verdade, pensando bem, entre as duas, a sra. Gibbs era provavelmente a mais factível. Quanto ao Bando de Mortos de Morte, era tão real quanto um joelho esfolado, com todos os seus sinais especiais, atalhos e esconderijo secreto, todas as coisinhas engraçadas e bobas que faziam do grupo o que era. Mesmo que tudo aquilo de alguma forma ainda se revelasse um sonho, parecia melhor não se separar das crianças mortas, que pelo menos pareciam saber o que estavam fazendo e claramente conheciam o terreno onde pisavam.

Aquela costura-fantasma, no entanto, a luz que brilhara pelo buraco do tamanho de uma porta de guarda-roupa no chão da toca, aquilo tinha certo aspecto de invasão de propriedade. Parecia algo que crianças mais velhas poderiam induzi-lo a fazer só para o deixar em apuros. Os fantasmas lá embaixo não se importariam de ter um bando de desordeiros causando problemas e perturbações mesmo depois de mortos?

Por ordem de Phyllis Painter, todos desceram pelo retângulo brilhante, com o menino mais velho e bonito chamado John sendo o primeiro a descer. Michael supôs que devia ser porque John era o mais alto e podia cair mais facilmente no mundo preto e branco lá embaixo. Assim que John pousasse os pés no chão, seria capaz de alcançar e ajudar os membros menores do bando a descer ao seu lado. O garoto de aparência antiquada com sardas e chapéu-coco foi em seguida, e então a menininha sóbria de óculos que chamavam de Marjorie Afogada. O menino de cabelo ruivo que ele pensava que fosse o irmão mais novo de Phyllis Painter foi depois de Marjorie, o que deixou apenas Michael e Phyllis no bruxulear de televisão do esconderijo, com a luz incolor saindo da terra para tornar as mulheres na capa de *Health & Efficiency* cinzentas e frias.

Michael achou que poderia estar começando a gostar da menina mais mandona dos Mortos de Morte, principalmente por ter voltado e o salvado daquele demônio horrendo, e não o abandonado, como esperava que fizesse. Ela era legal, Michael concluiu, para uma garota. No entanto, embora tivesse subido em seu conceito ao longo da última hora, e ele estivesse gradualmente se acostumando com o cheiro do cachecol de coelhos, descobriu que estar com ela em um espaço fechado como a toca era um pouco demais. Por isso, não reclamou quando Phyllis lhe disse que ele era o próximo a descer pelo buraco. Seria um alívio, na verdade, estar ao ar livre novamente, mesmo que Michael não precisasse respirar com tanta urgência quanto antes. Estar dentro do esconderijo com ela era como ser enterrado em um caixão cheio de doninhas.

Phyllis lhe disse para ficar de bruços e deixar que ela o baixasse gradualmente de costas, segurando firme em suas mangas axadrezadas para o caso de escorregar. Quando estava no meio do caminho, ainda com a metade superior na toca, sentiu mãos fortes apoiando-o por baixo. Confiava nelas o suficiente para deixar a cabeça afundar abaixo do nível do chão do esconderijo, ainda agarrado à terra dura da borda do buraco com as palmas suadas.

Foi um pouco como um mergulho repentino na água. A luz parecia diferente, e a maneira como via as coisas mudava, com tudo se tornando nítido e cristalino, mas sem cores. Esse novo nível de pós-morte também parecia diferente, talvez um pouco mais frio, embora Michael não achasse que fosse essa a explicação adequada. Era mais como se no mundo no Andar de Cima houvesse uma lembrança pegajosa do calor do verão, e lá embaixo temperatura nenhuma. Não estava quente, não estava frio. Só um pouco entorpecido. O mesmo acontecia com o cheiro das coisas. O odor terrível dos coelhos de Phyllis Painter desapareceu no momento em que o nariz de Michael desceu abaixo do nível do chão do esconderijo, e ele descobriu que não conseguia farejar nada. O reino onde estava pendurado era inodoro como um copo de água da torneira. Até os ruídos de fundo da costura-fantasma, que cresciam ao seu redor, soavam exatamente como o gramofone de corda de sua avó caso fosse tocado dentro de uma caixa de papelão.

O aperto firme das mãos que se revelaram de John se moveu para cima e em torno da barriga de Michael, onde este sentia muitas cócegas. O que o menino notou em seguida foi que estava sendo colocado na grama esbranquiçada que crescia lá no país dos fantasmas. Tudo parecia ter sido desenhado em nanquim ou carvão e, para sua surpresa, descobriu que, mais uma vez, deixava rastros atrás de si quando se movia, embora não fossem as elegantes plumas xadrezes cor de vinho que brotaram quando o diabo o levou em seu voo. As fotos desbotadas que via agora atrás de si pareciam tão suaves e cinzentas quanto penas de pombo. Piscando algumas vezes, olhou ao redor para o lugar estranho em que se encontrava, tentando concluir se gostava dali. Dentes-de-leão incolores, descobriu, eram bem perturbadores, enquanto as vespas brancas listradas como caramelos voadores o deixaram um pouco enjoado.

Phyllis Painter, por sua vez, fez um grande espetáculo, segurando sua saia azul-marinho lisa, agora preta, enquanto John a trazia da toca até o terreno baldio onde os demais estavam, desviando os olhos como distintos cavalheiros. Quando desceu, Phyllis arrastou um canto dos restos de tapete para o vão mais acima, já que a porta do guarda-roupa era presumivelmente pesada demais para uma única pessoa. Como a parte de baixo do tapete já tinha um tom indistinto e escuro, a entrada da toca estava perfeitamente camuflada contra o céu nublado dos Boroughs onde parecia estar suspensa, um buraco irregular cortado no ar alguns metros acima da relva esparsa e da terra desnivelada. Enquanto John ajudava Phyllis a se levantar, Michael continuou a inspecionar o surpreendente reino com cores de jornal que os rodeava.

Michael e as outras crianças pareciam estar no mesmo lugar que a toca do Bando de Mortos de Morte ficava no mundo sonhador e colorido de Almumana de onde tinham acabado de descer, mas a versão do lugar diante de seus olhos agora era muito diferente, e não apenas porque era tudo preto e branco e soava sem graça e não tinha cheiro. O que mais o impressionou foi a diferença de atmosfera no local. Ficou quase impossível continuar fingindo que estava sonhando, porque aquilo não parecia nada com um sonho. A paisagem ladeira abaixo era muito decepcionante e triste demais para não ser real.

As casas que ficavam ali entre a Monk's Pond Street e a Lower Harding Street tinham desaparecido; todas as lembranças boas e luminosas das casas por onde tinham passado enquanto caminhavam na Spring Lane e todas as habitações semidemolidas pelas quais tiveram que abrir caminho até o pátio comunitário abandonado onde o Bando de Mortos de Morte mantinha seu esconderijo. Nada daquilo estava lá. Agora havia apenas ervas daninhas desbotadas e arbustos esparsos e fuliginosos se erguendo dos montes de escombros. Michael não conseguia nem ver as linhas mais tênues que revelavam onde estavam todas as antigas paredes e limites.

Toda a Compton Street, que ficava mais ou menos na metade da encosta abandonada, tinha desaparecido completamente. Em seu lugar, ao olhar a descida, Michael viu uma trilha de lama cinzenta e lustrosa que percorria da esquerda para a direita através do terreno baldio. Reconhecia a área agora, enquanto as ruas brilhantes de Almumana pareciam desconhecidas: era assim que o lugar existia na vida de Michael. Eram as ruínas bombardeadas nos arredores dos Boroughs, onde sua irmã mais velha, Alma, brincava, e que chamava de "os Tijolos".

Foi invadido por uma sensação engraçada, como se estivesse em uma imagem borrada daquele ano de 1959, uma velha foto amassada que estaria sendo vista por alguém dali a um século, quando ele e todos os que conhecia teriam desaparecido. Quase teve vontade de chorar só de pensar em como tudo havia terminado tão depressa e como a vida de todos já estava praticamente encerrada desde o minuto em que nasciam. A paisagem daltônica descia em direção ao oeste, onde urtigas quase pretas farfalhavam e balançavam sobre aquela ladeira enlameada que, à luz do sol, reluzia com um branco ofuscante. Inquieto, Michael se voltou para os membros do Bando de Mortos de Morte, todos em terra firme agora.

À esquerda de Michael estava Phyllis Painter, que parecia pensar que era Napoleão ou alguém do tipo, coçando o queixo enquanto examinava as tropas. A mãozinha dela, levantada até o rosto, deixava formas cinzas e brancas no ar atrás de si em um leque de plumas de avestruz.

— Certo, cambada. De volta pela Spring Lane e até a Crispin Street. Vamos levar nosso membro honorário pra um passeio na Scarletwell Street até a casa dele em Andrew's Road. John, cê vai na frente e fica de olho nos moradores de rua. Bill e Reggie, cês ficam atrás e fazem a mesma coisa, assim nenhum fantasma louco ataca a gente por trás. E não esqueçam que, ao longo dos anos, nós pregamos peças em um monte deles, então eles não gostam da gente. A maioria é inofensiva, mas se toparmos com a Mary Jane ou o velho Tommy Torce-o-Gato é melhor sair correndo sem pensar duas vezes. Se isso acontecer, se precisarmos nos dispersar, a gente se encontra mais tarde na Mayorhold, onde ficam as Obras.

Michael achou que aquilo parecia mais alarmante do que o passeio agradável que esperava. O que, ele se perguntou, eram os moradores de rua? Além disso, por que alguém seria chamado de "Torce-o-Gato"? Porém, se juntou às outras crianças que escalavam o terreno baldio inclinado com seus tons de teste de transmissão de TV, de volta para o que restava, em 1959, da Lower Harding Street. Tentou subir um trecho particularmente íngreme da encosta agarrando-se a uma moita de trepadeira, mas descobriu que os dedos passavam pelas flores brancas das trombetas e pelas veias cinzentas e grossas da trepadeira como se tudo fosse feito de fumaça de cigarro. Achou que aquilo faria sentido se as ervas daninhas fossem reais, e ele, fantasmagórico, mas e quanto ao chão que escalava? Por que ele e seus novos amigos mortos não afundavam até a Austrália ou algum outro lugar? Decidiu perguntar a Phyllis, que subia à sua frente.

— O que deixa o são sólido se todo o resto é mistericoso?

Ele fez uma careta, consternado ao descobrir que a língua dele estava aprontando novamente. Parecia acontecer mais quando estava nervoso, e ele achava muito provável que toda aquela conversa sobre fantasmas loucos e torcedores de gatos o estivesse perturbando. Phyllis fez uma careta para Michael por cima de um ombro de lã clara de seu suéter, que parecia cinza quente, embora ele soubesse que era realmente rosa milk-shake. As pós-imagens borradas saíam fumegantes das costas dela.

— Cê faz umas perguntas bestas. Todas as coisas crescem do chão, todas as casas e as pessoas, e não só as plantas e árvores, elas tão aqui só por pouco tempo. É só um mês, um ano, um século e tal, e desaparecem. A permanência delas mal tem tempo de deixar uma impressão de verdade nos mundos que tão todos pra cima. Alguns lugares, como a St. Peter, ou o Santo Sepulcro, que tão ali há muito tempo, pode ser muito difícil atravessar as paredes deles, porque são grossas pelo tanto de tempo que ficaram ali. Tem uma faia na Sheep Street que tá ali faz oitocentos anos, então cê pode bater feio a cabeça nela e tudo mais. Comparado com isso, atravessar as paredes de uma fábrica ou das casas das pessoas é baba. Cê simplesmente passa por elas como se fosse feito de vapor. Só que essa ladeira que estamos subindo tá aqui por tipo um milhão de anos, então parece sólida até pra um fantasma. Agora cê fica de boca fechada até a gente chegar lá em cima.

Eles subiram por mais um tempo, e então toda a turma se reuniu no calçamento de pedra rachada da Lower Harding Street. Michael ficou satisfeito ao ver que todas as casas do outro lado da rua tinham pessoas morando e eram mantidas em boas condições, com a subida suave da Cooper Street ainda dando na Bellbarn e igreja de St. Andrew, embora o lado mais próximo da rua em que estava com os outros garotos-fantasmas tivesse sido demolido. Mais acima, a tampa prateada e polida do sol brilhava em uma vasta extensão de céu cinza frio, que Michael achava que poderia ser um azul de verão se visto pelos vivos. Pequenas nuvens brancas se destacavam aqui e ali, como se gotas de água sanitária tivessem caído em papel mata-borrão.

Em um passo arrastado, o bando de crianças espectrais desceu o antiquado cinejornal crepitante de uma rua e voltou para a Spring Lane, cada uma delas com uma fileira de sósias desbotados fluindo atrás de si. Conforme instruído, o pequeno Bill e Reggie sabe-se-lá-que-nome ficaram na retaguarda, enquanto Phyllis e Marjorie Afogada caminhavam lado a lado em direção ao meio da fila, absortas em uma conversa feminina risonha, pontuada por olhares rápidos e furtivos para o rapaz alto e desavisado, John, que andava na frente de todos.

Michael tentou andar com Marjorie e Phyllis para ter alguém que conhecesse para conversar, mas Phyllis jogou a franja para o lado, fazendo com que seu colar de coelho balançasse para frente e para trás, e disse a ele que era "um assunto particular". Como ainda não tinha certeza de como se sentia em relação ao travesso Bill ou ao durão Reggie, Michael se apressou para alcançar John, que caminhava com uma postura heroica na frente daquele desfile desorganizado. O membro mais velho do Bando de Mortos de Morte parecia para Michael um tipo de rapaz confiável e decente. Olhou ao redor e sorriu amavelmente quando a criança vestida de pijama corria para trotar ao lado dele.

— Oi, pirralho. Phyllis enxotou você, é? Não tem problema. Pode me fazer companhia em vez disso. Nunca se sabe, a gente pode aprender uma coisa ou outra um com o outro.

Michael fazia uma espécie de saltitar duplo para acompanhar as pernas longas de John e seus passos mais largos. Ele gostou bastante do menino mais velho. Para começar, John foi a primeira pessoa que conheceu ali que provavelmente não se irritaria se Michael lhe fizesse perguntas. Decidiu colocar aquilo à prova.

— O que foi-será que Phyllis falou sobre moradores de rua? São fantasmas maus que vão vir pegar a gente? Era-será neles que você estava de olho?

John abriu um sorriso tranquilizador.

— Eles não são fantasmas maus, na verdade. São só pessoas que não estão descansando em paz no pós-morte por causa de um motivo qualquer. Não querem percorrer toda a vida de novo e não se sentem à vontade para subir as escadas para Almumana. Alguns acham que não são bons o suficiente, e alguns gostam daqui, onde tudo é familiar, mesmo que seja tudo em preto e branco e sem cheiro e sem nada.

O rosto bonito do menino assumiu uma aparência mais séria.

— A maior parte desse pessoal é inofensiva, mas tem um ou dois que não. Tem aqueles que estão aqui há muito tempo e por isso ficaram estranhos, ou então já eram esquisitos antes. E tem também aqueles que gostam muito de bebida-fantasma, ponche de chapéu-de-puck, como eles chamam. São os piores de se ver. Não conseguem mais se manter inteiros, então acabam com formas e rostos que são uma mistura só, como uma barraca de mercado de pulgas, e estão sempre tendo ataques de raiva. O velho Torce-o-Gato, ele é um deles, e vou te dizer, se um fantasma te der um tapa na orelha, você vai sentir.

John deu um leve cutucão no ombro esquerdo de Michael com um dedo para demonstrar isso e, embora não tenha doído, o menino mais novo pôde constatar que sentiria dor se John tivesse usado mais força. Satisfeito por ter demonstrado o que falava, o rapaz em seguida tirou a camisa fosforescente de dentro da calça na altura do joelho, puxando-a junto com o pulôver que usava para cima para revelar a barriga. Logo abaixo da caixa torácica do lado direito, havia uma luz cinzenta opaca que parecia pulsar de tempos em tempos sob a pele, como se John tivesse uma pequena lâmpada de sinalização de estrada piscando no estômago.

— Foi onde Mary Jane acertou a bota quando a gente estava pregando peças nela, há um tempo. Um ferimento-fantasma como esse vai sumir, mas se sofrer vários de uma vez seu espírito pode acabar com um estrago que daria trabalho para consertar.

John baixou de novo a camisa e a enfiou na calça. Esse movimento deixou uma tempestade agitada de mãos e punhos de camisa fantasmagóricos ao redor da cintura, que se dispersou depois de um instante.

Do outro lado da Lower Harding Street, uma porta da frente se abriu com um rangido abafado, e uma mulher mal-humorada na casa dos quarenta anos saiu, além de uma breve explosão musical do rádio tocando em algum lugar dentro da casa. Era uma música que Michael reconheceu, de um americano. Achava que o nome podia ser algo como "What Did Della Wear", mas o som foi cortado quando a mulher fechou a porta atrás de si e desceu, zangada, uma curta distância pela fileira de casas, com os braços cruzados e o cabelo escuro com permanente balançando feito um melro comendo seu almoço. Em uma casa a algumas portas, ela bateu e foi recebida quase imediatamente por uma senhora alta cujo cabelo curto era loiro ou grisalho. Nenhuma das duas deixou um rastro para trás ao se mover, nem reparou no bando de crianças que vagava na ponta da rua.

— Ainda estão vivas, então não podem nos ver — John comentou, em um tom conspiratório. — O jeito de saber era-será que não têm serpentinas atrás, como nós.

Nesse momento, ele acenou com um braço, que se espalhou como uma mão de cartas, com os membros adicionais persistindo por um instante antes de desaparecer.

— Se cruzar com alguém sem serpentinas e que parece capaz de te ver, pode ser que esteja dormindo e sonhando. Não tem tantos deles pela costura-fantasma quanto no Andar de Cima, mas de vez em quando você acha alguns que tropeçaram por aqui e estão tendo todos os seus sonhos em preto e branco. A maioria está vestindo só camisa de baixo e cueca ou está sem nada. Pode acontecer de encontrar alguém vestido, que não deixa nenhuma imagem quando se move, mas olha para você: é um desses raros casos de pessoas vivas que podem ver. Às vezes os bêbados ou drogados, ou aqueles um pouco doidos, têm um vislumbre da gente. Doidos ou poéticos, qualquer um desses. Na maioria das vezes, não têm certeza de que realmente te viram e vão desviar o olhar.

Caminhando ao lado de Michael, com o menininho correndo para acompanhá-lo, John olhou para a calçada sob seus pés e franziu a testa, como se estivesse se lembrando de algo que não o agradava.

— Os médiuns e os swamis são todos vigaristas. Olham através de você enquanto dizem à sua mãe que está feliz e confortável, que não sofreu. Você pode ficar lá gritando: "Mãe, eu explodi, e foi-será horrível", mas ela não vai ouvir. Nem eles, aqueles farsantes. Sei do que falo, uma vez fui a uma sessão espírita que uma velha bruxa fazia na sala dela. Ela inventava tudo e dizia às pessoas que seus entes queridos estavam ao lado dela quando não estavam. Era-serei só eu, eu era-serei o único fantasma lá, então fiquei na frente dela, e quer saber? Ela me viu! Simplesmente olhou para mim e desatou a chorar. Naquela hora mesmo cancelou a sessão e mandou as pessoas para casa. Depois disso, parou com essa história de inclinar a mesa. Nunca mais fez outra reunião. Creio que foi-será a única médium verdadeira que conheci.

À frente deles, o alto da Spring Lane se aproximava, e a rua antiga descia ladeira abaixo à direita, onde a Lower Harding Street se transformava na Crispin Street depois do cruzamento. O terreno baldio ao lado do qual caminhavam havia sido cercado com alambrado, além do qual conseguiam ver os estágios iniciais de algumas obras. Havia uma placa enorme atrás da cerca, em cima de um andaime de tubos de aço, com as palavras afirmando que todo o terreno pertencia a alguém chamado Cleaver, que construiria uma fábrica em breve.

John caminhava ao lado de Michael, fazendo-lhe companhia, pensativo, dando passos mais curtos para que o jovem pudesse acompanhá-lo com mais facilidade. Continuava a olhar para Michael com um leve sorriso, como se estivesse se divertindo com algo em particular, mas no momento guardasse para si mesmo. Finalmente voltou a falar.

— Me disseram que seu nome é Michael Warren. Então, você é filho de quem? Qual o nome do seu pai? É Walter?

Michael ficou confuso com aquilo e se perguntou se o menino mais velho estava tirando sarro de sua cara de algum jeito que ele era muito novo para entender, e fez que não a cabeça.

— Meu pai se chama Tom.

John sorriu, lançando ao menino um olhar incrédulo que era ao mesmo tempo de admiração e felicidade.

— Como é, você é filho do Tommy Warren? Mas olha só. Nenhum de nós achava que Tom ia se casar, começando tarde como foi-será. Como ele está, o Tom? Feliz? Deu um jeito na vida e não mora mais com a mãe na Green Street?

Michael estava pasmo, olhando incrédulo para o garoto maior, como se John tivesse feito surgir um bando de periquitos do nada.

— Você conhecia meu pai?

O menino mais velho riu, balançando uma perna para chutar uma tampa de garrafa na calçada, embora o pé a tenha atravessado.

— Nossa, e como! Eu andava com Tommy e os irmãos dele no parque, quando a gente era-será criança. Ele era-será um bom sujeito, seu pai. Se você voltar a viver, como todo mundo aqui acha que vai, não apronte muito com ele, hein? É uma família decente a sua, então nada de dar desgosto para o seu pessoal.

Nesse ponto, John parou e lançou para a área cercada por onde passavam um olhar pensativo. A chuva cinzenta pendia trêmula na trama cinzenta do alambrado.

— Sabe, o seu avô... não. Não, era-será o avô do seu pai, seu bisavô. Ele foi-será um velho terrível que chamavam de Snowy. Recusou uma oferta do homem da empresa que construiu este prédio aqui. Esse cara disse que Snowy seria seu sócio, desde que mantivesse distância do pub por quinze dias. Obviamente, foi informado de onde devia enfiar a sociedade e a coisa acabou por aí mesmo. Era um velho maluco, Snowy Vernall, mas tinha muito poder dentro dele, ah, se tinha. Por mais pobre que fosse-seria, tinha o poder de dispensar uma fortuna desse jeito.

Do ponto de vista de Michael, aquilo não parecia um grande poder, não quando comparado a voar, por exemplo, ou virar um gigante. Ele teria pedido a John para explicar, mas a essa altura haviam chegado à esquina da Spring Lane, que descia de onde estavam para o depósito de carvão e para o oeste, onde John sugeriu que esperassem até que os outros chegassem mais perto. Michael olhou para baixo da encosta para passar o tempo.

Mesmo sem suas cores empoeiradas e desbotadas, era a Spring Lane que Michael conhecia, como era nos meses de verão de 1959, e não como nas memórias coloridas de Phyllis Painter ou das outras pessoas que viveram ali fazia muito tempo. Por um lado, quase todas as casas do lado mais distante da rua tinham sido derrubadas. As que ficavam perto da extremidade superior haviam desaparecido, incluindo a de Phyllis Painter e a confeitaria ao lado, demolidas para dar lugar a um longo trecho de grama que corria junto aos altos da Crispin Street e da Escola Spring Lane, a apenas alguns degraus do pátio cimentado da escola, que estava silenciosa e deserta por causa das férias.

As casas mais abaixo, as que ficavam entre a Scarletwell Terrace, na base da encosta, e a Spring Lane Terrace, no meio do caminho, haviam todas desaparecido, assim como a fileira de casas em si. A área de lazer da Escola Spring Lane agora ia da velha fábrica onde a carroça de febre antes era guardada até a viela que passava atrás das casas na St. Andrew's Road. Embora a vista fosse reconfortante e familiar, Michael percebeu que a olhava de uma maneira diferente, como alguém que sabia o que havia ali antes e o quanto tinha desaparecido. As lacunas entre os prédios não pareciam ter sido planejadas, como em outros tempos, eram mais como lembretes de algum grande desastre.

Michael entendeu pela primeira vez que vivia em um país que ainda não havia tido tempo de superar a guerra, embora não achasse que muitas bombas alemãs tivessem caído em Northampton enquanto tudo aquilo acontecia. Parecia que sim, ou então que algo tão ruim quanto tivesse acontecido. Era estranho. Se não tivesse visto Almumana e como a Spring Lane era no coração das pessoas, tudo pareceria normal para ele, em vez de desprovido e alquebrado. Pareceria que sempre tinha sido daquele jeito, com seus buracos e terrenos vazios.

As outras crianças alcançaram Michael e John, com Phyllis e Marjorie Afogada ainda sorrindo maliciosamente enquanto sussurravam uma no ouvido da outra. O menino Reggie, com seu chapéu-coco amassado, tinha recomeçado o jogo de socar as mãos com o irmão mais novo de Phyllis, Bill, seguindo mais afastados do resto do Bando de Mortos de Morte. Bill Ruivo era loiro como Michael na costura-fantasma, que era incolor como um livro de Pintura Mágica antes de passar água. Ao agitar suas mãos para socarem os punhos uns dos outros, os braços de Bill e Reggie multiplicavam-se como os de monstros raivosos ou deuses estranhos nos quais pessoas de outro país poderiam acreditar. Michael se perguntou brevemente se era aquele o motivo por que tantas criaturas nas lendas tinham cabeças ou braços a mais, porém naquele momento sua atenção foi atraída por uma joaninha cinza brilhante que passava, fazendo a ideia desaparecer, incompleta, de sua cabeça.

Depois de se reagruparem, os moleques fantasmagóricos cruzaram a Spring Lane e seguiram pela Crispin Street, ao lado da fronteira de arame que cercava a pele branca e suja do gramado superior da escola. Foi só quando Bill e Reggie passaram diretamente pelo alambrado para se baterem sobre o gramado pálido e feio que Michael se lembrou de que agora tinha a capacidade de atravessar paredes e coisas. E se perguntou por que ele e os outros se mantinham tão rigidamente de um lado da divisória de arame. Supôs que fosse um hábito e decidiu não arriscar a sorte para se juntar a Bill e Reggie. Se não ficasse andando através das coisas o tempo todo, era mais fácil fingir que estava tudo normal, desde que ignorasse a falta de cores ou a explosão de vinte mãos da qual agora parecia precisar para cutucar o nariz silenciosamente.

À medida que se aproximavam da barreira de metal prateada e desgastada do lado de fora do portão superior da escola, Michael olhou pela Crispin Street até a Herbert Street; naquele ponto, a rua avançava ladeira acima, entre dois trechos de grama alta e escombros, onde parecia que existiram casas no passado. Em sua vida normal, passando por ali em seu carrinho de bebê, empurrado pela mãe, Doreen, Michael pensava que a Herbert Street parecia uma espécie de rua degradada, onde viviam pessoas degradadas, mas pode ter sido o nome que lhe deu aquela impressão. A Herbert Street, ele meio que acreditava, tinha sido onde surgiram os Herberts[5], e não apenas os Herberts Desleixados e os Herberts Preguiçosos que seu pai sempre mencionava, mas também seus parentes mais bem-sucedidos, os Herberts Astutos. Era uma ideia muito provavelmente transmitida a ele, como um ursinho de pelúcia sem olhos, por sua irmã mais velha.

Distraído com seus pensamentos sobre as famílias e onde surgiram, e incluindo as coisas que John tinha dito sobre o pai e o bisavô, ele se assustou quando o rapaz o pegou pela gola do roupão e o empurrou de bruços no chão de pedras com costuras de grama. John usou tanta força que, por um instante, o rosto de Michael foi empurrado para baixo da superfície da rua, o que foi alarmante, pelo menos até ele descobrir que na verdade não era um grande inconveniente, embora não houvesse muito para ver, a não ser minhocas. Balançando a cabeça para cima, só ouviu o final do que John gritava, com o menino maior agora no chão, ao lado de Michael.

– ... mundo abaixado! Era-será o Malone ali à direita, no alto da Althorp Street! Nós somos cinza como o caminho, mais ou menos, então, ficando paradinhos, ele não vê, bêbado desse jeito.

Embora com medo de mover um músculo que fosse, Michael inclinou lentamente a cabeça para trás para poder espiar o firmamento.

A princípio, achou que fosse uma mancha de fumaça suja, uma mancha flutuante de fuligem de fábrica sobre as chaminés que se erguiam dali até Mayorhold, ladeira acima mais a leste. Corria sobre os telhados como uma pequena, mas determinada, cúmulo-nimbo, e Michael já estava se perguntando por que alguém chamaria uma nuvem de "Malone" quando notou pela primeira vez os dois terriers latindo que carregava debaixo dos braços.

Era um homem – e um homem morto, a julgar pela mancha de retratos que deixava atrás de si ao avançar pelos céus esbranquiçados. Usava botas com travas, um terno surrado e um casaco escuro comprido, completando o visual com um chapéu-coco como o de Reggie, apesar de muito mais elegante, mais profissional. Era a nuvem desbotada de pós-imagens dessa roupa monótona que tinha parecido fumaça quando Michael a viu pela primeira vez, uma mancha suja no ar causada por alguém queimando pneus. Ao estudá-la mais de perto, porém, com sua visão mais aguçada adquirida depois da morte, mais e mais detalhes horríveis tornaram-se aparentes de imediato.

Para começar, havia o rosto do sujeito, uma máscara branca suspensa no vapor negro em movimento da cabeça e do corpo. Pálido, com pequenas rugas cinzentas onde deveriam estar os olhos, o rosto fantasmagórico era bem barbeado, quase borrachoso, como o de um homem de sessenta anos bem cuidado e sem qualquer expressão. Michael achou que as feições inexpressivas pareciam mais assustadoras do que engraçadas. Davam a impressão de que não reagiriam a nada, não importava o quanto fosse bom, terrível ou repentino. A cor do cabelo estava escondida sob uma fileira de chapéus-coco, mas Michael imaginou que provavelmente era branco e oleoso, como penas de albatroz.

Não muito alto, mas musculoso em sua constituição, o homem se movia ereto pelo céu, com as pernas pedalando como se estivesse montado em uma bicicleta invisível ou pisando no ar. Cada movimento do casaco longo era registrado atrás dele em uma língua de vapor alcatroado. Debaixo dos braços, segurava o par de cães, um preto e um branco, como no rótulo da garrafa de uísque da avó, enquanto nos bolsos do casaco agitavam-se as cabeças contorcidas do que o horrorizado Michael primeiro pensou serem cobras, então percebeu que eram furões, não que isso fosse menos angustiante. Podia ouvir os gorjeios distantes de ameaça e pânico dos bichos, mesmo em meio aos latidos assustados dos terriers, apesar do isolamento acústico da costura-fantasma, que sugava o eco de cada nota.

— O que ele era-será? — perguntou Michael a John em um sussurro, enquanto ambos estavam deitados com a cabeça no calçamento da Crispin Street. O menino mais velho manteve os olhos poéticos fixos na figura fumegante que passava lá em cima ao responder.

— Ele? Era-será o Malone, o rateiro dos Boroughs. Era-será um homem apavorante, não tenha dúvidas. Dizem que faz uma apresentação em festas pegando ratos e matando os bichos com os dentes, mas eu nunca vi. Uma vez a Phyllis roubou o chapéu-coco dele e colocou num ratão. Só o que dava para ver era um chapéu com um rabo de rato descendo a rua e a cara cinza do velho Malone correndo atrás. Ele ficou furioso. Disse que ia enforcar a Phyllis com o cordão de coelhos dela, e parecia que estava falando sério. Vendo para onde está indo, eu diria que saiu do Jolly Smokers. É o bar que eles assombram, na Mayorhold, para conseguirem uma bebida. Enfim, é melhor ficar longe dele, bêbado ou sóbrio. Com sorte, está indo para casa, na Little Cross Street, e vai dormir em um minuto.

Como se viu mais tarde, John estava certo. Embora se movesse devagar feito melaço escorrendo, o caçador de ratos morto avançava na direção sudoeste através do céu cinza dos Boroughs, atravessando a esquina do gramado superior da escola da Crispin Street até a Scarletwell Street, pairando acima das casinhas, passando pela Bath Street para o emaranhado de pátios e passagens mais adiante. O ganido dos cães ficou mais fraco à medida que a silhueta manchada do dono se reduzia a fuligem, um cisco levado pela brisa como algo em seu olho, só um pouco diferente dos outros flocos pretos trazidos da estação ferroviária.

Com toda a cautela, o Bando de Mortos de Morte se pôs de pé assim que teve certeza de que ele não voltaria remando pelo ar estagnado do verão e se lançaria sobre eles. Bill e Reggie riam ao relembrar o incidente do rato e do chapéu mencionado por John, ainda que Phyllis tivesse um olhar um tanto preocupado e mexesse nervosamente no longo cachecol de peles de coelho putrefatas. Apenas Marjorie Afogada parecia despreocupada com a experiência, limpando a saia com rapidez e eficiência e espanando a areia fantasma de seus joelhos gorduchos ao se levantar. Michael começava a ver a garota de óculos como o membro mais estoico da gangue, que lidava bem com cada nova experiência sem reclamar. Achou que poderia ser uma perspectiva que era natural para alguém que se afogou antes dos sete anos de idade. Pouca coisa devia surpreendê-la depois disso, mesmo caçadores voadores de ratos.

Embora a visão de Malone tivesse abalado Phyllis, ela conseguiu manter um tom de autoridade serena ao se dirigir a seus homens.

— Vamos. Se quise'mo encontrar todas as pistas e provas sobre o mascote do regimento, é melhor seguirmos para a Scarletwell antes que alguém mais passe por nós.

Michael acompanhou o grupo seguindo pela Crispin Street. Nos buracos quadrados onde os ladrilhos do calçamento haviam sido arrancados, havia poças que brilhavam como lascas de espelho no vestido de baile de uma princesa de pantomima. Arrastando as pantufas para acompanhar John, Michael não conseguia tirar da cabeça o recente passeio aéreo do rateiro.

— Como ele estava voando no meio do ar daquele jeito?

O menino mais velho franziu a testa para Michael, o que fez o garotinho pensar que tinha falado as palavras errado de novo.

— Como assim? Malone era-será um fantasma. Fantasmas não têm nenhum peso, aquilo que chamam de massa, então aqui no mundo de três lados a atração das coisas não faz diferença para eles. Não muito, pelo menos. É o mesmo para nós. Aqui, me dê sua mão e pule como se estivéssemos no salto em distância.

Michael obedeceu. Para sua surpresa, descobriu que ele e John navegavam no ar em um arco lento que, em seu ápice, os elevava acima da cerca do pátio da escola à direita. Leves como pompons de dente-de-leão, voltaram à terra alguns metros adiante na rua, com as pós-imagens como rabiolas de pipa mais atrás. Michael ficou sem palavras com o deleite que sentiu nessa nova e empolgante descoberta, mas mesmo assim retomou seu estilo de caminhada normal ao lado de John, que já havia soltado sua mão.

— Tem um monte de coisas assim que você pode fazer. Pular de um telhado e cair tão devagar que não vai se machucar. Ou voar como o velho Malone, mas também muitas outras maneiras de fazer isso. A maioria das pessoas levanta os pés do chão até que fiquem meio que no ar, então vai de peito como se estivesse nadando. Outros fazem nado cachorrinho, como Malone, e alguns simplesmente voam como papel no vento. Só que você vai ver que a maioria dos fantasmas não quer ficar voando para todos os lugares. Para começar, é muito devagar. O ar é grosso feito geleia. É mais rápido andar, ou então correr, dos jeitos especiais que os fantasmas fazem: deslizando como se estivessem em um escorregador congelado só alguns centímetros acima do chão, ou o que chamamos de corrida do coelho, de quatro, só com os dedos roçando no chão. É divertido, se todo mundo estiver a fim, mas em geral é mais seguro andar. Assim você tem tempo para identificar todos os moradores de rua antes que eles te vejam.

Agora estavam no final da Crispin Street, onde cruzava a Scarletwell Street e virava a Upper Cross Street. John insistiu para que esperassem de novo no cruzamento até que os outros os alcançassem, então Michael ficou praticando saltos no local, alcançando altitudes de vários metros antes que John pedisse, com toda educação, para que parasse com aquilo. A Scarletwell Street descia até a St. Andrew's Road à direita e, à esquerda, subia entre fileiras de casas geminadas em direção à velha e aconchegante Mayorhold. Michael sempre pensou naquele ambiente familiar como uma espécie de praça da cidade destinada apenas às pessoas dos Boroughs, mesmo sabendo que a verdadeira Market Square ficava mais para o centro.

Parado ali com seu roupão chamuscado de baba, diante da cópia de seu bairro com as cores de um tabuleiro de damas, o menininho olhou para a alvenaria desgastada das casas no alto da Scarletwell e se deu conta, pela primeira vez, do longo tempo que tudo aquilo estava ali antes de seu nascimento. John tinha falado inclusive sobre brincar no gramado atrás da igreja de St. Peter com o pai de Michael quando eram meninos. Michael nunca havia pensado antes sobre o pai também ter tido uma infância, mas agora lhe ocorria, de forma chocante e repentina, que todo mundo devia ter sido pequeno um dia. Mesmo a mãe de seu pai, a avó May, tinha começado a vida como um bebezinho em algum lugar. Depois havia o pai dela, o bisavô de Michael, que John também mencionou, que era louco e tinha o poder de não ter dinheiro. Snowy, foi assim que John o chamou? Snowy devia ter sido um menino da idade de Michael um dia, muito tempo atrás, com uma mãe e um pai, e assim por diante até os tempos em que tinha ouvido falar que "vivíamos nas árvores", presumindo que deviam ser as do Victoria Park. Michael olhou para a Scarletwell, entre as casinhas modernas ou apartamentos de um lado e a área de lazer da Escola Spring Lane do outro, sentindo-se como se olhasse para um poço de verdade, que descia através de todas as mães e pais e avós e bisavôs, recuando através de todos os dias e anos e centenas de anos até um lugar escuro e fedorento que era úmido e cheio de ecos, misterioso e sem fundo.

Assim que todos os outros garotos mortos se juntaram a eles na esquina, John e Michael continuaram descendo a Scarletwell Street. Do topo da ladeira, olhando para os pátios de trem barulhentos na direção do Victoria Park e do Jimmy's End, a vista era quase a mesma de Almumana, mas parecia um filme mudo antigo, prateado como pele de peixe, sem todo o calor e cor de que se lembrava. Foi só quando pensou sobre como as coisas teriam sido havia não muito tempo, na época de seus pais, que ocorreu a Michael quanta mudança o distrito devia ter testemunhado naqueles poucos anos.

A julgar pela maneira como a mãe e a avó descreviam o lugar, todo o grande terreno oblongo que se estendia de Scarletwell Street até a Spring Lane e da St. Andrew's Road até a Crispin Street, tinha sido bem simplificado. Onde antes havia um labirinto de casas, quintais e negócios, agora restavam apenas as salas de aula da Escola Spring Lane, abrigadas em um buraco de concreto no alto da ladeira, e uma única fileira de casas na parte inferior da St. Andrew's Road, onde Michael vivia quando estava vivo. Todos os terrenos viraram áreas de lazer em declive, com exceção da área ocupada pela única fábrica sobrevivente na Spring Lane. Uma centena de armazéns, galpões, bares, casas que serviram a gerações, becos para casais que se beijavam, banheiros no quintal e atalhos para os acendedores de lampiões foram varridos para deixar prados cinzentos onde as margens caiadas do campo de futebol se destacavam como velhas cicatrizes. Embora fosse a Scarletwell que Michael conhecia, um lugar que parecia sempre ter sido do jeito que era e onde sua própria casa ainda permanecia sã e salva, ele teve uma percepção repentina de todos os nomes e histórias que foram apagados para criar um lugar onde as crianças da escola poderiam disputar corridas de saco no dia de praticar esportes. Todas as pessoas que se foram, e todas as coisas que conheciam.

Michael ainda andava ao lado de John quando passaram pela reprodução desbotada da ladeira. Não muito atrás deles, Phyllis e Marjorie Afogada estavam em meio a risinhos conspiratórios de novo, e Michael se perguntou se eram dirigidos a ele, mas era sempre assim com as garotas. Ou com os meninos. Seguindo na retaguarda, o irmão mais novo de Phyllis, Bill, conversava em voz baixa com o menino usando chapéu-coco, Reggie, contando uma piada suja, tendo que explicar as partes modernas que o menino vitoriano obviamente não entendia. Michael conseguiu ouvi-lo dizer: "Certo, tudo bem, a mulher na piada não é Elsie Tanner, então. E se for a Sra. Beeton?". Michael não conhecia o primeiro nome, mas achava que o segundo tinha algo a ver com culinária ou enfermagem, ou talvez fosse uma assassina. Ele se esforçou para ouvir o fim da história, que parecia envolver Elsie Tanner ou a Sra. Beeton atendendo nua a porta para um entregador ao sair do banho, mas Phyllis Painter virou-se para o irmão mais novo e disse para parar com aquilo antes que batesse nele. Havia uma tensão em sua voz que Michael sentiu que não existia antes do quase encontro com Malone.

Ela parecia um pouco assustada e, considerando o que ouviu sobre as brincadeiras abusadas de Phyllis com os fantasmas, aquilo o intrigou. Pensou em perguntar a John.

— Então, se os fantasmas metem medo em Phyllis, por que pregar peças neles? Se deixasse eles em paz, talvez fizessem a mesma coisa com ela.

John sacudiu a cabeça, e por um breve instante teve três delas. Ele e o menino mais novo seguiam pelo lado sul do gramado superior da escola, em direção aos mourões de pedra do portão principal, mais abaixo.

— Não era-será da natureza de Phyllis deixar os fantasmas em paz. Vou dizer uma coisa, ela é do tipo que guarda rancor, a Phyllis, até além do túmulo, se necessário. O que aconteceu foi-será, quando Phyllis era uma garota viva ela não tinha medo de nada, a não ser de fantasmas. Mesmo que os fantasmas não estivessem lá de verdade, afetavam tanto seus nervos que ela decidiu um dia se vingar. Jurou que, se fosse um fantasma, aprontaria com todos os outros fantasmas, por assustar criancinhas. Seria um terror tão grande que todos os fantasmas acabariam com medo de crianças, e não o contrário. E sou obrigado dizer que fez um bom trabalho até agora, apesar de ter lugares nos bairros que não podemos ir, para ela não ser linchada.

John e Michael se aproximaram da entrada do pátio da escola, com sua barreira de ferro na frente, os portões trancados para as férias de verão. Do outro lado da rua se abria a Lower Cross Street, abrindo caminho para o sul pela parte inferior das casinhas para atravessar a encosta da Bath Street, seguindo em direção à igreja Doddridge no instantâneo borrado da distância. Por esta rua lateral, roncando em direção ao cruzamento onde se encontrava com a Scarletwell, veio um conjunto desconcertante de partes fundidas de corpo e rodas de bicicleta, que Michael não conseguiu entender por um momento. Parecia ser um homem usando um chapéu escuro pedalando, mas todas as imagens que deixava atrás dele tinham o preto e branco invertidos, como os negativos das fotografias. Michael pensou que devia ser algum morador de rua notório e talvez perigoso. Puxou com força a manga de John e gaguejou seu alarme, mas o garoto mais velho não pareceu preocupado com a aparição. Depois de alguns momentos, Michael entendeu o motivo, ou pelo menos começou a entender.

O sujeito de aparência rude com chapéu de feltro virou à esquerda na esquina e desceu a Scarletwell Street em sua bicicleta, uma velha engenhoca rangente que para Michael parecia do tamanho de um pônei. Enquanto descia a ladeira, o homem não deixou imagens para trás, o que significava que ainda era uma pessoa viva. A coisa peculiar que Michael a princípio confundiu com uma série de pós-imagens em negativo permanecia, imóvel, no final da Lower Cross Street.

No fim, se revelou um homem negro de cabelos brancos, também montado em uma bicicleta, que parecia vagamente familiar para o menino. Michael tinha vislumbrado uma foto desse velho em algum lugar pouco tempo antes, uma imagem em um pôster de circo, um vitral ou algo assim? O negro ajustou a pegada no guidão, e Michael notou um breve movimento em que apareceram dedos demais, e deduziu que aquele ciclista era o fantasma, e não o outro. Quando Michael o notou pela primeira vez, aproximando-se da Scarletwell Street, ele devia estar andando em sua bicicleta fantasma ocupando o mesmo espaço que o homem branco de chapéu de feltro, o que explicava o motivo por que pareceram misturados. Olhando mais de perto, Michael também percebeu que a bicicleta do homem negro (que puxava um carrinho de duas rodas atrás) tinha pneus brancos feitos de corda, em vez dos pneus de borracha preta do veículo do ciclista vivo. Isso colaborou para a impressão de que um era uma cópia invertida do outro, pensando bem.

Conforme os dois se aproximaram do portão da escola e da barreira de metal desgastada pelos dedos, John abaixou a cabeça para sussurrar um aparte para Michael, que avançava ao seu lado.

— O cara que acabou de descer a colina, o sujeito vivo com o chapéu de feltro, era-será dele que devia ter medo, entre esses dois. Aquele era-será George Blackwood, que aluga metade das casas dos Boroughs e metade das mulheres também. Meio bandido, esse Blackwood, cobrando aluguel e uma parte dos lucros das prostitutas. Ele paga muitos homens durões para poder fazer isso. "Alma do buraco", nós chamamos esse tipo por aqui. Nele dá para ver os primeiros sinais de uma espécie de vazio que entra em um lugar e apodrece tudo.

Michael não tinha a menor ideia do que John estava falando. Apenas assentiu como se soubesse — o que fez seus cachos pálidos parecerem florescer como um amento de lã, por causa da dupla exposição — e deixou o menino mais velho continuar.

— Todo mundo tem medo do Blackwood. A não ser, curiosamente, sua avó. May Warren lida com ele do mesmo jeito que trata todo mundo, o que quer dizer que passa pito nele e intimida com uma bela bronca antes de perguntar se quer uma xícara de chá. O velho Blackwood gosta dela. Tem respeito por ela, dá para ver. E eu não ia ficar surpreso se ele e as moças dele não precisassem às vezes de uma boa defunteira ao longo dos anos, se é que você me entende.

Embora não entendesse, Michael fez seu melhor para parecer que sim. O garoto maior continuou.

— O sujeito negro, por outro lado, tem um coração de ouro. Se chama Black Charley, e você não vai encontrar ninguém mais apreciado em toda Almumana. Prefeito de Scarletwell, como dizem por aí. Se olhar de perto, vai ver que ele usa uma corrente de ofício no pescoço.

Michael olhou mais de perto, como solicitado, e viu que o negro realmente tinha algo como um medalhão tosco pendurado na frente da camisa branca. À sua maneira, era um adereço tão memorável quanto o cachecol de pele de coelho de Phyllis. Parecia uma tampa de lata pendurada em uma corrente de banheiro, mas com o metal cinza-claro polido a ponto de ofuscar sob a luz prata do sol. O velho negro olhava, sem nenhuma maldade, para o bando de garotos que se aproximava do cruzamento, esperando sobre a bicicleta esquisita para falar com eles. Michael falou de canto de boca para John, da mesma forma que os americanos durões faziam nos filmes da televisão.

— Ele era-será morador de rua?

John fez que não com um aceno, uma dúzia de mãos em cinza e branco, como as páginas de um livro ao ser folheado.

— Não. Black Charley não. Os moradores de rua, pelo menos a maioria, ficam na costura-fantasma porque acham que não iam gostar de Almumana, no Segundo Borough. Já ouvi dizerem que a costura-fantasma é o purgatório, mas, se for-será, era-será uma escolha da própria pessoa. Charley não era-será assim. Ele era-será como a gente, anda por aí como quiser. Mais que isso, é um dos poucos fantasmas, junto com a sra. Gibbs, que Phyllis respeita, então o Bando de Mortos de Morte não tem nenhum problema com Black Charley, para variar um pouco.

Estavam agora ao lado da barreira do cruzamento, do lado de fora dos portões trancados a cadeado da Escola Spring Lane. John levantou a mão e chamou o velho do outro lado da rua. Teve que gritar um pouco para fazer a voz atravessar a atmosfera amortecida daquele meio-mundo incomum, onde não havia nem cor no som.

— E aí, Black Charley. Como vai a morte?

Àquela altura, todas as outras crianças tinham chegado aos portões da escola, alcançando John e Michael, e faziam suas próprias saudações ao fantasma. O ciclista negro riu e sacudiu os cachos brancos e miúdos em um borrão fosforescente, como em uma resignação amigável ao ver os moleques mortos. Distraído, Michael notou que uma folha de jornal levada pelo vento deixava atrás de si uma revista inteira de pós-imagens ao descer a Scarletwell Street. Supôs que fosse um jornal fantasma, lixo fantasma levado por uma leve brisa fantasma que pensou sentir no pescoço e nos tornozelos nus. Afastando esse pensamento, voltou a atenção para o idoso sentado do outro lado da rua montado no que parecia ser um meio de transporte de fabricação caseira.

— Minha vida eterna tá indo muito bem, muito obrigado, senhor John. Tô só aqui cumprindo umas tarefas minhas como prefeito de Scarletwell, avisando o povo daqui do tempo ruim que está chegando e pedindo pra ficarem em casa, mas agora tô mais preocupado com vocês, bandidinhos, aprontando o tempo todo. Senhorita Phyllis, não pregue suas peças nos cavalheiros que bebem no Jolly Smokers. É um pessoal bruto, então escuta meu conselho e fica longe deles.

Ele olhou para todas as outras crianças como se contasse cabeças para certificar-se de que todos estavam presentes e se portando como deveriam.

— Senhorita Marjorie e senhor Bill, olá a vocês, e para o velho Reggie Tô-de-Chapéu que estou vendo de pé lá atrás. E quem é esse menino novinho que eu sei que tão levando pro mau caminho?

Michael percebeu com atraso que o fantasma bonachão falava dele. Phyllis falou em seu lugar e o apresentou a Black Charley.

— Este era-será Michael Warren, e ele engasgou com um doce, ou pelo menos foi-será o que disse. Encontrei com ele nos Sótãos do Alento sem ser recebido por ninguém, então decidi colocar o menino debaixo da minha asa. Só me deu problema. Primeiro, foi-será sequestrado por um demônio, aí descobrimo' que causou uma briga enorme entre os construtores, e agora soubemo' que vai voltar à vida até sexta-feira. É uma confusão danada, mas o Bando de Mortos de Morte tá dando um jeito. Trouxemos ele de volta pra cá onde morava, assim podemos investigar o assassinato.

Michael falou em protesto neste ponto.

— Eu engasguei com uma pastilha para tosse, então não fui-serei assassinado.

Phyllis se virou para encará-lo. Claramente não gostava muito de ser interrompida.

— Como cê sabe? Com toda a confusão que tá causan'o, eu ia ficar surpresa se *alguém* não tivesse planejando se livrar d'ocê. E, se eu fosse tua mãe, enfiava a pastilha para tosse na sua garganta sem nem tirar o papel, sem nem tirar do pacote! Além do mais, nós éramos-seremos os detetives, e cê era-será só a vítima do crime que estamos tentando resolver, então fica quieto e não se mete no meio das nossas perguntas, ou vamos te prender por desperdiçar o tempo da polícia e vão te mandar pra cadeia.

Michael, embora tivesse morrido naquela manhã, não tinha nascido ontem e começava a perceber que quase toda a autoridade de Phyllis era só um joguinho de faz-de-conta. Não deu atenção a ela, em vez disso seus olhos foram atraídos pelo que achou ser um bando inteiro de pombos-fantasmas que passava acima de sua cabeça em direção aos baixos da Scarletwell. Cada um dos pássaros mortos desenhou uma fila esvoaçante de rastros cinzentos atrás de si, dezenas de longos fios esfumaçados desenrolando-se em direção ao oeste, onde o sol pálido se punha lentamente sobre uma gravura de aço polido dos pátios da ferrovia. Michael ficou mais intrigado com a ideia de que pássaros e animais fossem para o Andar de Cima ao morrer do que interessado em responder ao que Phyllis dizia e, de qualquer forma, foi nesse ponto que Black Charley interveio, respondendo por ele.

— Ora, senhorita Phyllis, não provoque a criança assim. Você disse que ele começou uma bela balbúrdia entre os construtores?

O fantasma negro agora encarava Phyllis com firmeza. Ela assentiu. Alguma coisa com asas vascularizadas que parecia um morcego enorme passou, descendo a colina em pulos curtos e deixando rastros de imagens atrás de si, fazendo com que Michael se sobressaltasse até perceber que era apenas o fantasma do guarda-chuva de alguém. Satisfeito por Phyllis não estar tentando enganá-lo, Black Charley prosseguiu.

— Então esse menino é aquele de quem andei ouvindo falar. Michael Warren, você disse? O que me disseram é que ele tem parte naquela grande cerimônia de coroação que os construtores falam, o Porthimoth de Norhan, como eles chamam. Foi por isso que os jogadores da mesa ficaram incomodados quando a bola de trilhar dessa criança foi colocada em sério perigo, e foi-será por isso que dois deles brigaram. Era-será a batalha deles lá na Mayorhold que está causando todo esse vento que tá vindo aí, e é isso que estou avisando o povo.

Todas as crianças-fantasmas, com exceção de Michael, de repente pareceram preocupadas. Reggie tirou o chapéu-coco, como se estivesse em um velório, questionando Black Charley de um jeito ansioso com seu sotaque peculiar e vibrante.

— Deus do céu. Não vai ter tempestade-fantasma, vai?

Charley assentiu, sério e enfático.

— Sinto dizer que sim, senhor Reggie, e você anda por esses cantos faz mais tempo que eu, então sabe o que acontece quando os ventos-fantasmas começa a soprar. Eu aconselho vocês a entrar e ir pro Andar de Cima, ou pra algum lugar onde o tempo não tá tão ruim. E vocês cuidem bem do senhor Michael aqui porque, se isso foi-será o que os construtores fazem quando ele corre perigo, é melhor nem pensar em como eles iam reagir se deixassem acontecer alguma coisa com ele.

Um gato preto passou uivando, puxando atrás de si uma meia tricotada de imagens, seguido pelo fantasma tilintante de uma garrafa de cerveja clara. Fios de cadarços zumbiam costurando-se no ar, e Michael por fim concluiu que era um par de moscas fantasmas. Black Charley levantou um pé do chão e o colocou em um pedal. Michael ficou surpreso ao notar que o negro tinha blocos de madeira amarrados sob os sapatos.

— Não posso me demorar mais por aqui, tenho que ir avisar o povo morto lá em Bellbarn e perto da igreja de St. Andrew de que tá vindo uma tempestade. Vocês tratem de fugir dos problemas e cuidem desse menininho. Tem apostas importantes que dependem dele.

Com isso, o determinado fantasma acionou o pedal, e bicicleta e carrinho saíram pela Scarletwell Street ladeira acima, com imagens desbotadas das rodas brancas em uma longa fileira de aros olímpicos. Black Charley se afastou deles no vento que agora aumentava, bagunçando o cabelo fantasmal de todos. Para Michael, o velho parecia estranhamente heroico, pedalando seu carrinho de tranqueiras com rodas de corda como um arauto da tempestade que se aproximava. O Bando de Mortos de Morte pareceu pregado no lugar por vários momentos após sua partida, olhando uns para os outros com olhos arregalados e ansiosos. Acima de todos, um padrão estático estridente de listras escuras que poderia ter sido um periquitinho-fantasma passou, assim como uma cartola fantasmagórica de agente funerário, com uma fita de chapéu cinza-pomba ondulando em seu rastro num fluxo de imagens posteriores. Por fim, Phyllis Painter quebrou o silêncio com um grito de pânico, mas com autoridade.

— Tempestade-fantasma! Cês ouviram ele! Todo mundo correndo de coelho até a casa da esquina!

Com uma rapidez que assustou Michael, Phyllis ficou de quatro e desceu a colina correndo com o passo mais intrigante que ele já tinha visto. Aproveitando-se da natureza viscosa como melaço do ar fantasmagórico, Phyllis conseguia deslizar pela ladeira encostando apenas os nós dos dedos na superfície da rua, impulsionada por pés que mal precisavam tocar o chão. Era uma espécie de movimento de coelho, ele supôs, o que explicava o nome da manobra, embora para Michael parecesse mais como os babuínos corriam, a não ser pelo rastro de reproduções, que faziam Phyllis parecer uma longa locomotiva, com rodas feitas das pernas da menina magra. Para seu grande alarme, primeiro Marjorie, e então Bill e Reggie seguiram o exemplo de Phyllis, agachando-se e descendo a ladeira com uma velocidade surpreendente. Começando a se preocupar em ser deixado para trás pelas crianças mortas, John, que havia ficado para cuidar dele, agora encorajava o menino menor a tentar a corrida de coelho.

— Vamos, era-será fácil. Logo você pega o jeito. Só fica de quatro e levanta os pés, para andar apoiado nas mãos.

Michael olhou para cima, contra o vento crescente. O céu sobre a Mayorhold, no alto da Scarletwell, estava salpicado pelo que, ele percebeu com uma pontada de horror, eram detritos fantasmagóricos, alguns deles compostos de animais e pessoas se debatendo, e tudo soprando rapidamente na direção deles. Não era preciso insistir mais. Abaixando-se e depois levantando os pés conforme as instruções que recebeu, Michael logo se viu quicando ladeira abaixo como uma bola de feno vestida de flanela listrada. Apenas as mãos roçavam a superfície arenosa da rua enquanto ele descia a colina atrás das outras crianças, indo na direção da esquina na parte baixa, onde a St. Andrew's Road encontrava a Scarletwell Street.

John estava certo. Aquele método de locomoção não era apenas fácil, também era muito divertido. Parecia uma maneira tão natural de deslocamento, correndo sem esforço pelas ruas com as pernas chiando atrás de você como rodas de fogo cinzentas, levantando areia fantasma em uma chuva de faíscas de solda. Para surpresa dele próprio, pegou o jeito tão depressa que ficou se perguntando se tinha instinto para aquilo. Foi assim que sua família andou um dia, naqueles tempos em que "viviam nas árvores", talvez em Victoria Park? Aquilo sem dúvida fez com que sua descida pela Scarletwell fosse um passeio emocionante, com os apartamentos esbranquiçados piscando de um lado com suas varandas arredondadas que o fizeram pensar em ir ao cinema, e a área de lazer da escola às escuras do outro.

Estava começando a se divertir quando o fantasma de uma velha poltrona arrebentada estragou tudo dando cambalhotas no ar acima dele, seguido por dois monges-fantasmas de rosto severo, mas com caras envergonhadas, e uma chuva inteira de ninhos de pássaros fantasmagóricos, cadeiras quebradas, lápis, guimbas de cigarro, formigas, livros com fotos de mulheres nuas, ladrilhos de banheiro lascados e barras de sabão espectrais, cada objeto arremessado com um rastro fumegante de imagens logo atrás, como um enxame de abelhas furiosas em chamas. A perspectiva de ser atingido por aquela onda de detritos assombrados forçou Michael a pensar na rajada de fantasmas que se levantava atrás deles e da qual tentavam fugir. Decidiu que seria melhor levar esse negócio de corrida de coelhos muito mais a sério, redobrando os esforços enquanto descia a ladeira em direção às outras crianças mortas, que se reuniam perto da esquina nos baixos da Scarletwell Street.

Quando diminuiu a velocidade e parou ao lado deles em meio a cinzas fantasmas, embalagens de caramelo e tênis perdidos assobiando em seus ouvidos, percebeu que não tinham se reunido no cruzamento com a St. Andrew's Road, a fileira de casas onde tinha vivido e morrido, mas sim uma ou duas casas antes da esquina, amontoadas ao lado do muro de tijolos comprido do quintal de uma das casas na pequena fila entre a boca da viela e a rua principal. Os cabelos e as roupas do bando de mortos balançavam e ondulavam como bandeiras cinzentas de sinalização, e eles se agarravam aos suéteres uns dos outros, tentando evitar que fossem levados pelo vento.

Baldes e chapéus de palha passavam por cima deles; uma nuvem poeira de carvão escurecia o céu, embora ainda se pudesse ver a calma e ensolarada tarde mortal por trás de tudo. Através do miasma, Michael podia distinguir dezenas de moradores da costura-fantasma, agora desabrigados, xingando ou gemendo, lutando ou pendurados ali, flácidos e resignados, enquanto o feroz vento espectral que soprava da Mayorhold os arremessava pelos céus escuros acima, com todos arrastando seus últimos instantes em seu rastro como cartazes publicitários, daqueles mais baratos que não eram impressos em cores. Viu vários monges, todos de mãos dadas e planando em formação, e uma velhinha zangada com roupa de enfermeira distrital que tentou deter seu voo se agarrando à antena de televisão da casa do fundo ao passar zunindo mais abaixo. Seus dedos insubstanciais passaram direto pela letra H de metal, e ela foi arrastada pelo furacão etéreo em direção à foto superexposta dos pátios de trem e do parque desverdeado ali adiante. De pé na frente de Michael, com sua fieira de coelhos podres jogada em uma confusão impossível de orelhas, rabos e olhos repetidos, Phyllis lhe gritava algo através da acústica morta da costura-fantasma e do lamento uivante do vendaval.

— ... através do muro! Temos que entrar na casa da esquina, para subir e sair fora desse vento!

A força estrondosa atrás dele impelia Michael na direção de Phyllis, com as pantufas xadrezes deslizando sobre as pedras. Tateando às cegas, ele se agarrou a algo sólido, só percebendo depois que era o braço de John, que tinha ficado às costas de Michael para proteger a criança da nevasca sinistra. Com seu deslizamento para a frente assim detido, Michael olhou boquiaberto para Phyllis, perplexo. Logo atrás dela, viu Marjorie Afogada bem quando a garotinha rechonchuda de óculos se jogou de cabeça na parede ao lado, desaparecendo dentro ou através do brilho de madrepérola sobre a alvenaria e sumindo de vista. O irmão mais novo de Phyllis, Bill, foi o próximo, e depois o desengonçado e sardento Reggie, segurando o chapéu com força contra o peito para que não fosse arrancado dele pelo tufão enquanto se esgueirava pela parede para o quintal que devia estar do outro lado. Michael ainda estava confuso e gritou para Phyllis sobre a tempestade-fantasma.

— Mas essa não é a casa da esquina. É o quintal de almondeguém. A esquina está abacaxi, atrás de você.

Phyllis lampejou para ele, algo entre uma encarada penetrante e olhos semicerrados, enquanto observava a tormenta de aparições angustiadas que vinham em rajadas em sua direção, descendo a antiga colina.

— Ali atrás era-será onde a esquina estava. Vamos subir pra onde a esquina vai estar em dez ou vinte anos, onde com sorte vai dar para fugir desse mau tempo. Agora vem logo pelo muro com a gente ou vai ser soprado até o Vicky Park com os outros tontos. Não tenho tempo pra ficar aqui discutindo c'ocê.

Com isso, ela pulou no padrão de quebra-cabeça de tijolos cinza e reboco esbranquiçado, desaparecendo na parede. Michael hesitou por um momento mesmo assim, antes que John o agarrasse pela gola chamuscada do roupão e o levasse às pressas para a fronteira de aparência muito sólida.

— Faz o que ela diz pelo menos uma vez, certo, filho do Tommy? É para o seu próprio bem.

John empurrou Michael através do muro. Embora tenha fechado os olhos por instinto pouco antes do impacto esperado, isso não impediu um breve vislumbre de como os tijolos eram por dentro, com todos os pequenos cilindros ocos onde ficavam os orifícios de ventilação. Ao emergir gaguejando e ofegando do outro lado, com John saindo sem pressa logo atrás, Michael descobriu que estava em um quintal grande, embora bastante simples e vazio, com apenas um galpão de jardim, um único canteiro de flores estreito e um varal com pregadores de madeira e lençóis pendurados ocupando o espaço em sua maior parte calçado. Os muros altos de tijolos, que permaneceram naquele local por cerca de oitenta a cem anos, serviram para bloquear uma fração do furioso tornado-fantasma que fervilhava pelos Boroughs, embora não tudo. A sujeira e o lixo espectrais giravam em redemoinhos frenéticos nos cantos do quintal, com as imagens posteriores borradas em formas sólidas de rosquinhas pela rotação.

Phyllis Painter já organizava o Bando de Mortos de Morte para o que, na visão de Michael, era um ato incompreensível. Reggie ficou no centro do pátio com Phyllis empoleirada nos ombros, como se ambos estivessem em um número de circo. Marjorie Afogada segurava o chapéu-coco de Reggie, enquanto ele segurava os tornozelos de Phyllis com as duas mãos, firmando-a. A valente garotinha morta, com seu cachecol de coelhos rançosos, ficou lá cambaleando com os dois braços cobertos pelo cardigã acima da cabeça, fazendo movimentos de patas com as mãos, como se tentasse escavar o nada para cima, como uma toupeira sem sentido de direção. Olhando mais de perto, Michael notou que o ar ao redor de seus dedos parecia se dobrar e estremecer. Era possível distinguir faixas em movimento em preto e branco, como padrões de interferência de televisão, listras cintilantes espremidas, empurradas para o lado pela escavação frenética da criança-fantasma. Ele entendeu vagamente, pelo que Phyllis havia dito um ou dois momentos antes, que ela estava subindo no tempo para "quando a curva da esquina vai estar em dez ou vinte anos" e supôs que as faixas de branco e preto ondulantes poderiam ser os dias e noites que ela era forçada a atravessar, manhãs de velino intercaladas com a escuridão do papel carbono. Afastando minutos, horas e anos como camadas de casca de cebola, suas mãos trêmulas eram anêmonas cinzentas de dedos. Michael percebeu que, quanto mais conhecia a líder autoproclamada e muitas vezes mandona e hostil do Bando de Mortos de Morte, mais gostava dela e a admirava. Era alguém com quem se podia contar, uma pessoa engenhosa.

No quintal varrido pelo vento, os outros membros do bando olhavam agitados para Phyllis nos ombros de Reggie, escavando o ar rarefeito, enquanto mais acima uma torrente uivante de jatos sobrenaturais fervilhava e deslizava pelo retângulo de céu sobre o refúgio de tijolos deles. Havia estranhas tábuas de passar roupa com as pernas cruzadas deixando atrás de si uma sequência de beijos desvanecidos ao longo da tarde, todo um conjunto de dominós esticados em varinhas de alcaçuz manchadas pela série de ecos visuais que cada um arrastava, milhões de lascas de madeira-fantasma ou vidro-fantasma, árvores-fantasmas inteiras com terra-fantasma escorrendo de suas raízes expostas em flâmulas finas, derrubando esfarrapados animais de estimação e homens e mulheres, um confete de formas de sombra que se inclinam e reclamam, todos os fantasmas dilacerados de Northampton.

Enquanto isso, o irmão mais novo de Phyllis, Bill, parecia ter descoberto algo aninhado em um canto obscuro da alvenaria.

— Bingo! Tem maçãs malucas aqui!

Sua voz saiu fraca, abafada pela costura-fantasma e submersa sob o coro de *banshee* da tempestade que rugia. Espichando o olhar para a junção das paredes do quintal apontada pelo pestinha antes ruivo, agora de cabelo acinzentado, Michael podia ver o que pareciam duas pequenas flores cinza-ardósia brotando de uma fissura na argamassa esfarelada. Em uma observação mais atenta, ficou um pouco apreensivo ao descobrir que cada pétala era uma pequena figura de aparência desagradável, com uma cabeça grande e um par de olhos brilhantes. Mal equilibrando-se nos ombros de Reggie, Phyllis fechou a cara para Bill e sua descoberta.

— Deixe elas em paz, seu tonto! São de elfo, então vão te dar dor de barriga. Precisa deixar elas amadurecerem até virarem fadas. E acho que já abri tudo aqui, então pode subir nas costas do Reggie e me ajudar.

Bill abandonou as horríveis flores cinzentas e foi a contragosto cumprir as ordens da irmã, mas ainda assim Michael achou difícil tirar os olhos daquelas coisas depois que chamaram sua atenção. Do ângulo sombreado do canto do quintal, podia sentir que os homens-brotos o observavam, sentia que, de algum modo desagradável, eram conscientes à sua maneira. Michael não conseguia imaginar que tipo de consciência poderia ser, que pensamentos obscuros ou desejos vegetais poderiam passar por todas aquelas cabeças unidas, e descobriu após uma breve reflexão que não estava de fato interessado em imaginar aquilo. Com relutância, desviou o olhar da perturbadora fruta e tentou, em vez disso, concentrar-se no que o Bando de Mortos de Morte fazia.

Enquanto a essência de um aparador girava em elaboradas piruetas através do redemoinho sarapintado que guinchava acima da Scarletwell Street, o jovem Bill obedeceu às instruções de Phyllis e subiu nas costas de Reggie enquanto deixava cópias fotográficas em um rabo de esquilo esfumaçado atrás de si. Michael notou que logo acima de Phyllis, no ponto em que ela raspava o ar com tanto esforço, havia agora uma mancha redonda de escuridão sólida um pouco mais larga do que a circunferência de uma lata de lixo. Bill saltou sobre os ombros de Reggie e começou a escalar Phyllis, que também estava ali. Michael se perguntava como o moleque vitoriano de nariz arrebitado conseguia suportar o peso, mas então se lembrou do que John falou sobre os fantasmas, que não pesavam quase nada. Pensando nisso, supôs que era assim que os ventos ferozes soprados ladeira abaixo da Mayorhold podiam levar coisas pesadas como — ele olhou para cima, para o quadrado de céu veloz acima de todos eles — carrinhos de bebê e andarilhos e camas de casal e os espíritos confusos de cavalos, enviando-os todos em espiral pelos pátios ferroviários polidos para a brancura manchada de fuligem do pôr do sol. Michael observou enquanto Bill subia nas costas de sua irmã e, em um turbilhão de pós-imagens, seguia rastejando para cima pelo buraco escuro no ar, até desaparecer de vista.

Balançando nos ombros de Reggie, Phyllis Painter espichou o pescoço para olhar as outras crianças mortas nos paralelepípedos mais abaixo.

— Marjorie, cê vem agora, e depois o menino novo.

O quintal inteiro então ressoava, fazendo o som lúgubre das garrafas de leite quando alguém sopra no gargalo, um tom lamentoso misturado com o berro ensurdecedor da tempestade-fantasma, tornando os comandos de Phyllis quase inaudíveis. Mesmo assim, Marjorie Afogada escalou obedientemente Reggie magricela e Phyllis, segurando o chapéu-coco do garoto entre os dentes cerrados enquanto subia, desaparecendo na mesma abertura negra que havia tragado Bill momentos antes. Agora era a vez de Michael.

Lançando um olhar de dúvida para John, que se limitou a um aceno curto de cabeça em resposta, começou a escalar Reggie e descobriu que era tudo muito mais fácil do que esperava. A quase ausência de peso significava que não havia necessidade de fazer força e que só precisava se agarrar ao casaco úmido de mercado de pulgas de Reggie para não ser levado pela enxurrada de espectros arrastados pelo distrito por aquela tempestade sobrenatural. Ao escalar Phyllis com as mãos pequenas agarradas ao cardigã-fantasma dela, viu de perto que o espaço escuro acima não era completamente preto, apenas escuro, como se levasse a um sótão apagado. Ao redor das bordas do buraco no céu, podia ver o padrão de linhas pretas e brancas de antes, com as faixas da noite e do dia agora espremidas em um brilho cinza luminoso na borda da escavação aérea. No entanto, o que deixou ele mais surpreso foi que, depois de alcançar a cabeça de Phyllis Painter, viu acima a abertura sem luz e viu sair de lá um quarteto de mãos, descendo para agarrá-lo em uma enxurrada de punhos e polegares repetidos e unhas sujas.

Antes que tivesse a chance de descobrir o que estava acontecendo, foi empurrado para cima em uma explosão de contorções e chutes e puxado através da soleira cintilante para a escuridão. De repente, descobriu que estava sentado no andar de cima de uma casa escura e desconhecida, entre Marjorie Afogada e Bill. Diante deles, no tapete desbotado do patamar, havia um buraco, através do qual brilhava a luz metálica da costura-fantasma, brilhando até cintilar nos corrimões de madeira e no papel de parede apinhado de rosas, iluminando os rostos das três crianças ajoelhadas ou sentadas ao redor da boca do poço em chamas no chão, de onde veio a voz fraca de Phyllis Painter.

— Agora me puxem, e então podemos ajudar John e Reggie.

Seguindo o exemplo de Bill e Marjorie Afogada, Michael se inclinou sobre a borda do buraco e espremeu os olhos para se proteger do brilho ofuscante. Abaixo dele estava o quintal de paralelepípedos, com Phyllis balançando de pé sobre Reggie, estendendo as duas mãos para eles com um olhar aflito em seu rosto. O trio de crianças-fantasmas agachado no silencioso patamar da meia-noite a pegou pelos pulsos e puxou sua forma de luz diáfana através da fenda cintilante para o carpete e as tábuas do piso em que estavam agachados.

Phyllis olhou a escuridão ao redor.

— Droga. Cavei até muito em cima. Isso é nos zeros. Mas tudo bem, né? Vamos ajudar John e Reggie e depois vemos o que fazer.

Lá embaixo no quintal, John havia agora tomado seu lugar sobre os ombros de Reggie, que não reclamava. Com uma falta de esforço que ainda o surpreendia, os quatro membros menores do bando de mortos o puxaram para as tábuas ao lado deles. Em seguida, todos os cinco agarraram Reggie quando o menino vitoriano de rosto sardento, que não contava com uma escada humana, foi obrigado a irromper pela abertura radiante com um salto.

Assim que se viram reunidos na faixa de carpete cinza e manchado, pararam para recuperar a memória melancólica do fôlego. A velha escuridão da casa desconhecida ao redor deles estalava, rangia e batia de tempos em tempos com os sons abafados de movimentação em um andar inferior, e Phyllis Painter levou uma torrente de dedos aos lábios, lançando um olhar de advertência para seus companheiros. Quando falou, foi em um sussurro urgente.

— Não faz barulho. Cavouquei por engano até os zeros, quando tem um vigilante morando na esquina. Vamos só cobrir o buraco, então planejamos o que vamos fazer depois.

Com uma careta de concentração, Phyllis começou a arranhar a repentina multidão de dedos nas bordas cintilantes da abertura. Puxou longos fios de fumaça cor de carpete para fora do perímetro do buraco e os penteou cuidadosamente pela abertura no espaço, através da qual o recinto murado como era em 1959 ainda podia ser visto, com sua iluminação de um filme do Gordo e o Magro irrompendo pelo piso do patamar para fazer o círculo de rostos de crianças brilhar como estranhas máscaras de teatro. Mais abaixo, o tufão-fantasma ainda rugia no quintal deserto, arremessando seus detritos espectrais de exposição múltipla pelo ar em uma profusão desconcertante que incluía equipamentos de pesca, gatinhos natimortos chorando em uma cesta de piquenique de vime, uma coleção de bolachas de cerveja decoradas e o espírito raivoso de um cisne que passou por baixo deles como um cata-vento sibilante de rosetas brancas em explosão. Marjorie Afogada e John se juntaram à tentativa de Phyllis de espalhar as fibras fumegantes sobre a abertura, e em instantes a iluminação de baixo foi quebrada em triângulos e deformações pela teia cruzada de filamentos esfumaçados que puxavam. Em mais alguns instantes, as fendas restantes também foram cobertas, com os finos fusos que brilhavam na escuridão do patamar apagados um a um. Por fim, os seis estavam agachados em torno de um pedaço de tapete sobre o qual o padrão floral rudimentar era ininterrupto, como se não fosse uma massa de gavinhas vaporosas apenas alguns minutos antes. Ninguém saberia que o túnel para 1959 em algum momento esteve ali.

Embora a única fonte de luz tivesse sido obliterada pela substância emaranhada do que quer que fosse, Michael descobriu que ainda podia ver os balaústres e seus companheiros em detalhes surpreendentes, mesmo através da escuridão implacável, como se a cena fosse bordada com finos pontos de prata em veludo preto. Ele supôs que, uma vez que os fantasmas pareciam sair mais à noite, tinham a visão noturna entre as suas muitas habilidades estranhas. Phyllis estava falando agora, com uma voz baixa e conspiratória e o rosto astuto e a estola de coelho desenhada com finas linhas de ouropel em meio ao breu.

— Certo. Acho que tamos no zero-cinco ou zero-seis. Podemos cavar de volta até os cinquenta se quisermos, mas não acho uma boa isso, não aqui na casa da esquina. Era-será um lugar especial, e tem alguém moran'o no andar de baixo, está ali para tomar conta das tarefas de vigilante, então se lembrem: nós podemos ser vistos e ouvidos. Podemos ter problemas tão sérios que ranjo os dentes só de pensar nisso.

Como se fossem especialmente dirigidas a ele, Phyllis disse a maior parte dessas palavras com os olhos cravados em Michael Warren, que, por isso, sentiu-se na obrigação de dizer alguma coisa, nem que fosse em um leve murmúrio.

— Por que essa casa da espinha foi-será um lograr espacial?

As sílabas dele estavam aprontando de novo, talvez porque a tempestade-fantasma da qual o Bando de Mortos de Morte tinha acabado de escapar o tivesse literalmente sacudido, mas todos pareceram entender o sentido geral, em especial Phyllis. Murmurando alguma coisa sobre ele não ter achado os "lábios de Lucy" ainda, respondeu naquela forma dramática e sussurrada do tom desdenhoso que ele começava a imaginar que fosse afetuoso.

— Era-será um lugar especial porque era-será como uma dobradiça entre o Primeiro e o Segundo Borough. Tem a ver com estar na esquina da esquerda dos baixos da Scarletwell Street, enquanto as Obras, para onde vão todos os construtores, era-será ali na parte alta à esquerda, onde ficava o velho Tayn'All. No mundo de quatro lados, eles estão dobrados, então ficam no mesmo lugar. Daqui cê pode ir direto pra Almumana. Era-será por aqui que os moradores de rua às vezes vêm, se criam coragem pra deixar a costura-fantasma e subir pro Andar de Cima.

Vendo o olhar de incompreensão no rosto de Michael, ela soltou um suspiro moderado e então ficou de pé em uma profusão de joelhos e meias repetidos. Os outros membros do bando obedientemente seguiram o exemplo, com Michael entendendo a ideia e também se levantando, um momento ou dois depois de todo o resto. Nas sombras translúcidas do patamar, Phyllis parecia mais uma vez se dirigir apenas a ele. Ao redor da boca, os traços brilhantes de lápis na escuridão, que provavelmente eram covinhas, apareciam e desapareciam com o movimento de seus lábios sussurrantes.

— Imagino que, já que tá aqui, cê pode ver como funciona. Se me lembro bem, tem uma Escada de Jacó no quarto dos fundos, bem perto do patamar. Vamos estar bem em cima do quarto da frente, onde o vigia deve tá sentado ven'o televisão, então fica bem quieto e vai na ponta do pé. Vamos só dar uma olhadinha, depois descemos e saímos pela porta da frente antes de alguém perceber que tamo aqui.

Com isso, a garotinha fantasma se virou e começou a se dirigir para o outro lado do patamar, andando na ponta dos pés com um jeito cômico, como um gato de desenho animado. Quando ele e os outros quatro membros do Bando de Mortos de Morte seguiram atrás dela, Michael olhou em volta, observando os arredores. Alcançando a escada em algum lugar atrás dele, a passagem do andar de cima levava a uma porta fechada em sua extremidade mais distante, para onde a furtiva Phyllis avançava. À direita havia balaústres que permitiam a visão da escada escura, enquanto à esquerda o papel de parede era agora adornado com uma linda filigrana dourada de rosas retorcidas, o que na verdade era apenas como a estampa desbotada parecia para a nova visão noturna fantasmagórica de Michael. À sua frente, Phyll Painter caminhava na ponta dos pés à frente de uma pequena faixa de Phyll Painters que desaparecia aos poucos. Sem interromper o passo, entrou pela porta fechada, desaparecendo por ela com sua fila de duplicatas atrás como um rabo cinza. Marjorie Afogada foi a segunda a entrar na madeira dos painéis e sumir das vistas, seguida por Bill e Reggie. Com um empurrão suave de John, que caminhava atrás dele, Michael entrou naquilo que no fim se revelou uma breve visão de grãos espiralados, com uma fração de segundo de duração, antes de sair para a sala do outro lado. Muito provavelmente a porta estava lá havia apenas alguns anos, o que explicaria por que ele mal havia notado quando a atravessou.

Do outro lado havia cores fracas na luz vacilante que batia nas cortinas, salpicando o quarto em delicados tons de rosa, verde e violeta que eram os primeiros que via desde que tinha entrado na costura-fantasma. Só enquanto estava lá com as outras crianças-fantasmas, observando maravilhado o brilho subaquático pintado, percebeu o quanto tinha sentido falta do azul e do laranja enquanto vagava pelas ruas em preto e branco daquele meio-mundo. Eram como melhores amigos que não encontrava havia séculos.

Michael e o bando de fantasmas estavam agora em um quarto, não muito diferente daquele em que seus pais dormiam em 1959, com a diferença que todos os móveis e acessórios pareciam um pouco errados, e ele não viu um penico embaixo da cama. Havia uma pequena mesa de cabeceira, mas, onde se esperaria encontrar um despertador de ferro tiquetaqueando de modo reconfortante, havia uma caixa plana. Era mais ou menos do tamanho de um livro, e na borda frontal preta havia números feitos de linhas brancas retas, um pouco como os numerais que via as pessoas fazerem com palitos de fósforo espalhados em momentos ociosos. Os números no momento eram 23:15, com os dois pontos no meio piscando, e... não. Não, eram 23:16. É óbvio que havia se enganado. Depois de olhar essa mensagem enigmática por um tempo e se perguntar o que significava, Michael enfim pensou em olhar para a fonte da luz pálida do arco-íris que banhava o cômodo que ele e os amigos mortos invadiam.

No canto direito do teto havia uma abertura, talvez a entrada de um sótão, com cerca de um metro quadrado. Brilhava com cores puras e não diluídas como uma pintura moderna e chamativa, salpicando um eco pálido de seus tons vívidos nos rostos cinzentos e virados para cima das crianças-espectros reunidas lá embaixo. Logo abaixo desse painel deslumbrante, um lance de degraus muito apertado descia para o chão do quarto, com seu ângulo e seus degraus rasos mais parecidos com uma escada de pintor do que uma escadaria. Michael pensou que tanto a janela para outro mundo quanto os estranhos degraus embaixo dela pareciam feitos de algo diferente do cômodo normal em que estavam. Pareciam feitos de material-fantasma, e ele duvidava que fossem visíveis para as pessoas comuns. De pé ao lado dele, com faixas trêmulas de rosa e turquesa deslizando sobre os contornos nítidos do rosto, Phyllis explicou o que era o alçapão fluorescente com uma voz tão baixa que era quase inaudível.

— Era-será o que chamam de porta-torta, e aquela escada abaixo era-será uma Escada de Jacó. Vai diretamente para as Obras, lá em Almumana. Era-será por isso que cê consegue ver todas as cores pra todo lado. Está neste lugar ou aqui perto desde o tempo dos saxões, desde que fizeram um assentamento por aqui. Era-será uma entrada importante do Segundo Borough, e era-será por isso que sempre tem alguém ali para vigiar o portal e manter tudo seguro. Os que cuidam das esquinas entre um mundo e outro são umas figuras assustadoras que chamamos de os Vernall. Eram-serão como as defunteiras: humanos, mas já com um pé no Andar de Cima antes de baterem as botas.

Michael, olhando encantado para o portal de cortes vivas de Almumana, se atreveu a soltar uma interjeição sonhadora nesse momento.

— A mãe do meu pai se clamava Vernall gigantes de cassar.

Foi como se alguém tivesse soltado uma bola de neve dentro do cardigã cinza de Phyllis. Esquecendo-se de todos os pedidos de silêncio, ela ganiu de puro assombro.

— Sua o *quê*? Ora, era-será por isso que todas essas coisas estão acontecen'o, então! Era-será por isso que cê morre e então volta a viver. Era-será por isso que os construtores brigaram e era-será por isso que o diabo cismou contigo, era-será por isso que o Black Charley falou de Porthimoth de Norhan, e era-será por isso que sua família estava lá perto da Scarletwell! Eram-serão os seus ancestrais. O seu sangue. Por que ninguém me disse isso tudo antes?

Absolutamente imóvel no quarto com aquela estranha iluminação cor de confete caindo ao redor deles, todo o Bando de Mortos de Morte olhava com nervosismo para Phyllis agora. Parecendo um pouco envergonhado por algum motivo, John estendeu a mão em uma série de braços vestidos de pulôver e a colocou sobre o ombro de Phyllis.

— Não bote a culpa nele, Phyll. Para falar a verdade, eu sabia que a vó dele era uma Vernall, mas nunca me ocorreu falar. Além disso, não era-
-será que todo mundo que tem parentesco com a família tem a mesma vocação, certo? A maioria era-será gente comum.

Phyllis olhou indignada para John e estava prestes a responder quando Marjorie Afogada assobiou com urgência ao lado da penteadeira do quarto. Michael notou que nem o brilho matizado nem a criança-fantasma rechonchuda de óculos se refletiam no espelho.

— Silêncio, vocês! Acho que ouvi alguma coisa se mexer.

No silêncio tenso e exagerado que se seguiu ao anúncio de Marjorie, todos puderam distinguir o rangido ritmado das tábuas do assoalho enquanto alguém atravessava lentamente a sala abaixo. Ouviu-se o barulho de uma porta se abrindo e, em seguida, uma voz veio subindo as escadas, desgastada pela idade, mas ainda arrepiante em seu efeito.

— Tem alguém aí em cima? Se forem aquelas pestinhas mortas enchendo minha casa de sujeira de fantasma, vai ter!

Passos lentos e deliberados começaram a subir em direção ao patamar da passagem no andar de baixo, com o rangido de cada passo acompanhado pelo som de uma respiração difícil. Michael não tinha pele para se arrepiar ou sangue para gelar, mas, enquanto estava com seus novos amigos na luz pastel que se infiltrava na abertura acima, sentiu um equivalente do além de ambas as sensações, uma ondulação doentia na fibra-fantasma de seu ser. A presença sobrenatural que se aproximava cada vez mais do outro lado da porta fechada do quarto era o estranho vigia da esquina, não inteiramente humano, que poderia colocá-los em dificuldades que faziam os dentes da corajosa Phyllis Painter rangerem só de pensar nisso. Michael já tinha ouvido os pais ou a avó usarem a expressão "vai ter", nunca pronunciada com uma entonação que transmitia tão claramente o que significava: um mar de problemas, uma tempestade ameaçadora pairando sobre o horizonte cinzento. Michael pensou que não tinha como ficar mais assustado, mas nesse momento se lembrou de que as escadas e o patamar por onde o misterioso vigia vinha se aproximando eram a rota de fuga planejada pelo Bando de Mortos de Morte. Agora sim ele não tinha como ficar mais assustado.

Parecia que Phyllis e as outras crianças tinham percebido a situação mais ou menos no mesmo momento que Michael. Os olhos de Phyllis

percorreram o quarto com sua luz de sorvete de arco-íris, procurando
esconderijos ou algum tipo de saída, finalmente se estreitando em uma
determinação implacável.

— Rápido! Pela parede!

Em vez de se dar ao trabalho de dizer a que parede se referia, a chefe
autoproclamada do bando de fantasmas deu o exemplo, correndo a toda
velocidade para as cortinas fechadas de uma janela em frente à porta
do quarto, com um rastro de menininhas com lenços de coelho atrás
dela. Sem um instante de hesitação, Phyllis atirou-se através das cortinas, que sequer balançaram quando desapareceu dentro delas e sumiu
de vista. Michael se lembrou, com um sobressalto, que eles estavam no
andar de cima. Não haveria piso do outro lado da parede externa do
quarto, apenas uma queda para a Scarletwell Street. Era como se Phyllis
pulasse do telhado. E, o que era mais preocupante, todo mundo estava
seguindo seus passos. Primeiro o pequeno Bill, depois Reggie e Marjorie
Afogada, partiram para a janela com cortinas ou o papel de parede fosco
de ambos os lados, arremessando-se através da parede para a queda e a
noite. Como sempre, foi John quem ficou para trás para se certificar de
que Michael estava bem.

— Vamos, menino. Não tenha medo da queda. Como eu te falei, as
coisas não caem tão rápido aqui.

Do outro lado da porta do quarto, os passos agora ressoavam pelo
patamar, aproximando-se com a respiração irregular que os acompanhava. Decidindo que não havia tempo para deixar Michael tomar
sua própria decisão, John pegou o menininho com roupas de dormir
debaixo de um braço e correu em direção à parede por onde seus companheiros já haviam desaparecido. Esticado em uma centopeia xadrez
de muitas pernas de movimento borrado, Michael pensou ter ouvido a
maçaneta girar atrás deles enquanto John saltava em direção às cortinas.

Houve um breve lampejo de linho insubstancial, vidro vaporoso, e
então ambos caíram como flores fumegantes através de uma escuridão
iluminada por lamparinas. Como o garoto mais velho havia prometido,
era uma descida incomumente lenta, como se estivessem mergulhando
em cola. Embora todas as outras crianças tivessem se jogando pela parede
momentos antes, Michael viu que Marjorie, a última a pular, ainda não
havia chegado ao chão. Ela caiu na Scarletwell Street em meio a uma
cascata de fotos estragadas e listradas, com as pernas robustas dobrando

em uma protuberância de joelho gorducho ao tocar as pedras abaixo. Michael supôs que ele e John deviam ter a mesma nuvem de fogos de artifício estourados pingando atrás deles enquanto afundavam nas sombras viscosas, com os longos membros de John já se preparando para o insignificante impacto.

A partir do momento em que deixaram o quarto com a névoa de cor, se viram mais uma vez imersos na paisagem preta, cinza e marfim da costura-fantasma. Mesmo assim, para Michael, parecia haver um tom doentio na luz do lampião, dando a impressão de que não era o brilho elétrico branco e limpo ao qual estava acostumado. Ele e John estavam quase no final de sua lânguida trajetória, prestes a cair na ladeira poeirenta da Scarletwell, onde os quatro amigos os esperavam, olhando para a dupla com olhos ávidos, ansiosos. Houve um leve estremecimento quando os sapatos gastos de John atingiram o chão, e então Michael foi colocado na calçada com as outras crianças. Ainda um pouco tonto com o ritmo ofegante da fuga, não havia conseguido sequer se orientar, e Phyllis Painter não parecia inclinada a dar-lhe chance para fazer isso.

— Vem. Vamo sair daqui, para o caso de virem atrás de nós. Vamo ter tempo pra pensar nesse negócio de Vernall depois. Vamo pra Mayorhold pelos apartamentos e as vielas, assim se o vigia sair para dar uma olhada não vai ver nenhum de nós subindo a Scarletwell Street.

Ela puxou o desorientado Michael por uma manga xadrez e começou a arrastá-lo pela rua em direção à fábrica de "LÂMINAS DE CORTE" na esquina rombuda da Bath Street (embora a placa familiar não estivesse lá por algum motivo), com as outras crianças-fantasmas se arrastando em uma aglomeração não muito compacta com ele e Phyllis no centro. Algo não estava certo.

Ele olhou através da noite na direção para onde seguiam e, por um breve momento, ficou perdido. Por que a parte baixa da Scarletwell Street de repente estava tão larga? Parecia se espalhar até perder de vista, e Michael se perguntava por que podia ver tão longe pela extensão escura da Andrew's Road em direção à estação quando percebeu que as casas geminadas diante daquela da qual fugiam haviam desaparecido, todas elas. Apenas uma faixa de relva se estendia entre a rua e um extenso muro um pouco mais acima. O inesperado espaço vazio e gramado, onde coisas que pareciam monstruosas gaiolas de pássaros sobre rodas achavam-se tristemente caídas de lado de tempos em tempos, era de alguma forma horripilante. Michael começou a perguntar a Phyllis o que estava acontecendo, mas ela se limitou a conduzi-lo pela rua deserta com ainda mais urgência.

— Não precisa se preocupar. Só anda logo e vem com a gente... e não olha pra trás, pro caso de o vigia estar espiando pela janela e ver a tua cara.

Essa última parte soou como uma reflexão tardia inteligente demais, o que significava que parecia uma mentira, ou como se Phyllis tivesse algum outro motivo para não querer que ele se virasse. Além da forma em que o Bando de Mortos de Morte se amontoava em torno dele como se estivesse escondendo alguma coisa de sua visão, o tom de voz dela deixou Michael mais convencido do que nunca de que algo estava errado. Cada vez mais em pânico, ele se livrou do aperto de Phyllis no braço e se virou para poder olhar para trás em direção à casa perto da esquina nos baixos da Scarletwell Street, de onde tinham acabado de escapar. O que poderia haver de tão terrível naquele lugar que ninguém queria que ele visse?

Com ares solenes, Reggie e Marjorie Afogada recuaram para os lados para que Michael pudesse observar a construção de onde haviam acabado de sair. Estava em silêncio, com uma luz fraca atravessando as cortinas fechadas da janela do andar de baixo. Sem levar em conta o fato de que parecia maior, como duas casas em uma, além do detalhe de estar situada em um espaço onde Michael sabia que havia um quintal vazio em 1959, parecia normal. Não viu nada de estranho ou terrível na residência em si. Só que tudo a não ser a casa, e isso, sim, era estranho, errado e terrível, tinha desaparecido.

A fileira de casas ao longo da St. Andrew's Road, entre a Spring Lane e a Scarletwell, onde Michael, sua família e todos os vizinhos moravam, havia desaparecido. Restavam apenas a cerca de baixo e as cercas-vivas da Escola Spring Lane e depois outro espaço vazio e gramado antes da calçada e da próxima rua. Com exceção de algumas pequenas árvores, a casa de tamanho duplo perto da esquina estava isolada na extremidade obscura de um terreno, como um único dente que ainda permanecia enquanto o próprio maxilar havia apodrecido até não sobrar nada. A meio caminho da Scarletwell Street, da posição em que estava entre as outras crianças-fantasmas, Michael podia ver a pequena campina do outro lado da Andrew's Road, que ficava ao pé da Spencer Bridge... ou melhor, podia ver o lugar onde a campina ficava da última vez que tinha olhado. A não ser por uma coluna de árvores, agora havia apenas fileiras e fileiras de caminhões gigantes movendo-se no escuro, muito maiores do que o caminhão de verduras e legumes com o qual o vizinho tinha tentado levá-lo para o hospital. Cada um parecia dois tanques empilhados, ou talvez uma unidade itinerante da Woolworth's. Espaçadas ao longo da rua principal na escuridão cintilante da distância, havia coisas que pareciam luzes de rua em um sonho, hastes de metal inacreditavelmente altas, cada uma se bifurcando no topo em duas lâmpadas oblongas separadas. A aparência doentia que Michael tinha notado antes na iluminação parecia concentrada em torno dessas lanternas com halos insalubres, o que sugeria que eram sua fonte. Os raios pálidos caíram sobre os caminhões adormecidos e sobre o asfalto brilhante da rua vazia, sobre o tapete sussurrante que tinha crescido sobre as tábuas do piso de sua terra natal desaparecida, sua rua evaporada. O lugar onde viveu. O lugar onde morreu.

Era isso o que Phyllis e os outros não queriam que ele visse. Seu solo sagrado, com exceção de uma única casa que incongruentemente permanecia de pé, estava arrasado. Seu lamento de desolação podia ser ouvido a quarteirões de distância por aqueles que não estavam vivos, apesar das correntes sônicas estagnadas da costura-fantasma. Carregado de perdas sem fim, o grito dilacerante desatou a noite, dividindo o mundo morto de ponta a ponta, enquanto todos os Boroughs vivos ao redor dormiam inconscientes e sonhavam com as carcaças perturbadas de seu futuro vergonhoso.

PLANOLÂNDIA

Reginald James Fowler era o nome caprichosamente escrito sobre os únicos dois certificados que ele já havia recebido, os mesmos dois que todo mundo ganhava, só pelo comparecimento.
Era chamado de Reggie Bowler desde que a srta. Tibbs entendeu errado seu nome quando leu a lista de chamada em seu primeiro dia na escola. O chapéu[6] veio muito depois, e ele só começou a usá-lo para combinar com o nome quando o encontrou, junto de seu sobretudo grande demais e sempre úmido, entre o lixo do campo-santo perto da igreja Doddridge, onde andava dormindo pouco depois do aniversário de doze anos. Já tinha tido o sonho naquela época, com a srta. Tibbs segurando um livro chamado O Bando de Mortos de Morte, com um pivete de sobretudo e chapéu-coco estampado em dourado na capa, mas quando encontrou aqueles artigos de vestuário na vida real a premonição já estava mais que esquecida e nem passava por sua cabeça. Ele apenas se alegrou por encontrar roupas grátis, seu primeiro lance de sorte desde a perda dos pais.
Na época, tentou se animar encarando o chapéu e o casaco como presentes, deixando-se enganar pensando que o pai havia voltado e os deixado lá para ele, pendurados nos arbustos que cresciam na quina de um muro de pedra já salpicado de verde com a idade. Mas no fundo sabia que o mais provável é que as roupas haviam pertencido a um velho chamado Mallard, que morava em Long Gardens, perto da Chalk Lane, e que tinha se matado em uma depressão. Era também mais provável que o filho do velho, que logo depois começou a trabalhar como açougueiro em Londres, cansou de olhar para as roupas puídas do suicida e as jogou fora. Isso teria sido, pelos cálculos de Reggie, por volta de setenta e um ou dois, cerca de um ano antes da geada que finalmente o levaria.

Muita gente tinha acabado com a própria vida nos Boroughs ao longo dos anos. O velho Mallard só ficou na memória de Reggie por ser homem, quase todos os outros suicidas eram mulheres. Era mais difícil para as mulheres, ou ao menos era o que ele ouvia os maridos dizerem uns aos outros no jardim dos pubs quando o assunto surgia entre os copos de cerveja.

"Tem alguma coisa nessas casas velhas", segundo a opinião geral. "Para os homens, não é tão ruim, porque eles saem para o trabalho. Mas as mulheres ficam lá dentro com aquilo e não conseguem escapar".

Muitas vezes ele se perguntava, em seus momentos de ócio, o que era "aquilo". Se fosse alguma coisa "dentro" das casas, então poderia ser a umidade ou a podridão, alguma presença miasmática escapando das vigas e da alvenaria que poderia deixar uma pessoa tão doente que queria tirar a própria vida, embora ele nunca tivesse ouvido falar nisso. E a maneira como os adultos falavam sobre o assunto, acenando solenemente com a cabeça sobre as canecas de cerveja aguada, dava a Reggie a impressão de que se referiam a uma criatura viva, que vagava por aí e um dia fixava residência e depois se recusava a sair. Algo tão perturbador e tão miserável que a pessoa estaria melhor morta do que presa em casa com aquilo, tentando fazer suas tarefas domésticas com aquilo sentado em um canto, contorcendo-se e estalando, observando tudo com seus olhinhos negros. Reggie sempre imaginava "aquilo" como uma tesourinha gigante, embora parte dele soubesse muito bem que era só o mesmo desespero de sempre.

Foi esse terror alojado dentro da pessoa que levou a mãe de Reggie, então ele pensava bastante sobre aquilo. A mãe tentou se matar tantas vezes que, na terceira tentativa, até mesmo ela conseguiu ver o lado engraçado da coisa. A primeira tentativa foi de afogamento, no Nene, onde o rio atravessava Foot Meadow, mas a água não era profunda o suficiente naquele ponto para acomodá-la, o que a fez desistir. Mais tarde, pulou da janela do quarto de casa na Gas Street, o que resultou apenas em tornozelos quebrados. Na terceira vez, tentou ficar ajoelhada com a cabeça dentro do forno, mas o gás acabou antes que ela terminasse, e não tinha um centavo para pôr no medidor. Foi isso, ser pobre demais até mesmo para se matar com gás, que no fim fez a mãe de Reggie rir de seus problemas. Reggie e o pai ficaram tão surpresos ao vê-la rindo de novo que se juntaram a ela, gargalhando junto na cozinha gelada, com as janelas abertas para dissipar os vapores acres e persistentes. O próprio Reggie foi quem mais riu, embora não tivesse entendido bem a situação e só risse porque todos riam. Além disso, imaginou que tivesse gargalhado de alívio e gratidão, convencido de que um capítulo sombrio da história de sua família havia acabado.

De certo modo, claro, estava certo: algumas semanas depois daquelas risadas na cozinha fria e fedorenta, a mãe de Reggie mais uma vez se jogou pela janela do andar de cima, dessa vez conseguindo atingir as pedras antigas e indiferentes da calçada da Gas Street com a cabeça, o que por fim pareceu funcionar. Um capítulo havia sido concluído, mas os seguintes foram ainda mais sombrios, ainda piores.

Após a quarta e bem-sucedida tentativa de autodestruição da esposa, o pai de Reggie deu de beber demais, virando cervejas como se assim fosse salvar a própria vida, e depois começou a brigar. Noite após noite continuou assim, com o sangue jorrando de narizes esmagados contra paredes de banheiro, dentes cuspidos nos ralos da Gas Street como foguetes de osso em miniatura, acompanhados de uma chuva de faíscas vermelhas, e inevitavelmente a polícia era chamada. Na primeira ocorrência, ele foi surrado. Na segunda, foi preso, e Reggie nem sabia em que cadeia o pai estava. Abandonado, viveu sozinho na casa da Gas Street por uma semana, comendo e dormindo na cama grande de seus pais só pelo prazer daquilo, não atendendo a porta na primeira vez que o homem do aluguel passou. Na visita seguinte, porém, o homem trouxe um oficial de justiça, que simplesmente chutou a porta, enquanto Reggie corria por um quintal abandonado, pulava o muro dos fundos e fugia ao longo do beco.

Seu novo endereço passou a ser o terreno baldio que chamavam de campo-santo, em frente à igreja Doddridge. Estava satisfeito consigo mesmo com a casinha que construiu ali, junto ao muro que dava para a Chalk Lane. Apesar de ser só um caixote de madeira compensada, Reggie estava orgulhoso da própria engenhosidade por conseguir transformá-lo em um lar. Ele a virou de lado, tirou os caracóis e pendurou na abertura a cortina que alguém tinha jogado no lixo, para servir como uma espécie de porta. Também a camuflou com galhos mortos, imaginando que era o tipo de coisa que um batedor indígena faria, e fabricou uma lança para se defender afiando uma longa vara com o canivete enferrujado, antes de perceber que a própria faca era uma arma melhor. Era um pouco burro naquela época, mas tinha só onze anos.

Encontrar comida e sobreviver naquelas circunstâncias era muito difícil, mas Reggie resolvia as coisas com naturalidade. Frequentava as beiras da praça na noite do mercado e encontrava frutas e legumes amassados e descartados entre papéis de embrulho, palha e caixas vazias. As portas dos fundos das padarias na hora de fechar muitas vezes rendiam um pão que não era mais vendável, embora não totalmente passado, e no açougue às vezes havia ossos para sopa.

Depois de caminhar pelas ruas com a cabeça baixa por uma longa tarde, percebeu quantas moedinhas as pessoas perdiam, especialmente nas lojas maiores. Além do que encontrava, Reggie às vezes pedia uma moeda de meio penny ou duas. Certa vez brigou com um velho vagabundo que lhe prometeu uma moeda de três e depois voltou atrás. Isso havia sido na mata dos terrenos baldios de várzea entre Victoria Park e Paddy's Meadow, inacessível exceto por remo sob a Spencer Bridge, um deserto onde o vagabundo com cheiro de umidade tinha uma fogueira modesta feita de pedaços de papelão, madeira e retalhos de carpete. Reggie ainda se lembrava, com um estremecimento, de como a porra do cara de suíças havia chiado ao seguir um arco líquido e escorregadio para as chamas amarelas, e tudo por nada, nem um centavo. Ainda assim, apesar das decepções, Reggie conseguiu sobreviver. Não era infeliz, não era fraco, nem física nem mentalmente. Não foi a falta de sustento que o matou, foi um inverno inglês e, por mais forte, inteligente ou engenhoso que fosse, não havia como contorná-lo. Quando o encontraram enrolado em seu caixote depois de um ou dois dias, uma de suas pálpebras ainda estava congelada e grudada no globo ocular. Foi assim, o final da vida de Reggie, embora não de sua existência.

Na verdade, ele se saiu melhor na morte do que em vida, adaptando-se ao novo meio como um pato na água. Mesmo assim, ainda se lembrava do quanto tinha ficado surpreso e perdido naquelas primeiras horas depois de falecer. Foi num domingo de manhã que aconteceu. Havia acordado com o som de sinos de igreja estranhamente abafados e a percepção um tanto preocupante de que não sentia mais frio. Tentou puxar o resto da cortina que servia de porta para o lado, mas algo intrigante tinha acontecido, e ele se viu agachado do lado de fora da casa improvisada de caixote, onde os trapos acima da entrada ainda pendiam imóveis e intactos.

Olhando para trás, a primeira coisa que lhe chamou a atenção foi que a grama sobre a qual se ajoelhava era cinza-ostra, em vez de verde, embora a camada de geada permanecesse de um branco granulado. Ao se levantar e olhar em volta, viu que tudo era preto, branco e cinza, incluindo o esmaecido padrão floral em sua cortina pregada, que sabia que deveria ser na verdade de um azul insípido. Agora sorria ao lembrar que, com o toque suave dos sinos, o preto e branco de tudo o levou à assustadora conclusão de que em algum momento da madrugada tinha ficado surdo e daltônico, como se fossem as piores coisas que poderiam acontecer em uma noite de inverno. Foi só quando notou todas as imagens de si que deixava toda vez que se movia que Reggie suspeitou de que havia algo muito errado, de uma forma que um par de óculos ou uma corneta acústica não iriam remediar.

Logo depois, claro, começou a experimentar tocar as coisas, descobrindo que não conseguia mais. Tentando puxar a cortina de seu abrigo tosco, descobriu que a mão agora passava através do material como se não estivesse lá e desaparecia de vista até que ele a puxasse de volta. A essa altura, Reggie decidiu que, para ver dentro do caixote, teria que empurrar o rosto pelo tecido da entrada, da mesma forma que havia acabado de fazer com os dedos.

Era digno de pena, o menininho dentro da caixa. Congelado na mesma posição em que adormeceu, com os joelhos nus dobrados e uma das mãos colada sobre uma orelha achatada, as sobrancelhas brancas de gelo. Um pó de cristal brilhava nos pelos finos de sua bochecha sardenta, e de uma narina saía um pingente de meleca cinza. Ao contrário de muitos moradores da costura-fantasma que conheceu mais tarde, Reggie reconheceu o próprio cadáver de imediato. Para começar, a criança morta vestia um casaco comprido e um chapéu-coco idênticos aos que ele mesmo parecia ainda estar usando. Além disso, tinha a marca de nascença cor de chá de Reggie, mais ou menos no formato da Irlanda, na panturrilha esquerda, acima das dobras endurecidas da meia. As vírgulas saltitantes que vislumbrou de canto de olho na verdade eram pulgas sóbrias e pragmáticas abandonando seu hospedeiro. Ele gritou, um som curiosamente monocórdico e com pouca ressonância, e jogou a cabeça para trás através da cortina suspensa, que não tremeu tanto quanto ele.

Reggie então chorou de soluçar por algum tempo, com as gotas de ectoplasma sem sal rolando pelo rosto, mais como memória das lágrimas do que as próprias. Por fim, quando ficou claro que, por mais que chorasse, ninguém apareceria para melhorar sua situação, ele fungou alto e se endireitou, resolvendo ser corajoso. Estendendo o lábio inferior e erguendo o queixo, marchou com determinação pelo campo-santo em direção à igreja Doddridge. Aos seus pés insubstanciais, o solo endurecido pela geada pareceu macio e fofo como musgo. Réplicas cinzentas saíam de suas costas, perseguindo-o em fila indiana pelo ermo de janeiro, com as últimas figuras desaparecendo à medida que mais delas eram adicionadas à frente da fila.

Por ser domingo, Reggie tinha visto algumas pessoas e casais caminhando pelas ruas inclinadas dos Boroughs em direção à igreja, mas, como estava muito frio, não eram tantas como em outras vezes. Atravessando o campo-santo em direção à velha igreja e sua congregação reunida, percebeu que ninguém mais deixava rastros de imagens de si mesmo como ele. Sentiu uma incômoda desconfiança em relação ao que isso significava, mas tentou chamar a atenção dos frequentadores da igreja mesmo assim, desejando-lhes um bom dia. As palavras que disse saíram por engano como "não vida", mas ele não achava que isso faria diferença para a resposta da multidão devota, não importa como tivesse pronunciado. Eles o ignoraram enquanto trocavam gentilezas, cobertos por suas roupas de inverno e arrastando os pés na direção dos portões de ferro desgastados da construção. Até quando dançou na frente deles e os chamou de nomes feios — nomes feios estranhos e confusos que soaram errados até mesmo para Reggie —, todos apenas olharam através dele. Uma das pessoas, uma garota rechonchuda, até *passou* direto por ele, proporcionando-lhe um breve vislumbre indesejável de veias esguichando e ossos e coisas tremulantes que pensou que poderiam ser o cérebro dela. Reggie foi convencido de sua condição por aquele incidente, tinha enfim aceitado que aquelas pessoas não o viam nem o ouviam, por estarem ainda entre os vivos, enquanto ele, ao que parecia, já estava entre os mortos.

Foi quando estava parado no portão, assimilando aquele fato terrível, que ouviu as vozes minúsculas e gorjeadoras acima dele e olhou para os beirais da igreja Doddridge.

Desde que morreu, Reggie deve ter recebido a explicação de todo o fenômeno milhares de vezes, afirmando que tudo fazia sentido de acordo com alguma versão especial da geometria, mas não entendia de jeito nenhum. Nunca tinha entendido a geometria comum, o que significava que essa nova variedade estava fadada a continuar além de sua compreensão. Duvidava que algum dia compreenderia de verdade o que viu quando olhou para cima, para os pontos mais altos da humilde estrutura.

Todos os contrafortes e coisas que se esperaria que saíssem das paredes superiores pareciam ir para dentro, como se tivessem virado do avesso. Nas aparentes cavidades e reentrâncias causadas por esse efeito havia pequenas pessoas empoleiradas, com não mais de sete centímetros de altura, todas acenando freneticamente para Reggie enquanto o chamavam com suas vozes de morcego.

Naquela época, aos doze anos, provavelmente estaria preparado para aceitar que poderiam ser criaturas mágicas se não fossem tão sem graça, com vestes tão desleixadas ou feições tão feiosas. Com chapéus minúsculos e calças largas erguidas por pequenos suspensórios, ou aventais e gorros pretos, andavam para lá e para cá ao longo de varandas em miniatura formadas por recessos invertidos. Acenaram e gesticularam, murmuraram para ele através de lábios infinitesimais, com os rostos marcados por todas as verrugas e olhos tortos e narizes de morango que se encontraria em qualquer multidão pobre em dia de feira. Os casacos das mulheres tinham broches microscópicos, baratos e manchados, presos às lapelas. Os botões do colete dos rapazes, aqueles que ainda não faltavam, beiravam o invisível. Não eram os elfos de orelhas pontudas dos livros ilustrados em toda a sua elegância espalhafatosa, eram pessoas normais em toda a sua simplicidade e feiura, de alguma forma reduzidas ao tamanho de besouros horríveis e tagarelas.

Enquanto estava boquiaberto em uma mistura de fascinação e repulsa pelos homúnculos saltitantes, notou que ninguém mais entre os fiéis que convergiam para a igreja fazia isso. Ninguém olhava para as saliências estranhamente côncavas, onde os duendes dos cortiços gesticulavam, trinavam e assobiavam, e ocorreu a Reggie que as pessoas vivas não podiam vê-los. Chegou à conclusão de que apenas os mortos podiam fazer isso, almas desalojadas como ele, que deixavam imagens cinzentas em seu rastro, em vez das leves baforadas de respiração nebulosa que destacavam os vivos naquele amargo dia de janeiro.

Ele não sabia o que eram aquelas criaturas e, naquela época, não queria nem descobrir. Pouco a pouco, desde que vira o que havia dentro do caixote, havia começado a perceber que estava morto, mas não parecia estar no céu. Na concepção teológica limitada de Reggie, isso deixava só uma ou duas alternativas de lugares que esse reino fantasmagórico poderia ser, e nenhuma delas parecia muito boa. Cada vez mais em pânico, foi recuando, passando entre ou através de moradores incautos dos Boroughs, que chegavam ao seu local de culto, o tempo todo mantendo os olhos fixos nas aparições fugidias nos beirais, para o caso daqueles homens e mulheres semelhantes a ratos fervilharem pelas paredes da igreja e virem em sua direção.

Por fim, virou e fugiu, com o rastro de imagens correndo para acompanhá-lo, contornando o lado esquerdo da igreja e entrando no Castle Terrace, onde uma visão ainda mais desconcertante o aguardava. Era aquela velha porta, a meio caminho da face oeste da igreja Doddridge. Em vida, muitas vezes havia ficado intrigado e tentado adivinhar seu propósito, mas quando dobrou a esquina e parou com todos os seus duplos fantasmas acumulando-se atrás de si, Reggie finalmente recebeu uma resposta, mesmo que não tivesse como entendê-la.

Embora a lembrança daquele seu primeiro e ignorante vislumbre do Ultraduto o fizesse sorrir agora, Reggie tinha consciência de que, mesmo depois de todos esses imensuráveis anos, seguia sem saber muito mais a respeito do que era aquilo ou como funcionava. Apenas se lembrava de que, sem ar de tanto espanto, cambaleou, atordoado, pelos espaços de sua maravilhosa fileira de pilastras brancas, com a cabeça levantada para olhar a parte inferior vítrea do píer impossivelmente construído mais acima. Além do alabastro translúcido das tábuas, manchas fosforescentes se moviam para frente e para trás, acima de sua cabeça e do Castle Terrace, uma luz fugidia que caía através das vigas cinzeladas para pousar em suas feições viradas para cima como a neve que todos disseram que não cairia com uma temperatura tão baixa.

Em um transe deslumbrado, passou por baixo daquela estrutura tão gloriosa que cansava os olhos e cambaleou para o outro lado, com suas réplicas evaporatórias cambaleando atrás dele. Livre do feitiço hipnotizante do Ultraduto, Reggie soltou um grande gemido de perplexidade diante da estranheza esmagadora de sua situação. Sem olhar para trás, saiu correndo pela Bristol Street, com o chapéu-fantasma bem apertado na cabeça e o sobretudo espectral balançando sobre os joelhos nus. Aprofundou-se ao acaso no eco pálido dos Boroughs, que àquela altura pareciam ser seu novo lar por toda a eternidade, o lugar horrível ao qual havia sido condenado. Ele rugiu pela calha de carvão incolor da

Bath Street como um trem a vapor, rebocando sósias em vez de vagões e tênderes. Lá embaixo, nas entranhas pálidas do distrito, foi parando aos poucos, depois sentou-se no meio da rua e fez um balanço da situação.

Claro, não demorou muito para que se deparasse com os primeiros moradores de rua: uma pequena multidão com aparência e jeito de falar de homens bêbados de vários séculos diferentes. Eles o esclareceram sobre a natureza da costura-fantasma ou, como chamavam, do purgatório. Como muitos dos fantasmas dos Boroughs, no fundo tinham um coração mole, e o colocaram sob sua proteção, instruindo-o em uma variedade de habilidades úteis. Eles o ensinaram como raspar as circunstâncias acumuladas e cavar no tempo, depois lhe disseram onde encontrar as Bedlam Jennies mais doces crescendo nas fendas mais altas, que as pessoas com batimentos cardíacos não podiam ver. Até encontraram o fantasma de uma velha bola de futebol para ele, embora seu primeiro chute tenha ressaltado as limitações do jogo, ou pelo menos aquela versão póstuma: por um lado, a bola não quicou tão alto, da mesma forma que o som não ressoava tão nítido. Por outro, sendo insubstancial, a bola-fantasma acabaria sempre navegando pelas paredes das casas dos vivos. Recuperá-la constantemente debaixo da mesa ou dentro da poltrona de uma família jantando alheia a tudo aquilo logo se tornou um incômodo.

Reggie se sentia grato pela ajuda e camaradagem dos antigos fantasmas, mas, olhando para trás, percebia que na verdade não lhe fizeram nenhum favor. Embora o tivessem ajudado a se ajustar ao seu novo estado, também fomentaram nele a crença de que aquele meio--mundo sombrio, aquele purgatório inquietante de lavagem de tinta, era tudo o que merecia. Ele adotou aquela visão resignada e autodestrutiva e recorria a eles em busca de todas as dicas. Disseram que poderia ter sua vida de volta, se era o que queria, embora houvesse algo na maneira como se referiam a isso que implicava ser uma péssima ideia. Naquela época, ele estava inclinado a compartilhar dessa visão e, de certo modo, ainda tinha aquela opinião. Reviver as tentativas de suicídio de sua mãe não era algo pelo qual ansiasse, nem a perspectiva de reprisar os acessos embriagados de raiva do pai. Nem a ideia de masturbar o vagabundo ou morrer mais uma vez congelado dentro de um caixote parecia dar muito incentivo real. Agora que estava fora da vida, podia finalmente admitir para si mesmo o pesadelo e o tormento que havia sido. Pensar em passar por tudo de novo, mil vezes ou mesmo apenas uma vez, era insuportável.

A multidão dos fantasmas de coração partido que foram mentores de Reggie na vida após a morte também o desaconselhou a ir para o "Andar de Cima", um lugar que chamavam de "Almumana". Isso, conforme explicaram, era para uma classe superior de pessoas mortas, que levavam vidas respeitáveis e despreocupadas, não para gente como Reggie e seus novos amigos. A má opinião que tinham de si mesmos combinava com a própria autoestima vacilante de Reggie, que ainda poderia muito bem continuar sendo um dos companheiros deles, cambaleando pelos becos sem alegria da costura-fantasma, ouvindo suas queixas e dores naquela paisagem silenciosa onde cada som e cada esperança se desfazia. Quase com certeza ainda estaria naquela miserável irmandade, se não fosse pela grande tempestade-fantasma de 1913.

Aquilo foi como um peido do Todo-Poderoso, de tão ensurdecedor e inesperado. Muito pior do que a tempestade da qual Reggie e o Bando de Mortos de Morte tinham acabado de escapar, em 1959. Ambas foram causadas, no entanto, pelo mesmo fenômeno: a violenta atividade de forças sobrenaturais superiores na região de Almumana que correspondia a Mayorhold, onde havia um lugar que chamavam de Obras. Em 1913, esses poderes superiores, fossem os construtores ou os antigos construtores que haviam sido reclassificados como demônios, estavam em alvoroço por algo que se dizia estar relacionado com a guerra vindoura. Sua agitação indignada provocou um vento de terrível ferocidade que dilacerou o bairro espectral e levou todos os amigos fatalistas de Reggie até Delapré. Foi por isso que ficou de cabelo em pé quando ele e as outras crianças ouviram Black Charley dizer que havia uma tempestade-fantasma a caminho: Reggie já tinha passado por uma antes.

Não houve nenhum aviso, apenas uma súbita onda de poeira e detritos-fantasmas rolando no meio da St. Mary's Street, e então uma lixeira espectral surgiu do nada e atingiu Reggie bem entre as omoplatas, fazendo-o cair de cara. Isso, olhando para trás, foi o que o salvou. Tombando para a frente, com o chapéu-coco de algum jeito pousando preso e achatado embaixo dele, instintivamente estendeu as duas mãos para amortecer a queda e se viu enfiado além dos cotovelos no solo antigo e, portanto, só em parte substancial dos Boroughs. Seus dedos espectrais, fora das vistas a uns trinta centímetros abaixo do solo, encontraram uma raiz de árvore que também tinha idade suficiente para ser segurada, e assim ficou ancorado mais ou menos em segurança quando o golpe principal do vendaval-fantasma os atingiu, instantes depois.

O velho Ralph Peters, um quitandeiro falido lá dos mil setecentos e alguma coisa, parecido com John Bull[7], soltou um grito assustado e desesperado quando foi suspenso no ar como se fosse leve feito uma pena, e arremessado na direção da igreja de St. Peter. Todos tentaram se agarrar nas árvores e arbustos entre o campo-santo onde Reggie havia morrido (e sido mais tarde enterrado) e Marefair. Quando o feroz vento nordeste lançou o pobre Ralph para o céu, ele se agarrou em desespero à parte mais alta da copa de um olmo, na esperança de encontrar apoio, mas os galhos eram novos e passaram pelas mãos do espírito corpulento como se não estivessem lá. Ralph foi arrebatado de bunda para cima em direção ao horizonte sul, com a velocidade assustadora e o barulho terrível de um balão cinza que desinflava, com as imagens posteriores de seu rosto chocado espiralando atrás como uma centena de pôsteres de John Bull jorrando do prelo.

Enquanto Reggie continuava esparramado no chão, lançando gritos inaudíveis em meio a tempestade, agarrando-se à raiz da árvore enterrada para salvar sua morte, viu o resto do grupo maltrapilho — Maxie Mullins, Ron Case, Cadger Plowright, Burton Turner — indo um por um longe nas nuvens, passando por chaminés de fábricas, cercas de metal enferrujado e as paredes de tijolos das casas. Ouviu o grito de agonia de Ron Case quando o pequeno fantasma curvado com um resfriado perpétuo colidiu em alta velocidade com a torre de novecentos anos da igreja de St. Peter, uma construção venerável o suficiente para ter acumulado uma presença sólida até na costura-fantasma. Pelo que Reggie ouviu alguns anos depois, Ron bateu na torre da igreja e se curvou em volta dela, como uma fita suspensa no ar presa a um prego. Os ventos furiosos haviam puxado seu corpo insubstancial como se fosse uma serpentina de papel, e com isso, segundo todos os relatos, ele acabou como algo com o dobro da altura inicial e tão magro que era impossível olhar sem estremecer. Quanto aos outros, Reggie não tinha a menor ideia de onde acabaram: desde aquele dia terrível até então, nunca mais havia encontrado ninguém daquele grupo gentil, mas desafortunado. Pelo que sabia, ainda poderiam estar lá em cima, gemendo e reclamando enquanto giravam e batiam, presos nas correntes de jato do planeta por toda a eternidade.

Reggie se viu sozinho, então, no furacão espiritual, de bruços e enfiado até os ombros nas pedras dos Boroughs, com os pés se debatendo no ar agitado atrás dele, deixando imagens residuais, um time de futebol inteiro de botas e meias remendadas chutando o vento. Pelo que se lembrava, poderia continuar agarrado à raiz até que a tempestade amainasse, caso e quando isso acontecesse, ou soltá-la e se juntar a seus colegas. Tinha acabado se de decidir pela segunda opção quando percebeu que algo peculiar acontecia com a relva do terreno baldio em torno de um quintal à sua frente. Havia faixas concêntricas em preto e branco que pareciam ondular para fora de um ponto escuro no meio, e foi desse ponto central cintilante que Reggie viu o que a princípio considerou serem vermes gordos e medonhos, mas depois entendeu que eram dedos de criança contorcendo-se embaixo da terra. Como havia pelo menos trinta dígitos visíveis em um ponto, percebeu que o dono das mãos devia ser uma criança-fantasma como ele, o que fez surgir um otimismo cauteloso.

Arrastando as listras oscilantes de balas sortidas de alcaçuz em movimentos como os das patas dianteiras de uma toupeira, as mãos misteriosas rapidamente alargaram o portal o suficiente para que partes maiores do corpo pudessem passar. Foi assim que ele se viu com os braços afundados no chão, as bochechas trêmulas e os olhos lacrimejando no vento feroz enquanto olhava, incrédulo, para a garotinha cuja cabeça e ombros surgiram do terreno baldio alguns metros à sua frente. Ao redor do pescoço dela, havia um colar de peles de coelho que fazia parecer que havia acabado de sair de um barril de animais mortos. O cabelo cortado em forma de tigela esvoaçava ao redor da cabeça na tempestade ainda furiosa, com cada fio solto arrastando cortinas de pós-imagem para ocultar as feições carrancudas em uma máscara de vapor emaranhado. Aquele tinha sido seu primeiro encontro com a feroz, desbocada, corajosa e irritante Phyllis Painter.

Abusando dos xingamentos e tratando-o como um idiota, Phyllis conseguiu alcançá-lo e agarrá-lo pelo pulso assim que ele desenterrou um dos braços. Com aquele que mais tarde se revelou o menino Bill segurando seus tornozelos por baixo, Phyllis de algum jeito puxou Reggie e seu chapéu amassado através da abertura que cavou para a escuridão brilhante e transparente de um túnel que ia da igreja de St. Peter até o Santo Sepulcro, ou pelo menos ia nos mil e trezentos, que era o período de onde Phyllis abria seu caminho quando topou com Reggie.

Caíram todos amontoados em cima de Bill, debatendo-se no chão de terra batida em meio a moedas saxãs perdidas e ossos de cachorro normandos, rindo e gritando como se toda aquela terrível situação fosse muito divertida. Após os anos incontáveis de sua associação com velhos resignados que não podiam ter sequer a morte pela qual ansiavam, Reggie experimentou mais uma vez a emoção de ser um moleque bobo, sem o fardo da dor. Então pararam de rir e se sentaram, na escuridão do século XIV, para apertar as mãos e fazer as devidas apresentações.

Ele, Bill e Phyllis se tornaram mais ou menos inseparáveis a partir de então, organizando jogos de esconde-esconde no céu, brincando de pega-pega-fantasma, deslizando de bunda pelas décadas empoeiradas. À medida que os conhecia melhor, Reggie captou indicações aqui e ali de que eram da mesma família e viveram e morreram um bom tempo depois dele. Descobriu que o sobrenome de Phyllis era Painter, o que era mais do que Reggie sabia sobre seus outros jovens amigos. Presumia que Bill também fosse Painter, mas não fazia ideia dos sobrenomes de Marjorie Afogada ou John, que Reggie e os Painter haviam encontrado algum tempo depois que se conheceram, nos tempos medievais, sob o campo-santo. Assim como as crianças vivas, as mortas preferiam se limitar quase exclusivamente aos primeiros nomes, ou assim pareceu a Reggie.

Não demorou muito para que Bill e Phyllis livrassem Reggie daquela filosofia deprimente que ele havia adquirido em segunda mão com Maxie Mullins, Cadger Plowright e os demais. Eles o levaram até Almumana, o Segundo Borough no andar acima do reino mortal, onde o som reverberante e as cores esmagadoras deixaram Reggie de joelhos, assim como o cheiro do cachecol de coelhos mortos de Phyllis, quando escalaram para fora do domínio inodoro da costura-fantasma. Depois de conhecer os indivíduos humildes, mas gloriosos, que residiam naquele mundo superior, pessoas como a sra. Gibbs, o velho Xerife Perrit ou Black Charley, Reggie repensou sua ideia de si mesmo. O pós-vida — que, de certa forma, era também o antes e o durante a vida — não se revelou o lugar esnobe e discriminador que Burton Turner e os outros descreveram. Em vez disso, era cheio de maravilhas e terrores, o parquinho mais emocionante que uma criança poderia imaginar, e Reggie entendeu que todos os seus luzidios residentes eram apenas pessoas que viveram suas vidas e fizeram as coisas que tinham que fazer, assim como ele. Todos os espíritos resignados que encontrou antes, percebeu, só estavam condenados ao purgatório por sua própria vergonha e uma impiedosa autodepreciação.

Foi em algum momento nos primeiros dias da associação entre eles, talvez logo após a Aventura da Vaca Fantasma e pouco antes do Mistério da Cidade de Neve, que os três decidiram que eram oficialmente um bando. Essa foi a época em que Reggie se lembrou do velho sonho com a srta. Tibbs e sugeriu que se chamassem Bando de Mortos de Morte, o que agradou a todos. Permaneceram juntos desde então, embora Reggie não tivesse ideia de quanto tempo havia se passado desde a fundação de seu bando feliz, nem mesmo como se calcularia algo assim no plano atemporal de Almumana.

Sendo o tempo como era no Segundo Borough, Reggie manteve as coisas em ordem ao calcular os eventos na mesma ordem em que os experimentava, como a maioria das pessoas fazia. Tinha noção de que os construtores e os demônios viam as coisas de um jeito diferente, mas isso tinha alguma ligação com o negócio de geometria especial, matemática e dimensões, então preferia não dedicar muito tempo a essa questão. Para Reggie, manter o controle de anos e datas sempre foi uma dor de cabeça, e o melhor que podia fazer era uma lista mental de grandes acontecimentos em sua devida sequência. Por exemplo, logo depois que o bando ganhou seu nome, embarcaram na história da Cidade de Neve, quando os três foram explorar os vinte-e-cinco, e na sequência houve o Caso das Cinco Chaminés. Na façanha seguinte, o Bando de Mortos de Morte contra a Bruxa do Nene, foi quando pegaram Marjorie Afogada e, oito ou nove aventuras depois, encontraram John, com sua aparência de herói de revista infantil, durante o Caso do Avião Subterrâneo. Embora semanas, anos, décadas ou talvez séculos tivessem se passado desde então, para Reggie parecia uma tarde interminável, da mesma forma que as crianças encaram suas férias escolares de verão, medidas em jogos ou em grandes amizades feitas.

Aquele período, com a Charada do Braço Rastejante e o Incidente da Camisa Negra Delirante e o resto, foi muito calmo e feliz para Reggie. Agora, porém, na operação atual ("O Enigma da Criança Melosa"), ele se perguntava se aqueles tempos despreocupados estavam chegando ao fim, como seus dias com os moradores de rua. Primeiro, houve o problema com o diabo, o primeiro demônio realmente famoso com quem Reggie tinha cruzado em seu período no Andar de Cima, e depois houve aquela coisa sobre o pirralho dar início a uma briga entre os Mestres de Obras. Acrescentando ainda a perturbadora tempestade-fantasma, na opinião de Reggie essa última aventura estava se transformando em um desastre completo. Já havia pensado que morrer dentro de um caixote seria a pior coisa que poderia lhe acontecer, e que, relativamente falando, o restante da eternidade seria moleza. Essa história de Michael Warren, porém, com todos os seus demônios e perigos, fez essa ideia parecer otimista demais. Na opinião dele, quanto mais cedo jogassem o novo garoto loiro no poço escarlate e para o século V, melhor.

Era só ver a confusão que ele causou agora mesmo, ao virar e perceber que sua casa e sua rua haviam sumido, pensou Reggie com desdém. O fedelho sortudo já tinha descoberto que ia voltar à vida, e mesmo assim dá um escândalo por causa de alguns prédios demolidos. Deveria experimentar a sensação de congelar até a morte dentro de uma caixa. Em sua opinião, todas essas criancinhas modernas molengas deveriam tentar morrer congeladas dentro de uma caixa. Seria bom para elas.

Reggie estava com seus camaradas e o garoto novo na junção da Bath Street com a Scarletwell, em algum momento entre o zero-cinco ou zero-seis até os vinte e poucos. Michael Warren ainda estava chorando e apontando para o lugar onde sua casa ficava enquanto John grandalhão tentava consolá-lo e Phyllis lhe dizia para não ser tão idiota. Com desprezo, Reggie puxou um pouco de ectoplasma e cuspiu na sarjeta. Inclinando a aba do chapéu-coco para o que achou que poderia ser a pose de um cara durão, olhou para baixo na direção da St. Andrew's Road e da casa solitária, perto da esquina, da qual tinham acabado de escapar. Para fazer justiça à criança chorona, Reggie também não gostava muito de estar tão acima na escada das décadas. Seu próprio século, o XIX, estava bem, apesar de tê-lo tratado tão mal, e ele achava a primeira metade do século XX apresentável, a não ser pelas guerras. Muito depois disso, porém, tudo ficava esquisito. Este período em que estavam agora, o XXI, era um lugar de onde se mantinha afastado desde o episódio da Cidade de Neve. Apesar de Reggie ser um fantasma, era um século que lhe provocava calafrios.

O pior eram todas as casas dali: os apartamentos. Onde Reggie se lembrava de ruas emaranhadas cheias de casas individuais, agora havia apenas construções grandes e feias, com uma centena de residências esmagadas em um cubo, como quando esmagam carros velhos em uma máquina. E, óbvio, ter que viver de uma nova maneira tornou todo mundo diferente. Hoje em dia, as famílias estavam todas divididas como ovos em caixas, um em cada compartimento, e as pessoas não eram mais unidas como quando suas ruas desordenadas e suas vidas desordenadas se enovelavam em uma embolada só. Era como se a sociedade finalmente tivesse alcançado Reggie Bowler, e agora a grande maioria das pessoas se contentasse em viver e morrer sozinha, dentro de uma caixa. Olhando sem rumo para a única estrutura de tijolos vermelhos que se projetava da grama noturna perto do cruzamento com a St. Andrew's Road, ele percebeu com um sobressalto que, aqui por volta dos dois mil e alguma coisa, aquela relíquia peculiar era a única casa de verdade ainda de pé nos Boroughs. Todo o resto havia sido substituído por blocos de concreto.

Atrás dele, Michael Warren reclamava com Phyllis, entre soluços e suspiros, sobre a forma como o trouxera para aquele lugar perturbador. Disse que não achava que ela estava cuidando dele de verdade, só estava fazendo o que queria e sendo egoísta — o que, do ponto de vista de Reggie, poderia conter alguma verdade, mas ele sabia que era má ideia para o novo garoto falar isso para Phyllis desse jeito. E, claro, a chefe do Bando de Mortos de Morte imediatamente assumiu uma postura de superioridade, e ainda mais enquanto fazia sua feroz avaliação do garotinho que fungava, lembrando em alto e bom som que o ajudou nos Sótãos do Alento e o salvou das garras do rei-diabo. Evitando se meter no debate, Reggie cuspiu de novo no escuro um calombo de catarro--fantasma que deixou pontos pálidos na escuridão enquanto formava um arco em direção ao pavimento, como uma linha picotada. Voltando sua atenção para a faixa desbotada que era a St. Andrew's Road, serpenteando pela noite em direção ao norte e Semilong, Reggie inspecionou o tráfego pouco frequente de automóveis que passava para lá e para cá sob os postes de iluminação com suas coroas cinzentas e pálidas.

Reggie tinha se assustado com automóveis quando os encontrou pela primeira vez, ao brincar de pega-pega com Bill e Phyllis nos anos 1930, e então foi ficando cada vez mais intrigado e fascinado à medida que se familiarizava com eles. Reggie achava que havia se tornado uma espécie de conhecedor de veículos motorizados ao longo do tempo atemporal desde então, apreciando em especial os dos anos 1940 e 1950. Os ônibus de dois andares eram seus favoritos, ainda mais depois que Phyllis lhe informou que, do jeito que as pessoas vivas os viam, eram de um vermelho radiante. Gostava do transporte das décadas intermediárias do século XX em grande parte por suas formas agradáveis, as curvas dos para-lamas e as protuberâncias dos para-choques. Além disso, achava que os carros vistos naqueles anos tinham rostos alegres, com faróis, ornamentos de capô e as grades de radiador que Reggie não podia deixar de ver como olhos, narizes e bocas.

Os carros modernos que de tempos em tempos zuniam e atravessavam a noite ao longo da St. Andrew's Road, como muitos dos equipamentos daquela era, não agradavam tanto a Reggie. Tinham os corpos esguios de gatos maliciosos quando avançavam rapidamente sobre a presa em meio à grama alta, ou pareciam tanques militares adaptados para andar mais depressa. O pior de tudo, em sua opinião, eram as expressões frias e mesquinhas de suas feições, amontoadas sob a testa do capô como as máscaras rudes e cruéis de um peixe de briga. Os faróis agora eram estreitos e inescrutáveis acima da boca cerrada do radiador, e todo o crânio de metal de quatro rodas agora parecia o de um bull terrier beligerante. Certa vez, comentou com Phyllis que eles pareciam estar caçando alguma coisa no escuro, e ela apenas fungou e disse: "Por aqui, são garotas".

A briga entre Phyllis e Michael Warren ainda acontecia, por cima do ombro de Reggie, envolvido pelo sobretudo. Phyllis disse: "Eu devia largar você aí, se é assim que pensa", e então Michael Warren disse: "Valem frente e vê semi-importo", o que aos ouvidos de Reggie fazia pouquíssimo sentido. Mas era assim que os recém-mortos se pegavam falando antes de se acostumarem com as possibilidades expandidas de linguagem que havia em Almumana, assim como os sons e as cores mais vibrantes. Antes de encontrarem seus "lábios de Lucy", como dizia a expressão. Reggie se lembrou de sua própria abordagem incoerente dos membros da congregação ao entrar na igreja Doddridge na década de 1870, e sentiu uma pontada de empatia pelo jovem desorientado, mas não muito. Como não havia carros passando no momento, Reggie estava prestes a se voltar para as crianças-fantasmas que brigavam atrás dele e retomar sua parte na discussão quando notou algo estranho emergindo da parede de tijolos que delimitava as garagens fechadas pertencentes aos apartamentos, um pouco mais abaixo de onde estavam, mais perto de onde a Scarletwell Street às escuras se unia à faixa iluminada de sódio da St. Andrew's Road.

Era uma mancha estampada expelida do muro alto das garagens, estendendo-se pela grama escura como uma linha de tinta pingada ou, mais exatamente, como um esguicho daquela incrível pasta de dente com listras que Phyllis havia lhe mostrado nos tempos cheios de novidades dos anos 1960, mas o glóbulo rolante aqui era xadrez, em vez de listrado. Além disso, a julgar pelos sons suaves que emitia de tempos em tempos, estava chorando. Depois de alguns momentos de perplexidade, Reggie viu que era um morador de rua, um sujeito corpulento com um paletó xadrez chamativo que deixava um rastro previsível de imagens atrás de si. O cabelo do fantasma era preto, assim como o bigode estreito sobre o lábio superior, embora Reggie achasse que ambos pareciam tingidos, como se o espírito se lembrasse melhor de si mesmo como um homem mais velho que ainda tentava parecer jovem. Usava uma gravata borboleta cinza com uma camisa branca que se projetava como um saco de farinha na barriga e, por sua trajetória enquanto descia pelo mato farfalhante em direção à St. Andrew's Road, Reggie suspeitou que poderia ter acabado de sair da Bath Row várias décadas no passado, quando o atalho estreito ainda estava de pé. Enterrando o chapéu-coco com mais força ao redor das orelhas, por acreditar em segredo que isso tornava seus pensamentos mais disciplinados, Reggie observou o fantasma chorando enquanto tropeçava pela encosta e percebeu que ele ia para a única residência restante perto da esquina da Scarletwell Street, a mesma casa mal--assombrada da qual tinham acabado de escapar. Decidiu que seria melhor alertar seus companheiros sobre esse novo acontecimento, para o caso de ser algo significativo. Quando ele falou, foi em um sussurro urgente.

— Ali, vejam esse sujeito. Tá indo para a casa da esquina, e parece estar num belo estado.

Todos se viraram para ver a quem Reggie se referia, então observaram em silêncio o espectro choroso de paletó elegante atravessar a relva que tinha substituído dezenas de casas, erguendo as mãos gorduchas para esconder o rosto e soluçando mais ao se aproximar da construção solitária do outro lado da Scarletwell. Capaz de enxergar através das lágrimas ectoplásmicas e dedos rechonchudos, o Bando de Mortos de Morte observou enquanto o fantasma fazia um desvio repentino em um semicírculo do caminho reto que seguia antes.

— Ele tá evitando o poço escarlate. Não quer cair por uns cem anos de terra e se acabar em tinta cor de sangue.

Entre grunhidos e acenos de cabeça, o resto das crianças mortas concordou em silêncio com a explicação de Reggie. Apenas John grandalhão falou de fato.

— Querem saber, acho que conheço ele. Acho que era-será meu tio. Não nos vemos desde a sua morte, e nunca imaginei que fosse terminar como morador de rua, mas tenho certeza de que era-será ele. O que deu nele para ter um conceito tão baixo de si mesmo?

— Por que cê não pergunta pra ele?

Era Phyllis, de pé ao lado de John, com suas feições truculentas destacadas no escuro em bordado prateado. O garoto alto e bonito, por quem Reggie de alguma forma conseguia ao mesmo tempo sentir ressentimento, inveja e muita apreciação, olhou para a penumbra em direção ao homem bem-vestido que soluçava e recusou, balançando a cabeça.

— Eu não era-serei próximo dele quando estávamos vivos. Não foi nada que ele fez, só alguma coisa no jeito dele que nunca me agradou. Depois, ele parece que já tem muita coisa para se preocupar. Quando alguém está botando os olhos para fora assim, geralmente quer ficar em paz.

Ainda cobrindo o rosto molhado de lágrimas, o fantasma xadrez deslizou sobre a Scarletwell em direção à porta da única casa restante da rua. Passando uma manga espalhafatosa sobre os olhos carregados, o homem gorducho hesitou por um momento na soleira, e então se fundiu com a porta da frente fechada e sumiu.

E, quando olharam em volta, Michael Warren também havia sumido.

— Ah, minha nossa, ele fugiu! Rápido, pra onde ele foi?

Reggie ficou um pouco surpreso com o pânico de Phyllis. Ela girava em círculos ansiosos, perscrutando a escuridão prateada em busca de algum sinal da criança fugida. Colocando seu chapéu-coco no que achava ser um ângulo mais simpático, fez o seu melhor para tranquilizá-la.

— Não se preocupe, Phyl. Ele logo volta e, se não voltar, não era-será da nossa conta. Todo mundo diz que ele vai logo voltar pra vida, aliás. Por que não deixar que se vire sozinho? Agora podemos voltar a só roubar chapéus-de-puck dos hospícios, fazer nossas aventuras e tudo mais. E aquele plano do Bill de fazer um buraco grande até a Idade da Pedra, assim a gente pode capturar um elefante peludo fantasma e domesticar como um animal de estimação?

Phyllis apenas olhou para ele como se estivesse chocada com sua estupidez. Reggie ajustou o chapéu para um tom mais defensivo quando ela respondeu em uma chuva explosiva de cuspe espectral com exposição dupla.

— Cê ficou maluco? Cê ouviu o que a sra. Gibbs e o velho Black Charley falaram sobre os construtores e a briga deles! E tudo isso a ver com os Vernall e o Porthimoth de Norhan que ainda não descobrimos! Cê pode ir pegar mamutes se quiser, mas eu não vou pra lista de desafetos do Terceiro Borough, não se puder evitar!

Com isso, Phyllis se virou e correu em direção à entrada fechada da Scarletwell Street, para os apartamentos de Greyfriars, o único lugar em que Michael Warren poderia ter desaparecido enquanto não estavam olhando, com a echarpe de coelho e as imagens de si atrás em uma sequência de bandeiras sujas. Os outros membros do Bando de Mortos de Morte olharam para ela por um instante atordoado, chocados tanto com a referência ousada de Phyllis ao Terceiro Borough — Reggie mal se atrevia a pensar nesse nome — quanto por sua fuga desesperada. Recuperando-se de seu estupor boquiaberto, correram atrás dela, uma turba barulhenta de quatro, doze, dezesseis, oitenta crianças-fantasmas descendo a passagem curta e estreita que leva ao pátio interno dos Greyfriars, empurrando sua substância enfumaçada através das grades de ferro preto de um portão que estava ali havia apenas alguns anos e, portanto, não oferecia nenhum impedimento. Seguindo os saltos de Phyllis Painter, irromperam no nível inferior de um grande recinto de concreto de dois níveis cercado por apartamentos silenciosos dos anos 1930, onde todos pararam para fazer um balanço da situação alarmante.

Das sombras douradas do pátio superior vinham os gritos assustados de cães e gatos, que não eram tolos quando se tratava de detectar presenças fantasmagóricas. Vinha também os gritos cruéis de seus tolos donos humanos. Junto com seus companheiros falecidos, Reggie espreitou a escuridão do quadrilátero de dois níveis. Lá embaixo, onde estavam, a vegetação meio morta farfalhava em um pequeno pedaço de terreno negligenciado, que havia sido construído para ser um caramanchão. Subindo três degraus de granito, no deque superior do pátio comunitário, um único par de meias de mulher pendia esquecido no varal, e caixas de lixo de alvenaria guardavam sacos pretos, partidos e derramando o insondável desperdício prolapsado do século XXI, bandejas de plástico viscoso e cascas de frutas desconhecidas. De Michael Warren, não havia o menor vestígio.

Parecendo evocar uma nova determinação da adversidade, um olhar férreo e convicto surgiu nos olhos claros de Phyllis.

— Certo. Ele só pode ter ido ladeira acima e pra Lower Crorse Street, para as casas, ou cortou aqui pela parte de baixo e foi pra Bath Street. Vamos nos dividir em dois grupos, assim temos mais chances. Marjorie, você, John e eu vamos procurar nas casas. E cês dois...

Phyllis virou um olhar um tanto gélido para Bill e Reggie.

— Cês dois podem procurar na Bath Street, Moat Place e por toda aquela parte... ou podem ir procurar elefantes peludos, se quiserem. Agora, corram e sumam daqui, ou não vamos ter como saber até onde aquele estorvo fugiu.

Com isso, Phyllis, John e Marjorie subiram os degraus de pedra e se afastaram para o brilho de papel-alumínio da escuridão de Greyfriars, deixando Bill e Reggie no caminho escuro que cortava a parte inferior do pátio da Bath Street até a Scarletwell. Bill soltou uma risada de um indivíduo muito mais velho e muito mais lascivo, apesar da voz aguda do garotinho.

— Essa vadia suja. Só quer ficar no escuro com o Johnski, e chama a coitada da Marge Afogada pra ir junto pra dar cobertura. Então, parece que somos só eu e você, meu velho camarada. Onde quer ir procurar primeiro?

Reggie sempre se deu bem com Bill. O rapaz tinha substância, mas era uma substância com arestas; menos intimidante do que a aura polida de nobreza que pairava ao redor de John grandalhão com um brilho heráldico. O pirralho ruivo era acessível e engraçado, com um repertório de piadas mais grosseiras do que Reggie imaginava que pudesse existir e com uma experiência notável para uma criança de oito anos, mesmo morta. Reggie deu de ombros.

— Acho melhor fazer como a Phyllis falou, para variar, assim não arrumamos uma encrenca pior com ela. Podemos pegar aquele elefante peludo outra hora. Vamos dar uma olhada nos apartamentos novos ali onde ficava a Moat Street e ver se achamos o pequeno malfeitor. Aí podemos cair fora deste século desgraçado e voltar pra onde é mais confortável.

Os dois caminhavam lado a lado, com as mãos enfiadas nos bolsos, seguindo o caminho ao longo da borda inferior do local inundado pela noite, vagando sem pressa em direção a outra passagem fechada que levava à Bath Street. Bill assentiu com a cabeça para concordar com a última observação de Reggie, e as pós-imagens esticaram seu rosto em uma espécie de forma de cenoura para combinar com seu cabelo de cenoura, embora apenas momentaneamente.

— Cê não tá errado, Reg, por mais que me doa admitir isso para um porra de um merdinha vitoriano morto feito você. Mas eu, eu vivi nesta porra de tempo em que estamos agora, vivi mais do que esperava, e te digo uma coisa, até eu acho uma merda. Prefiro os cinquenta ou sessenta sem pensar duas vezes. Quer dizer, eu sei que lugares assim eram-serão precários, mas olha pra isso. É um puta de um absurdo.

O amplo gesto de muitas mãos de Bill abarcou a vasta extensão de asfalto coberta de lixo à esquerda, o trecho de sebes moribundas à direita e, por consequência, toda a vizinhança devastada que os cercava. Ao passarem pelas barras pretas do portão da Bath Street e deixarem o pátio coberto de sombras, Reggie observou Bill e se perguntou se poderia confessar sua ignorância sobre quase tudo no mundo em que existiam sem parecer estúpido ou fazer um convite à zombaria. Apesar de Bill aparentar ser muito mais novo, Reggie achava que o menino provavelmente tinha vivido até ser muito mais velho e muito mais sábio do que ele, com seus sofridos doze anos. De um jeito estranho, ele olhava para o garoto muito mais baixo como se Bill fosse um adulto de considerável experiência, e Reggie estava relutante em expor sua falta de conhecimento humilhante bombardeando Bill com todas as questões para as quais adoraria ter respostas: os detalhes básicos do intrigante pós-vida que nunca lhe explicaram e tinha sentido muita vergonha para perguntar. Sua política sempre foi manter uma fachada de silêncio de quem sabe das coisas, para que ninguém pudesse fazer qualquer comentário engraçadinho sobre ele ser um idiota ignorante, o que secretamente temia ser. Ainda assim, Bill nunca pareceu ser do tipo que julga e, enquanto se aventuravam na encosta escura da Bath Street, Reggie pensou em arriscar enquanto os dois estavam sozinhos e tinha surgido a oportunidade.

— Você tava esperando que era-fosse assim quando morresse? Com todos os construtores e o preto e branco, e essa coisa de deixar imagens de si mesmo para trás?

Bill apenas sorriu e sacudiu as cabeças que se multiplicaram por instantes, enquanto os dois vagavam pela rua escura na direção dos apartamentos de Moat Place.

— Claro que não estava. Duvido que alguém pensasse que seria assim. Nenhuma das religiões principais descobriu, e não me lembro de nenhum dos Maharishi ou quem quer que seja falando de pós-imagens, ou de Bedlam Jennies, ou de viver a mesma vida uma vez após a outra, com todas as suas cagadas voltando para te assombrar e foder tudo que pode fazer para mudá-las.

Começavam a descer um caminho que mergulhava em um vale, com as portas da garagem do nível do porão dos apartamentos à esquerda e, à direita, um trecho de alvenaria cinza e indistinta. Bill parecia pensativo, como se reconsiderasse sua última observação.

— Então, fora isso, teve um broto com quem eu andava, e porra, ela sabia todo tipo de coisa, e falava sem parar se você deixasse. Eu lembro que uma vez ela me contou que achava que a gente vivia as mesmas vidas de novo. Disse que tinha relação com um negócio de quarta dimensão.

Reggie soltou um gemido.

— Ah, não a desgraça da quarta dimensão! Todo mundo já tentou me explicar e ainda não entendi. Phyllis disse que a quarta dimensão era o tempo que as pessoas e as coisas duram.

Bill franziu o nariz num risinho amigável de desdém.

— Ela não sabe do que fala. Quer dizer, ela tá certa num sentido, mas o tempo não era-será a quarta dimensão. Pelo que esse broto me falou, a passagem do tempo era-será apenas como vemos a quarta dimensão quando ainda estamos vivos.

— Ela contava de uns caras que foram-serão os primeiros a falar da ideia da quarta dimensão, uns sujeitos não muito tempo depois do seu tempo. Tinha um cara, Hinton, que se enfiou numa merda de relação a três entre ele, a esposa e outra moça e precisou sair do país. Ele dizia que o que nós vemos como espaço e tempo na verdade foi-será um bloco sólido imenso com quatro dimensões. Então teve outro sujeito, que chamava Abbot. Ele explicou tudo isso com tipo uma história de criança, num livro chamado *Planolândia*.

Enquanto subiam os degraus de concreto até um lado do muro que bloqueava a extremidade do vale, Reggie se perguntou se uma "relação a três" era a coisa atrevida que imaginava, mas então forçou sua mente a voltar, com alguma relutância, ao assunto que Bill discutia. Reggie tinha certeza de que, para ele entender esse negócio de geometria especial seria preciso uma explicação que uma criança pudesse entender.

Era sua última e melhor esperança. Então fez o seu melhor para se concentrar no que Bill dizia, ouvindo com atenção.

— Esse camarada Abbot, o que ele fez foi, em vez de tagarelar sobre uma quarta dimensão que ninguém conseguia entender, falar do negócio todo como se acontecesse para umas coisinhas que estavam num mundo de duas dimensões, como se vivessem numa folha de papel. Do jeito que ele contou, esses porras planos, eles só tinham comprimento e largura, e nem conseguem imaginar a profundidade. Era-será tudo para a frente, para trás, esquerda e direita. A terceira dimensão, onde vivemos, não faz mais sentido para eles do que a quarta dimensão para nós.

Aquilo já parecia promissor para Reggie. Era fácil imaginar coisas bidimensionais, mais planas do que aquelas larvas que às vezes dava para ver chegando perto de uma poça de chuva e concentrando a visão muito melhorada dos mortos. Ele imaginou aquelas coisas como pequenas bolhas disformes vivendo suas vidas para-a-frente-para-trás-para-os-lados em sua folha plana de papel, e a imagem o fez sorrir. Seriam como peças de um jogo de damas movendo-se em um tabuleiro, embora muito mais finas.

No alto dos degraus de pedra havia um estacionamento, aberto para o céu noturno e cercado por cercas-vivas pretas e altas no lado sul, que Reggie conhecia de quando ele e o Bando de Mortos de Morte passaram por ali nos anos 1970, a caminho da Cidade de Neve, e era um parquinho estranho e feio, para a perplexidade das crianças. Agora, cerca de uma dúzia de carros modernos, de nariz arrebitado e ares predatórios, estavam espreitando na escuridão como se cochilassem entre uma caçada mortal e outra. O menino Warren não estava à vista.

O estacionamento havia sido construído onde ficava a Fitzroy Street, meio século abaixo deles no passado. Reggie e Bill subiram a encosta sob a colcha preta de um céu remendado com nuvens cinzentas e algumas estrelas isoladas, quase fracas demais para serem vistas. A extensão de prédios de corte quadrado que deixavam, os quarteirões monótonos e descascados de Fort Place e Moat Place, com suas varandas gradeadas e passagens afundadas, tinham sido erguidos nos anos 1960, nos escombros da Fort Street e da Moat Street, e pareciam para Reggie ainda mais desanimadores do que a carcaça negligenciada de Greyfriars nos anos 1930, que pelo menos tinha algumas curvas no concreto. Enquanto suas pós-imagens trambaleavam pela rampa de saída do estacionamento escuro em direção à Chalk Lane e a ladeira ao pé da Castle Street, Reggie pôde distinguir irregulares desenhos de crianças presos nas janelas do prédio de um andar na elevação. Ele tinha uma vaga ideia de que o lugar havia sido algum tipo de escola de dança, mas ao longo da passagem bruxuleante dos anos acabou transformado em um berçário. Mas havia destinos piores. Na escuridão de fios prateados ao lado dele, Bill continuava a descrição das pessoinhas planas no mundo plano que pensavam ser o universo inteiro.

— Então, se um cara plano queria ficar dentro do seu cafofo, longe de todo mundo, tudo que ele precisava fazer era-será desenhar um quadrado na folha plana de papel, e então aquela era-será a casa dele, certo? Fodam-se os outros caras planos. Se quiser, nosso camarada pode entrar no quadrado dele e ficar lá fechado e ninguém conseguia ver. Só que ele não sabia que tinha uma terceira dimensão bem acima dele, onde nós estamos olhando pra baixo, e nós conseguimos ver o cara sentado ali, se sentin'o todo seguro dentro das quatro linhas que tem como paredes. Ele nem consegue imaginar nada mais acima, já que não consegue imaginar o *acima*, só pra frente, pra trás, direita e esquerda. Coitado do babaca, podia estar lá sentado e a gente, tipo, esticar a mão, levantar ele e botar no chão de novo do lado de fora da casa. O que cê entenderia disso? Para ele, seria algum tipo de forma esquisita que ia aparecer do nada e arrastar ele através da parede ou algo assim. Iria fazer o cara enlouquecer. Como a gente, lá em cima nos Sótãos do Alento, olhan'o para dentro da casa de alguém. Estamos acima deles de um jeito que não sabem e nem conseguem imaginar, porque o mundo deles era-será plano comparado com o nosso, como um mundo de folha de papel era-será plano comparado ao deles.

Os meninos espectrais saíam na rua deserta na junção da Little Cross Street com a Chalk Lane, bem em frente ao berçário, e na noite de Northampton houve um tumulto abafado de aplausos bêbados e gritos furiosos, berros assustados, o chiado constante das escarradas do tráfego motorizado distante ou rajadas prolongadas e estressantes de aparelhos estranhos e desconhecidos que Bill disse serem alarmes ou telefones ou sirenes, com cada som abafado em um murmúrio peculiar e urgente da acústica morta da costura-fantasma. Reggie pensou que no zero-cinco ou zero-seis havia muito mais ruídos estridentes e enervantes e muito menos luz das estrelas do que nas décadas abaixo, onde a proporção entre esses dois fenômenos era mais do seu agrado.

À medida que o caminho começou a se desviar para a esquerda e para a

Little Cross Street, Bill continuou falando sobre a quarta dimensão e, para grande surpresa de Reggie, ele se deu conta de que entendia a ideia, apesar das gírias que não reconhecia e não entendia. "Broto", por exemplo, soava como outra maneira de dizer menina ou mulher, e Reggie supôs que era um pouco como "faceira", que ele ouvia os homens usarem enquanto ainda estava vivo, lá nos mil e oitocentos. Por outro lado, não tinha ideia do que era um "cafofo", a não ser que fosse uma espécie de feira de rua ou os gritos e clamores que uma feira assim provocaria, e Reggie não achava que Bill queria dizer isso, de jeito nenhum. Do jeito como usava a palavra, soava mais como se significasse "quarto" ou algo assim. Reggie deixou isso para lá e se concentrou no que Bill dizia naquele momento.

— Enfim, esse broto falava como as pessoas como Abbot e o tal Hinton começaram toda essa coisa sobre a quarta dimensão nos anos 1880 ou mais ou menos nessa época. Mas aí vieram os anos 1920, e todo mundo só falava nisso. Todos os artistas e os cubistas, o Picasso e todos eles, tavam só tentan'o pensar como fosse-seria, digamos, se alguém virasse a cabeça na sua direção e cê ainda conseguisse ver a pessoa de lado. Quer dizer, é como nós vemos os outros o tempo todo.

Para demonstrar, Bill virou a cabeça e sorriu para Reggie, que na verdade não sabia o que eram cubistas ou Picassos, mas entendeu o que Bill queria dizer: a pós-imagem do perfil do pirralho ruivo ainda pairava no ar, embora Bill agora o encarasse, com uma orelha fantasma translúcida sobreposta fugazmente ao olho direito. Talvez fosse o tipo de coisa que os Picubos pintavam.

— E não eram-serão só os artistas. Todos os espiritualistas e os tipos suspeitos das sessões espíritas estavam celebran'o. Tavam bem felizes, porque achavam que a quarta dimensão explicaria todas as coisas esquisitas que diziam que os fantasmas faziam, como ver dentro de caixas e todas aquelas baboseiras antigas. Por um tempo nos anos 1920, até os especialistas e cientistas e sei lá o que achavam que os batedores de mesa poderiam ter descoberto alguma coisa com esse negócio da quarta dimensão. Então acho que veio uma guerra, ou outra coisa assim, e todo mundo se esqueceu disso.

Reggie absorvia tudo em silêncio. Embora não fosse a revelação que esperava, pelo menos se encaixava um pouco mais em suas circunstâncias. Não havia percebido que os rastros de imagens seguindo os mortos estavam de alguma forma ligados a essa quarta dimensão, porque antes considerava o fenômeno apenas um incômodo aleatório. Agora que sabia que era científico, poderia não ser tão incômodo.

Enquanto ouvia Bill divagar — tagarelando sobre um sujeito chamado Einstein, provavelmente outro pintor —, Reggie esquadrinhava a vizinhança escura ao redor, com parte da atenção ainda concentrada na tarefa de encontrar o fantasma fugitivo. Olhando por cima do ombro para a direita, viu a creche lá em cima e, do outro lado da entrada de Castle Hill, os cantos arredondados do aglomerado de arenito que era a igreja Doddridge. De onde estava com Bill, não conseguia ver a estranha porta perdida no meio da parede da igreja, nem o esplendor assombroso e ofuscante do Ultraduto que brotava dela, curvando-se insondavelmente para o sul, na direção dos hospícios nos arredores de Almumana e, mais além, Londres, Dover, França, Jerusalém. Embora a estrutura em si estivesse invisível do ângulo atual de Reggie, era possível ver a luz, que se dispersava e pousava qual pó de giz sobre o decrépito final da Little Cross Street.

Do outro lado da rua, na frente dos dois garotos-fantasmas e à esquerda deles, se erguia a face oeste esquelética dos apartamentos da Bath Street, com seus tijolos escuros dos anos 1930 brilhando como gosma de caracol à luz vacilante do lampião. Embora Reggie duvidasse que houvesse mais do que alguns anos entre a criação dos Greyfriars e essas residências de algum modo proibitivas, a diferença em suas respectivas atmosferas era imensa. A miséria e decadência de Greyfriars pareciam exalar uma decepção terrível, mas as janelas sem alma e indiferentes dos prédios da Bath Street tinham uma aparência bem assustadora, como se tivessem visto o pior e agora esperassem para morrer.

Ainda que na monocromia da costura-fantasma os tijolos dos apartamentos fossem de um cinza carbonizado, quase preto, Reggie tinha ouvido dizer que eram vermelho-acastanhados, cor de sangue seco, cada um como um bloco de carne enlatada tirado da lata, com banha amarelada como argamassa. Em um ponto no meio da parede oeste, portas duplas mais adequadas a piscinas públicas estavam fechadas e olhavam, ameaçadoras, por baixo da aba do chapéu de seu pórtico. A única vidraça inteira estava rachada, e as outras três tinham sido substituídas por placas de gesso mosqueado. Dois muros baixos de tijolos, um dos quais manchado de líquen branco, margeavam uma estreita passagem de concreto, que ia da porta coberta e atravessava uma faixa de grama até as calçadas da Little Cross Street.

Palavras ilegíveis estavam rabiscadas em tinta clara nos blocos robustos de tijolos, e no ângulo entre o muro e a relva havia um fosso desolador de camisinhas, pássaros mortos e pontas de cigarro apagadas, ostras quadradas e escancaradas feitas de isopor que sangravam batatas fritas frias, um único sapato de fivela com tamanho de criança, seis latas frágeis de cerveja esmagadas de raiva ou tédio, vários... Reggie parou. Líquen não rastejava. Ele olhou para trás, para o amontoado de tufos cinzentos que mesmo agora pareciam progredir aos poucos, como uma grande lagarta albina, enquanto rastejava ao longo da superfície plana do muro lateral mais próximo. Só que não era realmente algo peludo se equilibrando no muro, mas sim o cabelo loiro de alguém agachado e arrastando os pés do outro lado.

— Bill! Tô en'o ele! Olha, ele tá ali!

Assim que as palavras saíram da boca de Reggie, ele se arrependeu e desejou ter pensado em uma abordagem mais sutil. Do outro lado da Little Cross Street, Michael Warren levantou-se de trás do muro onde estava se escondendo e olhou, boquiaberto, horrorizado, para Bill e Reggie enquanto as imagens multiplicadas dos dois começaram a se confundir na rua em direção ao menino. Soltando um breve grito de pânico, a criança de pijama deu meia volta e mergulhou no estuque e no vidro das portas fechadas, sem o menor vestígio de sua hesitação anterior em passar por objetos substanciais. Reggie correu pela rua vazia em sua perseguição, com Bill praguejando ao seu lado, ambos cientes de que o novo garoto só tinha fugido porque a rispidez deles o assustava. Se John ou mesmo Phyllis estivessem presentes, Michael Warren provavelmente teria desistido da perseguição e ido com eles, grato por não estar mais perdido naquele século hostil. Ao gritar daquele jeito, Reggie talvez tivesse assustado o garotinho para sempre. Se cavasse até outro tempo, ainda que meia hora para trás ou para a frente, era provável que nunca o encontrassem, e então viriam todas as terríveis consequências prometidas para todos se perdessem o infeliz.

Nesse caso, não conseguia nem pensar em como enfrentar Phyllis e explicar que tinha estragado tudo. Ansiosos para que Michael Warren não escapasse de novo, os meninos e suas pós-imagens avançavam como uma fila de hooligans, correndo em diagonal sobre a grama e diretamente através da parede oeste dos apartamentos da Bath Street, sem se incomodar em entrar pelas portas duplas como o fugitivo loiro havia feito. Com imprudência, Reggie e Bill mergulharam através dos tijolos cor de sangue para o assombroso e inesperado reino adiante.

O primeiro apartamento que atravessaram estava apagado, exceto pelo brilho sibilante de um aparelho de televisão sintonizado em um canal fora do ar. Sentado na única poltrona da sala, um homem de meia-idade olhava para a estática incoerente, chorando enquanto apertava um chapéu de palha de mulher contra o rosto. Os dois garotos-fantasmas passaram por ele, atravessando a parede dos fundos e a cozinha vazia para outro apartamento, que estava em completa escuridão, exceto pelas linhas cromadas da visão noturna deles. Identificado como se por um fio metálico, Reggie viu um bebê imundo dormindo de modo agitado em seu berço dilapidado na habitação desocupada, a não ser por cinco gatos mal alimentados e seus excrementos. Ele e Bill seguiram em frente, um vento rufião que soprava pelas passagens e por baixo das portas, atravessando uma moradia precária após a outra: três homens negros animados, jogando cartas enquanto em um canto jazia outro deles, ensanguentado e choramingando; uma velha rechonchuda e de olhos vazios, de roupa de baixo, pacientemente contando e arrumando latas de comida de cachorro em uma pirâmide, sem o menor vestígio de um cão à vista; uma jovem magricela de pele escura com o cabelo em mechas trançadas, que alternava entre chupar fumaça de uma lata amassada e colar fotos recortadas de uma mulher loira em um livro já volumoso.

Por fim, as duas pequenas aparições atravessaram uma parede externa, emergindo aliviadas no que, se ainda fossem capazes de respirar, teria sido ar fresco. Estavam agora na via central que, na prática, dividia os prédios de apartamentos em duas metades. Um caminho reto com uma faixa de gramado de cada lado, delimitado por muros com estranhos arcos em meia-lua. Reggie sabia que, noventa anos abaixo deles, era um desolado local de recreação conhecido como Orchard. Todo o lugar havia mudado muito desde então, claro. Pelo menos à noite, parecia inclusive bem diferente da última vez que Reggie se lembrava de passar por ali, num atalho pelos anos 1970.

Embora a estrutura básica dos prédios não tivesse se alterado, Reggie ficou surpreso ao ver que cada sacada ou escada encardida visível através dos arcos de tijolo que margeavam o caminho estava iluminada por baixo, dando a impressão de que flutuavam no escuro e fazendo parecer que os apartamentos eram de alguma fabulosa cidade abandonada do futuro, cheia de lanternas acesas, mas desprovida de gente. Na extremidade sul do caminho central, antes de chegar à Castle Street, transformava-se em uma ampla escada de concreto com muros de tijolos. No degrau mais baixo, perto do meio, estava o fantasma de Michael Warren, com os ombros xadrezes estreitos tremendo enquanto chorava com as mãos no rosto.

Dessa vez, Reggie e Bill se aproximaram do garoto assustado com mais cautela, indo tão devagar que quase não deixaram cópias atrás de si. Não querendo que a criança olhasse para cima de repente e achasse que iam se lançar sobre ele, Reggie falou no tom mais suave e tranquilizador que conseguiu.

— Não fique com medo, amigo. Somos só nós. Cê não tá encrencado, não.

Michael Warren olhou para cima, assustado, e por um momento foi possível ver que ponderava se deveria fugir de novo ou não. Por fim concluiu que "não", abaixando a cabeça de novo e retomando o choro. Bill e Reggie se aproximaram e se sentaram no degrau de pedra, cada um de um lado, com Reggie passando um longo braço coberto pelo casaco em volta dos ombros vacilantes da criança espectral.

— Vamos. Assoa o nariz e para de chorar, certo? Não é tão ruim assim.

O menininho olhou para Reggie, com o ectoplasma brilhando no rosto.

— Eu só quero rir pra casa. Esse não era-será o lugar onde eu morgava.

Reggie não tinha como argumentar em contrário. As massas negras angulares com suas ilhas flutuantes de iluminação surgindo ao redor deles também não eram o lugar onde ele morou, nem o lugar que deixou para trás. E mais, no caso de Reggie, o brilho do lar estava a uns cento e cinquenta anos abaixo deles no solo dos Boroughs. Ele deu um breve aperto no braço da criança-fantasma perturbada sobre o tecido xadrez de seu roupão fantasmagórico.

— Eu sei. Pra falar a verdade, eu e o Bill também não gostamos muito dos zeros, certo, Bill?

Do outro lado de Michael, Bill assentiu com sua cabeça formando uma hidra descabelada momentânea.

— Não mesmo. Era-será bem ruim, amigo, e quanto mais cê sobe pior fica. Quer dizer, tem câmeras em todo lugar aqui, é por isso que tem todas essas luzes, mas se você vai pra zero-sete, ou por ali, as coisas começam a falar com você. "Pega essa porra de lixo". Sério. Phyllis só abriu caminho até aqui por acidente, para tirar a gente daquela tempestade. Aposto que, quando a gente encontrar com ela, vai querer descer de volta para um tempo mais civilizado. Então não vai sair correndo de novo, hein? Somos seus amigos. Queremos sair daqui tanto quanto você.

Michael Warren fungou e limpou um rastro de molusco de ectoplasma com uma manga xadrez.

— Onde foi aparar a nossa casca?

Pelo tom de interrogação na voz do menininho, parecia que estava tentando buscar algum consolo. Reggie tentou responder com empatia, deixando de lado sua opinião anterior de que o pequeno Warren deveria apenas crescer e superar aquilo. Todo mundo tinha sua cruz para carregar, Reggie imaginava, mas Michael Warren era novo demais quando tudo aquilo lhe aconteceu. Merecia uma chance.

— Olha, a Phyllis cavou quase cinquenta anos, e nada dura pra sempre, certo? Quase todas as casas onde nós crescemos foram demolidas antes dos vinte e poucos, mas ainda estão de pé em algum lugar debaixo de nós no passado, então não se preocupe. Podemos voltar para 1959 de novo num piscar de olhos.

Aquilo não pareceu tranquilizar o menino como Reggie esperava. Ele balançou seus cachos loiros com pesar.

— Massa eu não quero que isso esteja aqui. Tordo é horrível, eu gostava quando minha mãe cortava aqui pelos apartamentos pra chegar em casa. Eu me lembro de uma levez que estava no meu carrinho e ela desceu essas escardas comigo. Levou um tempão e minha irmanda sentou ali naquele muro e leu o gibisco dela. Ela disse que era sobre mundos proibidos, e tinha planetas nas letras...

Como se percebesse que suas divagações não transmitiam sua grande sensação de perda, o menino-fantasma parou de falar e simplesmente gesticulou para o corredor escuro em que estavam sentados, com varandas iluminadas por baixo brilhando suspensas dos dois lados.

— Só não gosto do que magicou tudo nisso aí.

Com um suspiro profundo e um estalo alto dos fantasmas das articulações do joelho, Reggie se levantou do degrau e sinalizou para Bill fazer o mesmo. Perceber que os outros se levantaram fez com que o garoto Warren os imitasse. Quando todos estavam de pé, Bill e Reggie pegaram Michael pelas mãos, ambos esperando que não parecessem maricas, e começaram a caminhar com ele pela alameda cercada de grama entre as duas metades dos apartamentos, para a Bath Street, em uma coluna de três imagens em perseguição, como uma banda marcial. Reggie olhou para o menino.

— Nenhum de nós gosta, amigo, da coisa que deixou esse lugar do jeito que é. Alma do buraco, é como chamamos. Se andarmos mais nesse caminho, você vai entender por quê.

Tendo chegado ao extremo norte da longa passagem, entraram na Bath Street. As duas crianças mais velhas pararam e, quando Michael Warren ergueu os olhos cheio de dúvidas, Reggie apontou com a cabeça para um ponto um pouco mais abaixo na ladeira iluminada por lâmpadas.

Era uma visão tão sem precedentes, um pouco como o primeiro vislumbre do Ultraduto, que Michael Warren a princípio não entendeu para o que olhava, e Reggie sabia disso por experiência própria. Ao contrário do Ultraduto, no entanto, o fenômeno que pairava ali, rodopiando no ar da noite perto da Little Cross Street, não inspirava tanto um fascínio avassalador, e sim um pavor devastador.

Era um buraco calcinado e enegrecido no tecido sobrenatural da costura-fantasma. Com cerca de vinte metros de diâmetro, pendia alguns metros acima da calçada da Bath Street, girando sem pressa. Estava óbvio que não era uma coisa do mundo material, com as bordas mais distantes passando pela alvenaria cor de bacon do lado norte dos apartamentos e parecendo tornar as paredes transparentes. Quando as bordas chamuscadas do disco rotatório atingiram um dos apartamentos pelos quais Bill e ele tinham passado momentos antes, Reggie pôde ver a mulher de pele escura com o cabelo em listras sentada, fumando grãos de vidro derretidos de sua lata e colando fotos em seu álbum de recortes. A borda do buraco cortou o corpo translúcido da garota como uma serra circular preta, com os flocos carbonizados de sua passagem de mó flutuando para baixo para assentarem no interior exposto dela, tudo sem seu conhecimento. Do outro lado da Bath Street, a borda mais distante da abertura em movimento fazia a mesma coisa com um canto superior das casas da Crispin Street. Um homem gordo transparente estava sentado em um vaso sanitário transparente, pisando involuntariamente no perímetro fuliginoso da monstruosidade enquanto girava em seu banheiro. Uma terrível engrenagem com espécimes anatômicos esquecidos presos em seus dentes, aquela coisa assustadora se movia com uma inevitabilidade terrível no coração noturno do bairro desprevenido de sua presença, como se fosse a obra e o movimento de algum relógio enorme e devastador. Michael Warren ficou boquiaberto com o espetáculo infernal por alguns momentos e então olhou para cima, horrorizado e perdido, recorrendo a Bill e Reggie em busca de alguma explicação.

— O que era-será aquilo? Tem cheio sorte como pampa velha de bueiro.

O menino estava certo. Mesmo ali na costura-fantasma, onde os coelhos podres de Phyll Painter não emitiam odores, era possível sentir o cheiro agressivo e desagradável de crematório vindo do abismo que girava lentamente na membrana da garganta fantasmal, atrás das narinas espectrais encolhidas. Apertando as mãos de Michael, Reggie e Bill o puxaram às pressas pela Bath Street, passando pela boca aberta da nebulosa negra que espiralava a apenas uma dúzia de passos. Não queriam que ele ficasse com medo de novo e corresse direto para a maldita coisa.

— É como o espectro de uma grande chaminé que tinham aqui para queimar todo o lixo de Northampton. No mundo de três lados, ela foi-será demolida há setenta anos, mas ninguém conseguiu dar um fim nela aqui no mundo-fantasma. Está queimando desde então, e ficando maior. Se acha que é feio e fedido, precisa ver de lá do Andar de Cima. Chamamos isso de Destruidor.

Para Reggie, pronunciar aquele nome era como bater com os dois punhos nas teclas do lado esquerdo de um piano, e pareceu ter o mesmo efeito sobre o ânimo do trio enquanto seguiam em silêncio pela Bath Street até a praça de grama cortada bem rente do lado oposto. Michael continuou olhando para trás, por cima do ombro envolto pelo roupão, para o redemoinho levitante. Reggie sabia que o pirralho estaria se fazendo a mesma pergunta que todo mundo na primeira vez que via o Destruidor: e os espaços mortais e as pessoas vivas com quem aquilo cruzava? O que fazia com aqueles quando nem sabiam que estava lá? A verdade era que ninguém sabia, embora não fosse preciso ser um gênio para concluir que aquilo não fazia bem a ninguém. Agora, para os fantasmas que por acaso chegaram muito perto, era outra história. Todo mundo sabia o que acontecia: eram incinerados e em seguida despedaçados, pulverizados em átomos por suas correntes de vórtice, com os resíduos arrastados para o redemoinho implacável de ônix. Pelo que se sabia, as essências desses desafortunados ainda podiam estar vivas e conscientes dentro daquele turbilhão assustador e interminável. Reggie não queria nem pensar nisso e instigou Michael Warren a atravessar o gramado sem luz.

Bem quando os meninos mais velhos começaram a achar que seu jovem protegido nunca mais desviaria os olhos do Destruidor, aconteceu aquilo que costuma acontecer com crianças menores: a atenção dele foi atraída por algo que o menino considerou ainda mais incomum e o redemoinho destruidor de almas pairando na Bath Street atrás deles foi esquecido de imediato.

Foram os dois prédios, Claremont Court e Beaumont Court, que impressionaram o garoto. Os doze andares de cada monólito se elevavam em direção à nuvem rasgada e às estrelas quase ausentes acima, retângulos de selos postais de luz filtrada por cortinas colados aqui e ali nas páginas pretas altas dos prédios. Reggie sorriu ao ver a cara espantada do menininho, mas, para ser justo, já havia tido mais tempo para se tornar mais blasé em relação às lápides colossais. Na primeira vez que os viu, ao acaso, ficou tão estupefato quanto Michael Warren. Eram as casas mais altas que já tinha visto, caixas de embalagem gigantescas despejadas em uma vasta extensão de matagal. As grandes letras de metal no topo de cada edifício enorme, adições recentes que significavam NOVAVIDA, tinham sido deixadas de lado por algum motivo moderno e inteligente, fazendo com que as duas torres parecessem a Reggie ainda mais como embalagens viradas de lado. Ao redor da base de concreto dos edifícios duplos, pedaços espalhados de lixo brilhavam como lírios fúnebres na escuridão com fios de prata. Michael estava tão perplexo quanto impressionado.

— Achei que era-será só casas baixas aqui. De onde essas coisadas vieram?

Reggie riu, mas não de escárnio. Era verdade. Nunca tinha pensado nisso antes, mas as torres pareciam uma dupla de titânicos dedos erguidos em sinal de desafio contra os Boroughs. Soltando a mão de Michael, ele bagunçou o cabelo leitoso do menino em vez disso.

— É uma boa pergunta, pequenino. Quando foi-será, Bill, que esses trecos feios foram-serão erguidos?

Bill franziu a cara, pensativo.

— Em algum momento no começo dos anos 1960, acho. Quando cê voltar à vida em 1959, provavelmente vai ver essas coisas subirem em um ano ou dois. Então o que cê tá vendo agora é uma amostra, mas cê não vai lembrar disso quando estiver vivo de novo.

Reggie inclinou o chapéu-coco, assentindo solenemente. Isso era bem conhecido. Não era possível recuperar uma memória da costura-fantasma ou de Almumana, assim como não era possível trazer um baú de tesouros de um sonho avarento para a vida desperta. De volta ao domínio mortal de três lados, Michael Warren seria incapaz de se recordar do menor detalhe de suas façanhas no Andar de Cima com o Bando de Mortos de Morte, exceto talvez como episódios fugazes de déjà vu, rapidamente esquecidos. Reggie ainda refletia sobre esse fato um tanto decepcionante quando Phyllis, John e a pequena e corajosa Marjorie saltaram da parede de seixos das casinhas da Crispin Street e atravessaram a via em direção à larga faixa gramada onde estavam Reggie e os outros dois, com os esboços de relâmpagos dos recém-chegados soltando-se como se saíssem do bloco de desenho de um artista em seu rastro.

— Então cês encontraram ele. Diabinho liso. O que cê achou que tava fazen'o, corren'o daquele jeito?

Com seus sapatos de fivela separados e os punhos cerrados em seus quadris magros, Phyllis parecia muito irritada ao se inclinar sobre Michael Warren, parecendo bem mais alta que ele, apesar da diferença entre os dois ser de apenas cerca de dez centímetros. Até os olhos negros e vítreos de sua estola de coelhos pareciam encarar com desaprovação o pobre garoto. Tendo revisto um pouco sua opinião sobre o menininho fantasma, Reggie não achava que Phyll estivesse sendo justa. Estava prestes a intervir, embora relutante com a ideia de enfrentar a líder autoproclamada do Bando de Mortos de Morte, quando John grandalhão interveio e poupou Reggie do problema.

— Não liga pra ela, pirralho. Ela só tá aliviada porque te encontramos e tá tudo bem. Deveria ter escutado ela uns minutos atrás, quando achou que cê ia ser morto pelos moradores de rua, e seus restos jogados no Destruidor. Estava ficando tão chateada que o lábio tremia.

Phyllis se virou e fez uma careta para John. Ela tentou pisar com força nos dedos dos pés do fantasma alto e bonito, mas ele riu e puxou o pé para trás bem a tempo. Phyllis tentou manter a indignação diante da zombaria de John quando as risadas começaram a se espalhar entre as outras crianças espectrais. Até Reggie deu uma risadinha ao ver como ela parecia aborrecida, mas transformou o riso em uma tosse, para o caso de ser ouvido.

— Eu não tava! Só tava com medo de que ele sofresse algum acidente ou fosse levado por outro demônio, e aí a gente ia ter problemas! Como se eu desse a mínima se ele cair de cabeça no poço escarlate, ou se for comido pelos terriers do Malone, aí tudo que íamos encontrar era cocô de cachorro com os cachos loiros dele saindo pra fora!

Essa última parte até fez Phyllis rir, o que foi desastroso para ela manter sua pose. Todos ficaram rindo nos gramados noturnos, e logo voltaram a ser amigos.

Enquanto Michael Warren e os outros inventavam e compartilhavam histórias de suas aventuras desde que se separaram no fim da Scarletwell Street mais cedo, Reggie e Bill se divertiam brincando nas sombras na grama cortada. Bill sugeriu que brincassem de socar os punhos, mas, quando os dois inspecionaram os seus, encontraram as articulações dos dedos ainda marcadas pelas luzes cinzentas de contusões da disputa anterior e decidiram fazer outra coisa. Por fim, começaram a correr em círculos apertados em volta de um pedaço de papelão amassado na grama, para ver se conseguiam fazê-lo esvoaçar. Às vezes era possível fazer isso, se houvesse gente o bastante. Era só correr em volta de um objeto como um trem de brinquedo circulando um pequeno trilho o mais rápido possível, e se conseguissem bastante velocidade fariam um sulco temporário no que Reggie ouvira outros chamarem de tempo-espaço ou espaço-tempo do plano mortal. Redemoinhos de vento se afunilavam para preencher essas pequenas depressões, e correndo rápido o suficiente por tempo suficiente, era possível iniciar tornados em miniatura no pequeno estacionamento entre a Silver Street e a Bearward Street nos anos 1960, ou fazer pequenos redemoinhos brotarem da palha e das cascas de laranja nas esquinas da praça do mercado. Naquela ocasião, porém, com apenas ele e Bill contribuindo, não conseguiram muito mais do que fazer o lixo se mover um centímetro. Quando Phyll disse para deixarem de bancar os bobos e se prepararem para seguir em frente, desistiram do passatempo vertiginoso com suspiros silenciosos e discretos de alívio, gratos pelo pretexto para desistir de seus esforços improdutivos.

As seis crianças fantasmagóricas e sua turba de sósias seguiram seu caminho pela suave inclinação gramada que margeava os blocos de torres em paralelo à Bath Street, seguindo para a fileira de casas que corria pela borda superior do gramado, ao lado de um caminho que Reggie achava que chamava Simons Way. Parecia que Phyllis tinha decidido que deveriam cortar caminho atrás dos enormes apartamentos NOVAVIDA até a Tower Street, que era como a parte alta da Scarletwell havia sido renomeada. A direção para a qual Phyllis os levava era a das Obras, mas Reggie esperava que ela não planejasse visitá-las aqui no zero-cinco ou zero-seis, ou onde quer que estivessem.

Embora fossem as primeiras horas da manhã, já havia uma ou duas pessoas vivas cuidando de seus afazeres, alheias às sequências de réplicas que Reggie e companhia póstuma arrastavam atrás de si. Um sujeito gorducho de olhos pequenos e cabeça raspada emergiu de uma porta da frente na Simons Walk para deixar um par de garrafas de leite semiopacas na soleira antes de voltar para dentro. Embora todas as crianças batessem com as mãos cinzentas e insubstanciais em seu crânio calvo enquanto ele se abaixava para colocar as garrafas, o homem não demonstrou a menor consciência da presença delas, e era assim mesmo que deveria ser. Não foi o caso do caminhante noturno que encontraram ao virar à direita na Tower Street, com os grandes monumentos de concreto agora às suas costas.

Era um cara alto e magro com cabelo preto encaracolado, que parecia ter em torno de seus quarenta ou cinquenta anos e era visível que tinha bebido bastante. Caminhava lentamente pela Tower Street em direção às crianças-fantasmas, talvez depois de descer para aquele nível por um dos lances de escada na extremidade superior. Recitava para si mesmo com uma voz rouca algo que soava como um poema, algo sobre as pessoas serem "estranhas, não, só mais estranhas que o resto". Reggie e Bill riram disso, e estavam começando a tirar sarro do bêbado quando ele parou de repente e os encarou.

— Eu tô vendo vocês! Ha ha ha ha! Sei onde estão escondidos, dobrando a esquina e subindo pela chaminé! Ha ha ha ha! Eu tô vendo vocês. Sou um poeta publicado.

As crianças mortas ficaram paralisadas, boquiabertas, sem acreditar. Sempre havia uma chance, claro, de que alguém vivo pudesse vislumbrá-las, mas quase sempre desviava o olhar, concluindo que não tinha visto o que pensava ter visto. Que alguém tentasse falar com os mortos era praticamente inédito, e quanto a uma alma viva saudando sua aparição com divertimento, bem, isso nunca havia acontecido. Até Phyllis e John grandalhão estavam olhando para o bebum que se afastava como se não tivessem ideia do que fazer a seguir.

Felizmente, o problema sério que isso poderia ter causado foi evitado pela abertura oportuna de uma janela do quarto no último andar da primeira casa da fileira, atrás do bando de fantasmas, à esquerda. Uma mulherzinha velha, mas que parecia muito forte, vestindo um roupão, se inclinou e berrou para o bêbado que cambaleava pela rua iluminada por lampiões.

— Seu jerico palerma! Tá maluco? Entra antes que eu te dê uns tabefes, aí falando sozinho no meio da noite!

O bêbado clarividente olhou para a janela com as sobrancelhas generosas erguidas em surpresa. Ele se dirigiu à mulher com a mesma gargalhada inconfundível com que tinha acabado de saudar as crianças.

— Mãe, comporte-se! Ha ha ha ha! Eu tava só conversando com esses... ah. Foram embora. Ha ha ha ha!

O homem baixou o olhar mais uma vez para a Tower Street e olhou para as crianças-fantasmas, mas piscou e parecia em dúvida agora, espremendo os olhos como se não pudesse mais vê-los. Outras advertências da mulher, que pelo jeito era sua mãe, o levaram a cambalear para a frente, rindo consigo mesmo e procurando as chaves de sua casa enquanto passava sem perceber pela meia dúzia de aparições mirins em seu caminho. O bando de mortos se virou para vê-lo lutando com a fechadura Yale na porta da última casa, rindo o tempo todo, depois que a velha resmungona fechou a janela do quarto com força, deixando o filho embriagado por conta própria.

Phyllis balançou a cabeça enquanto o bando se afastava do bêbado que tentava abrir a porta, retomando a subida da Tower Street.

— Cruz-credo. Que diachos foi-será isso? Que história foi-será aquela? E pensar que é de nós que o povo vivo tem medo...

Ela chacoalhou os ombros em um escalafrio engraçado para sugerir que os seres vivos eram muito mais estranhos e assustadores do que os fantasmas. Reggie concordava. Pela sua experiência, as pessoas mortas eram muito mais pé no chão.

O bando parou do lado de fora de algum tipo de empreendimento moderno de propriedade do Exército da Salvação que estava fechado para a noite. Essas instalações ficavam à esquerda, enquanto à frente se erguia o feio mosaico cinza sobre cinza da parede que delimitava o entroncamento de trânsito que a Mayorhold havia se tornado. Olhando furtivamente para Michael Warren, Reggie percebeu que o pequenino não conseguia se orientar em meio a toda aquela arquitetura desconhecida e, portanto, não tinha ideia de onde estava. Considerando o que havia acontecido com a Mayorhold, não deveria mesmo. O menino tinha visto o lugar quando era apenas uma fileira de casas já desaparecidas.

O cruzamento elevado ardia com lâmpadas de sódio que Reggie tinha sido informado que eram amarelas como mijo velho quando vistas por olhos mortais. Era isso que conferia ao monocromático da costura-fantasma um tom tão insalubre, a luz pálida derramando-se do carrossel elevado para respingar nas ruas e passagens subterrâneas mais abaixo, onde o Bando de Mortos de Morte se reunia em um círculo em torno da líder. Phyllis explicava aquilo que considerava ser a melhor coisa a fazer em seguida, para o bem de Michael Warren, para que a criança não sofresse mais surpresas macabras.

— Certo, pensei um pouco nisso tudo. Sabemo' que o pirralho aqui é um Vernall, que são pessoas com grandes obras pra fazer, e que muitas vezes não sabem nada disso. Sabemo' que vai voltar à vida, e que isso tem alguma coisa a ver com esse grande trabalho que os construtores fazem, o Porthimoth de Norhan. E ele é tão importante pra esse contrato que os construtores brigaram feio por causa dele em 1959. Acho que devíamos voltar pro Andar de Cima, pra Almumana, e ver a briga. Podemo' descobrir um pouco mais a respeito do rolo em que o pirralho tava envolvido.

Mexendo-se desconfortavelmente dentro do sobretudo grande demais, Reggie protestou.

— Não vamos pro Andar de Cima aqui, Phyl. Não aqui nos zeros. Ele já viu como é o Destruidor, pairando na Bath Street.

Phyllis ficou indignada.

— Eu tenho cara de idiota? Claro que não vou pro Andar de Cima daqui! Pra começar, a gente ia precisar andar quilômetros pelos Sótãos do Alento pra chegar até onde os construtores brigaram. Vamos cavar até 1959 primeiro, depois vamos para o Andar de Cima de lá.

Bill, nos arredores do círculo, chutando dentes-de-leão e pedras que não podia tocar, franziu a testa em preocupação.

— Assim a gente vai parar de volta naquela tempestade-fantasma, não?

Jogando a estola comprida em volta do pescoço no que teria sido um gesto dramático de estrela de cinema se não fosse pelos coelhos putrefatos e as pós-imagens, Phyllis fixou um olhar desconcertante no irmão mais novo.

— Ah, usa essa cachola uma vez na vida, Bill. Não se a gente cavar até uma hora ou duas antes de tudo começar! Indo com cuidado, vamo' saber quando chegar a faixa onde estava todo o vento, então é só uma camada ou duas depois dessa. Agora, se alguém quiser me ajudar, então vem, e quem não quiser fica fora do caminho.

Com isso, ela marchou em direção à parede do prédio do Exército da Salvação em uma fila indiana de alunas carrancudas e começou a raspar o tempo acumulado com as duas mãos. Faixas cintilantes de preto e branco, que Reggie sabia que eram dias e noites intercalados, começaram a se formar em uma espiral solta ao redor de seus dedos, enquanto, a contragosto, os outros membros do bando se aproximavam para ajudá-la. Apenas Michael Warren e Marjorie Afogada foram dispensados do serviço no túnel – Michael por provável inépcia, e Marjorie porque todos temiam que o menininho fugisse novamente se não tivesse ninguém para lhe fazer companhia.

Depois de um minuto ou dois arranhando a parede, Phyllis anunciou que podia sentir a tempestade-fantasma dividindo-se em tiras de vento sob unhas. Avançando com mais cautela, empurrou para trás as bordas de tecido que representavam a duração da tempestade, arrastando-as para as tiras oscilantes de poste de sinal de trânsito ao redor da boca cada vez maior de seu túnel. Mais um momento e ela disse que conseguia apalpar um lugar sem brisa, convidando os aliados para ajudar a aumentar a abertura, agora que tinha feito toda a parte pesada do trabalho.

Juntando-se aos outros para esticar a borda do buraco e torná-lo maior, Reggie ficou surpreso ao ver que só havia mais escuridão do outro lado do portal, e não a luz do dia dos anos 1950 que esperava. Quando a abertura estava dilatada o bastante para que a turma passasse, descobriu que estavam em um porão, o que explicava a penumbra. Caixas cheias de revistas e livros eróticos estavam empilhadas em uma parede, e um grande amontoado de carvão se apoiava contra outra, com toda a cena delineada no ponto prateado da visão noturna das crianças mortas. Uma a uma, foram passando pela entrada para 1959, com a própria Phyllis na retaguarda enquanto conduzia Marjorie Afogada e Michael Warren na frente. Uma vez que todos estavam no porão escuro, Phyllis fez com que fechassem o buraco atrás deles, o que levava a zero-cinco ou zero-seis. Sem perder tempo, puxaram as fibras esfumaçadas dos dias atuais sobre a abertura até que não restasse nenhum sinal da Tower Street ou de seus prédios de apartamentos contra um céu deserto de estrelas. Depois de cumprir o protocolo da costura-fantasma de fechar a passagem atrás de si, Phyllis virou-se para se dirigir ao bando. Não sussurrava, porque não havia ali vigias com segunda visão, como naquela casa solitária na extremidade inferior da Scarletwell.

— Caso estejam se perguntan'o onde 'tamo, é na papelaria de Harry Trasler, logo depois da Marruld, antes de chegar na Althorp Street. Tamo no porão. É só ir pro andar de cima e estaremos do lado da entrada para as Obras.

Encontraram as escadas do porão atrás de pilhas de exemplares da *True Adventure*, uma revista que parecia ser americana e que trazia em quase todas as capas imagens de mulheres vestidas apenas com suas roupas íntimas e braçadeiras nazistas. Com dentes cerrados, brandindo ferros e chicotes, elas ameaçavam homens algemados.

Subindo os degraus, um de cada vez, as crianças saíram pela porta trancada de um porão para um corredor à luz do dia que levava à própria revistaria: uma antiga sala com gibis, livros baratos e revistas penduradas em grandes grampos de ferro em uma vitrine para exposição. Atrás de um velho balcão de madeira com ranhuras pretas que dividia a salinha em duas ao longo de sua extensão, um homem calvo e barrigudo, de pele pálida e olheiras, calculava os rendimentos com os jornais matutinos em um breve intervalo sem clientes. Reggie presumiu que fosse o tal Harry Trasler que Phyllis mencionara como proprietário da loja. Mal-humorado e tenso, nem mesmo ergueu os olhos de sua coluna rabiscada de acréscimos quando as crianças-fantasmas surgiram através do balcão, que apesar da visível decrepitude não devia ter idade suficiente para impedi-los, e saíram para o sol de julho que pintava o enclave sereno da Mayorhold.

Fez bem ao coração fantasmal de Reggie ver de novo aquela extensão retangular em que oito ruas corriam juntas, cercadas por vários pátios de comércios, cinco pubs, quase uma dúzia de lojinhas de aparência aconchegante e a imponente fachada decorada com pilares da Sociedade Cooperativa Northampton. Essa iniciativa havia surgido na Horsemarket na época de Reggie como Sociedade Cooperativa Industrial do West End, e ele ficou satisfeito ao ver que o distinto empreendimento ainda prosperava mais de setenta anos depois. Ladeada por um açougue de um lado e do outro pelos antigos banheiros públicos vitorianos que se curvavam para a Silver Street, a Co-op parecia ser a área mais movimentada da Mayorhold naquela manhã de verão. Mulheres carregadas de sacolas de compras de ráfia, com lenços na cabeça, conversavam no vão da porta da frente da loja, recuando de vez em quando para deixar algum outro cliente entrar ou sair do estabelecimento.

Uma agradável luz empoeirada se espalhava nas mulheres de rosto duro que naquele momento entravam no Green Dragon, na entrada da Bearward Street, e nos ônibus perto do Currier's Arms, no lado oeste da esquecida antiga praça da cidade. Saindo da loja de doces que ficava ao lado da papelaria do Trasler, três rapazes com calças de sarja cinzenta na altura do joelho, presas por cintos elásticos com fivelas em forma de S, compartilhavam o que parecia ser um saco de balas de limão enquanto atravessavam o bando de fantasmas.

Reggie e companhia seguiram adiante, passando pelo Velho Jolly Smokers à direita, conscientes de que, na parte superior astral do pub, onde os moradores de rua se reuniam, Mick Malone, o rateiro, estaria bebendo seu chapéu-de-puck e pensando em voltar para casa através do céu até a Little Cross Street, com os furões nos bolsos, como já o tinham visto fazer antes. As crianças-fantasmas quase passaram na ponta dos pés pela porta de vaivém do pub, atravessando o alto da Scarletwell Street, onde desembocava na Mayorhold.

Em frente ao Jolly Smokers, na outra esquina da rua decadente, havia um prédio de três andares, velho e abandonado, com as madeiras e pedras tão escuras que pareciam quase defumadas. As janelas estavam fechadas com tábuas pregadas nos batentes desgastados e com os vidros estilhaçados, e acima da porta, em estado semelhante, havia restos do que parecia ser uma placa de loja, restando poucas letras pintadas para distinguir o nome do antigo proprietário, ou o que se vendia por lá. Embora Reggie se lembrasse de ter visto o lugar aberto uma vez, nos mil e novecentos e poucos, ainda não conseguia recordar que tipo de loja era. Só sabia que um bom tempo antes disso, nos anos 1500, antes de Reggie nascer, aquela ruína tinha sido a Prefeitura de Northampton.

As crianças entraram pela parede da frente, passando por um interior despojado e sombrio, onde fachos de luz do sol entravam por frestas entre os pedaços de madeira pregados na janela. O papel de parede com quatro gerações de espessura cedia em alguns lugares e separava--se do gesso úmido, pendurado como pele solta, enquanto um canto mais distante estava decorado com algumas garrafas vazias de Double Diamond e o que parecia ser o resultado de uma evacuação intestinal humana. Eles subiram por uma escada escangalhada até o primeiro andar, flutuando sobre espaços vazios mofados onde os degraus estavam apodrecidos, e depois continuaram até o andar superior. Ali, a falta de cerca de uma dúzia de telhas abria a construção tanto para os pássaros quanto para a chuva, transformando-a em um labirinto de câmaras sombrias atapetadas com estalagmites de cocô de pombo e poças nubladas.

A porta torta e sua Escada de Jacó ficavam no final do cômodo, com a luz colorida caindo em serpentinas de festa através do portal radiante, pousando nos rostos levantados das crianças, nas tábuas e tapetes encharcados e papéis que se fundiam em uma só substância nos lamentáveis degraus estreitos da escada celestial.

Reggie sentiu um aperto na memória de sua garganta, e os fluidos espectrais brotaram em seus olhos. Aquele foi o lugar para onde Phyllis e Bill o trouxeram pela primeira vez, não muito depois de se conhecerem nas catacumbas do século XIV, enquanto se abrigavam da Grande Tempestade-Fantasma de 1913. Foi ali que o convenceram de que ele era tão bom quanto qualquer outro, com direito ao inferno ou ao céu. Não fazia ideia do motivo por que todos aqueles sentimentos brotavam dentro dele toda vez que via essas escadas para Almumana. Mas era o que acontecia. Enxugou os olhos cheios de lágrimas em uma manga áspera do sobretudo, furtivamente, para que ninguém mais pudesse ver.

Phyllis foi a primeira a subir na Escada de Jacó, com o colar de coelho balançando e as pós-imagens queimando como neblina matinal enquanto se elevava para as cores e o brilho. Michael Warren a seguiu, com John compridão logo atrás, e depois Bill e Marjorie.

Dando uma última olhada no desenho a lápis borrado da costura-fantasma, Reggie os seguiu. Estava um pouco assustado diante da ideia de servir como plateia para uma briga entre os construtores. Tendo testemunhado o vendaval uivante que desencadeou, não tinha certeza de que estava pronto para ver a luta em si, mas isso era apenas uma questão de nervos e bom senso. Não era essa toda a razão para a relutância de olhos marejados que o afetava toda vez que subia esses degraus e se aventurava pela colina verde até Deadforshire.

Ele ainda não acreditava que era a isso que no fim tudo se resumia. Mesmo depois de tantos e incalculáveis anos, ainda não conseguia aceitar que existia um local maravilhoso onde era desejado, onde havia um lugar para ele que não era só um pedacinho de terra sem nome no campo-santo da igreja Doddridge. Piscou para afastar a umidade espectral dos olhos e aspirou uma bola grossa de ectoplasma enquanto se recompunha para retomar a subida, saindo do cinza para o dourado e azul e rosa e violeta.

Com o chapéu inclinado com elegância para disfarçar o fato de que tinha chorado, Reginald James Fowler subiu pela porta torta até as Obras, onde se viu inundado de repente por uma cascata de sons e uma riqueza de tons pictóricos, e pelo do cheiro sagrado de madeira lixada e do suor honesto dos construtores. Tinha fechado a cortina improvisada, por assim dizer.

Reggie estava em casa.

BRIGAS
MENTAIS

Saindo pela porta torta atrás de Phyllis Painter, Michael Warren se sentiu aturdido pelo alvoroço retumbante das Obras, por sua escala, sua cor e, mais que tudo, pelo cheiro do cachecol putrefato de Phyllis. O chão de fábrica onde o Bando de Mortos de Morte havia emergido, grande como um aeródromo e inundado por uma luz perolada que vinha das janelas incrivelmente altas, fervilhava com uma enérgica atividade. Os construtores estavam por toda parte, em escadas e pórticos, andando para lá e para cá com pergaminhos e maços de documentos, dando instruções uns aos outros em uma língua em que cada sílaba florescia em um jardim intrincado e lírico.

Usando sandálias de madeira, vestindo túnicas simples de um suave cinza-pombo com um toque de verde ou roxo nas dobras e sombras, pareciam ser construtores de um status diferente que aquele de cabelos brancos que Michael havia vislumbrado antes, de pés descalços e vestes geladas e brilhantes. Enquanto ele tinha o porte de um artesão, as várias dezenas de indivíduos ocupadíssimos ao redor do vasto recinto tinham a aparência de trabalhadores, ainda que de trabalhadores que se comportavam com mais elegância e dignidade do que qualquer imperador que Michael tivesse visto em fotos ou ouvido falar.

Um dos construtores, um tipo magro e piedoso com feições alongadas e cachos grisalhos bem fechados na testa comprida, passou pelo bando um tanto intimidado de crianças-fantasmas enquanto marchava pela catedral sussurrante que era seu local de trabalho. Tendo acabado de sair da costura-fantasma, Michael achou estranho, de início, que não houvesse duplicatas evaporando atrás desse funcionário determinado enquanto andava, mas depois se lembrou de que agora estava em um lugar diferente. O trabalhador de rosto espichado fez uma pausa em sua travessia pelos ladrilhos grandes e intrincados para examinar o bando de pivetes mortos com um olhar brilhante, esmeralda e infinito.

— Nvelv guando vindim nobrs! Plast guilp al msef!

Aquelas palavras (se fosse isso o que eram), ditas em uma voz neutra como a brisa e repletas de eco, pareceram colocar malas pesadas e volumosas na mente de Michael Warren, que então começaram a se desfazer em pacotes de significado cada vez mais compactos e engenhosos.

— *Nós, os dourados, nós labutadores neste vale velado, nós que pisamos a vindima nestas gloriosas vinhas de sabedoria imortal, nós, guardiões cinzentos do esforço, damos-vos as boas-vindas, damos-vos as boas-vindas à nossa maravilha, ao nosso mundo, à nossa riqueza, à nossa ala, onde são feitas as nossas Obras! Pois eis que nos agrada, se vos agradar, apresentar aqui um plano e um prospecto de nossa pastagem como era em eras passadas e assim permanecerá até o fim da eternidade, para que sirva como vosso guarda, vosso guia e vossa grande libertação dentro destas paredes, destes salões, destas casas sagradas da alma e do eu sem fim!*

Pelo que Michael entendeu, isso se resumia a "Bem-vindo às Obras. Por favor, pegue um guia". O trabalhador extraiu meia dúzia de folhetos com uma única dobra da pilha desordenada de papéis que carregava debaixo do braço, entregando cópias do pequeno livreto a cada uma das seis crianças falecidas antes de assentir brevemente e, com seu manto cor de nuvem de chuva brilhando com rosa e malva ao balançar perto de seus tornozelos, seguir adiante pelo pavimento movimentado em direção a uma parede divisória que estava muito longe para ser vista com nitidez.

Michael baixou os olhos, assim como os companheiros, para os panfletos que receberam. Impressas em tinta dourada em papel creme grosso, todas as quatro páginas das folhas dobradas estavam cobertas por um texto denso, que parecia composto de pequenos e tortuosos símbolos de um alfabeto estrangeiro. Aos três anos de idade e mal tendo aprendido a reconhecer mais do que uma ou duas palavras do inglês escrito, Michael estava convencido de que teria de pedir a alguém que lhe explicasse o que estava escrito, mas no fim não foi necessário. Após uma inspeção mais cuidadosa, todos os caracteres minúsculos e desconhecidos pareciam transmitir seu significado em ideias e palavras que ele entendia — ou pelo menos conceitos que compreendia agora, em seu estado atual. Notou que estava ficando mais esperto desde a morte, como se a alma continuasse a se desenvolver até o nível adequado mesmo quando a mente e o corpo não estivessem mais lá. Ele olhou para as letras minúsculas e rastejantes com seus olhos fantasmagóricos aprimorados e começou a ler.

As Obras

As Obras foram fundadas no mundo inferior no ano **444 d.C.**, onde o **Primeiro Borough** é estabelecido. No início, sua manifestação material é um marco de pedra colocado no topo de uma trilha que leva ao poço escarlate dos tintureiros. Porém, no Segundo Borough, os quatro Ângulos Mestres conseguem desdobrar habilmente o bloco de granito maciço e rústico até uma poderosa fortaleza com o propósito de sua maravilhosa fabricação. Por sua placa e seu selo, para que todos saibam que a Justiça Esteja Acima da Rua, sendo esse o principal lema do empreendimento, assim está marcado:

Estão situadas em torno do ponto central do Primeiro Borough, embora deslocadas um pouco para o Leste para que assim representem com mais precisão os cruzamentos das linhas descritas em diagonal no distrito, de modo a conectar seus cantos. Esses quatro cantos são os terminais do arranjo, canalizando suas quatro energias díspares, cada qual distinguida por seu emblema. Dessa forma, o canto sudeste é brasonado com a Cruz, sendo o bairro ígneo do espírito, enquanto o canto sudoeste traz a imagem de um Castelo como o quadrante aerado que rege a majestade material. O canto noroeste é adornado por um Falo tosco, embora seja um bairro aquoso e feminino, pois é o local de penetração e invasão. Por fim, o canto nordeste mostra uma cabeça de Morte, pois esta é a parte terrosa do desenho e a ele é atribuída a morte. Os símbolos são inicialmente riscados na pedra angular de granito, um por cada um dos quatro Ângulos Mestres de acordo com seus temperamentos e humores. Com estes glifos devem ser conhecidos seus domínios:

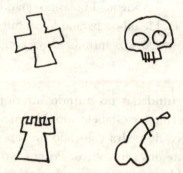

Estas premissas estão em vigor na construção de um Porthimoth, ou "Ponta ou portal digno, que equilibre adequadamente a borda ou o arremate da psiquê imortal, com nossa Arte, nosso caminho, nossa licença", descrito como uma cimalha de quatro lados a ser colocada no cume de uma estrutura cronológica maior, para assim unir todas as linhas morais e vigas de acontecimentos que compõem aquela imensa arquitetura do Tempo. Enquanto este trabalho estiver em andamento, a Gerência lamenta informar que os construtores não estarão disponíveis para acompanhar os visitantes nos passeios ao estabelecimento, sugerindo respeitosamente que este guia seja mantido sempre com sua pessoa como uma fonte de referência.

No primeiro andar fica a entrada principal, abrindo-se para os Sótãos do Alento acima da atual Mayorhold. Dois pontos de entrada com dobradiças quadrívias ou "portas-tortas" posicionados em cada extremidade do caminho do poço do século V também oferecem acesso a este andar mais baixo, onde partes específicas do empreendimento são montadas e onde os trabalhos são distribuídos e coordenados. Os visitantes podem notar que o piso é feito de setenta e duas grandes lajes, cada qual com cem passos de comprimento ou largura e dispostas em um arranjo de nove por oito. Esses grandes azulejos, após inspeção, apresentam desenho tesselado em seus adornos, peculiaridade essa ocasionada pelo...

Surpreso, Michael ergueu os olhos do cativante folheto e descobriu que seus cinco camaradas-fantasmas começavam todos a vagar na direção da parede mais próxima, a cerca de quatrocentos metros ao leste.

Enrolando a útil brochura em um formato cilíndrico e enfiando-a em um bolso xadrez do roupão, correu atrás deles o mais rápido que suas pantufas permitiram. Tinha se assustado quando fugiu e os deixou nos baixos da Scarletwell Street, e não queria mais se separar deles.

Aquilo, pensou Michael, havia sido uma estupidez. Foi apenas o choque de ver de repente a St. Andrew's Road daquele jeito: uma faixa de grama sem uso onde costumava ficar sua fileira de casas. Parecia muito errado. Pior, parecia dizer que nada sairia do jeito que todos esperavam; que todos os sonhos de sua mãe e de seu pai terminaram em árvores, grama e carrinhos de arame sobre rodas. Não queria aceitar isso, e ainda se recusava. Não queria olhar para aquele terreno plano, com sua prova plana, então fugiu para um bairro que não reconhecia mais no meio da noite.

Enquanto todas as outras crianças olhavam para o fantasma chorão de roupa xadrez enquanto ele caminhava em direção àquela casa horrível e solitária de esquina, Michael tinham sido tomado por toda a estranheza e a desolação de suas circunstâncias, incapaz de lidar por mais um instante que fosse com aquele pós-morte assustador e perturbador, aquele futuro terrível e demolido. Escapuliu em silêncio para a reconfortante familiaridade dos Greyfriars e, embora o portão de ferro preto na entrada estreita o tenha feito parar para pensar — por que o antigo parquinho infantil não oficial que era o pátio dos Greyfriars estava fechado daquele jeito? —, aquilo não o impediu de deslizar pelas barras, como vapor de chaleira, para dentro do recinto silencioso e sombrio.

O pátio interno dos Greyfriars era quase o mesmo de que se lembrava dos atalhos no carrinho de bebê nos anos 1950, embora, obviamente, nunca tivesse visto antes como era no meio da noite. A única diferença perceptível, além dos portões, era uma espécie de cansaço e desordem, como se o lugar tivesse desistido. Ele passou pelo caminho no fundo do nível inferior do pátio, atravessando outro portão trancado na outra extremidade e saindo para a Bath Street. Só então lhe ocorreu que não fazia ideia de onde estava.

As casas de tijolos vermelhos com paredes desniveladas de aparência por algum motivo acolhedora do outro lado da rua, incluindo a confeitaria da sra. Coleman e seus jarros empoeirados de açúcar, tinham sido removidas. Substituindo a vista habitual, havia apartamentos feios com degraus de cimento com grades enferrujadas, janelas retangulares pretas de olhares frios em paredes pré-fabricadas que em algum momento no passado foram pintadas de branco, para melhor ressaltar a sujeira dos Boroughs.

Michael subiu desconsolado a ladeira, com suas duplicatas também furtivas em fila indiana atrás de si. Só quando chegou até a Little Cross Street — onde a velha fileira de casas que antes se apoiavam umas nas outras como boxeadores grogues também havia sido substituída pelos prédios modernos de paredes brancas — se deparou com um lugar conhecido, que naquele momento lhe pareceu uma imagem até reconfortante: o bloco dos apartamentos da Bath Street.

Após uma observação mais minuciosa, mesmo estes acabaram não se revelando tudo o que já tinham sido. Pedaços ásperos e manchados de tábuas baratas haviam sido usados para remendar as portas duplas sob o pórtico parecido com o de um cinema, onde alguém havia chutado o vidro. Ele se agachou ao lado de um dos muros baixos de tijolos que margeavam o caminho que saía da porta em ruínas, chorou um pouco e tentou pensar no que fazer. Foi quando avistou Bill e Reggie Bowler, subindo a ladeira asfaltada que ocupava o espaço onde antes ficava a Fitzroy Street e, logo depois disso, eles o avistaram.

Se não tivessem gritado e vindo correndo para ele daquele jeito, com todos os olhos, braços e pernas extras, poderia ter ficado sentado onde estava e deixado que o pegassem. Mas, do jeito como aconteceu, havia se mandado e fugido pela porta parcialmente coberta por tábuas para dentro dos apartamentos. Aquilo era assustador, todos aqueles quartos de aparência engraçada com pessoas horríveis fazendo coisas que ele não entendia. Quando irrompeu na alameda central, um espaço aberto com os degraus, foi um alívio imenso, apesar das luzes estranhas pairando por toda parte.

Dessa vez, quando Bill e Reggie se infiltraram através da monótona alvenaria vermelha e se aproximaram dele, Michael já tinha visto mais que o bastante, ficou até satisfeito em reencontrá-los. Arrependido de sua tentativa malsucedida de independência fantasmagórica, permitiu que os meninos mais velhos pegassem suas mãos e o conduzissem pelo aterrorizante buraco espectral na parte superior da Bath Street, até o terreno daquelas duas torres chocantes, onde se reuniram com John, Marjorie e Phyllis. Embora a chefe do Bando de Mortos de Morte o tivesse repreendido por sua deserção, Michael começava a conhecer Phyllis bem o bastante para entender o quanto ela estava aliviada por encontrá-lo e ver que estava bem. O menino questionou se seria possível que ela estivesse desenvolvendo uma paixão secreta por ele, do mesmo modo que começava a desenvolver uma por ela. Fosse ou não o caso, não queria que Phyllis ou o bando sumisse de suas vistas de novo, e correu atrás deles agora pelo movimentado espaço de trabalho, tentando alcançá-los.

Ao se aproximar do grupo de moleques, o grandalhão e simpático John olhou ao redor e sorriu para ele.

— Ainda tá com a gente, pirralho? Por um minuto, a gente achou que tinha te perdido outra vez. Enfim... o que tá achando de tudo isto? Um espetáculo, não era-será?

O garoto mais alto gesticulou para a agitação e a comoção ao redor deles, o incessante vaivém dos construtores sérios em suas vestes cinzentas cintilantes, balançando um único braço fino onde Michael ainda meio que esperava que houvesse uma dúzia. O interior das Obras era, com certeza, um espetáculo. Sobre gigantescas lajes, com desenhos complexos e coloridos que pareciam rastejar e tremeluzir nas extremidades do campo de visão, os solenes construtores se ocupavam de suas diversas tarefas, enquanto bem acima da multidão, sobre uma enorme protuberância na parede da qual se aproximavam, estava o desenho estranho que Michael tinha visto no panfleto: um rolo plano ou uma fita que parecia se desenrolar para a direita, e sobre ele dois triângulos unidos por uma linha dupla. Grosseiro e sem rebuscamento, parecia mais algo que uma criança de três anos como ele poderia rabiscar do que com o trabalho dos misteriosos "Ângulos Mestres". Trotando ao lado de John, Michael piscou algumas vezes, confuso.

— Aquela marca grande ali era-será uma propaganda?

John deu uma risadinha.

— Bem, sim, imagino que era-será. Significa "Justiça Esteja Acima da Rua", o que era-será um tipo de lema aqui, como "Do forte surgirá a doçura" da lata de melaço[8]. Tudo isso está nesse guia que o construtor acabou de nos dar. Você leu?

Michael disse que tinha lido um pouco antes de enfiá-lo no bolso do roupão por medo de ser deixado para trás. John sorriu e balançou a cabeça.

— Ninguém vai te deixar em lugar nenhum, não depois do medo que a Phyllis passou quando você fugiu. Dá outra olhada naquele panfleto. Ali você vai descobrir um monte de coisas, como todos os demônios diferentes que eles aprisionaram nessas pedras do assoalho.

Michael parou de repente e olhou para a laje de cem metros por onde passavam. Quando se olhava com atenção era impossível não se deslumbrar com aqueles desenhos. O padrão intricado era engenhosamente composto de duas formas repetidas concebidas para se encaixarem, com uma das formas feita para caber nos espaços vazios entre os contornos espaçados da outra. As duas figuras que compunham esse efeito de papel de parede eram bastante desagradáveis, uma com a aparência de um lobo com uma cobra viscosa onde a cauda deveria estar e mandíbulas rosnantes escarrando gotas de chamas carmesim. A segunda forma era a de um corvo muito gordo, com o bico aberto para exibir as presas de um grande cão de caça.

O meio pelo qual os contornos das duas monstruosidades diferentes se encaixavam era uma maravilha: as chamas saindo da boca do lobo-serpente para envolver seu corpo lupino em uma aura de fogo vermelho, com a borda recortada das chamas encaixando-se com exatidão nos recortes negros das asas do cão-corvo virado para o outro lado. Hipnoticamente, as linhas irregulares onde as duas imagens diferentes se encontravam pareciam estar em movimento perpétuo, como se os halos de chama em torno dos lobos-cobra lambessem e saltassem, ou os corvos-cão eriçassem as penas de raiva. Recuperando o panfleto-guia do bolso, Michael retomou a leitura no ponto em que havia parado, na esperança de entender o propósito daquele piso de arranjo tão complexo.

Os visitantes devem notar que o piso é feito de setenta e duas grandes lajes, cada qual com cem passos de comprimento ou largura e dispostas em um arranjo de nove por oito. Examinadas de perto, essas volumosas lajotas apresentam desenho tesselado em seus adornos, uma peculiaridade ocasionada pelo amplo catálogo de antigos trabalhadores que foram achatados e compactados em sua fabricação.

Esses ex-construtores, comumente chamados de demônios, foram comprimidos em um plano bidimensional de existência pelos Ângulos Mestres e seus exércitos durante a fundação do reino mortal e material. Uma vez subjugados, são governados por um toro dourado usado em um dedo do

Ângulo Mestre Mikael como um anel controlador do domínio sagrado. Nos estratos simbólicos acima do mundo substancial, o Ângulo Mestre Mikael cedeu esse símbolo ao rei Salomão para que ele também triunfasse sobre os mesmos demônios, usando-os para construir seu templo em Jerusalém. Essa estrutura é reprisada no Primeiro Borough como a igreja redonda do Santo Sepulcro, assim como o próprio Ângulo Mestre Mikael, confundido com o renomado São Miguel, preside a cidade terrena de seu ponto de observação na grande Gilhalda de Saint Giles.

As seis dúzias de demônios encarcerados nas lajes, a começar pelo canto sudeste, são representados e nomeados da seguinte forma:

O primeiro Espírito é um Rei que cavalga no Oriente chamado BAEL. Ele faz os homens se tornarem invisíveis. Governa sessenta e seis Legiões de espíritos inferiores. Aparece em diversas formas, às vezes como um gato, às vezes como um cão e às vezes como um homem, ou às vezes em todas essas formas ao mesmo tempo...

Seguia-se então uma longa lista dessas criaturas terríveis e seus atributos, a maioria horrível. Percebendo que o canto sudeste do recinto cavernoso era o que estava à frente deles à esquerda, Michael podia contar as lajes imensas até aquela em que ele e o Bando de Mortos de Morte estavam agora, a sétima antes do fim. Movendo o dedo pela coluna de duques e príncipes demoníacos até chegar ao local certo, ele começou a ler.

O Sétimo Espírito é chamado de AMON. É um Marquês, de grande poderio e muita força. Aparece como um lobo que tem cauda de serpente, vomitando chamas de fogo pela boca, mas às vezes como um Corvo com dentes de cachorro na cabeça. Ele revela todas as coisas passadas, presentes e futuras; obtém amor; e reconcilia todas as controvérsias entre amigos e inimigos. Governa quarenta Legiões inteiras de espíritos inferiores.

E isso era tudo o que dizia sobre Amon, o lobo-corvo com dentes de cão e cauda de serpente cuja figura vermelha, negra e cinza se movia sob as pantufas xadrezes de Michael. O menino olhou para os dois olhos visíveis das criaturas representadas: um do corvo de perfil e o outro do lobo, também de lado. Agora que sabia mais sobre como a atemporalidade de Almumana funcionava, a habilidade de revelar "todas as coisas passadas, presentes e futuras" não parecia um grande truque. Já um talento para conseguir amor poderia parecer bem mais interessante se ele fosse um pouco mais velho. Mas, já que ele se sentia muito mais velho, já começava a imaginar que tal talento poderia mesmo ser muito bom. Enrolando o folheto mais uma vez e colocando-o de volta no bolso, Michael franziu a testa inquisitivamente para John.

— O que faz as imagens se moverem?

John olhou para ele com simpatia.

— Isso aí onde você está pisando não eram-serão imagens, pirralho. Esses eram-serão os próprios cavalheiros. Você devia agradecer por eles só conseguirem se mover pouco assim.

Michael olhou de volta para a laje onde estavam, com seus enfeites contorcidos. Ele deu um gritinho e depois executou uma dança complicada em que parecia estar tentando levantar as duas pantufas ao mesmo tempo, como se temesse uma contaminação infernal. No fim, ficou na ponta dos pés, o que foi a melhor solução que conseguiu. John fazia força para não rir, segurando o som em uma detonação abafada de diversão em algum lugar no nariz.

— Não se preocupe, eles não podem te machucar. Quando estão assim achatados, não são mais perigosos que a Keyhole Kate[9] ou alguém das histórias em quadrinhos. Enfim, estamos quase no fim deste piso. Logo vamos para as escadas, onde não tem nenhum diabo.

Exatamente como John havia dito, a vasta parede erguia-se logo à frente deles, e subindo por ela em diagonais havia uma escada de madeira, que com seu ziguezague conectava quatro níveis de sacadas, o mais alto quase nivelado com o selo mal desenhado das Obras na enorme placa. Os degraus em si eram largos e robustos e pareciam relativamente normais em termos de proporção entre o piso e o espelho, não como os que Michael havia subido um momento atrás ao passar pela Escada de Jacó para deixar a costura-fantasma. Ansioso para sair daquele tapete retorcido de horrores interligados, Michael não se arriscou a se demorar e apertou o passo até que ele e o bando chegassem em segurança à lateral mais próxima do chão de fábrica possuído.

Vistas de perto, as escadas tinham vários metros de largura, limitadas de um lado pela parede escarpada e alta e do outro por um corrimão, de carvalho talvez, bem trabalhado e polido. Cada degrau era de alguma variedade desconhecida de mármore, de um azul-escuro profundo e rico com cintilações de mica suspensas dentro da pedra translúcida em diferentes profundidades, em vez de mostrarem apenas um brilho uniforme em sua superfície. Cada um era como um bloco sólido cortado do céu noturno e, entre os flocos de mica cintilantes aqui e ali, Michael descobriu, havia nebulosas coaguladas e rastros de cometas. Era uma escada de incêndio feita de universo, mas, pensando melhor, todas as escadas são feitas da mesma matéria.

O Bando de Mortos de Morte afastou-se do arrulhar da área de trabalho e começou a subir a escada, com Phyllis Painter na liderança, à frente de todos. Enquanto escalava os degraus, em algum lugar perto da retaguarda do grupo com o grande John, Michael olhou pela balaustrada de carvalho para o piso de lajotas que se tornava cada vez menor abaixo deles. A partir dessa perspectiva elevada, quase podia ver um padrão unificador para a movimentação dos construtores, que iam apressadamente para a frente e para trás em suas trajetórias inescrutáveis, como se cada trabalhador fosse uma lima de ferro presa nos laços e espirais invisíveis que irradiavam de um ímã.

Agora também podia ver com clareza, graças à visão fantasma, todas as seis dúzias das gigantescas lajes assombradas por demônios que compunham o chão, dispostas como uma série de cartas de baralho saídas de um pesadelo. Achou que se lembrava da defunteira, a sra. Gibbs, dizendo que, de todos os demônios que existiam, aquele que havia sequestrado Michael, o sorrateiro Sam O'Day, era o número trinta e dois. Caso fosse isso mesmo, essa lajota específica deveria estar contra a parede do lado esquerdo, a quatro fileiras de distância. Ficou olhando por cima do corrimão de madeira, movendo os lábios e cutucando o ar com um dedo indicador rosado enquanto contava para ter certeza. A lajota de pedra em questão, uma vez encontrada, era inconfundível.

Primeiro porque era uma das três ou quatro no arranjo que todos os construtores pareciam evitar ao atravessar o movimentado local de trabalho. Além disso, ao contrário de seu aliado Amon, Sam O'Day era mostrado apenas de uma forma na lajota, a coisa de três cabeças montada em um dragão que se enfureceu sobre eles nos Sótãos do Alento, o que parecia ter sido um dia ou mais antes. Essa aparência intricada era repetida cerca de uma centena de vezes na área da laje, com os contornos projetados para que todas as formas irregulares idênticas se encaixassem com uma complexidade genuinamente infernal. Os espaços vazios entre as muitas cabeças da criatura, por exemplo, acomodavam as quatro pernas do dragão pertencente à duplicata acima no padrão, enquanto a cauda afilada de cada montaria era feita sob medida para se encaixar nas mandíbulas abertas de um dragão heráldico idêntico bamboleando logo atrás. Pegando o guia e examinando a longa lista de eminências infernais até chegar ao número trinta e dois, tentou descobrir mais sobre o demônio que literal e figurativamente o levou para um passeio infernal.

O trigésimo segundo Espírito é chamado Asmoday. É um grande Rei, forte e poderoso. Vem com três cabeças, das quais a primeira é como a de um touro, a segunda como a de um homem, e a terceira como a de um carneiro. Tem cauda de serpente e emite gases nocivos. Seu pé é palmado como o de um ganso. Está montado em um dragão infernal, carregando uma Lança e um Estandarte na mão, no qual sua insígnia é assim exibida:

Ele dá o anel das Virtudes e ensina as artes da Aritmética, Geometria, Astronomia e artesanato. Dá respostas completas e verdadeiras a todas as perguntas e pode tornar os homens invisíveis. Mostra os lugares onde se escondem tesouros e governa seis dúzias de Legiões de espíritos inferiores. Se solicitado, pode alçar seu conjurador a um lugar mais elevado, de onde possam olhar para as casas de seus vizinhos e ver os demais cuidando da vida como se o telhado tivesse sido removido.

De todas as eminências aqui vinculadas e contidas, a mais estrita cautela é aconselhada em todas as transações com este Espírito. Dos demônios capturados pelo rei Salomão no plano simbólico, o mais feroz e mais difícil de subjugar é Asmoday. Inclusive, na tradição rabínica é dito que Asmoday em si é uma prova denunciadora do anel mágico de Mikael presenteado ao Rei Salomão. Neste encontro, é Asmoday quem triunfa, arremessando o rei derrotado tão longe no céu que, quando retorna à Terra, esquece completamente que é Salomão. Incontestado, Asmoday assume a forma de Salomão e continua nessa personificação para completar a construção do templo de Salomão em Jerusalém e depois tomar muitas esposas, e erguer outros templos menores para os deuses estrangeiros que essas esposas adoram.

Ele é marido do monstro Lilith, Rainha da Noite e Mãe das Abominações. Apaixonado por uma princesa na terra da Pérsia, Asmoday matou tantos de seus rivais pretendentes quantos os dias da semana, crimes pelos quais foi expulso por exorcismo para o Egito antigo, removendo maldosamente todo o seu conhecimento matemático de um reino para o outro.

Asmoday, no arranjo de dez anéis ou toroides pelos quais o Inferno e o Céu são compostos, é o governante demoníaco do Quinto plano e, portanto, está associado principalmente à Ira. A flor deste domínio em particular é a rosa de cinco pétalas, o emblema da cidade mortal, tornando-a propícia ao demônio. Da mesma forma, acredita-se que a reprodução do Templo de Salomão erguida no Primeiro Borough fortalece a afinidade sentida por esse Espírito pelo distrito terrestre. É o mais terrível de todos os demônios aqui confinados, implacável em sua ira. As cores de Asmoday, pelas quais é conhecido, são o vermelho e o verde, que significam tanto sua severidade quanto a natureza emotiva de...

Michael ergueu os olhos do guia, com a cor sumindo do rosto até ficar quase como nas extensões em preto e branco da costura-fantasma. O escaldante Sam O'Day, ao que parecia, não era um demônio qualquer. Tinha espancado o rei Salomão, apesar do anel mágico todo-poderoso que o rei recebeu de um Ângulo Mestre. Era "o mais terrível de todos os demônios". Em sua ira, era "implacável", o que Michael achava que significava algo como "no fim você não tem como escapar". O menininho se concentrou na direção da última laje da quarta fileira até perceber que os olhos do carneiro, os olhos do touro, os olhos do dragão e os olhos do homem em cada imagem, multiplicados cem vezes pela superfície contorcida do piso, estavam todos olhando diretamente para ele. Não era um olhar afetuoso.

Ainda que com certa dificuldade, Michael desviou o olhar das fascinantes cintilações do trigésimo segundo Espírito e se juntou a Phyllis e os demais, que se esforçavam para subir as escadas consteladas para o primeiro patamar onde, se tinha entendido o plano corretamente, pretendiam servir como espectadores em uma luta terrível e sem precedentes entre os Mestres de Obras. Como o próprio Michael ao que parecia era a causa dessa briga, ele se perguntou se comparecer em pessoa era a coisa mais segura a fazer. Sentiu crescer mais uma vez a dúvida que teve na esquina da Scarletwell Street a respeito da capacidade de Phyllis e o bando cuidarem bem dele de fato. Foi um medo que durou um segundo. Os cinco Mortos de Morte eram os únicos amigos de verdade que tinha por ali. Colocando o folheto de volta no bolso, Michael correu atrás deles.

Um par de construtores que descia a ampla escadaria na direção oposta pareceu prestar atenção especial no bando de crianças-fantasmas, e especificamente em Michael Warren. Um fez um movimento com a cabeça como que apontando para ele, ao que o outro a seu lado assentiu em um gesto de cumplicidade. Ambos então sorriram para Michael antes de descer os degraus salpicados de estrelas, usando longas túnicas cinzentas com cores de pavão brilhando na bainha. Michael estava um pouco assustado, já que não tinha visto aquela expressão nos rostos dos outros construtores que trabalhavam mais abaixo. Embora parecessem afeiçoados ou até orgulhosos dele, o que o fazia se sentir comovido e importante, o simples fato de que pareciam conhecê-lo era um pouco enervante e levantou novas preocupações sobre a conveniência de aparecer para observar a briga de ângulos.

A essa altura, os seis haviam alcançado o primeiro dos três patamares que se projetavam da parede leste. Uma pesada porta de vaivém com um painel de vidro colorido e uma placa de metal, como as que ele tinha visto nos pubs, levava do mármore estelar da plataforma para as tábuas do piso de uma varanda longa e lotada, com uma grade preta de madeira tratada com piche. Era muito parecida com a passarela elevada acima dos Sótãos do Alento, onde a criança havia encontrado Sam O'Day, e quando John grandalhão segurou a porta aberta enquanto saíam para uma luz do dia perfeita como cristal, Michael pensou que poderia ser o mesmo lugar, mas logo percebeu que não era.

A diferença mais óbvia e imediata era a enorme quantidade de pessoas andando de um lado para o outro ao longo da galeria sem fim, ou apoiando-se em seu parapeito e tagarelando animados como espectadores no círculo superior de um teatro. Pela estimativa de Michael, ao longo da sacada, até onde podia ver, devia haver talvez duzentos ou trezentos fantasmas. Ele quis saber se havia uma palavra especial como "bando", "rebanho" ou "matilha" que se deveria empregar ao se referir a uma quantidade tão grande de fantasmas e perguntou a seus cinco amigos fantasmas se tinham ouvido falar de uma. Phyllis insistiu com um ar de grande autoridade que o termo apropriado era "uma persistência", enquanto Bill arriscou "uma vergonha" como alternativa. Então John deu fim à especulação sugerindo que a melhor expressão para uma multidão espectral seria "um Naseby", cujo significado teve que explicar a Michael, embora todos os outros tenham concordado com toda a seriedade.

— Naseby era-será a vila do lado de Northampton onde fizeram a batalha final da Guerra Civil Inglesa. O rei Charles foi-será capturado e o campo ficou vermelho, com os corpos empilhados em valas. Nunca visite Naseby quando estiver na costura-fantasma, pirralho. Tem fileiras de Cabeças Redondas e Cavaliers mortos com a grossura das de um milharal, camaradas com uns buracões de lança nos casacos, tudo preto de sangue, branco de ossos e cinza de cérebro, arrastando trilhas de fotos mutiladas atrás de si pela lama. Nunca se viu tantos homens mortos irados. Não, "uma Naseby de fantasmas": é a única maneira de colocar isso quando se tem uma multidão como essa aqui.

Os fantasmas que cercavam o Bando de Mortos de Morte na sacada eram bem diversos, contendo representantes da maior parte dos vinte ou trinta séculos em que existiram pessoas vivendo nas proximidades da cidade atual. Enquanto ele e seus companheiros passavam pelo caminho de tábuas, desviando-se aqui e ali do enxame de espectros, Michael viu mulheres vestidas com peles de mamute e crianças nuas com tatuagens azul-escuras. Dinamarqueses com saudades de casa com longas tranças douradas esbarravam em jocosos soldados de infantaria, vítimas da Primeira Guerra Mundial. Um homem de aparência altiva, sem queixo e de camisa preta, encostado na balaustrada, fumava um cigarro colorido, discutindo mal-humorado sobre judeus com o que parecia ser um soldado romano de patente inferior, também com cara descontente. Havia até um ou dois dos fantasmas monarquistas e dos Cabeças Redondas que John tinha mencionado, o que sugeria que nem todos permaneceram na costura-fantasma em Naseby, chafurdando na lama negra em que morreram. Estranhamente, um homem com um chapéu emplumado, o monarquista mais óbvio do local, estava na amurada, em uma conversa amistosa com um sujeito corpulento, vestido de cinza, que tinha a cabeça raspada e, mesmo sem nenhum capacete de ferro pontiagudo para confirmar o fato, parecia muito com alguém que havia lutado do outro lado nos anos 1600. Intrigado, Michael mostrou os dois para John, que fez um som de admiração e surpresa ao reconhecer pelo menos um deles.

— Caramba! Bem, não sei quem era-será o camarada de cabelo comprido, mas acho que você tá certo e ele lutou pelo rei Charley. Agora, o cara grande com a cabeça raspada, aí é outra história. É Thompson, o Leveller, e sim, ele estava do lado do Cromwell no começo, mas no fim foi-será Cromwell que acabou com ele, do mesmo jeito que fez com aquele aristocrata com quem Thompson está conversando. O velho Cromwell, quando precisou de todo mundo que pudesse reunir para enfrentar o rei, prometeu aos idealistas como os Levellers que, se eles ajudassem, poderiam transformar a Inglaterra no lugar que sonhavam, onde todo mundo era-seria igual. Assim que venceram a Guerra Civil, é claro, foi-será uma história diferente. Cromwell acabou com os Levellers, que assim não iam causar nenhum problema quando ele não cumprisse as promessas que tinha feito. O Thompson — pode ver você mesmo que imbecil de aparência feroz ele era-será — teve seu último ato de resistência em Northampton, e parece que ficou por aqui desde então. Não, ele e o velho monarquista rindo ali, eles têm muita coisa em comum, imagino. Raramente o velho Thompson é visto aqui tão alto. Parece que a briga entre os construtores atraiu um pessoal de toda a permanência do Segundo Borough.

Era verdade. Enquanto as crianças-fantasmas passavam pela varanda, a multidão que abria caminho diante deles ao sentir o cheiro do colar rançoso de Phyllis Painter era como um desfile histórico peculiar, em que ninguém parecia saber que estava fantasiado. Claro que a maior parte não estava. A grande maioria da turba bem-humorada era formada por moradores comuns dos Boroughs dos séculos XIX e XX, com roupas não muito diferentes das que Michael e os outros usavam. Os turistas que vinham de outras épocas não eram tão difíceis de identificar, e a maioria era fácil de notar: um tropeiro saxão vestindo roupas de saco com um rebanho modesto de meia dúzia de ovelhas-fantasmas balindo ao seu redor, enquanto batucavam com os cascos nas tábuas atemporais; inúmeros monges de diversos períodos e ordens, todos com muito pouco a debater, a não ser o quanto entenderam errado a vida após a morte; senhoras normandas ansiosas e vacilantes; furiosas prostitutas da Antiga Britânia que haviam sido sequestradas por uma legião romana.

Havia também outras figuras difíceis de nomear ou identificar a que época pertenciam. Algo muito alto descia a sacada vindo para eles na direção oposta, pairando a uns bons sessenta centímetros acima das cabeças e ombros da horda ao redor. Parecia uma espécie de cabana feita de juncos, com um tubo oco de madeira saindo da parte superior que parecia um bico e conferia ao conjunto a aparência de um enorme pássaro pernalta verde. Ao passarem por aquilo, Michael notou que andava sobre pernas de pau que se projetavam além dos juncos entrelaçados ao redor da bainha do estranho vestido. Não tinha ideia do que era, nem de qual período inaudito viria. Ele a observou se afastar pelo longo patamar, embrenhando-se nas massas delirantes ali reunidas, e estava prestes a pedir uma explicação a John quando seus olhos foram atraídos por algo que, para Michael, parecia igualmente curioso.

Era um caubói — um caubói de verdade com roupas cor de poeira e um chapéu macio surrado e disforme, botas velhas com uma segunda sola de lama seca e pelo menos sete armas de diferentes tipos e tamanhos, enfiadas em todos os lugares em que cabiam. Duas estavam em coldres de couro rachados, pendurados em um cinto descascado, com mais três presas na cintura. Uma estava enfiada na lateral de uma bota, e outra saía do bolso da calça. Todas pareciam antigas e perigosas tanto em caso de acidente quanto de ação intencional. O homem estava encostado no parapeito, observando com um olhar de pradaria, e sua pele lisa e impecável era mais negra do que o breu com que a balaustrada havia sido pintada. Descansando ali, tinha os contornos ágeis de uma onça, a cabeça esculpida e estilizada de um ídolo egípcio em obsidiana. Era o ser humano mais belo e perfeito — homem ou mulher — que a criança já havia visto. A ideia de um caubói ser negro, no entanto, parecia improvável, assim como sua presença entre o fluxo fervilhante e fantasmal de antigos moradores dos Boroughs. Dessa vez, John notou Michael olhando boquiaberto e foi capaz de fornecer assistência sem ser solicitado.

— Aquele ali, o cara negro, não era-será um fantasma. Era-será o sonho de alguém. Alguém dos Boroughs sonhou com esse cara o bastante para ele ter acumulado um tanto de presença aqui.

Bill, que estava ouvindo o que John disse a Michael enquanto o bando de mortos caminhava, deu seu pitaco.

— Isso. Eu vi os Beatles faz só uns minutos, vestidos com todo aquele traje do "I am the Walrus" que usavam. Alguém deve ter sonhado com eles aqui também.

Seguiram-se então vários momentos improdutivos em que Bill tentou dar explicações a respeito de besouros vestidos de morsas[10] antes de perceber que estava falando sobre coisas que não haviam acontecido durante a vida de John ou de Michael. Aquilo em si pareceu provocar novas perguntas da criança de roupão.

— Então como existem sonhos aqui que as pessoas ainda não tiveram? Os sonhos apenas fazem fila aqui, esperando para serem sonhados?

John pareceu muito impressionado com a ideia, mas sacudiu a cabeça.

— Não era-será assim, ou pelo menos acho que não. Tem mais a ver com o tempo funcionar de outro jeito quando estamos no Andar de Cima. Quer dizer, o futuro aqui fica só uns quilômetros ali adiante.

Nesse ponto, ele gesticulou para o oeste, para algum lugar atrás do bando-fantasma, enquanto caminhavam pela passarela sem fim, antes de continuar.

— Os sonhos podem vir para cá do tempo deles com a mesma facilidade que do passado. A mesma coisa acontece com todos os fantasmas. Você deve ter notado algumas das roupas idiotas que esses pobres coitados ridículos vestem, os casacos bufantes e coisas como as daquela garota ali.

John assentiu para a forma fantasmal de uma jovem por quem passavam naquele momento, com calças que eram muito pequenas para ela ou estavam caindo, permitindo que se visse o rego dela, onde havia algum tipo de fio elástico preso. Agora que Michael olhava ao redor, notou mais alguns indivíduos estranhamente trajados que, levando em conta a explicação de John, agora pareciam ser espíritos do futuro dos Boroughs, pessoas que em 1959 ainda não haviam morrido e, em muitos casos, nem nascido. Michael olhava para outras mulheres com as bundas meio à mostra, já que eram uma novidade fascinante que nunca tinha visto antes, quando todo o grupo de crianças de repente deteve o passo. Deixando de lado sua busca por calças a meio mastro, o próprio Michael parou, perguntando-se o que estava acontecendo.

— Ah, Cristo — disse Phyllis Painter. — Todo mundo para o lado, no parapeito.

As outras crianças-fantasmas cumpriram a ordem na hora, notando que quase todos os outros fantasmas na sacada faziam a mesma coisa, amontoando-se contra o parapeito em um aperto murmurante e fluorescente, feito papagaios assustados em um aviário. Tentando ver adiante da maré humana e descobrir o que provocava aquela atividade incomum, Michael ouviu John dizendo "Que diabos era-será aquilo?", e Reggie Bowler ofegando. A rechonchuda Marjorie disse: "Oh, meu Deus. Aquele pobre homem", ao que Bill respondeu: "Pobre homem, porra nenhuma. Esse babaca fez por merecer". Pela primeira vez, a irmã mais velha de Bill não o repreendeu pelos palavrões. Phyllis apenas disse, séria: "Isso mesmo. Isso mesmo, merece. Ele..."

O resto do que ela ia dizer foi engolfado por um trovão crescente que Michael percebeu que vinha aumentando fazia alguns momentos, ainda que não estivesse ciente de que ouvia. Ele espichou o pescoço fantasmagórico, tentando ver.

Caminhando lentamente pela sacada em direção a eles, em passos pequenos e vacilantes como um carregador de caixão, veio uma flor ambulante de ruído e fogo. Parecia ser um homem da cintura para baixo, mas a metade superior era uma grande bola de luz onde pequenas manchas de escuridão estavam suspensas, imóveis. O som retumbante parecia envolver a figura de alguma forma, circundando a chama ofuscante que era seu corpo e crescendo até um rugido ensurdecedor à medida que se aproximava. Quando chegou ao nível das crianças assustadas, achatadas contra o gradil para deixá-lo passar junto com todos os outros fantasmas, Michael pôde ver mais de sua aparência, espremendo os olhos através do clarão que cercava o espetáculo aterrador.

Era um estrangeiro, Michael não sabia de onde, usando uma jaqueta acolchoada e um chapeuzinho branco redondo ou algum tipo de solidéu. O rosto jovem estava voltado para o céu, o queixo barbudo inclinado para trás, com um sorriso intencional nos lábios, apesar da grande lágrima que se evaporava em um rosto iluminado, e os olhos preenchidos por um olhar que poderia ter sido salvação, mas também choque excruciante ou agonia. A jaqueta acolchoada parecia ter sido capturada no momento em que havia sido rasgada em pedaços, com fitas escuras de material torcendo-se para cima em formas irregulares e fantásticas, como se tentassem escapar da brancura deslumbrante que a inundava, onde o peito do dono parecia ter se aberto em um borrifo de fósforo.

Michael agora via que as manchas escuras penduradas, imóveis sob o brilho, eram algumas dezenas de parafusos e pregos, um cinturão de asteroides de manchas escuras eternamente presas em sua corrida para longe do coração explosivo de luz e calor mais atrás. Um ruído ensurdecedor agora perpassava toda a figura, imutável em seu tom, como se fosse o som de um instante breve e devastador que se prolongava ao infinito, desacelerado do tumulto de um segundo para o rufar de mil anos ardentes. A criatura híbrida, metade homem, metade fogo de santelmo, continuou avançando em pequenos e dolorosos passos ao longo da sacada, com as mãos ligeiramente levantadas do lado do corpo, as palmas voltadas para fora e as feições ainda contorcidas naquele sorriso ambíguo e incerto. Um cataclismo ambulante passou pelas crianças boquiabertas, descendo a varanda com sua bola de flashes e clamores congelados, com seu halo de estilhaços de parafusos e rebites quentes. Em seu rastro, a multidão fantasmagórica paralisada contra o gradil de madeira começou novamente a se mover e resmungar, vagando para ocupar o resto da larga passagem que tinham aberto para deixar a coisa em chamas passar.

Michael olhou para John.

— O que foi-será aquilo?

Os olhos escuros de John, em geral impassíveis como os de um ídolo de matinê, agora estavam tão grandes e confusos quanto os do próprio menininho. Sem palavras, o menino mais velho apenas sacudiu a cabeça. Apesar de toda a experiência de John, era nítido que ele não entendia mais que Michael o espetáculo que acabavam de testemunhar. Marjorie e Reggie também não compreendiam, mudos e silenciosamente horrorizados, e coube a Bill e Phyllis esclarecer o assustador incidente. A garota líder do Bando de Mortos de Morte parecia abalada enquanto tentava assumir o controle da situação.

— Era-será o que chamam de terrorista. Homem-bomba suicida, não era-será isso, Bill? Nunca gostei de ler sobre eles nos jornais quando tava viva. Me dava arrepio, todo aquele negócio. O Bill aqui sabe mais sobre isso que eu.

Bill, como se viu, tinha lido os jornais e sabia bastante sobre a visão quase mística e incendiária que passou perto o suficiente para sentirem seu calor, embora até o engenhoso moleque ruivo parecesse incerto e perplexo.

— A Phyll tá certa. Os homens-bomba começaram a aparecer na Inglaterra em zero-cinco, todos muçulmanos revoltados, porque nós e os americanos fodemos com o Iraque até ficar irreconhecível, e porque estávamos acaban'o com todos os cabeças de toalha. Era-será um pouco como o IRA e aquele povo: cê via que eles tinham um motivo justo para começar, quando iam e fodiam tudo explodin'o crianças e se comportan'o feito uns babacas. Os homens-bomba, o que eles fazem, eles têm esse negócio que chamam de colete de mártir, cheio de explosivo feito em casa, fertilizante ou farinha de chapati, alguma coisa assim. Eles entram nos ônibus ou nos trens do metrô e simplesmente se explodem, tentando levar o maior número de pessoas que conseguirem com eles.

John parecia horrorizado.

— Como assim, simplesmente explodindo civis, desse jeito? Que canalha. Sujos, babacas, doentes.

Bill apenas deu de ombros, embora não sem empatia.

— Era-será o que acontece, não? Não acho que cê tava por ali pra ver o que nosso povo fez com Dresden, ou o que os ianques fizeram com os japas. Os dias de hoje, John, meu velho camarada, não eram-serão como os seus. Não existe um país que possa levantar a mão e dizer "Não a gente, cara. Não somos assim". Esses tempos ficaram lá no passado, toda aquela bobagem de Deus, Rei e País. Agora temos mais informação. Sobre o velho camarada que acabou de passar ferven'o aqui, acho que tinha aquela aparência pela mesma razão que a Phyllis ainda tem todas essas porras de coelhos fedidos.

Bill se esquivou de um golpe da irmã mais velha antes de continuar.

— Só tô dizen'o que deve ser como era-será para todos nós: nossa aparência é nossa melhor lembrança de nós mesmos quando vivos. Para o meninão-bomba que vimos agora, aquele deve ser o jeito que ele prefere se ver, bem naquele momento em que puxou o barbante ou sei lá o que eles fazem, e mandou pelos ares metade do Stringfeller ou do Tiger Tiger. Pelos olhos dele e o jeito que andava, parecia que tinha se cagado todo, mas imagino que era-será tudo parte do processo de virar mártir, não?

— O que eu não consigo entender era-será o que ele tava fazendo aqui em Almumana. Se fosse arriscar, diria que deve ser porque cresceu aqui pelos Boroughs, ou porque morreu aqui. Cresceu, ou se explodiu. Mas não me lembro de ninguém assim do meu tempo de vida. Deve estar mais acima da linha que eu e a Phyll.

Todos pensaram a respeito por um tempo, a ideia de que os Boroughs em algum momento de seu futuro seriam alvo de um homem-bomba ou produziriam um.

Michael virou-se para o gradil manchado de piche, de onde ele e o Bando de Mortos de Morte não haviam se movido desde a passagem da explosão sorridente e arrastada. Parecia que a visita perturbadora tinha produzido ao menos um efeito colateral útil, já que que as seis crianças-fantasmas agora tinham seu próprio espaço do gradil, sobre ou através do qual podiam ver a luta iminente entre os construtores sem um monte de fantasmas adultos na frente. Ele também percebeu que a razão mais do que provável pela qual os fantasmas mais velhos não se aglomeraram de volta e empurraram as crianças-fantasmas para fora do caminho era o cachecol de coelhos de Phyllis Painter, que, é preciso admitir, tinha suas utilidades.

Imaginou que era um pouco como a única vez em que a mãe e o pai levaram Alma e ele para ver o Desfile de Bicicletas na Sheep Street, no alto da Bull-Head Lane. Michael tinha ido até lá no carrinho, mas foi solto na chegada para ficar ao lado da mãe, Doreen, segurando a mão dela. Infelizmente, estava tão animado que vomitou sobre duas lajes da calçada onde estavam. Isso garantiu que ele e a família tivessem bastante espaço para curtir a passagem ao mesmo tempo emocionante e perturbadora de bandas marciais, princesas, palhaços em bicicletas e coisas horrendas com grandes cabeças de papel machê descascando, tendo o vômito de Michael quase o mesmo efeito que a estola putrefata de Phyllis naquele momento.

Por não ter altura para olhar por cima do gradil, observou por entre as barras de madeira, como um presidiário jovem demais, a vista hipnotizante da varanda do primeiro andar que se projetava das Obras.

Sua primeira impressão foi a de estar olhando para a Mayorhold, ou para algo de que a Mayorhold poderia ter sido uma reprodução em escala de brinquedo Matchbox, quase como se o modesto quadrado mortal fosse uma página de um livro pop-up fechado que fora aberta e desdobrada ali naquele plano superior. Visto daquele ângulo elevado, era muito parecido com estar em um anfiteatro gigante, olhando para um poço mais abaixo com cerca de um quilômetro e meio de diâmetro e que parecia descer através de várias camadas da realidade. Os diferentes mundos em faixas ondulantes eram lentamente empilhados um sobre o outro, como drinques que tinha visto na televisão, em um copo alto com as bebidas em listras de cores diferentes.

O nível mais alto estava talvez em um dos dois andares acima dele, com suas varandas projetando-se da parede frontal das Obras logo acima, ou talvez a vasta extensão do céu de Almumana que dominava o ambiente, onde as engraçadas nuvens geométricas se desdobravam em formas progressivamente mais complicadas, linhas pálidas contra um azul musical e celestial. Fosse como fosse que se dividia, o Segundo Borough estava no topo do arranjo, com os prédios circundando aquela Mayorhold expandida na mesma imensidão onírica que parecia ser uma característica da arquitetura no Andar de Cima.

Michael permitiu que os olhos deslizassem pelas linhas íngremes das enormes estruturas à sua frente, do outro lado da antiga praça da cidade. Pareciam ser versões infladas e extravagantes dos humildes empreendimentos comerciais que, no mundo dos vivos, davam para a Mayorhold. Diante dele havia uma espécie de pirâmide em camadas composta de duas variedades de mármore, uma branca e outra verde, dispostas em blocos gigantes alternados. Janelas altas interrompiam a fachada, e na curva de um alto arco decorativo que coroava o edifício, recortado em letras de mosaico, estava a legenda "Ramo 19". Ele percebeu que olhava para uma versão superior da Co-op, o mesmo lugar que tinham vislumbrado fazia pouco tempo, quando estavam na duplicata desbotada de 1959 que era a costura-fantasma. Tendo reconhecido aquele marco, foi capaz de deduzir que a austera torre cinza ao sul da Sociedade Cooperativa Northampton, ocupada por algum tipo de igreja ou templo de aparência sóbria, era na verdade um exagero no estilo Almumana dos banheiros públicos no início da Silver Street.

Enquanto continuava a inspecionar os trechos cada vez mais baixos das instalações do outro lado da Mayorhold, chegou ao segundo estrato trêmulo e vaporoso das realidades empilhadas. Aqui, seguindo uma passarela de madeira com grades de breu que ladeia a base dos edifícios mais altos, os grandes contornos das construções de Almumana continuavam a descer até a nuance fumegante da costura-fantasma, com suas linhas estreitando-se em perspectiva íngreme para o ajuste necessário com o meio-mundo muito menor e com escala mais realista. Visto do alto do Andar de Cima, esse reino em preto e branco enevoado de aparições autodepreciativas parecia translúcido, como uma folha de gelatina incolor do tipo encontrado em tortas de carne de porco. Escavando por essa massa viscosa centenas de metros abaixo, com fluxos de diminutas imagens posteriores dissipando-se em seus rastros, estavam vários dos moradores de rua da área, embora nenhum que Michael reconhecesse.

Ele descobriu que, caso se concentrasse com os olhos-fantasmas, poderia ver através do nível onde as aparições lamentáveis cuidavam de seus negócios, e ver o platô mais abaixo. Era um plano de protuberâncias de cristal convulsionadas e entrelaçadas, no qual se moviam luzes de várias cores, e ele supôs que deveria ser a Mayorhold mortal vista do Segundo Borough, assim como tinha visto as joias serpenteando pela sua sala de estar humana quando subiu pela primeira vez nos Sótãos do Alento. As extensões intestinais emaranhadas de hematita e opala eram, ele sabia, as pessoas vivas comuns do distrito, vistas como se estivessem estendidas ao longo do tempo como piolhos de cobra de coral lindos e imóveis. Todos se enroscavam em um tapete elaborado de vívidos fios de pedras preciosas, e forneciam um andar térreo sobre o qual se erguiam as camadas superiores. Michael olhava em transe por entre as barras manchadas de piche através das camadas de cebola do mundo.

Assim como a Mayorhold terrestre, sua contraparte explodida em Almumana estava situada na convergência de oito grandes avenidas, servindo como complementos gloriosamente irrestritos para a Broad Street, Bath Street, Bearward Street, St. Andrew's Street, Horsemarket, Scarletwell Street, Bull-Head Lane e Silver Street. Essas vias saíam do recinto como as pernas de plástico conectadas ao corpo principal de um besouro de brinquedo, oito afluentes estreitos correndo para um enorme reservatório central. Os imponentes superedifícios que circundavam aquela imensa extensão eram como grandes falésias com janelas e varandas, e encostados em cada vidraça ou empoleirados em cada parapeito e sacada havia os incontáveis espectros puídos dos Boroughs, em mantos de centuriões ou luvas de lã sem dedos, posicionados lá para ver os Mestres de Obras trocarem socos. O farfalhar de mil conversas fantasmagóricas ressoava no auditório como a maré vazante sibilando sobre o cascalho. Michael pensou que era um pouco como estar no cinema antes que as luzes se apagassem e todos ficassem quietos.

As crianças descansavam contra o gradil, esperando o início da atração principal. Reggie e John eram altos o suficiente para se apoiarem no próprio parapeito, com o queixo nas mãos, enquanto os outros precisavam se contentar em se agachar com Michael, espiando através das barras verticais como quatro macacos da vida após a morte. Bill falava sobre o fogo de artifício humano que tinham acabado de testemunhar, e John perguntava por que essas pessoas estavam dispostas a se matar por suas crenças.

— Eram-serão as crenças que eram-serão o problema. Até onde entendi, esses malucos acham que vão para o céu depois de explodir e pousar no paraíso, onde vai ter um monte de virgens de catorze anos para fazer suas vontades. Boa sorte, colega, é só o que eu posso falar. Quer dizer, é um pouco esquisito ter esse tipo de ideia pra começar, que cê explode dezenas de pessoas inocentes e isso te faz passar pelos portões de uma hora pra outra. Aquele cara que acabamos de ver deve estar se perguntan'o em que porra de lugar ele tá. Não só isso, mas onde diabos cê vai encontrar uma virgem de catorze anos nos Boroughs?

Bill passou a falar sobre os combates em um país chamado Iraque, do qual John nunca tinha ouvido falar, explicando que fazia fronteira com o Irã, do qual o menino mais velho também nunca tinha ouvido falar.

— Então, não fica muito longe de Israel...

— Israel?

Eles pareciam falar de dois planetas muito diferentes, e Michael Warren não tinha a menor ideia de quais eram. Distraído, ele olhou entre as barras escurecidas e teve sua curiosidade despertada por outros assuntos, por exemplo como Phyllis Painter conseguia se lembrar de tão longe, nos anos 1920 e por aí, antes de Michael nascer, e ainda parecia ter sobrevivido até uma data que ia muito além do que qualquer um de seus companheiros do Bando de Mortos de Morte havia visto, com exceção de Bill. Michael pensava sobre essa questão espinhosa quando percebeu que a chuva do ruído de fundo de vozes animadas dos Boroughs havia diminuído para uma garoa e depois parado. Apenas um sussurro ansioso veio de Reggie Bowler, mal quebrando o silêncio recém-imposto.

— Aí vêm eles.

Todos os rostos amontoados nas varandas e nas janelas agora se viravam para olhar na mesma direção, para a extremidade sul daquela Mayorhold projetada, onde o amplo cânion desdobrado que era o equivalente à Horsemarket em Almumana subia a ladeira da Horseshoe Street e da Marefair. Virando-se e inclinando a cabeça para ter uma visão melhor através das grades, a visão fantasma aprimorada de Michael tornou possível a ele dar uma olhada no que acontecia no sopé do declive íngreme da Horsemarket.

Uma poeira de luz era levantada para obscurecer o extremo sul de Almumana: um furacão no deserto com faíscas em vez de areia, que fazia pairar uma cortina boreal sobre a Gold Street. No centro dessa tempestade luminosa e turbulenta, havia dois pontos de um brilho branco tão intenso que deixavam formas coloridas de massa de modelar dentro das pálpebras se olhasse para eles, como quando se olhava por acidente para um filamento de lâmpada ou para o sol. Os pontinhos, Michael podia ver apertando os cílios, eram dois homens em túnicas de um branco ofuscante, ambos carregando bastões esguios enquanto caminhavam com passos impacientes e raivosos morro acima em direção a Mayorhold.

Ouviu-se uma vozinha que se revelou de Marjorie, que nunca falava muito e, por isso, Michael levou alguns instantes para identificar.

— Não sabia que eles faziam isso. Olha, estão ficando maiores enquanto vêm na nossa direção!

A princípio, Michael pensou que a pobre Marjorie Afogada devia ter tido muito pouco tempo para estudar antes de pular no Nene para salvar seu cachorro em Paddy's Meadow. Até ele sabia que tudo ficava maior quando vinha na nossa direção. Mas então olhou com mais atenção e entendeu o que Marjorie queria dizer.

As figuras que vinham para a Horsemarket não pareciam apenas ficar maiores à medida que se aproximavam da antiga praça da cidade. Estavam realmente ficando maiores. O que havia começado no pé da ladeira como homens de estatura normal, na metade do caminho tinha se transformado em dois colossos, com seis metros ou mais de estatura, e continuando a crescer à medida que chegavam mais perto. Quando entraram na imensa arena da Mayorhold, cada um deles era pelo menos tão grande quanto os prédios NOVAVIDA de doze andares com que Michael havia ficado tão impressionado quando ele e o Bando de Mortos de Morte fizeram seu misterioso desvio pela costura-fantasma até os zero-cinco ou zero-seis. Pelo que Michael pôde avaliar, de pé na sacada com todos os outros fantasmas boquiabertos, ele estava mais ou menos no nível do abdômen dos construtores e teve que jogar o pescoço para trás e olhar para cima para os rostos do tamanho de esfinge.

Um deles era o mesmo Mestre de Obras que ele tinha visto conversando com o evasivo Sam O'Day acima do Sótãos do Alento, o de cabelos brancos, que nessa representação ampliada parecia bastante com um pico de montanha acima da linha de neve. Os amplos planos transatlânticos do rosto esculpido sobrenatural ergueram-se para longe de Michael, que se viu fascinado pelo jogo ondulante da luz refletida nas sombras da vasta parte inferior do queixo. O construtor de cabelos brancos passeava pelos espaçosos limites da Mayorhold com sua vara de ponta azul presa em um monstruoso punho de mármore, grande como um bangalô. Seus pés descalços, a uma distância vertiginosa abaixo da sacada do primeiro andar onde estavam as crianças, pareciam caminhar sobre o tapete de coral convulsionado que era o mundo mortal visto do andar de cima. O ângulo atravessou a costura-fantasma, com sua linha de maré cinza e suja parecendo envolver as coxas de sequoia, e se ergueu até a matemática flutuante do firmamento de safira mais acima, abrangendo três reinos do ser enquanto circulava pelo enorme recinto silencioso, com um fogo cor de chumbo emanando de seus olhos pálidos do tamanho de uma roda de moinho.

O outro construtor era um tanto diferente. Não que fosse menos impressionante ou imponente, mas sua aparência monumental estava envolta em uma atmosfera bem diversa. O brilho de suas roupas parecia apenas reforçar o ar de escuridão que havia nele, do cabelo cortado rente — preto como azeviche, enquanto o de seu oponente era longo e loiro — até os olhos verdes dentro de suas órbitas fuliginosas. Bem acima da sacada, ele virou a massa sombria da catedral que era sua cabeça e curvou os lábios longos como barcaças em um rosnado de fúria e ressentimento de gelar o sangue, mostrando os dentes como portões de marfim polido de uma cidade, olhando cheio de veneno para o outro leviatã branco, mudando a posição da vara de madeira esguia e comprida que levava nas mãos capazes de segurar todo um vilarejo. Percorrendo o palco escancarado que era uma realização absoluta da Mayorhold, com cada passo enviando arrepios pelas residências próximas de Almumana, que os fantasmas esfarrapados reunidos em suas sacadas podiam sentir, dois dos quatro grandes pivôs do cosmos espiralaram fatalmente um em direção ao outro, sem pressa, mas com a inevitabilidade de grandes geleiras em colisão.

A tensão no cercado que parecia um estádio era como andar na ponta dos pés sobre um vidro estalando: um silêncio terrível e apreensivo enquanto várias centenas de espectadores numinosos nas sacadas prendiam a respiração que não tinham mais. Mesmo um silêncio mortal, Michael notou, tinha um eco na acústica estranha do Segundo Borough, onde até uma simples pressão nervosa era suficiente para fazer seus ouvidos estalarem. Torcendo os dedos dos pés e rangendo os dentes-fantasmas ansiosamente, a criança estava se perguntando se um desmaio poderia ser uma saída para aquela situação tão tensa quando a barragem rompeu e todas as testemunhas que, como Michael, esperavam que isso acontecesse momentos antes, agora desejavam com todas as forças que não tivesse acontecido.

O Mestre de Obras moreno de repente parou de circular para correr pelo campo de batalha de três camadas, com os cristais retorcidos da rocha mortal tremendo sob seus passos e o manto cinza da costura-fantasma se deformando e distorcendo como um fluido escuro ao redor da forma gigantesca que a atravessava. Michael via ônibus-fantasmas incolores dobrados ao meio e os espectros infelizes ainda no meio-mundo jogados contra as paredes-fantasmas da Mayorhold em ondas de espuma de banho geradas pela passagem agitada do artesão furioso. De uma garganta profunda como um túnel de trem veio um uivo vingativo que soou como o vento cortando cidades mortas. Portas de fornalha se abriram nos olhos do gigante de corte à escovinha enquanto ele levantava seu cajado com as duas mãos entrelaçadas em torno da base, movendo o eixo pálido tão rapidamente que sua brancura se desfez em suas cores componentes e deixou para trás um rastro de arco-íris em arco enquanto cortava o ar fervilhante.

Seu adversário de cabelos brancos, bem a tempo, levantou sua própria vara de ponta azul para bloquear o golpe letal, segurando-a com uma mão em cada extremidade, como uma barra inflexível.

As duas hastes se chocaram com o som de todo um continente partindo-se em dois, e naquele momento a tigela de porcelana azul do céu de Almumana assumiu um tom preto impenetrável de borda a borda. Saindo do ponto de impacto, fios irregulares de relâmpagos enlouqueceram os céus com uma teia de aranha de fogo gotejante, quebrando a escuridão repentina em um milhão de fragmentos pontiagudos. O relato da explosão ressoou nas distâncias insondáveis do mundo superior e começou a cair com algo que parecia ser uma forma muito complexa de chuva. Cada gota era uma treliça geométrica, como um floco de neve, mas em três dimensões, assemelhando-se a bolas de prata com intrincadas filigranas esculpidas, e era possível ver através do espaço vazio dentro delas; essas pequenas estruturas de alguma forma eram constituídas de água líquida, em vez de gelo. À medida que cada gota batia no corrimão ou no chão, partia-se em meia dúzia de cópias perfeitas ainda menores de si mesma, ricocheteando no ar subitamente escuro. Michael se pegou imaginando por um instante se era assim que a água era de fato e se o tipo que conhecia do andar de baixo no reino mortal não seria apenas uma percepção incompleta de uma substância de quatro lados. Então a força da chuva assustadora afastou todas essas considerações de sua mente enquanto, com os outros moradores fantasmas do distrito, ele se afastava do gradil, tentando ir para baixo do abrigo escasso oferecido pelas varandas acima.

Contra um novo céu recém-enegrecido, os Mestres de Obras em guerra brilhavam como dois faróis da Armada. O de cabelos brancos, depois de cair sobre um joelho enquanto repelia o golpe do oponente, agora saltava com uma velocidade advinda de sua maior alavancagem e, com o cajado em uma só mão agora, dirigiu o punho de baixo para cima até o rosto do ângulo moreno. Houve um borrifo borbulhante do que deveria ter sido sangue, mas naquelas circunstâncias se revelou ouro derretido, um sangue bem mais caro fumegando e sibilando, temperado pela chuva prodigiosa que caía nos níveis mais baixos da realidade como lingotes incandescentes, deformações preciosas.

Com o equivalente a um erário nacional pingando do nariz arrebentado, o Mestre de Obras ferido recuou praguejando em sua própria linguagem, que tinha o poder de se desdobrar. Michael de algum jeito sabia que, a cada imprecação, em algum lugar do mundo uma vinha definhava, uma escola era fechada, um artista em dificuldades cedia ao desespero. Com um sentimento doentio de medo crescendo na memória de seu coração, Michael sabia que não era apenas uma briga. Aquilo era tudo o que era certo ou verdadeiro sobre o universo tentando destruir a si mesmo.

O construtor de cabeça raspada atacou às cegas com a vara em um golpe de foice com uma única mão que, por pura sorte, atingiu o oponente na boca. Com o lábio cortado e barras de ouro jorrando, seu antagonista de cabelos brancos deu um berro ensurdecedor, quebrando todas as janelas na praça mais alta da cidade. Mais relâmpagos se bifurcaram pela cúpula negra acima deles, e a monção de chuva desdobrada reduplicou seu ataque. Os dois gigantes sangravam tesouros agora, começando a perder o equilíbrio nos emaranhados cristalinos do mundo material mais abaixo, onde a teia de joias e suas luzes coloridas rastejantes estavam perdidas sob a mancha da hiperágua que caía.

Michael percebeu com um sobressalto que já tinha visto o construtor de cabelos brancos antes, nos Sótãos do Alento, quando o Ângulo Mestre cuidava dos ferimentos e voltava da luta a que Michael e os outros membros do Bando de Mortos de Morte assistiam agora. Como naquela primeira ocasião Michael tinha acabado de morrer, isso significaria que agora mesmo, no mundo mortal, sua mãe Doreen estava cuidadosamente desembrulhando a bala vermelha cereja-mentol para tosse de seu pequeno quadrado de papel encerado com "Tunes Tunes Tunes" nele todo? Quando o colosso do pico nevado jogou a vara de ponta turquesa para o lado e se lançou sobre o inimigo, o losango cor-de-rosa naquele exato momento deslizava na traqueia estreita de Michael no pátio ensolarado do número 17 da St. Andrew's Road, lá no Primeiro Borough? Pior ainda, em algum lugar dentro de si mesmo, o menininho sabia que essa briga divina e seu próprio ataque de asfixia mortal, ambos eventos terríveis à sua maneira, estavam ligados e que de alguma forma insondável provocaram a ocorrência um do outro.

Do outro lado da praça da cidade celestial, a um quilômetro e meio ou dois de distância, o mais pálido dos combatentes colidiu com seu inimigo mais saturnino, e os dois caíram como arranha-céus em colapso. As vestes fosforescentes que esvoaçavam quando caíram devem ter resvalado nas sacadas da enobrecida Filial 19 da Co-op bem na frente, já que suas grades de madeira explodiram em chamas, que felizmente foram extintas quase de imediato pela chuva tortuosa e torrencial.

Para Michael, olhando entre os dedos, o vale-tudo sangrento e dourado ocorrendo ali nas alturas de Almumana devia ter ecos repercussivos nos planos empilhados mais abaixo. De fato, na película perolada de gelatina que era a costura-fantasma, ele via brigas irrompendo por simpatia a um ou outro entre os espectros carrancudos que ocupavam o meio-mundo. Relativamente minúsculas, suas formas monocromáticas se juntavam em pequenos coágulos de vigorosa animosidade em torno dos enormes planetoides em guerra que eram os Mestres de Obras, entrelaçados e trocando socos no centro da Mayorhold, rolando ensanguentados nas poças que saltavam e cuspiam, com a amplitude de lagos. Ele viu duas aparições femininas, uma sobre a outra, em frente ao fantasma cinza do Green Dragon, na parte baixa da Bearward Street, abrindo leques brutais de membros pós-imagens a cada soco ou chute. Uma das lutadoras era uma mulher atarracada com uma pálpebra pendurada, a outra era menor e já sangrava preocupantemente de uma orelha, porém estava armada com uma garrafa quebrada fantasmagórica que empunhava com prazer e eficiência. Com os braços múltiplos girando como dois moinhos de vento assassinos, as mulheres-fantasma se inclinavam uma para a outra como se estivessem reencenando alguma disputa instável de quando estavam vivas a cada golpe cruel. Em outro lugar, no domínio enfumaçado dos moradores de rua, do lado de fora dos velhos banheiros públicos na extremidade inferior da Silver Street, os espíritos de dois comerciantes ciganos ou judeus estavam empenhados em chutar alegremente a barriga do homem de camisa preta no chão entre eles. Por toda parte, na sombra cinzenta do recinto, almas abjetas e desencarnadas davam gravatas e tentavam arrancar os olhos umas das outras, juntando-se à hostilidade etérea dos titânicos Mestres Ângulos que lutavam ali em meio ao rancor dos fantasmas e ao martelar do dilúvio.

Se Michael se concentrasse na camada abaixo da costura-fantasma, onde as frondes de coral iluminadas por faíscas entrelaçadas que eram as pessoas vivas se enovelavam para criar uma fundação reluzente para os terraços acima, mesmo ali a agressividade celestial que descia em cascata dos mundos superiores tinha efeito. Ele imaginou que, em algumas das áreas mais animadas do padrão humano, olhava para os vetores estacionários de um soco mortal, no qual os piolhos de cobra de vidro verdes, azuis e vermelhos pareciam mais contorcidos e enrolados do que o normal em nós fantásticos e intratáveis. Um desses arranjos, uma confusão espiralada de filamentos coloridos, o fez lembrar dos três estudantes vivos que viram diante da loja de doces, ao lado da revistaria de Trasler na costura-fantasma. Michael se perguntou se os rapazes tinham de alguma forma conseguido brigar para dividir os doces e agora trocavam socos na praça comercial mortal, respondendo inconscientemente à escaramuça invisível que acontecia mais acima. Olhando em pavor mudo para os enormes construtores que rolavam juntos na chuva, absortos em seu valiosíssimo derramamento de sangue, Michael não duvidou que havia formigas e micróbios lutando aos pés dos alunos mortais, nem que nas geometrias incompreensíveis que flutuavam muito acima de Almumana poderia haver fórmulas abstratas em guerra, tentando desacreditar umas às outras. Era como uma torre de ira e violência com os construtores furiosos no centro, indo do fundo da existência até alturas inimagináveis, e tudo por causa dele. Michael era a razão para isso estar acontecendo, ele e sua pastilha para a tosse.

Como se reforçasse esse fato enervante, o construtor de cabelos brancos tentava agora se reerguer, agachado sob o aguaceiro implacável perto da parede oeste do recinto, onde ficavam as Obras. Enquanto o Mestre Ângulo se esforçava para se erguer da lama e da umidade, houve um momento aterrorizante, quando uma de suas mãos enormes pousou no gradil de madeira, com quatro dedos de mármore grossos como colunas dóricas apertando de repente no parapeito revestido de piche, fazendo todos os espectadores-fantasmas reunidos lá pularem para trás e gritarem, tanto os espectros adultos quanto as crianças-fantasmas. O público heterogêneo encolheu-se contra a parede traseira da sacada e tremeu quando a figura gigante se ergueu lenta e dolorosamente. Como se uma vela monstruosa fosse apagada, um suspiro que se dividiu em milhares de ecos saltitantes subiu da multidão encolhida quando primeiro uma floresta de cachos brancos e depois o rosto atordoante e largo como uma tenda de circo foram trazidos para perto das vistas sobre o gradil, como um sol pálido e raivoso avançando sobre um horizonte plano e negro. À medida que a visão ciclópica se nivelava à plataforma lotada, o golpe feroz que sofrera se tornou visível em todo o seu horror. A proa esculpida de seu queixo estava dourada com o sangue inestimável do ângulo, derramado de um lábio rachado que agora estava coberto de dobrões e ducados. Um dos grandes olhos estava inchado e fechado, com um brilho de contusão de cintilantes pigmentos cor de opala começando a irromper na carne de alabastro ferida. O outro, cheio de cansaço e urgência, fixou seu olhar interminável por vários segundos paralisantes em Michael Warren. Nada foi transmitido por aquele longo olhar, exceto um poderoso reconhecimento, mas, se o menino ainda tivesse uma bexiga, ele a teria esvaziado ali mesmo. *Eu sei sobre você, Michael Warren. Eu sei tudo sobre você e seu Tune cereja-mentol.*

Desviando o olhar e endireitando-se para colocar a cabeça e os ombros de novo acima do gradil, o Mestre Construtor girou a túnica encharcada e pesada, caminhando como se com um propósito renovado para o outro lado da Mayorhold, onde o adversário de cabelo curto estava de joelhos no ouro arterial coagulado, zonzo e ainda tentando se levantar. O ogro resplandecente apoiou-se em seu cajado polido, com uma pata enorme tentando se firmar nas bordas creme e esmeralda da Filial 19 da Co-op, onde os espectadores fantasmagóricos se espalhavam em guinchos de terror.

Correndo para cima do adversário atordoado e abatido, o construtor de cabeça branca soltou um rugido terrível como o fim do mundo e agarrou o ex-companheiro grogue pelos ombros úmidos da túnica. Em uma demonstração petrificante de força que parecia violar todas as leis de massa e movimento, o construtor moreno foi lançado no ar, leve como um espantalho. A forma flácida fez uma trajetória semicircular rápida e indistinta antes de cair de costas, prostrado, em um impacto que sacudiu as fundações de Almumana. O movimento foi executado tão depressa que sua corrente de ar pôde ser sentida na sacada do lado de fora das Obras, onde espíritos maltrapilhos que tinham se esgueirado de volta para o gradil depois que o Mestre de Obras pálido retirou a mão agora foram soprados de volta contra a parede traseira do patamar, com as capas romanas vermelhas e peles saxãs e ternos despojados de joelhos gastos esvoaçando freneticamente. Phyll Painter olhou para as outras crianças, gritando para ser ouvida acima do gemido do vento inesperado.

— Vamo lá! Isso aí era-será aquela tempestade-fantasma chegando, então era-será melhor sair daqui antes que comece de verdade. Por que não vamos pra antes, no salão de bilhar, então podemos ver como isso começou?

Aquilo ao menos soou para Michael como algum tipo de plano, embora os detalhes da sua realização parecessem vagos. Quando o Bando de Mortos de Morte começou a voltar pelo caminho por onde tinha vindo, atravessando a horda reunida aos empurrões, Michael deu uma última olhada no espetáculo desanimador e ao mesmo tempo emocionante que abandonavam. A imensidão de cabelos brancos, com esforço, levantou o inimigo agora apenas semiconsciente acima da cabeça, sem dúvida preparando-se para outro arremesso pulverizador. A multidão ao lado do ringue, observando avidamente das passarelas altas, começou a cantar o nome do favorito em um coro de incentivo gutural, com a voz em massa trovejando no labirinto acústico da ampliada e murmurante Almumana.

— PO-DE-ROSO! PO-DE-ROSO! PO-DE-ROSO!

Enquanto Michael corria atrás dos colegas que partiam, agachando-se entre as pernas dos adultos ao longo da movimentada varanda, veio outro estrondo abafado e arrasador que sacudiu as madeiras sob seus pés envoltos em xadrez, e que pensou ser o construtor de cabelo à escovinha sendo arremessado para cima, para os rabiscos molhados e esvoaçantes do andar superior da Mayorhold. Em consequência, um novo relâmpago rasgou o céu negro nas alturas e arrancou novos aplausos da animada plateia maltrapilha de pós-viventes.

— PO-DE-ROSO! PO-DE-ROSO! PO-DE-ROSO!

Seguindo o rastro malcheiroso de Phyllis, as crianças-fantasmas refizeram seus passos, de volta pelas portas vaivém para o interior das Obras, depois descendo as escadas estreladas da meia-noite e seguindo com cautela pela extensão ondulante do local de trabalho de lajotas demoníacas até a porta torta em um canto. Dali, descendo um a um a precária Escada de Jacó com seus degraus absurdamente estreitos, voltaram a submergir nas braças incolores e abafadas da costura-fantasma, onde o fedor da estola de coelho de Phyllis Painter quase se perdia e onde, ao descer os degraus rangentes, era possível ver a própria nuca nas pós-imagens cinzentas e proliferantes.

Leves como lanugem de cardo desalinhada, desceram pelos andares arruinados e encharcados do prédio que séculos atrás havia sido a prefeitura, deslizando pelas aberturas da escada em colapso até o andar térreo, passando pelas tábuas empenadas pregadas em uma porta outrora grande na memória desbotada da Mayorhold, drenada de toda a sua pintura, vida e perfume.

Quando entraram no ar livre do meio-mundo, Michael descobriu que ainda chovia forte na costura-fantasma, embora, a julgar pelas roupas secas e pelo andar sem pressa dos ocupantes vivos do lugar, além das sombras negras e afiadas que projetavam, a Mayorhold mortal ainda se deleitava na ensolarada hora do almoço de verão, sem saber que o mau tempo castigava as partes mais altas. Do outro lado da praça, muito mais perto do que parecia estar de Almumana, as duas mulheres-fantasmas ainda estavam se esmurrando, salpicando a calçada diante do Green Dragon com sangue negro de fantasma. Percebendo que Michael estava de olho no par de encrenqueiras, cujos respingos de tinta e membros multiexpostos faziam com que parecessem lulas briguentas, John se inclinou para murmurar algo para ele enquanto as crianças mortas seguiam pela extremidade oeste da Mayorhold, em direção à Horsemarket.

— Eram-são as sapatonas, tirando satisfação sobre quem beliscou a namorada de quem. Aquela com a garrafa quebrada ali, a menor e mais rápida, era-será Lizzie Fawkes. A outra, a monstrenga de olho rasgado, aquela era-será a Mary Jane. Ela me fez aquele hematoma feio que te mostrei antes, quando me chutou nas costelas. Isso que estamos vendo era-será uma briga famosa que elas tiveram quando estavam vivas. Quase se mataram, pelo que eu soube, mas imagino que as duas devem ter gostado, ou não estariam aqui reprisando isso tudo de novo e de novo.

As demais brigas entre os espectros da Mayorhold ainda aconteciam em toda a extensão do enclave. Os dois mercadores de nariz adunco perto dos banheiros públicos estavam arrastando o homem de camisa preta para dentro por ladrilhos reluzentes de mijo para castigá-lo ainda mais. Michael também podia ver que os ânimos esquentavam entre os habitantes vivos da área. Os compradores que antes conversavam amigavelmente na porta da Co-op agora sibilavam acusações, ambos com os braços cruzados de maneira agressiva e as cabeças balançando de um lado para o outro como brinquedos de cabeças bambas. Viu também que sua intuição em relação aos três estudantes mortais tinha sido precisa: do lado de fora da Botteril, a outra revistaria da praça, dois dos meninos estavam se unindo contra o rapaz restante, que segurava o saco de doces que haviam comprado mais cedo. Uma atmosfera desagradável havia se instalado no local antes tranquilo, mas, das presenças celestiais que Michael sabia serem a causa desse desconforto, não havia sinal algum. Ele percebeu que nem os imensos Mestres de Obras, nem os altos pináculos de Almumana que os cercavam eram visíveis dali da costura-fantasma, a não ser que se soubesse o que procurar.

Depois de um momento ou dois olhando através da cortina de chuva desdobrada, Michael ainda não conseguia ver os construtores em conflito, mas distinguia as áreas onde não estavam. Um dos ônibus estacionados na extremidade inferior da Mayorhold pareceu inchar de repente como uma bolha até que metade de seu interior ficasse dez vezes maior do que a outra metade, esvaziando de volta ao normal quase instantaneamente enquanto a estranha mancha de distorção visual se movia para inflar a frente do velho Jolly Smokers, dobrando tanto os fantasmas quanto as pessoas vivas que vagavam do lado de fora da taverna em manchas curvadas e alongadas. Era como se algo movesse uma grande lente de aumento ao redor da praça, ou como se uma imensa bola de gude de transparência absoluta girasse invisível ao redor da Mayorhold, curvando toda a luz em enormes protuberâncias de olho de peixe. Esse fenômeno, ele raciocinou, deve estar acompanhando os movimentos, aqui invisíveis, dos Mestres Ângulos enquanto arrancam ouro um do outro lá nos reinos mais elevados.

Além disso, a criança de xadrez também percebeu, cheia de ansiedade, que as rajadas de vento abruptas e surpreendentes irrompiam do nada para causar redemoinhos repentinos na poeira-fantasma ou fazer as boinas de fantasmas locais rolarem pela Broad Street seguidas pelos rastros de pós-imagens de seus proprietários empenhados em persegui-las em vão. Como Phyllis já havia dito, eram óbvios os sinais do início da tempestade-fantasma uivante que quase os mandou pelos ares nos baixos da Scarletwell Street. Como na ocasião não tinham visto as próprias formas indo na direção do Victoria Park, ele supôs que isso significava que escapariam da tempestade crescente de alguma forma, embora Michael ainda continuasse lançando olhares preocupados para seus colegas mortos à espera de que alguém sugerisse algo.

Como seria de se prever, Phyllis já tinha um plano. Quando a ferocidade da brisa-fantasma começou a aumentar, ela liderou sua tropa de comando em miniatura para o alto da Bath Street, onde se juntava à Mayorhold. Espremendo os olhos na via em declive, Michael percebia um lento redemoinho negro no ar cinza do lado de fora dos apartamentos da Bath Street, mas, se aquilo era a mó do Destruidor, não estava nem perto da escala que alcançaria lá por zero-cinco ou zero-seis. Girando tristemente sobre a via deserta, não parecia representar uma ameaça real, e Michael se perguntou se não havia tido uma percepção exagerada ao topar com o buraco giratório de repente à noite, quando já estava chateado por outro motivo.

Uma vez na Bath Street, o bando se reuniu em uma das sebes na altura da cintura que delimitavam o gramado superior dos apartamentos típicos dos 1930. Agora o vento estava aumentando bastante, trazendo as gotas de cristal da superchuva que açoitavam as lajes da calçada com jatos de vidro fluido. À medida que as gotas se estilhaçavam em cópias ainda mais requintadas de si mesmas contra os dedos das pantufas da criança, com cada conta molhada deixando um rastro de um colar de pós-imagens pela costura fantasma, ocorreu a Michael que, embora pudesse sentir aqueles complexos salpicos, não se molhava. As pedras preciosas de líquido pareciam manter sua elástica tensão superficial mesmo depois de serem subdivididas em pontos intrincadamente estruturados do tamanho de uma cabeça de alfinete, rolando dos punhos do pijama listrado sem deixar nada de si para trás. Com o roupão puxado para cima em um capuz para proteger a cabeça, deixando as pernas e bumbum expostos, ele correu encolhido na chuva em direção ao duvidoso abrigo da sebe onde os amigos fantasmagóricos estavam reunidos, com doppelgangers correndo atrás dele como uma comitiva de caça composta por pigmeus.

Agachada perto da cerca-viva, Phyllis fazia os já familiares movimentos de patas com as mãos enquanto começava a cavar um túnel no tempo, embora as faixas oscilantes de padrão de interferência em preto e branco ao redor do portal em expansão estivessem ausentes nessa ocasião. Havia uma única circunferência de fraca luminosidade ao redor da borda do buraco, e ocorreu a Michael que, se Phyllis estivesse apenas tentando cavar uma ou duas horas no passado ou no futuro, não haveria faixas pretas representando noites espremidas no perímetro cintilante da abertura.

No fim, era mesmo esse o caso. Cavando o buraco raso sem ajuda em menos de um minuto, Phyllis o atravessou e não apareceu acima da cerca do outro lado, um convite óbvio para que os outros membros do bando a seguissem. John indicou com um aceno de cabeça que Michael deveria ir em seguida, ao que o menininho se ajoelhou, com a chuva tamborilando em seu pescoço e o vento-fantasma assobiando em seus ouvidos, para seguir a líder do bando através da abertura de borda iluminada.

Quando Michael se arrastou para o outro lado, descobriu, sem surpresa, que ainda estava no gramado superior ladeado por sebes dos apartamentos da Bath Street que passavam pela Horsemarket, com Phyll Painter a alguns metros de distância, batendo o pé com impaciência. Ele se levantou e olhou para trás, por cima do muro baixo, notando com alarme que Bill, John, Marjorie e Reggie não estavam mais por perto. Um instante depois, percebeu que não ventava e que havia parado de chover. Comentou isso com Phyllis, mas ela sorriu e sacudiu a cabeça em uma roseira momentânea de flores loiras e sorridentes.

— Não, pirralho, não parou de chover. Ainda não começou.

Enquanto isso, os outros membros do Bando de Mortos de Morte emergiram de quatro através do intervalo de tempo na folhagem cortada. Quando as seis crianças-fantasmas se reuniram mais uma vez naquele lado muito mais clemente e menos varrido pelo vento do arbusto aparado, Michael olhou na direção do alto da Bath Street, para a Mayorhold. O enclave estava seco e ensolarado, ainda que apenas com a pálida luz cinzenta da costura-fantasma. Não havia moradores de rua brigando na esquina ao lado do Green Dragon, nem do lado de fora dos banheiros públicos na parte baixa da Silver Street. O trio de garotos vivos que brigaram por causa de seu saco de doces não estava em lugar algum. Phyllis explicou.

— Cavei pra gente voltar uns quarenta e cinco minutos, fora do vento e da chuva. Agora podemos ir pro salão de bilhar pra ver como a briga começou.

Com isso, passando pela cerca-viva até a calçada que margeava a Horsemarket, a turma começou a descer a colina na direção da Marefair e da Gold Street, cada qual com um fluxo de imitadores desmazelados que se dissipava atrás de si. Ocorreu a Michael que, se isso era mais ou menos meia hora antes de os ângulos brigarem, então também deveria ser antes de ele ter morrido engasgado no quintal da St. Andrew's Road. Seria naquele momento que Doreen estava tirando sua cadeira de madeira de espaldar reto para colocá-la na metade superior do pátio ao lado do sifão, dizendo a Michael que o ar fresco lhe faria bem? A irmã de Michael, Alma, já estaria ficando entediada, começando a correr pelos confins do quintal apertado? Com essas preocupações, ele correu para alcançar Phyllis Painter, puxando sua manga de lã enevoada, até que ela se virou e perguntou o que ele queria.

— Se isso era-será antes que a matilha de tosse me catou, podemos descer até a Andrew's Woad e impelir que isso amoleça!

Phyllis foi firme, mas não insensível.

— Não, não podemos. Pra começar, tudo já aconteceu, e nunca vai acontecer de outro jeito. Depois, se a gente descesse pra Andrew's Road, então eu teria visto a gente quando te puxei pros Sótãos do Alento. Cheguei à conclusão de que se isso tava acontecendo, então é por alguma razão, e nosso papel era-será levar a cabo e entender isso tudo. Se eu fosse ocê, não gastaria meu tempo tentan'o mudar o passado. No Bando de Mortos de Morte, o que descobrimos era-será que era-será sempre melhor seguir com a aventura e ver como tudo termina. Vamos lá visitar o salão de sinuca e ver o que deixou os construtores espumando desse jeito.

Com isso, Phyllis pegou a mão dele e começaram a descer juntos a inclinação da Horsemarket, com cada passo saltitante levando-os ao mesmo tempo para cada vez mais alto e mais longe. Michael ficou tão emocionado ao sentir o toque dos dedos frios dela entrelaçados com os seus que começou a rir de prazer, e então os dois riram, passeando pela ladeira juntos, deixando arcos de pós-imagens atrás de si que pareciam enfeites de Natal agrupados, só que nem um pouco tão coloridos. Pararam apenas quando estavam quase lá embaixo, e de repente perceberam que tinham corrido demais na frente dos companheiros, que vagavam no meio da ladeira enquanto observavam Bill e Reggie se jogarem na frente de carros em disparada. Aquele parecia um passatempo letal, embora obviamente o tráfego moderno passasse inofensivamente pelos cascas-grossas espectrais e, além disso, Reggie e Bill já estavam mortos. Michael imaginou que, da perspectiva deles, morrer significava apenas que poderiam relaxar e ser um pouco mais imprudentes em suas brincadeiras, se jogar debaixo de trens ou de prédios de dez andares com desenvoltura e coisas assim. Para as crianças dos Boroughs, ao que parecia, a morte era um parque de diversões maravilhoso, sem filas ou regras de segurança irritantes. Phyllis observou o que Michael agora acreditava ser o irmão mais novo dela, balançando a cabeça com tristeza, mas sorrindo com carinho ao fazê-lo.

— Ele era-será um bestinha. Ele e o Reggie, os dois fazem isso sempre, pular na frente dos carros desse jeito. Ele diz que cê vê todas as partezinhas do motor como se fosse uma pilha de fatias de diagramas ao passar voando por eles, mas prefiro acreditar no que ele diz a ver por mim mesma. Nunca tive tempo pra carros.

Phyllis e Michael esperaram que os retardatários os alcançassem no cruzamento da Horseshoe Street com a Gold Street. Flutuaram até se sentarem juntos no parapeito de uma janela alta enquanto esperavam, para que todas as pessoas vivas no cruzamento não os atravessassem o tempo todo. Embora Michael soubesse que não estavam cientes de que faziam aquilo, não queria um monte de estranhos, felizmente sem se darem conta, mostrando-lhe as entranhas sem permissão. Além disso, era bom ficar ali sem ser visto, no parapeito com Phyllis, sob sol prateado do meio-dia. Era como se fossem duendes de árvore invisíveis, radiantes em seus galhos nodosos em uma velha gravura cinza, enquanto lenhadores e camponeses passavam desatentos logo abaixo.

Quando os outros quatro finalmente chegaram, Michael e Phyllis pularam de mãos dadas em uma lenta cascata de pós-imagens, e o Bando de Mortos de Morte continuou em direção ao ponto mais baixo da Horsemarket. Descendo a ladeira, passaram pelo eixo leste-oeste da esquina e continuaram até a inclinação íngreme da Horseshoe Street, atravessando-a flutuando até o lado da Gold Street, que tinha a vitrine de lareiras a gás da Bell na esquina.

No meio do caminho havia um prédio de três andares com telhado plano, que parecia ser dos anos 1950 e, portanto, construído recentemente, um salão de exercícios ou algum tipo de clube esportivo e social. Escorregando pelas portas da frente fechadas, os fantasmas se viram em um interior sombrio onde manchas de luz de mosaico caíam através do vidro reforçado com arame das janelas altas. Não havia quase ninguém àquela hora da manhã, exceto vários proprietários ou funcionários que faziam a arrumação e não podiam ver as crianças-fantasmas, e um gato malhado cor de mármore que obviamente podia. A bola de pelo cinzenta saiu grunhindo em disparada por um corredor dos fundos, deixando o Bando de Mortos de Morte seguir Phyllis, flutuando por uma escada de paredes brancas até os andares superiores.

Esses patamares mais acima estavam, até onde sabiam, desertos. Bem no alto, escondido em um quarto vago onde havia pilhas de cadeiras e caixas de papelão cheias de documentos, havia uma porta torta e uma Escada de Jacó. Ao contrário dos anteriores por onde Michael tinha passado, nos baixos da Scarletwell em zero-cinco ou zero-seis e sob as Obras um pouco antes, nenhuma fita de luz se desfez em cores frutadas, pálidas e cordiais dessa abertura, nem havia qualquer som ondulante de Almumana que viesse dos espaços desconcertantes lá em cima. Essas escadas, aparentemente, não levavam até o Segundo Borough. Ou isso, ou eram uns bons lances acima.

As crianças subiam os degraus desajeitados uma de cada vez, de novo com Phyllis liderando e Michael seguindo atrás dela. Atravessando o teto do depósito empoeirado, a Escada de Jacó continuou como uma rampa inclinada cercada por paredes de gesso lascadas. Os espelhos de sessenta centímetros e os degraus de sete centímetros sob seus pés eram revestidos por um carpete marrom desgastado com uma estampa feia de trepadeira, mantido no lugar por hastes de latão desgastadas. Enquanto subia, com Phyllis esforçando-se na frente dele, fez o possível para não olhar para a calcinha dela, mas não foi fácil, com o fluxo de imagens saindo das costas da garota para estourar como bolhas de fotos em seu rosto. Por fim, o bando emergiu por um alçapão para o que parecia ser um pequeno escritório nos fundos, com papel de parede cor de fumaça, uma mesa polida e uma cadeira chique parecida com um trono, essas duas últimas feitas de madeira velha e arranhada que poderia ter vindo da Arca de Noé. Sobre as tábuas escuras e envernizadas do piso havia uma fina camada do que parecia ser um estranho talco branco luminoso com uma série de pegadas gastas de sapatos e botas, que iam do alçapão até a entrada do escritório.

Andando na ponta dos pés pela sala, cujos piso e móveis pareciam sólidos para as crianças, por serem feitos de madeira-fantasma, passaram pela porta rangente do escritório de maneira normal, abrindo-a primeiro. Isso os levou a uma sala de jogos cavernosa e sombria que parecia ocupar o que restava do insuspeitado quarto andar do prédio de três andares. A enorme área não tinha janelas, iluminada apenas pelo pilar cinzelado de luz branca que descia sobre a única monstruosa mesa de bilhar no centro da extensão negra.

Aglomerados nas sombras das bordas do cômodo havia uma horda de moradores de rua inquietos, abjetos residentes da costura-fantasma de diversos períodos — embora Michael tivesse a impressão de que não havia uma variedade tão grande de séculos representados ali quanto nas varandas do lado de fora das Obras. Apesar da presença de alguns monges de aparência antiga, a maior parte da multidão fantasmal parecia composta por indivíduos do final do século XIX ou início do século XX. Alguns vestiam sobretudos, outros suspensórios, todos usavam chapéus e quase todos eram homens. Ficavam ali, arrastando os pés na escuridão inquieta, com os olhos mortos grudados na mesa iluminada no meio do salão aberto e no deslumbrante quarteto de formas que se movia ao redor dela.

Brilhantes como a luz do sol piscando pontos e traços em código Morse sobre a superfície de um lago, eram quase intensos demais para serem vistos, mas Michael foi persistente. Depois que seus olhos se acostumaram com o brilho, percebeu que duas das figuras que andavam pelas bordas da mesa eram os Mestres de Obras que havia acabado de ver lutando na Mayorhold, apenas encolhidos para um tamanho um pouco mais realista. O ângulo de cabelos brancos parecia concentrar seu jogo na caçapa sudeste da mesa gigante, que era uma de apenas quatro, embora Michael achasse que se lembrava de que mesas normais de sinuca costumavam ter mais. Enquanto isso, o construtor de cabeça raspada com olhos escuros parecia mais focado no canto nordeste da baeta cinza, alinhando o taco de bilhar longo e liso — essas eram as varas que os ângulos estavam empunhando — em direção à multidão incolor e indiferenciada de bolas espalhadas pelo enorme campo de jogo. Não reconheceu os outros dois competidores, situados a sudoeste e noroeste, mas achou que provavelmente tinham o mesmo status. As vestes, pelo menos, eram igualmente ofuscantes. A mãe deles com certeza usava sabão Persil.

Percebendo que havia símbolos gravados em ouro nos discos de madeira afixados nos quatro cantos da mesa, Michael se lembrou de ter lido sobre eles no guia que recebeu nas Obras, que sabia ainda estar enfiado no bolso de seu roupão. Recuperando-o, examinou as páginas de alguma forma legíveis, embora contorcidas, descobrindo que sua visão noturna fantasmagórica tornava possível ler apesar da escuridão. Michael pensou que devia ser como Alma lendo debaixo dos lençóis, mas sem os raios do farolete vazando, que normalmente a denunciavam. Releu a parte sobre os quatro símbolos mal desenhados, então pulou a longa lista de setenta e dois demônios, que era seguida por um registro de setenta e dois construtores correspondentes, que ele também pulou, e então por um material sobre o salão de bilhar, que era o que estava procurando. Olhando com cuidado para as coisas prateadas que se contorciam e brilhavam na página escura, e que não eram exatamente letras, ele começou a ler.

No canto sudeste do domínio físico, perto do Centro da Terra, encontra-se uma sala de jogos onde os Mestres Ângulos jogam no Trilhar, sendo este o nome correto do jogo Cheio-de-graça. Os meandros de seu jogo determinam as trajetórias das vidas no Primeiro Borough, sujeitas às quatro forças eternas que os Ângulos representam. Estas são Autoridade, Severidade, Misericórdia e Novidade, simbolizadas respectivamente pelo Castelo, pela Cabeça da Morte, pela Cruz e pelo Falo. O Arquiconstrutor Gabriel governa a caçapa do Castelo, Uriel, a da Cabeça da Morte, Mikael, a da Cruz, e Rafael, a do Falo.

Devido à multiplicidade de suas naturezas essenciais, capazes das mais variadas expressões, os quatro Mestres de Obras nunca cessam seu jogo de Trilhar, mesmo que simultaneamente possam ser necessários e de fato estar presentes em outros lugares. A única exceção a essa regra invariável é o evento de 1959, quando dois dos quatro Mestres Ângulos deixaram a mesa de Trilhar para seguir em uma altercação acima da Mayorhold terrestre, sua briga tendo sido provocada pelo que se alega ser uma violação das regras sobre uma Alma disputada chamada Michael Warren. Ele...

Jogando o panfleto no chão do salão de bilhar como se fosse uma centopeia venenosa, Michael soltou um grito de terror mortal. Ele era uma "Alma disputada", a única que já existiu, se o que era dito no guia estivesse correto, e Michael não duvidou nem por um momento disso, em todos os detalhes eternos. Foi só quando ergueu os olhos do panfleto inquietante que Michael percebeu que todo mundo olhava para ele, com seu grito abrupto chamando a atenção no silêncio tenso que pairava acima da competição. Phyllis e os outros membros do Bando de Mortos de Morte o mandavam calar a boca e diziam que os espectadores não tinham permissão para interromper o jogo, enquanto os moradores de rua espreitando pelas paredes o olhavam através da escuridão e se perguntavam quem ele achava que era. Entre os Mestres de Obras agrupados ao redor da mesa, porém, não havia essa incerteza. Todos os quatro o encaravam, e todos pareciam conhecê-lo.

O construtor moreno de cabelo curto parecia ser o que dava menos atenção a Michael, apenas erguendo os olhos para registrar a fonte do clamor agudo e depois sorrindo com frieza para o menininho fantasma do outro lado da sala antes de se curvar mais uma vez para a mesa e sua jogada. A dupla de construtores desconhecidos no lado oeste da mesa olhou primeiro para Michael, depois um para o outro, depois para Michael novamente, com expressões idênticas de ansiedade e apreensão. O mais surpreso ao vê-lo dentre os quatro Mestres de Obras, porém, foi o de cabelos brancos.

Parado no canto sudeste da mesa, com a cruz de ouro gravada no disco de madeira, o ângulo de cabelo encaracolado encarou Michael com um olhar de terrível perplexidade que parecia dizer: "O que está fazendo morto?", lembrando a ele que, embora fosse a segunda vez que via o construtor na última meia-hora mais ou menos, do ponto de vista do construtor era a primeira vez que se encontravam. O ângulo de repente alarmado e confuso parecia fazer em uma velocidade absurda uma longa lista de cálculos em sua cabeça, tentando encontrar uma explicação para a presença da criança ali naquele estranho salão de sinuca dos mortos. Com os olhos arregalados como se tivesse acabado de considerar uma possibilidade desagradável, o construtor de cabelos brancos voltou-se para a mesa bem a tempo de ver o ângulo moreno e barbeado fazer sua jogada.

Junto de todas as outras presenças espectrais na sala, incluindo os moradores de rua, o Bando de Mortos de Morte e os outros Mestres de Obras, Michael olhou para a mesa de bilhar com um pressentimento horrível do que estava prestes a acontecer.

O competidor de cabelo curto e saturnino havia acabado de bater seu taco de ponta de lápis-lazúli com força considerável contra uma das cem bolas em jogo sobre a mesa, cada qual com um sutil tom diferente de cinza. A esfera atingida se espalhou pela baeta com uma longa e indistinta sequência de pós-imagens atrás. Por ser vários tons mais escura do que a grande maioria das bolas ao redor, Michael pensou que aquela poderia ser deum vermelho-cereja bem intenso se visto sem o daltonismo que era uma condição da costura-fantasma. Inclusive, considerou que poderia ser a cor exata da pastilha pegajosa que o fez engasgar. Em um lampejo instintivo que pareceu vir do nada, Michael soube que aquela bola de alguma forma representava o dr. Grey, o médico dos Boroughs na Broad Street, que havia dito a Doreen que seu filho mais novo estava apenas com uma dor de garganta e deveria tomar pastilhas para tosse. Enquanto observava a bola-dr. Grey disparar ao longo da mesa enorme, Michael sentiu, com um nó no fundo do estômago, que sabia para onde tudo aquilo levava.

Com um estalo poderoso, a bola colidiu com outra, uma esfera muito mais pálida, que Michael entendeu com uma clareza paralisante que de alguma forma deveria representá-lo. Esse segundo globo cinza girou com o impacto para ir ricochetear contra a tabela do lado sul e disparar em direção ao canto nordeste da mesa, onde o disco elevado mostrava um rabisco dourado infantil que deveria ser uma caveira. A bola-Michael, desacelerada a um fio após sua colisão com a tabela, ribombou em direção à caçapa da caveira, pouco a pouco perdendo impulso em pequenos incrementos de roer as unhas para enfim parar a menos de um fio de cabelo da borda escura do buraco do canto. Como uma barriga inchada, mais de um terço de sua curvatura de marfim opaco projetava-se precariamente sobre o abismo em miniatura marcado com uma caveira, dando a impressão de que a mais leve vibração no chão do salão de bilhar a faria tombar para o oblívio. Embora não soubesse nada sobre sinuca, Michael sentiu que, com aquela tacada, tanto ele quanto o Mestre de Obras pálido haviam sido colocados em uma posição quase impossível de sair.

Parecia que o competidor de cabelos brancos havia chegado à mesma lamentável conclusão. Olhou para a mesa em silêncio horrorizado por alguns segundos, como se não pudesse acreditar que um de seus três colegas em chamas tivesse achado adequado encurralá-lo naquela situação terrível, que parecia insolúvel.

Ele ergueu os olhos da ameaçada bola de bilhar em direção ao ângulo de cabeça raspada que a havia colocado em um perigo tão terrível, com os olhos tão cheios de fúria que a assustada plateia de fantasmas desocupados dos Boroughs se encolheu nas sombras, se recolhendo mais ao fundo do que já estava. Sem piscar e sem um lampejo de expressão em um rosto que agora parecia uma estátua, o construtor de cabelos brancos pronunciou cuidadosamente uma palavra em sua língua quádrupla.

— Userielaca.

Todos rangeram de susto, a não ser por um ou dois distraídos que riram sem querer e então sufocaram o riso em um silêncio terrível e constrangedor ao perceberem o que o Mestre de Obras tinha acabado de dizer, captando um número maior ou menor das várias camadas de nuances e significados subsidiários.

— Uriel, seu babaca.

A casa veio abaixo, quase literalmente. O rosto do construtor de cabeça raspada parecia passar por um eclipse, onde se podia ver a faixa de emoção sombria se movendo em suas feições, desde a barba por fazer até a fortaleza óssea da mandíbula. Ele girou a mão que segurava o taco em um arco rápido, passando o braço sobre o ombro com uma sequência de pós-imagens brancas e derretidas atrás de si, rêmiges queimando em uma asa selvagem e cortante, e arremessou o taco no chão do salão de sinuca. Ele reverberou o estalo da própria destruição, fazendo toda a construção balançar e se inclinar, com vários moradores de rua cambaleando e tombando, terminando em uma pilha desordenada com seus comparsas contra a parede dos fundos do salão de bilhar. Michael ficou ao mesmo tempo aliviado e perplexo ao notar que, durante todo aquele tremor, estremecimento e queda, nenhuma das bolas na mesa cinza sequer tremeu.

Chovia poeira do teto, com flocos de gesso caindo como se fossem baixados em fios de múltiplas exposições. Mesmo na acústica abafada da costura-fantasma, as reverberações retumbantes do taco de sinuca derrubado ainda avançavam como touros ao redor do local, enquanto os espectros reunidos que ainda estavam de pé permaneciam imóveis no lugar, em um pânico religioso. Certamente, o tempo terminaria agora. As estrelas seriam arrumadas, colocadas de volta em seu caixão de joias, e o sol apareceria.

Enquanto estava parado ali, boquiaberto, Michael se viu agarrado por trás pela gola salpicada de catarro demoníaco de seu roupão e puxado para a atividade por alguém que se revelou ser Phyllis Painter.

— Vamos, antes que passe o choque e todo mundo tente sair daqui duma vez só!

O Bando de Mortos de Morte se moveu com rapidez e eficiência, demonstrando uma óbvia experiência em se esquivar e fugir das situações mais inesperadas e apocalípticas. Espalhando suas pós-imagens pelo salão de bilhar como se alguém tivesse acabado de abrir uma torneira de moleques, as crianças passaram pelo pequeno escritório dos fundos, descendo a Escada de Jacó e seguindo em alta velocidade, descendo pelo prédio mortal até o andar de baixo, saltando pelas escadas doze degraus de cada vez, assustando o mesmo gato cinza que tinham afugentado ao entrar.

Eles chegaram ao saguão do centro esportivo e social, seguidos pelo rugido da debandada de espectadores fantasmas vindos dos andares mais altos, fantasmas que demoraram para perceber a situação e só agora tentavam cair fora. Michael e todos os outros estavam prestes a sair correndo pelas portas duplas e entrar na Horseshoe Street quando Phyllis gritou para que parassem.

— Não vão por aí! O povo todo vai sair por essas portas em meio minuto! Tenho um caminho melhor!

Com isso, ela fechou os olhos e apertou o nariz entre o polegar e o indicador, como alguém se preparando para pular da beirada da piscina de concreto escaldante para as águas verdes e opacas da piscina pública no Midsummer Meadow. Fazendo um pequeno salto de coelho no ar, mergulhou pelo chão e desapareceu sob os ladrilhos do saguão, deixando a superfície recém-limpa sem uma única ondulação. Trocando olhares de dúvida e depois se voltando para o teto, onde o rugido da avalanche de fantasmas em fuga aumentava à medida que se aproximava, as crianças seguiram o exemplo de Phyllis. Fechando os olhos e as narinas com força, deram seus pequenos saltos e descobriram que estavam caindo meio metro ou mais abaixo do piso, na escuridão úmida que tudo envolvia.

Levantando-se de lajes duríssimas e, portanto, muito provavelmente antigas, Michael olhou em volta com sua visão fantasmagórica aprimorada para os contornos cintilantes de seus cinco amigos, que também se levantavam e sacudiam a poeira. Pareciam estar em um grande porão sem uso, com paredes de tijolos cobertas de teias de aranha e enegrecidas pelo tempo. Phyll Painter, tendo sido a primeira a ficar de pé, estava parada na extremidade oeste do porão, raspando um pedaço de alvenaria que parecia novo em comparação com os demais, talvez uma antiga porta desativada e bloqueada. Enquanto os companheiros gravitavam ao seu redor, em um círculo aberto, ela compartilhou o plano com o qual, claro, eles já estavam comprometidos.

— Acho que já vimos tudo o que podíamos sobre o motivo por que os construtores brigaram. Acho que tá na hora de fazer o que combinamos e ir encontrar a sra. Gibbs na igreja Doddridge para ver se alguém descobriu mais alguma coisa.

John, parecendo confuso, interrompeu.

— Mas, Phyll, o caminho mais rápido para a igreja Doddridge é atravessar a Marefair até a Doddridge Street. Por que está cavando nos anos de novo?

Na retaguarda da turma, Michael ficou na ponta dos pés para ver do que o garoto mais alto falava. Phyllis estava parada de costas para eles, cavando a parede de tijolos como um dos coelhos que pendiam tristemente em seu pescoço. Se o buraco de uma hora de profundidade que ela cavou na cerca-viva da Bath Street tinha apenas uma borda de luz do dia, o que ela estava abrindo agora era cercado por uma escuridão ininterrupta. Só Deus sabia quantos dias sem luz, ou anos, ou décadas, ela vinha dobrando de volta naquele perímetro negro.

— Tô levan'o a gente pela Marefair até a Doddridge Street, palerma. Não tá escrito em nenhum lugar que precisamos ir do jeito mais chato.

Tem esses túneis nessa ponta da cidade que voltam pra antiguidade e ligam todas as igrejas mais velhas e as construções importantes. Foi-será onde eu e o Bill encontramos o Reggie, na passagem que vai da igreja de St. Peter pra do Santo Sepulcro. Esse porão aqui fazia parte de uma rota subterrânea sain'o da St. Peter, passan'o pela St. Gregory, e depois na direção da de Todos os Santos, que era chamada de Todos os Sagrados Pastores quando ainda era-será feita de madeira. Daqui não precisa cavar muito e está nos mil e duzentos, mil e trezentos, com os séculos que vêm depois bem aqui em cima, então pode cavar para o tempo que quiser. Pronto. Acho que agora acabou.

Phyllis recuou para que todos pudessem ver, embora na verdade não houvesse muito o que olhar. Ela tinha arrastado as bordas da meia-noite do intervalo de tempo até as dimensões aproximadas de um pneu, com nada visível do outro lado do buraco, a não ser mais escuridão. Ainda assim, se Phyllis dizia que era a maneira mais emocionante de atravessar a Marefair, Michael estava disposto a confiar nela. Seu anúncio de que a turma finalmente iria se encontrar com a sra. Gibbs colaborou muito para dissipar suas preocupações anteriores de que ela pudesse colocá-lo em apuros sem nenhuma prudência e, enquanto ela levantava a saia para escalar o espaço, ele passou pelos outros membros da equipe para ser o primeiro a segui-la.

Apenas as paredes de pedras ásperas e brilhantes do túnel demonstravam que estavam agora nos tempos medievais, já que a escuridão total era a mesma em qualquer século. O bordado brilhante da visão noturna de Michael destacou fragmentos de detritos arcaicos jogados aqui e ali — parte de um velho jarro de pedra com uma tampa de arame e mármore, pedaços de cocô de cachorro que pareciam fossilizados e metade de um cavalinho de pau com a espinha quebrada logo abaixo da cabeça —, mas nada que parecesse muito interessante. Com o resto do bando e suas pós-imagens a reboque, Michael e Phyllis começaram a caminhar para o blecaute impenetrável, indo mais ou menos para o oeste.

Não precisaram avançar muito, estavam na altura da Horseshoe Street, pelo que Michael calculou, até encontrar um ponto em que o túnel se alargava no que pensou ser algum tipo de cripta abandonada, com um piso de lajes por onde pedaços de pedra quebrada se espalhavam, talvez a tampa quebrada de um sarcófago. Phyllis confirmou as suspeitas do pequeno.

— Isso aqui era-será o que fica embaixo da igreja de St. Gregory, ou pelo menos debaixo do que costumava ser. Foi-será bem pra esse lugar que um dos quatro Mestres de Obras disse a um monge pra vir, há centenas de anos. O construtor era-será provavelmente o amigo com cabelo enrolado, ele fez o monge trazer uma cruz de pedra de Jerusalém, passan'o por todos os desertos e oceanos, para marcar o centro dessa ilha, bem na metade do país. Aquela cruz velha — o Cruzeiro, eles chamavam — era-será a coisa que faz dos Boroughs um lugar tão importante. No Andar de Cima, é o centro da estrutura da Inglaterra, então tá aguentan'o todo o peso. É por isso que aquele buraco queimado horrível que cê viu na Bath Street vai terminar num grande desastre se não tomarem cuidado.

Michael optou por não perguntar a Phyllis o que isso significava, porque não estava muito inclinado a pensar no buraco queimado horrível que viram na Bath Street. Os seis fantasmas mirins serpentearam ao longo da passagem subterrânea, deixando para trás a abóbada arruinada da St. Gregory enquanto avançavam para a escuridão antiga sob Marefair.

Depois de mais uns cinquenta passos, Phyllis ordenou aos demais que parassem e apontou para o teto úmido e saturado de água do túnel, a poucos palmos acima da cabeça deles.

— Aqui é onde acho que precisamos cavar até a superfície. Vamos sair bem do outro lado da abertura da Doddridge Street, na Marefair. Cê me dá uma ajudinha, John?

O membro mais bonito do bando-fantasma fez o que foi pedido, colocando as mãos em um estribo para que Phyllis, quase sem peso, pudesse ficar em cima dele e começar a arranhar o teto do túnel. Dessa vez, havia faixas em preto e branco em movimento ao redor das bordas da escavação, o que sugeria que o espaço acima deles estava pelo menos familiarizado com a procissão comum de dias e noites.

Aos olhos de Michael, Phyllis estava sendo muito mais cuidadosa ao cavar, limpando com calma as eras acumuladas como uma arqueóloga consciente do que fazia, em vez de cavar freneticamente, que era a única técnica que a tinha visto usar antes. Parecia tentar atravessar até um ano específico, ou mesmo uma manhã específica, de tão precisas e delicadas que eram as progressões de sua multiplicidade fantasmagórica de dedos, arranhando no escuro.

Por fim, pareceu ter alcançado o grau de penetração que procurava, com uma brecha considerável no tecido do túnel, que oferecia uma visão restrita do que parecia ser a sala sombria e com um teto ridiculamente baixo. Com uma gargalhada feliz e triunfante, Phyllis subiu e atravessou a abertura que cavou, reaparecendo momentos depois agachada ao lado da borda do buraco do tempo e sorrindo para eles lá de cima. Ela chamou Michael, estendendo a mão e dizendo que ele deveria vir em seguida. Obediente, a criança pulou nas mãos de John e permitiu que Phyllis o puxasse pelo buraco no telhado de pedra, até a câmara escura acima.

Ele se viu não em um porão com teto de madeira a apenas um metro de altura, como acreditava, mas embaixo de uma mesa. Ajoelhado com Phyllis junto à abertura, ajudando primeiro Marjorie e depois Bill a subir ao lado deles, Michael notou que, sob o lado mais próximo do tampo da mesa, a parte inferior de um homem sentado era visível. Acomodado em uma majestosa cadeira de madeira, sua característica mais marcante era o par de botas altas e macias com fivelas de ferro opacas logo abaixo do tornozelo e uma aba de couro subindo para ocultar cada joelho. Dava para ver que o homem estava vivo, porque quando moveu um pé não deixou nenhuma imagem para trás, então provavelmente não podia ouvi-los. Mesmo assim, Michael tentou não fazer barulho quando Reggie e John foram puxados pelo alçapão do tempo, e então toda a turma rastejou como filhotes de urso entre as pernas da mesa em uma grande e silenciosa sala com raios longos e oblíquos da luz da tarde entrando através de suas janelas cruzadas de chumbo.

Parado ao lado dos aposentos de teto alto com seus companheiros de brincadeiras espectrais, Michael olhou por cima do tampo de carvalho polido para a metade superior do homem cujas botas altas já tinha visto, sentado na outra extremidade e escrevendo com um bico de pena algum tipo de registro ou livro-razão.

Cabelos escuros, escorridos e de aspecto oleoso, pendiam até o manto empoeirado da túnica antiquada do homem, e sua cabeça curvada, inclinada sobre seus escritos, tinha uma calvície mal disfarçada. Era difícil avaliar sua estatura, sentado como estava, embora não parecesse muito alto. Apesar disso, o peitoral e os ombros largos davam impressão de solidez e volume. Com a pele cinzenta no brilho drenado da costura-fantasma, parecia um soldado de chumbo escalado para uma brincadeira entre gigantes.

Chegando ao final de um longo parágrafo, o sujeito recostou-se na cadeira para ler o que havia escrito, de modo que as crianças-fantasmas puderam ver seu rosto com mais clareza. Para Michael, o semblante grave parecia quase de bandido, embora o porte do homem sugerisse status e proeminência. Suas feições eram como bacon de corte grosso, largas e carnudas e expressando o que poderia ser quase uma sensualidade terrena, não fossem os inexpressivos olhos cinzentos como balas de mosquete achatadas que dominavam o arranjo, mirando sem piscar a página de letras apertadas, mas ornamentadas, que havia acabado de escrever. Uma verruga gorda adornava a depressão entre o lábio inferior e o queixo, com outra bem menor logo acima da sobrancelha direita. Havia uma quietude estressante nele que Michael imaginou ser como uma bomba no exato instante após parar de tiquetaquear.

De pé na sala silenciosa ao lado dele, Phyllis o cutucou suavemente nas costelas fantasmas. Parecia bem satisfeita consigo mesma.

— Ali. Tá vendo? O Lorde Protetor, era-será esse aí. Oliver Cromwell.

ESPADAS INSONES

Aquele sujeito explodido que passara pelo corredor tinha abalado John. Ele se julgava uma pessoa equilibrada, e gostava disso, mas agora não tinha como negar que a bola de fogo de duas pernas o perturbara.

Para começar, John nunca tinha visto antes a aparência de uma pessoa explodindo, com todos aqueles detalhes congelados, nem de longe. Quando o próprio John encontrou seu destino na França, nem percebeu o que havia acontecido por alguns bons minutos. Achou que tinha escapado por pouco e seguiu correndo pela estrada com todos os outros rapazes. Notou que o fogo de artilharia agora estava abafado e que via tudo em preto e branco, mas achou apenas que o estrondo havia deixado seus olhos e ouvidos esquisitos. Estranhou que seus companheiros de esquadrão sequer lhe respondiam. Mas só depois de notar que deixava imagens em seu rastro John começou a entender o que acontecera.

Assim que compreendeu suas circunstâncias, foi dominado pelo terror, o que era normal: foi uma maneira horrível de morrer. Por isso, ver aquele sujeito no patamar das Obras, dentro de sua auréola letal com aquele sorriso forçado e as lágrimas virando vapor no rosto, permanecendo naquele segundo terrível por toda a eternidade porque era assim que se lembrava melhor de si mesmo... John não conseguia entender. Quando Bill disse que essas bombas humanas faziam aquilo como parte de sua religião, travando uma guerra santa, por assim dizer, aquilo deixou John ainda mais confuso.

John tinha sido cristão quando vivo. Nunca um bom cristão, é verdade, nem de longe tão sério sobre religião quanto o irmão mais velho, porém mais sério do que a irmã, a mãe ou qualquer um de seus outros irmãos.

Ia à igreja na College Street quase todos os domingos, onde era membro da Brigada de Rapazes. Foi lá que John orou, cantou hinos, aprendeu a marchar e a ver essa combinação como muito natural. Avante, soldados cristãos, e todo o resto.

Não havia livros religiosos na casa da família onde cresceu, a não ser a Bíblia, que John sentia vergonha de dizer que achava chatíssima, e uma cópia antiga de *O Peregrino*, com a qual se saiu um pouco melhor. Não tinha muita ideia, naquela época, do que os personagens com nomes alegóricos de Bunyan deveriam representar, mas descobriu que gostava das histórias e imaginava ter captado o principal de sua essência moral. Chegou até a metade da *Guerra Santa* de Bunyan, o primeiro lugar em que encontrou o nome "Almumana", antes de desistir por perplexidade e tédio. Tudo isso apenas enfatizou as ideias incutidas nele pela Brigada de Rapazes – dez minutos de oração depois de uma hora de treino no salão superior da igreja, quepes militares preto-azulados em jovens cabeças abaixadas –, a sensação de que o cristianismo e a marcha estavam inextricavelmente unidos. Ele não era estranho, portanto, à associação entre guerra e religião, mas só para guerras de verdade, com soldados de verdade, fardados. O sujeito na varanda, um civil se explodindo e levando outros com ele em nome de Deus, aquilo era um assunto diferente. Não era guerra nem religião de acordo com a concepção de John.

Além disso, fossem como fossem os Borroughs-do-amanhã de onde o homem eternamente explodindo tivesse voltado para 1959, tampouco era um futuro que John fosse capaz de compreender. Como seu velho e pacífico bairro poderia produzir algo assim em apenas uns sessenta anos? Embora tivesse participado de várias missões no século XXI com o Bando de Mortos de Morte, percebeu que tinha somente um entendimento mínimo de como as pessoas se sentiam, pensavam e viviam durante essas décadas futuras. Assim como não podia dizer que conhecia a França simplesmente pelo fato de ter morrido lá. Tudo o que sabia era que a visão daquele meio homem, meio fogo de artifício o fez temer pelos Boroughs, pela Inglaterra e pelo mundo inteiro que ainda viria. Durante a luta entre os construtores e o drama no salão de bilhar, John descobriu que não conseguia tirar da mente aquela figura iluminada e fragmentada, arrastando os pés pelas passarelas de madeira de um Céu que não poderia ter concebido ou previsto, envolto para sempre nas chamas de seu próprio martírio selvagem.

Na verdade, incapaz de se livrar da visão marcante do homem-explosão, John nem prestara atenção na direção para onde Phyll Painter levou o bando depois de escapar do salão de bilhar. Mas a Guerra Civil Inglesa era o hobby de John no pós-vida, da mesma forma que Reggie Bowler tinha mania por carros ou Marjorie gostava de livros. Se havia algo que pudesse impedir a imagem da detonação ambulante de atormentá-lo, era a ideia de cavar um túnel até a noite de 13 de junho de 1645, aqui em Marefair, na Hazelrigg House, ou, como os locais a chamavam, Cromwell House.

No breve interlúdio entre sua morte e seu encontro com o Bando de Mortos de Morte, alguns poucos anos no máximo, John começou a pesquisar aquilo de forma independente. Foi duas vezes a Naseby, uma delas pouco antes da batalha e outra durante, e seguiu pela Wellingborough Road até Ecton para ver como os prisioneiros monarquistas foram tratados depois. Mas nunca tinha feito uma visita à ocasião que observava: recém-saído de sua promoção a tenente-general, o astro parlamentar em ascensão Oliver Williams-vulgo-Cromwell, acampado em Marefair na noite anterior à batalha decisiva do Guerra Civil Inglesa.

John se lembrava de se sentir muito sozinho naqueles anos após a morte, antes de encontrar Phyll e companhia. A viagem de volta da França foi feita com uma velocidade surpreendente. Em um momento estava parado na lama esburacada pelos tiros e explosões, olhando horrorizado para as próprias entranhas brilhando enquanto se derramavam do corpo explodido a seus pés, ansiando desesperadamente ter vivido para ver sua casa de novo. No instante seguinte, se viu no meio do verde atrás da igreja de St. Peter, agora cinza e prateada nas extensões incolores da costura-fantasma. Nuvens de leite derramado flutuavam em um céu de platina escaldante de verão, e John saltou pela encosta gramada em direção à fileira de casas mais abaixo, deixando um desfile de soldados lamacentos no ar atrás de si.

Sim, viu a mãe e até viu a irmã, que fazia uma visita com as duas filhas, mas, como elas não podiam vê-lo, considerou o encontro frustrante e deprimente. Para piorar, a mãe e a irmã obviamente ainda não sabiam que ele estava morto. Quando a irmã começou a ler uma carta que John havia enviado para sua filha Jackie, falando sobre a diversão que teriam na próxima vez que estivesse em casa de licença, com todos sentados em volta da mesa de jantar da família, comendo *bake pudden*[11], ele não conseguiu se aguentar. A mãe, sentada em sua poltrona no canto, sorria com carinho enquanto a única filha lia a carta, rabiscada a lápis nas páginas minúsculas de uma caderneta, claramente ansiosa por um *bake pudden* com os filhos tanto quanto John na noite em que escreveu para a sobrinha. Ela não sabia que a festa de reencontro nunca viria. Não sabia que o fantasma do filho estava sentado no sofá de crina de cavalo ao seu lado, chorando desamparado por ela e por si mesmo e por toda a podridão daquela guerra sangrenta. Incapaz de suportar aquilo, John atravessou a porta da frente fechada, saiu pela Elephant Lane em direção à Black Lion Hill, iniciando sua curta carreira como morador de rua.

Não que John tivesse se tornado bruto como a maioria, de forma alguma. Sempre se manteve apresentável enquanto ainda estava vivo e, portanto, abordava o pós-vida com um senso de disciplina militar aprendido em revistas semanais para meninos. Montou um covil na torre redonda não utilizada que se projetava incongruentemente de um condenado prédio comercial vitoriano do outro lado da Black Lion Hill. Escolheu o local em parte por uma sensação de que fantasmas de fato deveriam assombrar algum lugar que parecesse assustador de verdade, como uma torre, e em parte porque sua escolha anterior, a igreja de St. Peter, parecia já estar ocupada. John encontrou pelo menos quinze fantasmas em sua primeira tentativa de incursão ao edifício saxão remodelado pelos normandos. No portão de Marefair havia o espectro de uma pedinte deficiente, falando em um inglês tão arcaico e com um sotaque tão forte que John mal conseguia entender uma palavra. Ao redor da própria igreja, John conheceu pastores e paroquianos fantasmas de várias épocas diferentes, e encontrou um geólogo chamado Smith, que afirmou ser o responsável por mapear o depósito natural de calcário que se estendia de Bath a Lincolnshire, chamado Caminho Jurássico. De acordo com a alma afável e tagarela, era o modo como essa trilha primordial que atravessava a região encontrava o rio Nene que determinou onde Northampton seria melhor situada. O próprio Smith, por coincidência, tinha morrido aqui em Marefair enquanto passava pela cidade, e não perdeu a oportunidade de apontar a placa em sua homenagem que havia sido fixada na parede da igreja.

Depois dessa exposição limitada aos outros ocupantes da costura-fantasma, John se decidiu por uma política de mínima convivência. Observava os espectros indo e vindo da janela de seu quarto na torre, mas eles lhe pareciam peculiares, alguns deles monstruosos, de modo que não se sentiu inclinado a procurar sua companhia. Por exemplo, John um dia tinha visto o pássaro pernalta gigante feito de pernas de pau e juncos que vira há pouco, nas sacadas externas das Obras. Naquela primeira ocasião, ele o viu dar uma volta completa na igreja de St. Peter, antes de atravessar com dificuldade uma parede de pedras milenares e sumir das vistas. Naquela época, não tinha ideia do que poderia ser, e isso não havia mudado muito. A criatura de bico de madeira que deixava poças de água-fantasma em todos os lugares em que colocava as pernas finas serviu apenas como uma ilustração da estranheza do semimundo, o que levou John a seguir um caminho isolado e autossuficiente em todas as suas relações com o pós-vida.

Descobriu que gostava da própria companhia, gostava de planejar expedições como as que fez a Naseby, embora sua segunda visita no meio da batalha tivesse sido horrenda e até o deixou feliz por ter sido morto por uma bomba e não um pique. Em termos gerais, sentiu-se bem-disposto e aventureiro durante os primeiros meses de sua morte, e foi nessa época que John percebeu que não estava mais fardado. Simplesmente olhou para baixo um dia e descobriu que estava de bermuda preta na altura do joelho, um suéter que sua mãe havia tricotado e os sapatos e meias que usava aos doze anos. Sabia agora, claro, que seu corpo-fantasma gravitava pouco a pouco em direção à forma com a qual tinha sido mais feliz na vida, mas na época apenas ficou encantado ao descobrir que era um menino de novo, e não fez questão de especular como aquilo havia acontecido.

Ele se lançava às suas escapadas solitárias com vigor renovado, sempre enfrentando as situações mais desafiadoras, imaginando-se como um Douglas Fairbanks Junior morto. Quando aquele bombardeiro britânico caiu na Gold Street[12], John o viu passar por cima da janela de sua torre na parte baixa de Marefair e então saiu correndo pela escuridão cintilante ao longo da avenida leste-oeste, perseguido por uma multidão de meninos de colégio em pós-imagens, para ver se alguém estava morto, se havia algum novo fantasma trôpego e confuso, precisando de conselhos.

Apesar de tão atordoante, a queda do enorme avião não provocou nenhuma morte. O piloto e o resto da tripulação saltaram antes, e a única vítima foi um ciclista na Gold Street que quebrou um braço. Além de John, naquela noite só havia um outro fantasma em cena e era o do próprio avião. Embora sua substância tenha sido quase totalmente destruída com o impacto, a estrutura etérea da aeronave foi empurrada para baixo do solo enevoado da costura-fantasma, o que significava a existência de um bombardeiro-fantasma intacto sob a superfície da rua. Foi enquanto John estava sentado na cabine, gritando comandos para seus tripulantes imaginários e fingindo que estava em uma missão de bombardeio que, para sua vergonha, ele se viu cercado por quatro crianças-fantasmas risonhas que se apresentaram como o Bando de Mortos de Morte.

Naquele momento na Hazelrigg House, vendo Cromwell escrevendo em seu diário enquanto os longos e últimos raios de sol do dia passavam do lado de fora, John sorriu ao se lembrar daquela primeira aventura com as outras crianças-fantasmas, ou "O Caso do Avião Subterrâneo", como Phyllis depois insistia que se referissem ao episódio. Brincando com os controles da nave imaterial, os pequenos espectros descobriram que podiam fazê-la avançar lentamente apenas fingindo que a pilotavam, desde que fizessem bastante força para isso. Embora não conseguissem atingir velocidade suficiente para quebrar a tensão da superfície das ruas e levar o avião de volta ao ar, podiam deslizar pelo subsolo em um ritmo sereno e imponente e até executar um mergulho nos estratos geológicos sob a cidade, debruçando-se sobre os controles. Viajar através de argila e rocha, no entanto, não foi muito divertido, então se mantiveram em um corredor de voo que ficava alguns metros abaixo da superfície. Ali atravessaram túneis, criptas e porões e passaram por uma cena cômica e repugnante enquanto taxiavam por uma antiga tubulação de ferro do esgoto. Por fim, rindo da própria ingenuidade, dirigiram a aeronave-fantasma para um bar clandestino subterrâneo, na esquina da George Row com a Wood Hill, que sabe-se lá por qual ideia bizarra havia sido construído para replicar a fuselagem e os assentos de um avião de passageiros e, portanto, era o lugar perfeito para estacionar seu transporte fantasmal.

John abriu mão de sua independência na hora, juntando sua sorte à daqueles arruaceiros que faziam da morte seu parque de diversões. Não voltou ao seu quarto solitário na torre desde aquela noite hilariante, preferindo a vida nômade das crianças-fantasmas, saltando pelas décadas e dimensões, movendo-se entre o purgatório e o paraíso, de esconderijo em esconderijo. Gostava muito do grupo de que começou a fazer parte, ainda que Reggie Bowler às vezes demonstrasse algum ressentimento por baixo da aba do chapéu e fosse raro ouvir a voz de Marjorie Afogada.

Ele se dava melhor com Phyllis Painter. Por mais estranho que fosse, achava que poderiam até estar apaixonados. Via a admiração nos olhos faiscantes de Phyllis cada vez que o olhava, e esperava que ela pudesse ver o mesmo nos seus, embora soubesse que o que havia entre os dois não poderia ir adiante sem que tudo fosse arruinado. Na visão de John, o que tinha com Phyllis era talvez a melhor versão do amor, um jogo de amor infantil, uma ideia de pátio de escola primária do que significava ser o namorado ou namorada de alguém. Era sincero e imaculado por qualquer nuvem de experiência prática. Antes de morrer, com apenas vinte anos, John teve várias namoradas e havia até mandado ver com uma delas. Da mesma forma, embora nunca tivesse perguntado, teve a impressão de que Phyll Painter tinha vivido até uma idade mais avançada e talvez até mesmo se casado em algum momento. Então, até certo ponto, ambos haviam passado pela parte adulta do amor, o prazer animal do sexo, os vales e tormentos de uma paixão ardente.

Ambos haviam conhecido o amor adulto e ainda assim optaram pela versão mirim, pela emoção de uma eterna paixão no parquinho, romance que ainda nem havia progredido para o estacionamento das bicicletas. Escolheram não provar nada além do orvalho sobre a pele lustrosa do amor e deixar a fruta intacta. Era assim que John se sentia a respeito, de qualquer maneira, e suspeitava que Phyll também. De qualquer forma, fosse qual fosse o motivo do sucesso de seu relacionamento, os dois se amaram do jeito deles por várias décadas atemporais, e John esperava que pudessem continuar assim até o limiar do infinito.

Considerando tudo, a morte de John lhe convinha tão bem, ou até melhor, do que sua vida. Os interesses erráticos do bando-fantasma, correndo de uma aventura absurda para outra, significavam que John nunca ficava entediado. Com o rubor cinza de cada manhã fantasma, sempre havia algo novo. Ou algo muito antigo, como no caso do plano de Bill e Reggie de domar um mamute espectral.

Por exemplo, a história do mais novo membro do grupo. Embora John sentisse, como Phyllis, que cuidar da criança temporariamente morta era uma grande responsabilidade, também achava que aquela estava se tornando a maior aventura até então. John tinha, inclusive, boas razões para levar a situação de Michael Warren ainda mais a sério do que Phyllis e se preocupar ainda mais com a segurança do menino. Só que jamais aceitaria que isso o impedisse de desfrutar de um passeio extraordinário: reis-demônios mergulhando como Messerschmitts! Tempestades-fantasmas e defunteiras! Era o tipo de frenesi inesgotável que esperava da Grande Guerra, antes de descobrir a verdade. Era mais isso o que ele tinha em mente, a própria essência das histórias em quadrinhos de aventura, sem entranhas espalhadas e sem mães de luto para transformar uma brincadeira de seriado de rádio em tragédia. Essa foi a melhor parte, todos os derramamentos e os espetáculos visuais, mas sem as consequências mortais. John maravilhou-se ao pensar nos construtores colossais, sangrando ouro e atacando uns aos outros com seus tacos de bilhar nos hectares desdobrados do Mayorhold, então interrompeu seu pensamento ao perceber que isso o levava de volta ao homem explodindo, à fosforescência cambaleante na sacada, com seus pregos e rebites suspensos, suas calças sujas, suas lágrimas evaporando.

Para se livrar daquela aparição, John se concentrou no paradeiro atual deles, o salão de baixo da Hazelrigg House, em uma sinistra noite de junho em meados do século XVII. Depois de emergir de debaixo de uma reluzente mesa de jacarandá, o grupo estava reunido na extremidade leste da sala espaçosa, todos observando a presença monumental sentada na ponta da mesa, com suas verrugas na sombra e um dos lados de seu grande focinho de grifo iluminado pelo pôr do sol que atravessava as janelas de chumbo.

John, claro, reconhecia o velho Ironsides das ocasiões anteriores, quando o jovem corajoso visitou os dias sombrios da Guerra Civil. Havia testemunhado Cromwell cavalgando com o general Fairfax e seu major-general de infantaria, Phillip Skippon, nas encostas da crista de Naseby no raiar do dia 14 de junho — ou amanhã de manhã, da perspectiva atual de John. Naquela ocasião, Cromwell parecia até zonzo de prazer ao reconhecer o terreno entre o cume e Dust Hill, seguindo um quilômetro e meio para o norte. Cavalgando para lá e para cá em sua armadura negra, explodiu em gargalhadas, como se, olhando para a terra, pudesse ver como seria a batalha e risse dos infortúnios previstos de seus inimigos. John tinha visto Cromwell com outro rosto também, um semblante de pedra, impassível no coração gritante da batalha enquanto sua cavalaria perseguia a dos monarquistas quase até Leicester, matando os últimos às dezenas. Qualquer que fosse o humor que estivessem expressando, reconheceria essas feições em qualquer lugar.

Phyllis e Bill também sabiam para quem estavam olhando, assim como Reggie Bowler, que assentia com um sorriso largo no rosto sardento. Embora Marjorie Afogada permanecesse sem reação, olhando firme através dos óculos fornecidos pelo sistema público de saúde, John teve a impressão de que uma pessoa tão letrada quanto ela poderia saber mais sobre o homem de cabelos escorridos do que todo os outros juntos. Naquela sala que ficava cada vez mais escura, Michael Warren — Michael Warren, filho de Tommy Warren, John refletiu para si mesmo, sacudindo a cabeça, espantado — a única pessoa sem uma ideia sequer sobre o que estava acontecendo. John estava prestes a arriscar sua própria explicação para o pirralho quando Phyllis foi mais rápida.

— Ali. Tá vendo? O Lorde Protetor, era-será esse aí. Oliver Cromwell.

Era dolorosamente óbvio que o nome não significava nada para o garotinho, dando assim a John a chance de entrar na conversa e dar uma relembrada em sua especialidade.

— Onde estamos agora, é nos anos 1640. Carlos I estava no trono, e quase ninguém acha que ele estava fazendo as coisas direito. Para começar, criou um imposto, Dinheiro de Navio, que era-será pago diretamente para ele, para que dependa ainda menos do Parlamento inglês. Ninguém gostou daquilo, até porque sabiam que o rei era-será amigo da Igreja Católica e poderia estar planejando trazer o catolicismo de volta pela porta dos fundos. Lembre-se de que tudo isso estava acontecendo em uma Inglaterra em que a distância entre os ricos e os pobres vinha aumentando desde o começo dos anos 1600, quando a aristocracia começou a cercar as terras comunais e tirar o ganha-pão das pessoas. Você pode imaginar como todo mundo está bravo e desconfiado. A Inglaterra era-será um barril de pólvora pronto para explodir.

John fez uma pausa aqui, quando uma imagem do homem-bomba passou chorando em sua mente, então continuou.

— Nos últimos meses de 1641, a Irlanda inteira estava fervendo, em rebelião contra o comando inglês. Os rebeldes estavam destruindo ou tomando de volta terras dadas a colonos protestantes, matando muitos deles no processo. Na Inglaterra, isso foi-será visto como uma trama papal com a conivência de Carlos I. Os rebeldes no Parlamento publicaram uma *Grande Remonstrância*, expondo todas as suas queixas contra a Coroa, o que só serviu para separar mais os dois lados. Em janeiro de 1642, o rei deixou Londres para os rebeldes e começou a reunir soldados para uma guerra civil que, àquela altura, todo mundo sabia que viria. Deus, isso deve ter sido um terror. De uma ponta à outra da Inglaterra, as famílias deviam estar de joelhos rezando para atravessar os próximos anos sem a morte de muitos dos seus.

Foi assim para o clã de John durante 1939. Ele observou a figura na extremidade da sala pausar seus escritos por um momento, com a pena posicionada uma fração de centímetro acima da página, talvez deliberando sobre a escolha de palavras, antes de voltá-la para o pergaminho, continuando sua fileira de cachos góticos e postes inclinados em marcha. John deduziu que as orações de sua própria família às vésperas da guerra deviam ter sido atendidas, em sua maior parte. Afinal, todos voltaram vivos, com exceção do aqui citado.

Olhando ao redor, John percebeu que os outros membros do Bando de Mortos de Morte prestavam atenção e esperavam que ele continuasse. Até mesmo Marjorie Afogada, por trás de suas lentes de fundo de garrafa, parecia interessada.

— De qualquer jeito, aquele camarada ali, Oliver Cromwell, nasceu em uma família de posses em Huntingdon. O nome deles era-será Williams, mas descendiam de Thomas Cromwell, conselheiro de Henrique VIII, e tomaram o nome dele, como uma reverência por todo o bem que tinha feito à família como o cara que administrou a grande Reforma Protestante de Henrique, e como um protesto contra o fato de ele ter sido decapitado. Ollie ali era-será chamado de "Williams, vulgo Cromwell" pela vida toda, mas acho que Cromwell soa melhor que Williams. Ele tem mulher, uma família e uma vida confortável, mas acredito que sempre quis mais que isso. Em 1628, com vinte e nove anos, entrou na política como membro do Parlamento por Huntingdon e, quando a Guerra Civil estava se formando no horizonte, uns catorze anos depois, era-será um dos críticos mais severos da Coroa no que chamavam de Parlamento Longo. Quando o rei pediu ajuda de Cambridge, Cromwell desceu para lá com duzentos homens armados, entrou no Castelo de Cambridge e tomou todas as armas deles. Não só isso, também impediu que mandassem dinheiro para ajudar os monarquistas — e esse era um tempo em que todo mundo hesitava sobre o que devia ser feito. Por tomar essa iniciativa, Cromwell começou a parecer bem-visto pela causa parlamentar, e foi promovido de capitão a coronel. Nos anos seguintes, se ocupou combatendo os monarquistas em King's Lynn e Lowestoft, e depois protegendo todas as pontes do rio Ouse. Depois disso, foi fortificar o Nene — mais tarde podemos sair e vou mostrar como foi. Enfim, Cromwell provou seu valor em escaramuças como Gainsborough em Lincolnshore, e batalhas como a de Marston Moor, perto de Manchester, em 1644, quando liderou a cavalaria. Ataques como esse levaram o general parlamentar Sir Thomas Fairfax a nomear Cromwell o tenente--general de cavalaria em um conselho de guerra que aconteceu...

Aqui John fez uma pausa e fingiu, para acrescentar um efeito dramático, tentar se lembrar alguma data importante antes de continuar.

— ... aah, deve ter sido uma ou duas horas atrás. Hoje, 13 de junho de 1645. Para o senhor Cromwell ali, era-será o ponto de virada de toda a vida dele. Finalmente conseguiu poder o bastante para fazer o que queria e então foi enviado para Northamptonshire para enfrentar as forças monarquistas lideradas pelo filho do rei, o príncipe Rupert, que acabou de salvar Leicester do cerco das forças parlamentares. Quando Cromwell apareceu no acampamento dos Cabeças Redondas perto de Kislingbury hoje de manhã, a apenas um quilômetro e meio ou dois a sudoeste daqui, foi recebido com aplausos. Ontem à noite, uma guarda avançada do Parlamento surpreendeu alguns monarquistas perto da vila de Naseby, oito quilômetros ao sul de Market Harborough, nos limites de Leicestershire. Antes que isso acontecesse, nenhum dos lados tinha percebido como seus exércitos estavam perto um do outro, mas agora todos descobriram que vão enfrentar uma batalha pesada de manhã. É por isso que todos os soldados dos Cabeças Redondas ficaram felizes quando Cromwell apareceu: ele era-será o único desgraçado em um raio de cento e sessenta quilômetros que está ansioso por isso.

Num impulso, John se desprendeu do grupo cinzento do Bando de Mortos de Morte e atravessou as tábuas envernizadas do piso até o outro lado da sala, ficando atrás da figura sentada, curvada sobre seus escritos. A visão nítida que a morte proporcionou a John detectou três ou quatro piolhos gordos que se alimentavam na vegetação gordurosa do couro cabeludo ralo do tenente-general. Nunca havia estado tão perto assim de Cromwell, tendo apenas visto o homem galopando em suas visitas anteriores ao campo de batalha. Quase podia sentir as vibrações dinâmicas da personalidade do futuro Lorde Protetor preenchendo o ar entre os dois, e desejou poder respirar o cheiro de Cromwell sem o peso inodoro da costura-fantasma atrapalhando, apenas para determinar qual variedade de animal aquele homem poderia realmente ser. Bill interrompeu a inspeção minuciosa de John o chamando do outro lado da sala, onde estava com Phyllis e os outros.

— O que ele tá escreven'o?

Era uma boa pergunta, e John transferiu sua atenção das aventuras dos piolhos de Cromwell para a página em que a pena de corvo do homem se movia. John precisou de um bom tempo de escrutínio antes de pegar o jeito daquela peculiar escrita cursiva, então olhou para cima para se dirigir ao bando.

— Parece que era-será o primeiro rascunho de uma carta para a mulher dele. Vou ler para vocês o que conseguir.

Colocando as mãos sobre os joelhos nus, John se dobrou para a frente, inclinando-se sobre o ombro de Cromwell para examinar o conteúdo da missiva.

— "Minha caríssima Elizabeth, escrevo com o que confio serem notícias muito bem-vindas. Seu querido e constante marido hoje foi nomeado tenente-general de cavalaria por Sir Tom Fairfax, e então despachado para tratar de um pequeno assunto em Northamptonshire, de onde escrevo estas linhas. Estou, pode ter certeza, de bom humor, e certo de que teremos um resultado justo no dia de amanhã, mas não pense que essa promoção me deixa tentado à vanglória. Qualquer vitória é certamente apenas a de Deus, nem minha promoção tem importância, a não ser que eu seja capaz de realizar melhor a vontade Dele. Agora, deixemos de lado a imodéstia de seu indigno marido e, em vez disso, tratemos de assuntos mais estimáveis. Como vai nosso humilde berço, Huntingdonshire, que está para sempre em meus pensamentos, com você e todos os nossos pequenos em volta de suas saias, à sua porta? Bridget, eu sei, escarnecerá de ser chamada de pequenina, assim como Dick, mas é assim que estão em meus pensamentos, e sempre estarão. Ah, Elizabeth, se eu pudesse tê-la ao meu lado agora, porque sua doce presença eleva minha alma de uma forma que nem os mais altos e laureados cargos poderiam. Tudo o que faço, faço por Deus e na mesma medida por você, minha bela Beth, para que você e nossos queridos filhos possam viver em uma terra devota, a salvo das tiranias do Anticristo. Sei que nosso jovem Oliver diria o mesmo, se não fosse o tifo cruel do ano passado. Por favor, Deus, que seu sacrifício, por meus esforços e os de muitos outros parlamentares, valha a pena. Ficaria satisfeito em saber como o jardim está indo, já que é uma coisa boa nessa época do ano, e com o tumulto atual receio que sentirei falta de tudo isso se não o descrever para mim. Da mesma forma, fale-me de seus afazeres menores, de seus trajetos pela cidade e de seus menores inconvenientes, para que eu possa fingir que ouço sua voz e suas frases familiares. Diga à pequena Frances que o pai dela promete trazer-lhe um belo par de sapatos de Northampton, e diga a Henry que estou certo de que ele vai cumprir seus deveres e se certificar de que os cães sejam exercitados. Agora que penso nisso, gostaria que me enviasse um bom cachimbo de madeira, pois todos os de barro à venda por essas partes quebram com facilidade...". Isso é mais ou menos até onde ele foi, e parece estar apenas falando de casa e da família. Para ser sincero, lendo isso não me parece ser um cara mau.

John se endireitou, começando a ver Cromwell com um ponto de vista diferente. Do outro lado da sala de vigas pintadas de breu e ornamentos de cobre, Marjorie sacudiu a cabeça.

— Bom, sei não. Ele não me parece muito certo. Quer dizer, ele sabe como era-será dura a batalha amanhã, e olhe só para ele: todo calmo, perguntando como o jardim está indo. Parece que acha que nada disso é real, que era-será como se fosse uma peça que está assistindo pra ver o final. Pra mim, tá faltando um parafuso aí.

Todos ficaram boquiabertos com Marjorie, menos espantados com o ponto de vista perspicaz apresentado do que com a quantidade de palavras usadas para fazer isso. Ninguém nunca a tinha ouvido falar tanto antes, nem imaginava que tivesse opiniões tão fortes. John refletiu sobre sua fala por alguns momentos e concluiu que a garotinha rechonchuda estava mais do que provavelmente certa. Em suas próprias cartas para casa, John às vezes minimizava suas circunstâncias sombrias, verdade, mas não tanto quanto Cromwell se empenhava em fazer. John nunca escreveu à mãe sobre tratar de "um pequeno assunto" na Normandia, ou para falar de *baken pudden* a ponto de esquecer que havia uma guerra acontecendo. Os escritos de Cromwell eram os de um homem normal em tempos normais e, em ambos os casos, era impossível não considerar isso uma deturpação deliberada. Olhando para Marjorie Afogada através da luz bruxuleante, John assentiu com a cabeça, bem sério.

— Acho que você pode estar certa, Marge. Enfim, não parece que ele vai fazer muita coisa nos próximos momentos. Por que não vamos lá fora enquanto ainda tem luz do dia e vemos o que está acontecendo?

Houve um murmúrio de concordância. Deixando o tenente-general imóvel como uma estátua com seus escritos, um vulto escuro perdendo sua definição em uma sala que escurecia, as crianças saíram através das grossas paredes de pedra da Hazelrigg House para a rua mais além, onde havia muita atividade. Marefair, com construções baixas, mas bem fornidas de cada lado, fervilhava de vida em um pôr do sol metálico. A última gota de luz do dia brilhava nas pontas dos capacetes de ferro, nas lâminas das longas lanças que um velho levava para a Pike Lane para afiar. Piscava nas bridas dos cavalos fatigados e fumegantes, faiscava nas altas janelas de mainel da Hazelrigg House, pontilhando a escuridão da costura-fantasma com pontos de brilho, pinceladas de branco aliviando o impasto ocre espesso da tela completa do dia. Delicadamente bela e sutilmente perturbadora, era a iluminação frágil que precedia uma tempestade de verão, ou um eclipse. Soldados cansados dos Cabeças Redondas atravessavam a lama bem amassada da via principal, procurando uma taverna ou cuidando das montarias ossudas, enquanto os poucos homens e mulheres locais em Marefair faziam tudo o que podiam para se manter fora do caminho dos soldados. John viu um cachorro chutado pela bota de um Parlamentar; viu uma criança com marcas de varíola ser golpeada por uma grande mão enluvada.

Em todos os semblantes, tanto militares quanto civis, havia o mesmo olhar de pavor profundo e paralisante. Isso apenas evidenciava a observação de Marjorie sobre a calma do homem que ainda estava sentado escrevendo na sala que acabavam de desocupar, com o rosto de uma fera heráldica, e o desprendimento dele em contraste com o medo generalizado nesse início de noite sereno de junho. Eram tempos monstruosos, nos quais apenas um monstro poderia se sentir confortável. Em algum lugar atrás de John, Bill começou a cantar o que parecia um fragmento de uma música cativante, embora não fosse uma que ele já tivesse ouvido antes.

— ... e hoje gostaria de estar em qualquer outro lugar que não aqui[13].

Bill se interrompeu com um riso triste, de quem sabe o que está falando. Ele e Reggie Bowler se desviaram para o outro lado da rua, onde se distraíram com a fabricação de pequenos rodamoinhos, correndo em círculos. Não estavam se saindo muito bem até que Marjorie Afogada foi ajudá-los, quando levantaram um torvelinho grande o bastante para fazer pelo menos um Cabeça Redonda corpulento dar um passo atrás de susto e fazer o sinal da cruz. Enquanto isso, Phyllis e John se encarregavam de Michael Warren, de pé na estranha calçada de madeira diante da Cromwell House. O menino virava a cabeça loira cacheada para um lado e para o outro, tentando descobrir onde estava. Por fim, olhou para John e Phyllis.

— Aqui era-será Marefair? Não sei que lugar era-será este.

Phyllis pegou a mão de Michael — ela tinha um jeito com as crianças, pensou John, como se talvez já tivesse sido mãe — e se agachou ao lado dele enquanto o virava na direção do sol poente.

— Não seja tão tonto. Claro que sabe. Olha, ali à esquerda era-será a igreja de St. Peter. Cê conhece, não conhece? E do lado, mesmo tanto tempo atrás, fica o Black Lion.

John olhou na mesma direção para a qual a criança foi virada. Um pouco mais adiante em Marefair, do seu lado da rua, a igreja de St. Peter era bem parecida com a aparência que tinha durante a vida de John, testemunhando os preparativos para a batalha dos Parlamentares com a mesma indiferença que mostraria três séculos mais tarde diante do bombardeiro não tripulado mergulhar em direção à Gold Street. Ao lado da igreja do mesmo lado, como Phyllis havia acabado de mencionar, havia uma estalagem de madeira de dois andares, na qual penduraram um letreiro que identificava o local como o Black Lyon Inne, embora o animal representado na placa parecesse mais um cão carbonizado.

Somente quando John deixou os olhos irem além da taverna, descendo a encosta em direção à ponte oeste da cidade, foi apresentado a uma vista bem distinta da mesma paisagem no século XX. A ponte em si, uma estrutura de madeira, e não a de pedras que viria depois, tinha sido demolida e reconstruída havia um ou dois anos, sob ordens de Cromwell. Agora era uma ponte levadiça maciça com correntes de ferro e mecanismos de enrolamento para que pudesse ser puxada para cima se os monarquistas tentassem atravessar o Nene. Enquanto as três jovens assombrações observavam, uma carroça levando carga pesada rangia sobre suas tábuas e seguia na direção do que parecia ser um moinho no sudoeste, enquanto o dia sangrava do céu. Por mais estranha que aquela fortificação parecesse aos olhos modernos, no entanto, foi esquecida quando o olhar das crianças-fantasmas se deslocou mais para a direita e viram o local onde a estação ferroviária um dia seria erguida. Tanto John como Phyllis estavam familiarizados com o espetáculo, mas Michael Warren soltou um suspiro de susto.

— O que era-será isso? Blackbloqueia o céu, assim não vejo o Victorious Park.

Phyll deu risada e sacudiu a cabeça, e a pós-imagem da franja balançando a transformou por segundos em de um dente-de-leão murcho.

— O Victoria Park só vai aparecer daqui a uns duzentos anos, assim como a estação de trem. Aquilo é o Castelo de Northampton, que deu nome pra estação. Dê uma boa olhada enquanto cê pode. Está ali desde mil e cem, do lado dessa ponte por quinhentos anos, e em mais dezesseis vai ser demolido.

John assentiu com a cabeça, todo sério, enquanto absorvia a enormidade da construção escura que tinha diante de si, o volume opressivo de suas torres quadradas, a fronte ondulada e severa de suas ameias longas e franzidas contra o filão prateado do horizonte. Espraiada e imensa, a estrutura pesada era circundada pela cicatriz negra de um fosso, e, na ponta mais distante da trincheira, tochas que pareciam tão altas quanto o próprio John foram colocadas de ambos os lados do grande portal, uma boca de pedra com seus dentes de ponte levadiça à mostra, apertados em agonia ou fúria. Uma mistura de luz e fumaça brotava das tochas através de paredes altas e ásperas, onde as aberturas para flechas espreitavam, desconfiadas, o crepúsculo que se aproximava.

Sobre o terreno aberto ao redor do lado sul da construção, nas margens da estrada de terra que era a extensão da Gold Street e a passagem de Marefair para oeste, passando pela ponte convertida, cerca de cem homens do Exército Novo erguiam tendas esfarrapadas na grama seca do verão. Recolhendo madeira morta e samambaias secas dos bosques em Foot Meadow, do outro lado do rio, as tropas enlameadas acendiam fogueiras, manchas brancas como giz brilhando aqui e ali ao redor do flanco crepuscular do castelo, ilhas de leve alegria flutuando em um oceano de noite que se aproxima. Apesar do abafamento da costura-fantasma, em uma brisa frágil do oeste John ouviu gargalhadas e imprecações, um violino solitário sendo afinado, o chiado da lenha úmida e o estalo de um nó de madeira pegando fogo. Cavalos relinchavam suas ansiosas canções de ninar, silenciados e escondidos pelas chamas fumegantes das fogueiras quando o vento mudou, assim como estava mudando por toda a Inglaterra naquela noite carregada e perigosa.

Sussurrando como se estivesse impressionado com a vista, ou como se pensasse que os soldados de infantaria que passavam ao longo de Marefair pudessem ouvi-lo, Michael Warren olhou de John para Phyllis enquanto falava.

— Por quente ele foi-será demolindo?

John fez uma careta.

— Bem, veja só, na batalha em Naseby que vão lutar amanhã cedo, Cromwell e o exército dos Parlamentares saem vencedores. A Guerra Civil se arrasta por vários meses, mas, depois de Naseby, os monarquistas não tinham mais chance. Depois que o Parlamento ganha, Cromwell começa a dar as ordens. Daqui a quatro anos, em 1649, ele vai mandar decapitar o rei Carlos I e transformar a Inglaterra em uma República que dura até a morte dele, em 1658. O filho dele, Richard, era-será o sucessor, mas abdica no mesmo ano. Em 1660, Carlos II foi-será coroado, e a monarquia foi-será restaurada. O novo rei Carlos vai odiar Northampton, então depois de mandar executar todo mundo que conspirou para a queda do pai dele vai exigir que o Castelo de Northampton seja demolido.

Michael parecia perplexo.

— Por que ele fez isso?

Nesse ponto Phyllis entrou na conversa, de onde estava agachada, do outro lado do menininho.

— Dá só uma olhada ali na maldita ponte levadiça, ali cê tem a resposta. Esse lugar era-será um bastião do parlamentarismo na Guerra Civil, e ficamos do lado de Cromwell até o fim. Acho que o Carlos II culpou a cidade porque ajudamos a cortar a cabeça do pai dele, e por Naseby ser no condado dele. Com a restauração da monarquia, éramos nós contra toda a Inglaterra.

John refletiu a respeito, olhando para trás deles, para Marefair. Reggie, Bill e Marjorie ainda estavam criando tempestades de poeira pigmeias, para a consternação dos transeuntes naqueles tempos em que todo fenômeno natural era visto como um mau presságio, como se fossem necessários mais sinais de mau agouro. Satisfeito por seus companheiros de bando não estarem aprontando muitas maldades, John voltou a atenção para Phyllis e a criança.

— Para ser justo, Phyll, estávamos na lista negra desse país muito antes da Restauração. Fomos vistos como encrenqueiros por séculos, pelo menos desde os estudantes rebeldes durante os mil e duzentos, que levaram Henrique III a saquear o lugar. Então, a partir dos anos mil e trezentos tivemos os lolardos aqui, mais ou menos pregando que as ideias de pecado eram todas inventadas pelos clérigos para manter os pobres no lugar deles. Durante a Guerra Civil isso aqui era-será um celeiro de extremistas, muggletonianos, morávios, pentamonarquistas, ranters, quacres — e não me refiro aos quacres pacifistas, donos de todas as fábricas de chocolate. Estou falando dos fanáticos pedindo a queda dos reinos mundanos em nome de Deus. E todas essas seitas, apesar das grandes diferenças, davam muita importância à história de Jesus ter sido carpinteiro, e todos os apóstolos, trabalhadores humildes. Do ponto de vista deles, o cristianismo era-será uma religião dos pobres e oprimidos, e prometia que um dia os ricos e ateus iam desaparecer. Desde o começo dos anos mil e seiscentos, quando a nobreza recebeu permissão de cercar o que antes eram terras comunais, o pessoal rico vivia muito bem, o "tipo mediano" como Crowmell, lutava para se manter, e o povo pobre passava fome. Foi-será durante esses tempos que se começou a ouvir todo mundo falando que os ricos ficaram mais ricos e os pobres, mais pobres, que tinha cada vez mais gente virando pedinte todos os dias. Na metade do século, como estamos agora, devia ter dezenas de milhares do que chamavam de homens sem mestre perambulando pelo interior do país, andarilhos e biscateiros que não respondiam a ninguém. Só foi-será preciso de uma mente brilhante como Cromwell para descobrir uma utilidade para todo esse pessoal pobre e revoltado.

John apontou para dezenas de Cabeças Redondas marchando ao longo de Marefair, ou sentados assando batatas ao redor de suas fogueiras nos terrenos ao lado do enorme castelo.

— Imagino que um dos motivos para Northampton ter apoiado Crowmell foi-será que os pobres aqui eram-serão mais rebeldes do que em qualquer lugar na Inglaterra. Foi-será o primeiro lugar a protestar contra o cercamento das terras, com um levante liderado por um sujeito chamado Capitão Pouch. O levante foi-será derrotado, claro, e Pouch foi-será picado em pedaços, mas os ressentimentos que provocaram a guerra civil em cinquenta anos eram-serão mais fortes aqui nas Midlands. Ora, eu me arrisco a dizer que muita gente aqui seguiu Cromwell porque tinham medo dele, mas aposto que muito mais gente rezava para que surgisse alguém como ele. Em 1643 teve um sujeito de Northamptonshire que disse: "Espero neste ano não ver nenhum cavalheiro inglês". Por aqui pensamos em Cromwell como um enviado de Deus. Não é de se espantar que ficamos com o trabalho de equipar o exército dele com milhares de pares de botas.

Neste ponto, Michael Warren fez sua contribuição, apenas para mostrar que estava entendendo a conversa.

— Por que a gente era-será tão pobre, então, se as pessoas que faziam sapatos tinham tanto trabalho?

John estava a ponto de responder aquela questão tão afiada quando uma Phyllis Painter cacarejante se adiantou a ele.

— Ha! Isso é porque o maldito Cromwell nunca pagou pelas botas! Depois que ajudamos ele a chegar ao poder, ele se virou contra nós, do mesmo jeito que fez com todo mundo que foi-será amigo dele quando os tempos eram difíceis, o velho miserável. Enquanto estamos falan'o disso, cê acha que ele já acabou de escrever pra patroa? Não parece que vai acontecer muita coisa por aqui, a não ser soldados enchen'o a cara e corren'o atrás das putas. Temos que ir ver o velho Ironsides antes de seguir em frente.

John assentiu, olhando para Marefair atrás de si em meio a um resto de luz que ainda retinia com rédeas e bainhas, com a escuridão pontuada aqui e ali por um brilho baço de estanho de um capacete redondo com aba ou de um cano de mosquete de ferro. Nas tábuas empoeiradas diante da Hazelrigg House, Bill havia solicitado a ajuda de Marjorie e Reggie para fabricar um redemoinho ainda maior que os de suas tentativas anteriores. Os três corriam furiosamente em um círculo sólido de pós-imagens em torno dos joelhos de um infeliz e atônito vendedor de folhetos. Chorando em confusão e terror religioso, o pobre sujeito não podia ver as crianças e só tinha consciência do vento repentino vindo do nada, arrancando os escritos de suas mãos e girando-as no escuro acima dele como enormes confetes. John ria contra a própria vontade enquanto respondia a Phyllis.

— Sim, acho que você está certa. Podemos deixar Bill e os outros com as macaquices deles, já que parecem estar se divertindo.

Com cada um pegando uma das mãos de Michael Warren, Phyll e John o levaram de volta para Hazelrigg House em meio a uma chuva trêmula dos folhetos do vendedor ambulante desesperado. Examinando uma folha dobrada já caída no chão, John notou que se intitulava *Profecia do Rei Branco* e pelo jeito previa um fim violento para Carlos I, baseado na astrologia e em várias profecias atribuídas a Merlim. Como o folheto trazia a data do dia seguinte e tinha acabado de sair do prelo, John sorriu e deu ao editor nota dez pelo senso de oportunidade, embora a fonte de suas previsões parecesse um pouco frágil. Por hábito, John fez uma tentativa de chutar o panfleto para o lado, sentindo-se como um bufão quando seu pé o atravessou direto e ele lembrou que estava morto. Esperava apenas que Phyllis não tivesse notado.

Por sorte, Phyllis estava naquele momento distraída por um homem vivo bem bonito que se aproximava da porta da frente da Hazelrigg House logo adiante. Seu cabelo comprido, feminino do ponto de vista de John, caía em ondas onduladas ao redor da gola branca alta que usava acima da armadura preta, revestida nos braços e ombros de modo que parecia uma carapaça de besouro fantástica. Uma espada embainhada balançava em seu quadril esquerdo. O rosto do galante, com sua gordura compensada por uma barba bem aparada e um bigode, era um que John achou que já tinha visto antes, talvez em combate em Naseby, embora não conseguisse associá-lo a um nome.

John observou enquanto o sujeito bateu na porta de madeira robusta e logo foi convidado a entrar. Não querendo perder as apresentações, John puxou Phyll e Michael através da grossa parede de pedra para o cômodo interno, onde notou que três velas de sebo em um castiçal ramificado haviam sido acesas durante sua ausência. Havia algo de febril nas sombras inclinadas enquanto se arrastavam nuas pelas paredes revestidas de gesso branco e se lançavam contra as vigas negras e queixosas que sustentavam o teto. Cromwell ainda estava sentado onde o haviam deixado, do outro lado da mesa, agora fechando a capa de seu diário e erguendo os olhos sem expressão quando o jovem entrou.

Um esboço de sorriso surgiu nos lábios de Cromwell e então desapareceu. Sem se levantar para receber o recém-chegado, como John poderia ter esperado, o novo tenente-general dos Parlamentares falou apenas o nome do homem como forma de saudação.

— Henry. Faz bem ao meu coração ver-te aqui.

Henry Ireton. Com apenas um pequeno estímulo, John havia localizado o sujeito de cabelos compridos, que se lembrava de ter visto antes, ou para ser mais exato veria no dia seguinte de manhã, sendo ferido e depois capturado enquanto liderava seu regimento pelo flanco esquerdo no campo de Naseby. O jovem cortês acenou para o Cromwell ainda sentado.

— Assim como ver-te faz ao meu, mestre Cromwell. Meus parabéns pela tua nomeação como tenente-general de cavalaria. Eu mesmo fui promovido a comissário-geral há menos de uma semana. Ao que parece, um homem pode subir ou descer a qualquer momento em meio às águas ferventes deste nosso conflito.

A voz de Ireton era suave, pelo menos em comparação com a do homem mais velho, que juntou as mãos sobre a mesa e se recostou um pouco na cadeira ao responder.

— Pela graça de Deus, rapaz. Só pela graça Dele somos elevados, como pela graça Dele nosso oponente será derrubado pela manhã. Louvado seja, Henry. Louvado seja Deus.

Na opinião de John, Ireton pareceu um pouco constrangido nesse momento, mesmo ao concordar com a proclamação do general sentado.

— Sim. Sim, claro. Louvado seja Deus. Crês que venceremos? O príncipe pode ser estimulado por sua vitória tardia em Leicester...

Cromwell fez um gesto de desdém com uma mão carnuda e entrelaçou os dedos com a outra, pousando-as no tampo polido da mesa diante de si.

— Não apenas creio que venceremos, sinto isso em meus ossos. É meu destino que eu vença, assim como é o destino do rei Charlie que ele fracasse. Sei disso com tanta certeza quanto sei que Cristo prometeu nossa salvação, como Ele fez com todos os Seus eleitos. Sinto-me obrigado a perguntar-te como duvidas da providência de Deus, que põe no chão as cidades da planície e manda pragas sobre a casa do faraó?

Parecendo com bastante calor dentro da armadura naquela noite de verão, Ireton puxou o colarinho engomado como se em uma vã tentativa de soltá-lo. Embora o homem mais jovem estivesse apenas um pouco abaixo de Cromwell na hierarquia, John podia ver a deferência e o nervosismo nos modos de Ireton enquanto se esforçava para encontrar uma réplica adequada. Phyllis, John e Michael se agacharam nos degraus mais baixos de uma escada em espiral contorcida em um canto da sala, para melhor observar aquela audiência um tanto ameaçadora, e ao mesmo tempo hipnotizante. Por fim, o barbudo arriscou uma resposta.

— Não penses que duvido do Senhor, e sim apenas que minha confiança em tais predestinações é menos forte que a tua. Não existe o risco de sermos muito confiantes na garantia de nossa salvação e, dessa forma, sermos negligentes em nossa busca pela fé?

Agora, pela primeira vez, Cromwell curvou os lábios carnudos em um sorriso que mostrava seus dentes cinzentos e era terrível de se ver. As bolas de gude escuras de seus olhos brilhavam sob as pálpebras semicerradas.

— Pensas que sou um herege antinomiano, que peca e descansa ao sol, seguro em sua crença de que será salvo, não importa o quanto seja mau? Embora esteja convencido de que todos os tempos vindouros já estão escritos, não me esquivo de minha parte em fazê-los acontecer. Ah, confia em Deus por todos os meios, Henry. Confia em Deus, mas não deixes de manter tua pólvora seca.

Nesse ponto Cromwell riu, um latido que foi pouco a pouco se perdendo no nada, como um trovão. Ireton, que se sobressaltou no início da risada, parecia agora tranquilizado pelo bom humor de seu superior. Sorrindo amarelo com a piada tão repetida de Cromwell, Ireton aparentemente achou apropriado arriscar uma zombaria contida.

— Bom mestre Cromwell, sei que não és nem antinomiano nem herege de qualquer espécie. Apenas os ranters, que clamam seus louvores no mercado, transformariam a salvação predita por eles em licença para deboche.

Tão rapidamente quanto foram dissipadas, as nuvens escuras voltaram às feições amplas de Cromwell. No último degrau da escada em espiral, espiando despercebidos a conversa, tanto Michael Warren quanto Phyll Painter estremeceram em uníssono espontâneo.

— Não te preocupes com ranters, Henry. Quando nossa guerra for vencida, para quê se precisará de ranters ou de panfletos incendiários?

Ireton não parecia convencido.

— Estás assim tão certo da vitória de amanhã?

O rosto do homem mais velho ficou imóvel como uma esfinge esculpida.

— Ah, estou. Nossos homens não recebem há algumas semanas. As barrigas roncam, mas garanti a eles que uma vitória amanhã fornecerá um tesouro considerável do qual logo poderemos fazer as remunerações. Fiz de mim mesmo uma espada para Deus empunhar. Ele não será contrariado. Naseby vai resolver o caso, podes ter certeza, e depois eu irei, isto é, nós iremos determinar o que deve ser feito com escórias como ranters, levellers ou diggers.

Franzindo o cenho desconcertado e estreitando os olhos, Ireton parecia um tanto alarmado.

— Vais querer suprimir tais homens, que lutaram bravamente por nossa causa? Não nos envergonharia tirar direitos daqueles que apenas lutam para que os direitos concedidos pela Magna Carta sejam mantidos?

Nesse momento Cromwell voltou a rir, dessa vez uma risada gutural, menos alta e menos desconcertante do que sua explosão anterior.

— Magna Farsa seria mais próximo da verdade. Ora, o velho rei João estava sob cerco no castelo fazia umas boas seis semanas quando foi obrigado a assiná-la. Tais convenções são criadas apenas pela força das armas, e pela força das armas podem ser revogadas, e o restante veremos.

A cabeça do general mais velho, uma bala de canhão rodopiante, rolou sobre seu pescoço até que seus olhos de chumbo se fixaram em John. O menino-fantasma esguio encolheu-se contra a parede curva da escada, convencido por um segundo de que Cromwell o encarava, mas então percebeu que o homem sentado apenas olhava para o vazio enquanto refletia.

— Chegamos a um lugar fatídico, que muitas vezes serviu de pivô para as reviravoltas da história. A fortaleza ao pé dessa colina é onde o santo Thomas Becket foi traiçoeiramente levado a julgamento por fazer a vontade de Deus, e não a de um rei. Cruzadas sagradas foram convocadas nas redondezas, assim como nossos primeiros Parlamentos. A menos de um quilômetro ao sul fica a pastagem onde Henrique VI foi derrotado pelo conde de March em uma luta que encerrou a Guerra das Rosas. Não duvides que esta cidade, este solo, tem o âmago da questão dentro dele, e não vê com bons olhos reis e tiranos. Se eu escuto, Ireton, acima do som oco que o vento faz no topo das chaminés, imagino que ouço os moinhos trituradores e aniquiladores de Deus.

De sua posição no meio da escada em espiral, John pensou que também podia ouvir isso, mas concluiu que o som era o de um grande canhão sendo empurrado na escuridão pelo pântano de Marefair lá fora. Considerando o que Cromwell tinha acabado de dizer, John se viu lembrado do único verso de *A Guerra Santa*, de John Bunyan, que havia se alojado em sua memória: "Almumana era o ponto central da guerra". As palavras soaram verdadeiras, qualquer que fosse o sentido entendido. Northampton, apesar de toda sua obscuridade, foi o berço de uma quantidade inexplicável de conflitos e o ponto culminante de muitos mais. Cruzadas, Revolta Camponesa, Guerra das Rosas e Guerra Civil, todas começaram ou terminaram ali. Se, por outro lado, a palavra "Almumana" fosse tomada ao pé da letra, como a alma do homem, então também era uma fonte de guerra, fosse pelo feroz zelo protestante de Cromwell ou pela religião da qual fazia parte o mártir autoimolado que encontraram nos patamares mais altos da Mayorhold. Almumana era o ponto central da guerra, sem dúvida. Essa tinha sido a mensagem que finalizava cada marcha e manobra naquele gélido salão superior da College Street, quando John estava na Brigada de Rapazes.

A célebre citação o levou a pensar agora no outro John, John Bunyan, e a se perguntar o que o futuro escritor de dezessete anos estava fazendo naquela noite tão importante. Como um jovem soldado Cabeça Redonda, poderia estar iniciando uma primeira vigília na guarnição de Newport Pagnell, onde Bunyan estava estacionado em 1645. Talvez fumasse um cachimbo em seu posto de vigia e observasse as estrelas abundantes, tentando ler nelas algum sinal de que Cristo voltaria em breve para derrubar o rei Carlos e toda a sua laia, para depois anunciar uma nova Jerusalém aqui no coração da Inglaterra. Declarar uma nação de santos eleitos entre os quais John Bunyan e a figura sentada agora do outro lado da área iluminada por velas acreditavam estar incluídos.

Interrompendo seu devaneio sombrio, Cromwell olhou para Ireton.

— Diz-me, Henry, teus homens se encontram alojados perto dessas partes? Ao raiar do dia, devo me apressar para inspecionar o terreno em Naseby, e gostaria de estar logo na minha cama.

Ao perceber que havia sido dispensado, Ireton pareceu quase aliviado.

— Meu regimento e eu estamos alojados perto daqui e estaremos prontos ao amanhecer. Eu não te impediria de descansar, mas apenas peço, senhor, que transmitas meus mais sinceros sentimentos a tua filha.

John se lembrou então que Ireton acabou se tornando genro do outro homem ao se casar com sua filha mais velha, Bridget. Cromwell deu uma risadinha quase calorosa, arrastando a cadeira para trás enquanto se levantava.

— Por favor, não me chames de senhor, Henry. Antes te obrigarei a me chamar de pai, pois assim será com o tempo. Acabo de escrever uma carta para casa e, quando copiá-la, ficarei feliz em transmitir a Bridget teus afetos. Mas chega dessas coisas. Vai para o teu regimento e para a tua cama, e pela manhã que Deus esteja contigo.

Saindo de trás da mesa, Cromwell foi até Ireton, estendendo a mão para apertar a do jovem com firmeza. Ireton piscou e engoliu em seco ao responder.

— E contigo, bom mestre Cromwell. Eu te desejo uma boa noite.

Com isso, a audiência pareceu se concluir. Cromwell abriu a porta da frente para Ireton, que se afastou na escuridão de Marefair e desapareceu de vista. Com a partida do visitante, o tenente-general suspirou e caminhou em direção à escada em espiral no canto, pegando o candelabro bruxuleante em seu caminho. Chutando involuntariamente as três crianças-fantasmas sentadas ali, subiu os degraus cansado, em direção ao seu quarto no andar superior da construção. Trocando olhares, Phyll e John flutuaram como vapor escada acima atrás dele, rebocando a minúscula sombra de Michael Warren entre eles. Ambos estavam ansiosos para saber como o futuro regicida e Lorde Protetor dormiria na véspera de sua batalha mais famosa.

John, porém, ainda pensava em Henry Ireton. Embora estivesse destinado a receber um ferimento de lança e ser capturado pelos monarquistas na manhã seguinte, seus captores o libertariam nos estágios posteriores da batalha, temendo por suas próprias vidas diante do assalto final das forças parlamentaristas. Ele se casaria com Bridget Williams-vulgo--Cromwell, acorrentando-se à família e à sua sorte pelo resto da curta vida. Em 1651, Ireton estaria estacionado na Irlanda tentando debelar a rebelião católica, sitiando Limerick, uma fortaleza rebelde, onde sucumbiria à peste. Sua morte, no entanto, não o pouparia da retribuição real nove anos depois, quando o rei Carlos II seria restaurado como monarca. Pouco antes de derrubar o Castelo de Northampton, o novo rei mandaria desenterrar os corpos de Ireton e do sogro dos túmulos da Abadia de Westminster e arrastá-los pelas ruas de Londres até Tyburn, onde ambos seriam enforcados e esquartejados. Como em muitas guerras, santas ou não, na opinião de John nenhum dos lados era muito mais recomendável que o outro no que dizia respeito às boas maneiras.

Phyllis, John e Michael estavam agora no andar de cima da Hazelrigg House, atrás de Cromwell enquanto ele seguia com candelabros em uma das mãos em direção ao quarto. A sombra corcunda que rastejava atrás dele fez John se lembrar da ilustração do frontispício em sua cópia de infância de O *Peregrino*. Era um quadro de aparência engraçada, nada no estilo realista que John preferia, embora, se bem se lembrava, fosse feito por William Blake, que era bastante famoso e respeitado, embora na opinião de John desenhasse como um bebê. A reprodução de aguada mostrava o Cristão de Bunyan com seu pesado fardo moral amarrado às costas, dobrado sobre o amado livro que lia enquanto caminhava. Essa era a forma que se esgueirava atrás de Cromwell agora ao longo do patamar, um gigante devoto seguindo o rastro do futuro Lorde Protetor, assim como a horda de ingleses pobres e fiéis. Ou, ocorreu a John, aquele colosso de sombras piedoso e andrajoso levava Cromwell adiante, e não o seguia, afinal? A vontade de quem estava realmente sendo feita na Inglaterra durante essa década tumultuada e sangrenta? Quem estava usando quem?

Cromwell saiu do corredor e atravessou a porta aberta de uma sala à direita das crianças, fechando-a atrás de si. Seguindo o seu exemplo, John e Phyllis entraram pelas madeiras do portal, com Michael Warren arrastado entre a dupla e linhas cinzentas de pós-imagens brilhando atrás deles.

O quarto dava vista para Marefair através da grade em forma de diamantes das janelas altas do outro lado do quarto. Pelas vidraças cruzadas, John podia ver formas pálidas esvoaçando pela noite, rouxinóis estranhos acompanhados por fluxos de imagens em stop-motion e repiques ressonantes de alegria. Só quando observou que uma das criaturas acrobáticas usava um par de óculos do sistema de saúde pública, John percebeu que Reggie, Marjorie e Bill tinham enjoado de levantar tempestades de poeira e subiam pelo ar, voando sobre a rua e gritando enquanto brincavam de ser espectros de verdade, do tipo que se encontra em histórias de terror. John considerou aquilo de uma falta de disciplina chocante, mas não estavam causando nenhum dano, e então voltou suas atenções para a peça central do cômodo, uma cama pesada de madeira, que era como algo saído de uma história de Hans Christian Andersen.

Cromwell sentou-se na beirada, tirando as botas com cansaço. Ao lado da porta fechada, colocada sobre um baú de madeira ou perto dele, John notou a armadura pintada de preto, quase idêntica à de Ireton, que Cromwell usaria na manhã seguinte. O traje de Cromwell o protegeria melhor que o de Ireton, concluiu John. Ao contrário de Ireton, com um grave ferimento de lança no ombro, seu futuro sogro passaria ileso por Naseby, não mais do que sem fôlego, enquanto cavaleiros derrotados eram cercados, ou enquanto os homens de Fairfax estupravam e desfiguravam as mulheres em um comboio monarquista capturado. John tinha visto, ou veria, um pouco disso depois da batalha do dia seguinte. Recordou-se de que tinha sido essa cena culminante de crueldade, orelhas e narizes cortados, que o forçou a voltar ao seu próprio tempo naquela primeira visita à batalha, um pouco antes de conhecer o Bando de Mortos de Morte. Dos horrores testemunhados tanto na Naseby nos anos 1640 quanto na França nos anos 1940, a mutilação das mulheres, esposas e namoradas monarquistas, rotuladas de "prostitutas e vadias de acampamento" daquele "exército perverso", havia sido de longe o mais insuportável. Pelo amor de Deus, eram mulheres.

    Cromwell já havia tirado todas as roupas, exibindo uma bunda calejada de sela antes de vestir a longa camisola dobrada sobre o cobertor de cima. Ajoelhando-se, o tenente-general de cavalaria puxou um penico de pedra de debaixo da cama e urinou, ao mesmo tempo soltando um longo peido afinador de trombone que levou Michael, Phyllis e, por fim, até mesmo John a gargalhadas inevitáveis. Quando terminou de urinar e devolveu o pesado penico ao seu esconderijo nas sombras debaixo da cama, Cromwell permaneceu ajoelhado com as mãos juntas e os olhos fechados enquanto recitava o Pai Nosso. Isso feito, ele se levantou e apagou as três chamas que tremeluziam de seu candelabro, que repousava sobre uma cômoda simples ao lado da janela. Na escuridão do lado de fora, os três reflexos daquelas chamas se apagaram uma a uma, deixando a noite para Reggie, Bill e Marjorie, que John ainda podia ouvir aos risos enquanto navegavam pelos céus negros sobre Marefair. Grunhindo como se sentisse o desconforto das articulações rígidas, Cromwell caminhou de novo pelo quarto e se enfiou debaixo das cobertas. Depois de alguns poucos momentos de resmungos e inquietações, pareceu adormecer, ao que tudo indicava sem se incomodar nem um pouco com toda a matança que o esperava ao raiar do dia.

    — Bem. Acho que era-foi isso, então.

    Phyllis parecia desapontada, e John foi forçado a admitir que sentia o mesmo. Estava decepcionado, embora não soubesse o que esperava. Dúvidas e lágrimas, talvez, ou maldade exultante, como um demônio das matinês no Gaumont; gargalhadas maníacas para assustar as crianças?

Enquanto Cromwell roncava satisfeito, John foi até a janela para ver o que seus três companheiros de bando estavam aprontando. Procurando através do vidro listrado de chumbo, ele os viu oscilando para frente e para trás na brisa noturna bem acima da rua. Haviam assustado os pombos de seus poleiros nos beirais da Marefair e agora perseguiam as aves perplexas contra uma lua de três quartos creme e sua coroa, lançada sobre a neblina de verão. John chamou Phyllis e Michael do lugar onde estavam ao lado da cama, divertindo-se ao inserir dedos fantasmagóricos nas narinas pretas e escancaradas de seu ocupante adormecido.

— Ei, deixem o nariz dele em paz e venham ver o que seu mano e os outros tontos andaram aprontando enquanto estávamos aqui.

A líder do bando de fantasmas e seu pequeno fardo fizeram como John havia sugerido. Ficaram os três apontando para cima através das vidraças decoradas e fazendo comentários alternados de alegria e desaprovação enquanto os colegas rebeldes pastoreavam pássaros perplexos entre os raios de luar, muito acima de Northampton. Entretidas assim, as três crianças ficaram tão absortas que por um momento se esqueceram completamente de onde estavam. A voz profunda ressoando da escuridão atrás deles, então, veio como um choque muito maior.

— Quem são vocês, e o que querem?

Michael gritou e agarrou a mão de John. As crianças-fantasmas se viraram assustadas para ver um menino de expressão azeda de cerca de onze anos de idade parado sem roupa ao lado da cama na qual Cromwell ainda roncava, olhando carrancudo para elas através das sombras. O garoto ostentava o corte de cabelo mais terrível que John já tinha visto: era raspado até só deixar tocos cinzentos até o alto, onde começava um corte de tigela. O menino parecia um cogumelo venenoso, com o cabelo escuro e o rosto manchado formando o chapéu e o pescoço pálido e úmido no lugar do pedúnculo. A mente de John disparou enquanto ele tentava descobrir o que era aquilo, e um olhar de soslaio para Phyll confirmou que ela estava na mesma situação. Michael ficou imóvel, com as pálpebras abertas como se tentasse expulsar os dois globos oculares de suas órbitas por pura força de vontade.

— Pergunto novamente o que querem na vaza do meu pai. Sejam rápidos em me dizer, e não de uma forma assustadora!

Era a voz de um homem, pensou John, vindo de um menino que mal estava na puberdade, a julgar pelo único pelo isolado na genitália fora isso inteiramente descoberta. Algo na forma como a figura emoldurava suas frases, a maneira como dizia "vaza do meu pai" no lugar de "casa do meu pai", sugeria alguém recém-morto que ainda não havia encontrado seus lábios de Lucy. Por outro lado, os movimentos nervosos que fazia não eram acompanhados pelos habituais ecos visuais, o que sugeria que estava vivo. No entanto, ele podia vê-los, quando em circunstâncias normais não poderia, a menos que estivesse morto.

Ou sonhando.

Tudo então se encaixou. John entendeu os tons adultos no mesmo momento em que notou o começo de uma verruga entre o queixo e o lábio inferior do rapaz. Virando-se para a ainda desnorteada Phyllis, John se permitiu um risinho convencido.

— Está tudo bem. Descobri quem era-será.

Ele olhou de volta para a criança nua parada ao lado da cama.

— Está tudo bem, Oliver. Somos só nós. Você nos reconhece, não?

Agora foi a vez do jovem parecer intrigado. Piscando rapidamente, olhou de John para Michael, depois para Phyllis, tentando se lembrar de onde os conhecia, caso de fato os conhecesse.

Cromwell estava sonhando. Sonhava consigo mesmo na forma que tinha quando era pequeno e vulnerável, mas manteve a voz grave de um eu mais velho e mais blindado, talvez por ter se tornado uma segunda natureza sua e para que, assim, não pudesse ser abandonada facilmente. John não tinha ideia de onde o tenente-general acreditava estar, ou o que sua mente sonhadora achava que via. Só sabia que os sonhadores eram sugestionáveis, e se lhes dissesse algo eles aceitariam e incorporariam aquilo ao tecido de seus sonhos da melhor maneira possível. O Cromwell mais jovem os encarou como se tivesse se decidido.

— Sim. Agora vejo vocês. São meus pequeninos, Richard e Henry, e a querida e linda Frances. Vocês não devem incomodar seu pai agora, quando ele tem muito o que fazer amanhã. Vão ler seus cata-cismas!

John concluiu que a última parte provavelmente deveria a ser "catecismos". Evidentemente, Cromwell agora acreditava que eram seus filhos, embora sonhasse consigo mesmo jovem demais para tê-los gerado. Essa era a lógica que bastava nos sonhos. John ficou intrigado com o comentário do jovem sobre ter muito o que fazer no dia seguinte, no entanto. Seria uma vaga consciência da batalha vindoura que permanecia na mente adormecida do general? Ele pensou em investigar um pouco mais.

— Pai, já fizemos nossas orações, não se lembra? Diga-nos o que vai fazer amanhã de manhã.

O menino assentiu solenemente, agitando o cogumelo preto de seu corte de cabelo brutal.

— Vou lutar contra o papa Carlos I e, se eu vencer, farei com que tirem o chapéu. Vou trazê-lo para sua mãe, com sangue nas penas, para que ela o coloque em nossa lareira acima do fogo.

Phyllis estava rindo. Querendo saber por que, John olhou para a virilha do jovem Cromwell e percebeu que o pinto do menino tinha ficado duro, estava apontando para as vigas do teto do quarto sem que o dono percebesse. Aquilo fez com que John se sentisse desconfortável, em especial com Phyllis presente. O primeiro rubor do amor não concretizado que existia entre os dois se tornava menos factível com uma ereção no recinto, ainda que fosse do tamanho de um giz de cera. Ele fez um esforço para desviar a mente sonhadora do jovem Cromwell para um território que, com alguma sorte, seria menos excitante.

— Pai, e quando tiver vencido sua luta? E então?

Inicialmente, a linha de questionamento não parecia ter esvaziado o agitado membro do jovem, e inclusive parecia ter piorado as coisas. Com os olhos cinzentos acesos com visões de sua futura glória, Cromwell aparentemente estava ficando mais animado a cada momento. Com o olhar brilhando como tições, fixo em algum horizonte inimaginável, o menino sorriu, com uma voz suave de admiração por sua própria majestade enquanto respondia.

— Ora, então serei papa.

A expressão maravilhada de autossatisfação do jovem durou só um momento antes que a sombra fria de uma nuvem de dúvidas fosse lançada sobre ele. O jovem Lorde Protetor de repente pareceu assustado, e John ficou aliviado ao ver que a intumescência estava diminuindo. Quando a criança nua voltou a falar, o tom grave do adulto sumiu, substituída pela voz trêmula e esganiçada de um menino de onze anos assustado.

— Mas, se me tornar papa, Deus não me odiará? E o povo, os pobres que me seguiram, também me odiarão se eu me vestir de púrpura. Vão me descobrir e me odiar. Eles tirarão meu chapéu dos meus ombros. Vocês precisam me ajudar! Precisam dizer a eles que seu pai era uma criança, uma criança como vocês, que não sabia o que estava fazendo. Vocês precisam...

Aqui o garoto se interrompeu, e algo do aço cinzento de seu eu mais velho voltou aos seus olhos. A voz era agora novamente o rosnado áspero de um adulto.

— Vocês não são meus filhos.

Com o rosto cheio de espinhas se contorcendo em uma máscara de rancor, o corpo nu começou a aparecer e sumir de vista, como algo em um aparelho de televisão com recepção vacilante. A imagem e o som pareciam desaparecer ao mesmo tempo, fazendo com que qualquer coisa que o menino dissesse fosse pontuada por falhas de transmissão. Enquanto isso, a forma adormecida sobre a cama, uma massa escura visível apenas para a visão noturna enfeitada com lantejoulas das três crianças, começou a murmurar em um estranho contraponto à fala trêmula e interrompida do Cromwell onírico.

— ... bastardos sem pai de um tipo inferior, escondidos... metade das prostitutas em Newport Pagnell dizem que foi o Espírito Santo que colocou isso nelas! Pega tu... ou devo ser preso como uma mariposa cor de fuligem na história e sempre... Pai? Deixem-me em paz! Eu não tenho... fadas. São demônios, fantasmas ou fadas, eles olham para o meu...

Phyllis cutucou John, inclinando-se sobre Michael, entre eles.

— Parece que ele vai acordar. Vamos, vamos lá fora ver o que aqueles tontos tão aprontan'o, antes que o Bill faça algo que não devia.

Ainda com Michael pendurado entre eles, John e Phyll deram as costas para o espectro intermitente da juventude de sonho e pularam através da parede da Hazelrigg House, passando por alvenarias que, em 1645, estavam no local havia menos de uma década. Chovendo sobre a rua pantanosa em uma cachoeira cinza instantânea, as crianças sacudiram a poeira e espiaram no escuro em busca de algum sinal dos membros restantes do bando.

John os avistou primeiro, ainda assustando pombos na parte superior de um céu cor de cassis, com uma escuridão densa que se diluía mais acima na luz do luar. Via rastros de pós-imagens arrastados de um lado para o outro no firmamento leitoso como cachecóis de lã encardidos de times de futebol, e podia deduzir a perturbação dos pombos pela chuva abrupta e inesperada de cocô salpicando a lama de Marefair do alto. Na opinião de John, ter um pássaro fazendo sujeira em sua cabeça era ainda pior para os fantasmas do que para os vivos. Não havia a chateação de ter que lavar aquela coisa repulsiva do cabelo e das roupas, era verdade, mas por outro lado os excrementos caíram direto através de você, e meio que era possível senti-los mergulhando no crânio e no pescoço, descendo para baixo para sair pelas solas dos sapatos como um radiante esguicho preto e branco. Ocorreu a John que a merda de pombo não parecia melhor nos meios-tons da costura-fantasma do que no Technicolor completo da vida mortal. Era uma daquelas coisas, como remorso ou insatisfação, que ainda dava nos nervos quando você estava morto.

Phyllis, que havia sofrido com o bombardeio aéreo tanto quanto John, perdeu a paciência e anunciou que "ia subir lá em cima e dar um jeito neles". Dando um pequeno salto para pegar impulso, ela começou a nadar através do ar mais espesso e flutuante da costura, em uma variação do estilo peito. Só depois de meio minuto, quando Phyllis estava a uns três metros acima, John percebeu que ele e Michael estavam olhando fixamente por baixo do vestido dela. Pensou em começar uma conversa, em um esforço para desviar a atenção dos dois para algo mais adequado.

— O que você acha do Bando de Mortos de Morte, fedelho, agora que teve a oportunidade de nos conhecer? Uma coisa eu posso dizer, era-será muito mais divertido do que estar no exército.

Ao redor deles, Marefair se rendia à escuridão. Alguns casais vagavam de um lado para o outro entre os becos de Pike ou Chalk Lane e as portas ainda iluminadas do Black Lion, soldados tropeçando de braços dados com mulheres rindo e sussurrando, tão próximos que pareciam pares em uma corrida de três pernas licenciosa e bêbada.

Espalhadas pelo flanco do castelo, colina abaixo, todas as fogueiras haviam se reduzido a um brilho sombrio e, além dos murmúrios lascivos dos desgarrados, o único outro som era o de morcegos, vozes agudas enfiadas ao redor do campanário da igreja de St. Peter. Michael ergueu os olhos para John ao seu lado, com os cachos loiros se multiplicando com o movimento, fazendo que por um momento parecesse um João Felpudo mais arrumado ou uma boneca de pano descolorida.

— Eu gosto muito. Gosto de escalar pelos dias e acho todo mundo legal, principalmente a Phyllis. Mas sinto falta da minha mãe e do meu pai e da minha avó e da minha irmã e gostaria de voltar para eles logo.

John concordou.

— Bom, isso era-será compreensível. Aposto que sua família era-será muito boa, pelo menos se o seu pai servir de amostra. Mas o que você não pode esquecer era-será que todas essas aventuras que está tendo aqui estão acontecendo em pouco tempo. No mundo dos vivos, você ficou morto só por alguns minutos, se dá para acreditar no que todo mundo diz. Vendo por esse lado, antes que você perceba, estará com seus pais e tudo isso era-será esquecido, como se não tivesse acontecido. Em seu lugar, eu aproveitaria o máximo enquanto estivesse aqui. Além disso, tenho carinho por sua família e estou gostando muito da sua companhia.

Michael pareceu pensativo, e apertou os olhos para encarar o menino mais velho.

— Isso era-será porque você conhecia meu pai e brincava com ele?

John riu, estendendo a mão com quatro ou cinco braços esquerdos para bagunçar o cabelo de Michael.

— Bem... imagino que seja por algo assim. Eu conhecia todo o lado da família do seu pai, quando estava vivo. Como está a velha May, mãe do seu pai? Ela ainda era-será um terror? E sua tia Lou?

Ele ainda não tinha certeza do motivo de estar escondendo a história completa de Michael, já que não era da natureza de John manter segredos. Ele se perguntou, quando ouviu pela primeira vez o sobrenome do garoto, se poderia ser a mesma família Warren que conhecia, mas não fazia sentido mencionar isso na ocasião, caso estivesse enganado. Então, quando foi confirmado, gostou de ter uma informação secreta para si mesmo, algo que nem mesmo Phyllis sabia — embora isso não fosse tudo, para ser sincero. O fato era que não queria despejar sobre Michael o peso da verdade de quem ele era ou da relação entre os dois. Não queria que o menino ou qualquer pessoa de sua família ouvisse em primeira mão como John havia morrido na França, o medo que sentiu, o fato de que estava tentando criar coragem para desertar quando foram atacados naquela estrada rural. Essa era a verdadeira razão pela qual passou todos aqueles anos assombrando uma torre abandonada depois de morrer, em vez de ir direto para Almumana. Tinha a consciência pesada, tanto quanto Mick Malone ou Mary Jane ou qualquer um dos moradores de rua da área, porque John e Deus sabiam que ele era no fundo um covarde. Com certeza era melhor deixar tudo aquilo de lado. Era melhor manter sua mentira inocente, permitir que o pequeno agora pensativo ao lado dele mantivesse sua feliz ignorância a respeito de como o mundo às vezes podia ser, inclusive em relação a como tratava os meninos que vinham de boas famílias da classe trabalhadora. Michael ainda refletia sobre as perguntas de John antes de arriscar suas respostas.

— Bom, eu gosto da minha avó, mas às vezes ela era-será um pouco assustadora e eu sonho que ela está tentando me pegar. Tia Lou é como uma coruja boazinha, e quando me pegava ria para mim e eu sentia o riso no corpo dela enquanto me segurava. Mas a vovó era-será legal. Se vamos à casa dela, ela dá uma maçã e um doce da jarra que está no aparador para mim e para Alma.

Sob o luar, muito acima deles, John pôde distinguir um cometa cinza com uma cauda de fotografias desbotadas que provavelmente era Phyllis, conduzindo um triunvirato de espectros desavergonhados de volta à Terra. Parecia que as crianças fantasmagóricas estavam brincando de juntar os pontos entre as estrelas. Ele sorriu para Michael.

— Não, a May não era-será má pessoa. Sei que de vez em quando pode deixar você apavorado, mas ela teve uma vida difícil, desde que apareceu pela primeira vez na sarjeta da Lambeth Walk, por isso era-será assim. Por isso não pode ser julgada tão a ferro e fogo.

Os outros quatro membros do Bando de Mortos de Morte já tinham descido o bastante para serem ouvidos. John podia ouvir Phyllis dando bronca em Bill enquanto eles desciam.

— ... e se cê correr atrás dos pombos, o Terceiro Borough fica saben'o! Vai ter sorte se não te transformarem num pombo e depois fizerem uma torta co'cê!

Sem nem dar bola, Bill fazia um ostensivo nado borboleta no ar, com braços de pós-imagem como rodas de carroça girando em seus ombros. Um sorriso largo continuou ameaçando sair e estragar a expressão contrita do encrenqueiro ruivo. Em pouco tempo, Phyllis guiou os três desgarrados para a terra e pousou em Marefair, como um pompom de dente-de-leão cinza, ou homem-na-lua, como John sempre os chamava, derramando imagens de guarda-sóis no céu noturno atrás de si.

Depois que Phyllis conduziu um breve simulacro de julgamento do trio de malfeitores e emitiu o que considerou serem as recriminações necessárias, o bando fez uma votação sobre qual rota seguir na volta aos anos mil e novecentos. A demonstração resultante de mãos — algo como cinquenta, se fossem contadas todas as pós-imagens — parecia ser unânime em favorecer uma abordagem um tanto indireta, começando no Black Lyon Inne um pouco mais adiante. A única abstenção foi a de Michael Warren que, como mascote do regimento, não tinha mesmo direito a voto. John simpatizava com Michael em seu desejo simples de ir para casa, mas era verdade o que tinha dito antes sobre essas façanhas não tomarem tempo algum no mundo mortal para o qual o menininho em breve retornaria. John também havia falado a verdade sobre ter gostado muito do pirralho, e não queria que Michael voltasse à vida e se esquecesse de tudo o que fizeram.

O bando caminhou por Marefair em direção ao castelo, em cujas encostas as fogueiras dos soldados jaziam todas apagadas. À esquerda, passaram pelo santuário de morcegos da igreja de St. Peter, onde os guinchos, parecidos com apitos de cachorro, perfuravam até o isolamento acústico da costura-fantasma. Nas sombras do portão, John pôde distinguir a forma caída do fantasma da mendiga manca que conheceu em sua primeira visita póstuma à igreja, mas não chamou a atenção das outras crianças para sua presença. Imóvel e silenciosa, ela os viu passar, os olhos luminosos pendurados no escuro, desinteressados.

O Black Lion, quando chegaram, ainda parecia estar servindo, embora a porta estivesse fechada. Passando através dela, John se viu em um pub que era perturbadoramente familiar em sua planta básica, embora as pessoas e os passatempos fossem bem diferentes. Cabeças Redondas com caras sonolentas bebiam uma cerveja de aparência viscosa enquanto tentavam esquecer que aquela bem poderia ser sua última noite na Terra, enquanto outros com mulheres em seus colos moviam os dedos cheios de cicatrizes para a frente e para trás sob camadas de anáguas cheias de babados. O salão, dividido em dois níveis conectados por três degraus, como no tempo de John, era quase todo de madeira. O único metal parecia ser o das lamparinas a óleo polidas ou das pesadas canecas, sem contar as espadas e os capacetes que estavam no local naquele momento, e não havia vidro à vista, a não ser nas janelas. O quarteto solitário de garrafas de bebidas alcoólicas, em cima de uma prateleira fora isso vazia nos fundos do bar, eram todas de pedra. John ficou surpreso com o quanto a falta de brilho de uma esfera luminosa pendurada alterava a ambientação do bar, e havia outras coisas que também fizeram uma diferença inesperada.

Uma das mesas havia sido separada para a comida, uma tigela de frutas secas, fatias de queijo e um pão pela metade, cebolas e mostarda e um presunto cortado até o final, sobre os quais pairava uma trupe de varejeiras de barriga perolada. Dois ou três cachorros farejavam as pernas das cadeiras, e o ruído dentro da estalagem parecia mínimo para John, mesmo levando em conta o modo como a costura-fantasma abafava as coisas. Todas as conversas, incluindo as dos soldados e suas namoradas, soavam baixas e reverentes aos ouvidos modernos. A não ser por um ocasional som alto de botas nas tábuas do piso, quando alguém ia à latrina no pátio do pub, ou um leve bufar de um dos cavalos ali guardados, na ausência do familiar tilintar de vidro no vidro, não havia barulho algum. Não era nem mesmo o silêncio moderno, sem o tique-taque do relógio para ressaltá-lo.

Bill e Reggie pareciam fascinados com todas as apalpadelas desinibidas que aconteciam nos cantos escuros da taverna, mas John não gostou, e ficou satisfeito ao ver que Phyllis também não. Com uma vivacidade militar que escondia o embaraço mútuo, organizaram o bando em outra torre humana, dessa vez com Reggie na parte inferior e Bill de pé em seus ombros, raspando com as duas mãos o tempo acumulado do teto da estalagem. Para subir mais de trezentos anos, a escavação iria demorar um pouco, deixando John, Michael e as duas garotas sem opção a não ser ficar ali parados desajeitadamente em meio à devassidão quase muda, tentando encontrar algo que não fosse sexual para observar.

Enquanto seu olhar se movia inquieto ao redor do salão semi-iluminado, John percebeu com surpresa que ele e seus cinco companheiros não eram os únicos fantasmas no Black Lyon Inne naquela noite. Em um assento de madeira comprido e parecido com um banco de igreja contra uma parede, estava sentado um soldado Cabeça Redonda, um garoto de dezenove anos sardento e sem queixo, com uma mulher de feições duras na casa dos trinta gemendo baixinho montada em seu colo, com as costas dela contra a barriga dele. As saias compridas tinham sido arrumadas em uma tentativa de esconder o fato óbvio de que o rapaz tinha seu implemento dentro dela, enquanto a mulher se movia para cima e para baixo de modo sub-reptício, tentando fazer parecer uma inquietação rítmica.

De cada lado desse casal copulando de modo não tão furtivo, sentava-se uma dupla de homens de meia-idade vestidos com longas túnicas, um gordinho e um magro, que John a princípio assumiu serem os amigos dos amantes. Sim, achou estranho uma amizade tão próxima que permitisse que seus conhecidos fossem espectadores em ocasiões tão íntimas, mas o que ele sabia sobre os hábitos morais dos anos mil e seiscentos, quando, ao que parecia, era aceitável fazer sexo em um pub? Só quando um dos dois homens levantou um leque de vários braços para coçar a sobrancelha, John percebeu que ambos eram fantasmas, espíritos bisbilhoteiros que a prostituta e o soldado não sabiam que estavam ali. Olhando um pouco mais de perto, John pôde perceber que os voyeuristas eram algum tipo de monges, talvez os cluniacenses que tinham um mosteiro um pouco ao norte dali, trezentos ou quatrocentos anos atrás. Cada um estava sentado com as mãos beatas pousadas no colo, sem esconder as barracas armadas em seus hábitos enquanto observavam o soldado ofegante e sua libertina com uma atenção extasiada. Os dois frades estavam tão absortos que não tinham notado que havia outros fantasmas, crianças, a poucos metros do outro lado do salão, John pensou com indignação.

De repente, porém, o quadro mudou de apenas desagradável para indescritivelmente grotesco. Um dos monges espectrais — o rechonchudo que estava sentado do outro lado da dupla — tirou uma mão gorducha de seu próprio colo e, antes que John pudesse entender o que fazia, a esticou em um fluxo de pós-imagens para enfiá-la no avental da mulher montada, empurrando o braço até o cotovelo no corpo em ação, enquanto ela ainda o ignorava por completo. Pelo sorriso lascivo que saltava nas bochechas largas do frade e pelo aumento repentino dos suspiros e das estocadas agitadas entre os pombinhos, parecia que o monge tinha toda a mão carnuda dentro do baixo-ventre da mulher, agarrando o soldado pelo... John sentiu um pouco de náusea e desviou o olhar. Nunca tinha visto um homem morto fazer uma coisa dessas antes, nem sequer imaginado. Ah, enfim. Morrendo e aprendendo.

Por sorte, ninguém mais parecia ter notado o espetáculo repulsivo, e foi só então que Bill declarou alegremente que o túnel até o século XX estava concluído. Phyllis foi a primeira a subir a escada formada por Bill e Reggie, desaparecendo na abertura pálida com bordas cintilantes cavadas no teto de gesso, entre as vigas defumadas. Em seguida, Michael fez a escalada, com várias imagens estendendo seu roupão curto em uma cauda de noiva xadrez enquanto ele subia. Marjorie foi atrás de Michael, seguida por Bill, deixando primeiro Reggie e depois John para saltar pelo buraco do tempo, sustentados pela atmosfera viscosa da costura-fantasma.

Só quando John disparou pela abertura para se encontrar em um habitat sintético, onde tudo tinha bordas arredondadas e Phyllis passava uma reprimenda em Bill com mais vigor do que o habitual, foi que ele percebeu que havia algo errado. Não era 1959. O cômodo em que estavam parecia esparso e estéril, como uma cozinha em um hospital supermoderno com uma pia de aço, algum tipo de fogão elegante e complicado e duas ou três outras caixas de metal pesadas com mostradores, cujas funções John não reconhecia. Ao lado da porta, uma dúzia de recipientes plásticos de alvejante, projetados para parecerem brinquedos de banho em forma de bomba voadora, com narizes de cones que desencaixavam, unidos em forma de cubo por uma película de polietileno que parecia ter sido pintada. Em uma caixa de papelão sob a única janela manchada de chuva do recinto estavam o que pareciam ser agulhas hipodérmicas da Terra dos Brinquedos, itens pequenos frágeis, cada qual em sua própria bolsa transparente individual. Olhando mais de perto, John viu que havia várias caixas cheias de frascos de pílulas empilhadas ao acaso onde houvesse espaço, junto a sacos de aveia e arroz comprados a granel, latas de comida para bebês e uma variedade estranha de outros suprimentos médicos ou culinários adquiridos no atacado. Cartazes pregados em uma folha de papelão em uma parede traziam nomes e slogans que eram incompreensíveis para John: ANEXO ST. PETER; PROIBIDO PASTAR, SEM DIETA; BARULHO MATA; ANISTIA DE TASER E ANTOLHOS; NÃO DEIXE A C-DIF VIRAR C-IMP; INDICADORES DE TRAUMA SEXUAL; INDICADORES DE TRAUMA DE CONFLITO; IDENTIFIQUE UM PARDAL; INQUILINOS CONTRA A TRAIÇÃO... Onde diabos estavam? John foi perguntar a Phyllis, mas, antes que tivesse a chance, ela se virou para ele, irritada, e se adiantou com a resposta.

— Ele cavou alto demais, o idiota. Estamos nos vinte e cinco, no Anexo da St. Peter. Olha toda essa desgraça de chuva!

John olhou pela janela para o que pensou ser Black Lion Hill, embora a vista não fosse familiar. Marefair estava irreconhecível, pavimentada com ladrilhos claros onde antes ficava a rua de paralelepípedos, que depois foi asfaltada. Através da chuva torrencial, podia ver um viaduto com paredes de vidro que formava um arco acima da entrada de uma St. Andrews Road muito modificada, conectando a extensão da Estação Castle com o terreno elevado perto do fim da Chalk Lane, bem onde ficava a torre de John, demolida fazia tempo. Havia construções bojudas como potes de Marmite com designs que pareciam ter resultado de uma brincadeira ou desafio, em frente a de estruturas mais antigas e simples do outro lado da rua, com as quais contrastavam de maneira chocante. A ponte futurista, uma extensão de tripa translúcida serpenteando pela cena de oeste a leste, parecia a John uma concepção espalhafatosa e mundana do Ultraduto, uma cópia terrena do extenso vão imaterial que saía da igreja Doddridge. Sob a ponte, o tráfego peculiar sibilava em meio ao dilúvio, indo e voltando pela St. Andrew's Road, mas sem se aventurar pela Marefair, que agora parecia ser apenas para pedestres. A maior parte do fluxo de veículos era composta pelos carros em forma de tijolo que John tinha visto durante a recente incursão do bando-fantasma a zero-cinco ou zero-seis, mas também havia muitos de um tipo mais estranho, dispositivos quase planos como patins blindados que eram silenciosos e de uma cor preta uniforme. Até mesmo Reggie Bowler, o fanático por carros da turma, estava ao lado da janela sem o chapéu, coçando os cachos escuros, perplexo. Phyllis estava furiosa, o que só a deixava mais bonita.

— Se a gente fosse mais pra cima, estava na desgraça da Cidade de Neve! Ele fez isso de propósito, porque não deixei ele ficar olhando pras putas velhas sendo bolinadas lá embaixo nos anos mil e seiscentos!

Bill protestou.

— Ah, e quando você cavou muito para cima lá na Scarletwell Street foi-será diferente? Cê é uma morcegona velha e mandona, quer tudo do seu jeito. Quem vai dizer que não podemos dar uma olhada já que estamos aqui, então? Pode ser instrutivo, o que eu me lembro de você ser a favor quando eu era-serei só uma criança tonta.

Phyllis fungou altivamente.

— Cê ainda era-será uma criança tonta e ainda era-será um pé no saco. Certo, acho que podemos ver o que tem por aí, agora que cê arrastou a gente pra cá. Só um minuto ou dois, vejam bem, e depois vamos de volta direto pro tempo de Cromwell, assim pegamos outra rota para a igreja Doddridge.

Marjorie Afogada, parada ao lado de uma pequena estante de madeira abarrotada de livros cheios de vincos nas páginas e sem dúvida tentando ampliar seu conhecimento da literatura do século XXI, olhou para os outros através das lentes de fundo de garrafa dos óculos.

— Por aquela porta, acho que tem uma passagem para uma extensão que dá para o cemitério da St. Peter. Eu me lembro disso de A Volta para a Cidade de Neve, logo depois de o Bando de Mortos de Morte contra a Bruxa do Nene e antes de O Incidente do Trem Reverso.

Marjorie estava se transformando em uma pequena tagarela. John ficou impressionado, no entanto, por ela catalogar as aventuras do bando em uma ordem tão cuidadosa, ainda que fossem mais brincadeiras infantis do que façanhas heroicas, na verdade. As seis crianças-fantasmas saíram pela porta do consultório médico ou da cozinha vazia em que haviam entrado, deixando o buraco do tempo descoberto e pronto para sua volta ao século XVII.

Do outro lado da porta, como Marjorie tinha previsto, havia um corredor com uma área que parecia ser uma sala de recreação de um lado, onde mais ou menos uma dúzia de crianças de várias nacionalidades faziam uma imensa bagunça com tintas em pó sob a supervisão de um homem careca de cinquenta e poucos anos e ar paciente. Embora a luz dentro do cômodo fosse fraca, John achou que isso se devia mais ao tempo do que à hora do dia, que supunha ser o meio da tarde. Um calendário que viu na cozinha-barra-consultório – com uma foto de uma mulher robusta do Exército da Salvação, John se lembrou de repente, nua, a não ser pelo gorro e pelo trombone – informava que era julho de 2025, embora parecesse muito frio e chuvoso lá fora para um verão.

Uma entrada na extremidade leste da passagem dava acesso a dois dormitórios pré-fabricados, cada um subdividido em meia dúzia de cubículos modestos por cortinas penduradas em grades móveis. O primeiro desses recintos a que chegaram parecia ter sido reservado apenas para mulheres, com algumas de diferentes idades sentadas assistindo a uma enorme televisão, na qual jovens nus sentavam-se em alguma espécie de banho comunitário ou piscina infantil e diziam uns aos outros que estavam "estragados". As mulheres de aparência entediada que observavam esse espetáculo pouco edificante arriscaram comentários desdenhosos sobre o programa no que poderia ser um sotaque de Norfolk. John supôs que um dormitório masculino deveria estar além das portas fechadas na ponta do quarto, e foi ficar com Michael Warren, que pulava para tentar ver pela janela dos fundos.

A abertura dava para o sul, em direção à área atrás da igreja de St. Peter e sobre o que restava a essa altura do gramado no qual John havia brincado com o pai de Michael Warren quando eram meninos.

John pegou o menininho saltitante para que ele pudesse enxergar, não que muita coisa fosse visível através da chuva.

— Não tem muita coisa para ver, né? Que tal atravessar a parede e ir dar uma olhada lá fora? Não vamos nos molhar, a chuva passa direto por nós.

Michael franziu a testa em uma cara de interrogação para John.

— Vai dar aquela sensação horrível quando cair pela minha barriga, feito aquele cocô de passarinho?

Sorrindo, John balançou a cabeça nobre esculpida, ficando em dupla exposição em uma série de imagens 20 por 25 de estrela de cinema.

— Não. A chuva dá uma sensação limpa quando passa por você. Vamos. A Phyllis e os outros vão vagabundear por aqui por um bom tempo ainda, então temos muito tempo. Lembre-se do que eu disse sobre tudo isso passar como um relâmpago no mundo dos vivos e aproveitar a oportunidade para ir explorar enquanto pode.

Michael pensou a respeito por alguns momentos e então assentiu com a cabeça. Ainda segurando a criança embrulhada em xadrez nos braços, John saiu através da concha de vidro e gesso em um banho de prata, caindo com a chuva e suas imagens posteriores na relva perolada do cemitério um andar abaixo. Assim que aterrissaram, John colocou Michael no chão encharcado ao lado dele e então, de mãos dadas, os dois andaram pela face oeste da igreja em direção aos fundos. John ficou satisfeito ao notar que todos os entalhes saxões engraçados ou horríveis no alto da parede de pedra ainda estavam intactos, mas, quando ele e Michael foram para trás da igreja e olharam pelas grades dos fundos para o verde abandonado, a surpresa foi menos agradável.

A Green Street tinha desaparecido. Elephant Lane, Narrow Toe Lane, as duas não estavam mais lá. A Freeschool Street havia sido transformada em fortificações sem graça compostas de escritórios ou apartamentos que pareciam suspeitosamente desabitados. Atravessando a paisagem alterada, como um golpe de bisturi em curva, estava a cicatriz cirúrgica desfigurante de uma ampla autoestrada de duas pistas que partia da Black Lion Hill, para o sul, através de véus cinzentos de inundação, em direção ao Beckett's Park e Delapre, um horizonte distante onde a ruptura entre o concreto alto e as nuvens de tempestade que desciam não podia mais ser discernida. O próprio parque, negligenciado e descuidado, havia perdido suas bordas e sua definição, sua identidade. Era uma grama sem propósito agora, derretendo na chuva enquanto esperava os avaliadores, os construtores. Parado ao lado de John com o lábio trêmulo, Michael Warren soltou um ruído de decepção e lamento.

— A rua que ficava ali atrás do parque sumiu, assim como a minha rua, na Andrew's Road. Minha avó morava ali!

Mantendo seu fingimento, John não olhou para Michael enquanto respondia.

— Sim, eu sei. Foi-será onde seu pai cresceu, com todos os irmãos e irmã dele. Ali foi-será onde seu bisavô morreu, sentado entre dois espelhos com a boca cheia de flores. Todas as coisas que aconteceram naquela casinha, e agora...

John parou de falar. Não havia mais nada que pudesse dizer sem revelar assuntos que era melhor guardar para si mesmo. Com cópias dos meninos atrás deles pelo cemitério como um cortejo fúnebre para a vizinhança, Michael e John voltaram pelo caminho de onde vieram, em direção ao prédio pré-fabricado de dois andares que se projetava no terreno consagrado, saindo do Black Lion modificado ao lado. Isso significava que passaram pelo obelisco de pedra preta a alguns metros a oeste da antiga igreja e ao qual John não havia prestado atenção enquanto andavam pelo outro lado momentos antes.

Brilhando como couro de baleia na garoa, o monumento escuro parecia ser um memorial de guerra. Não estava ali quando John fez sua primeira e única visita ao lugar, logo após seu regresso incorpóreo da França. Na época, a presença de todos aqueles fantasmas o deixou sem vontade de voltar ao lugar. Fez uma pausa para olhar mais de perto, o que levou Michael a fazer o mesmo. Estava lendo as inscrições quando a criança ganiu ao seu lado e apontou para a base do obelisco.

— Olha! Aquele homem tem o sobrenome igual ao meu!

John olhou. Michael estava certo. Ninguém falou por alguns segundos.

— Tem mesmo. Ah, bom, acho que era-será melhor encontrar a Phyllis e o resto, para ver o que estão fazendo. Vamos, antes que voltem para 1645 sem a gente.

De mãos dadas, os dois espectros deslizaram em meio à chuva que caía, passando pelas camadas isoladas das paredes inferiores da extensão do pub até um escritório onde uma mulher bonita, corpulenta, negra, com uma cicatriz horrível acima de um olho, conversava com o que parecia ser uma lata de sardinha amassada encostada na orelha.

— Não me venha com essa. O governo liberou todo esse dinheiro há semanas, quando houve as enchentes em Yarmouth. Tenho mais de vinte pessoas aqui, e algumas estão doentes, e outras precisam de remédios. Não me diga que os pagamentos precisam passar pelos devidos canais quando a porra do cheque está na sua conta rendendo juros para a prefeitura.

Houve uma breve pausa, e então a amazona retomou sua bronca feroz.

— Não. Não, me escute você. Se esse dinheiro não for transferido para a conta do Anexo da St. Peter até no máximo terça-feira, vou à reunião da prefeitura na sexta com uma lista de todos os acordos desonestos entre vocês e a Autoridade de Gerenciamento de Desastres. Vou colocar uma cinta e foder seus amigos em público com tanta força que não vão sentar na prefeitura ou em lugar nenhum por meses. Agora trate de resolver isso.

Com um sorriso de escárnio que curvou seus lábios voluptuosos e brilhantes para formar uma boia de piscina, a mulher estalou a tampa da lata de sardinha, atirando-a com desdém nas entranhas de um cachorro de desenho animado que estava eviscerado em uma bancada de trabalho e que John por fim identificou como alguma variedade de bolsa. Inclinando a cadeira do escritório para trás e folheando um arquivo que havia tirado de uma bandeja de arame rasa na mesa, ela era magnífica, bem diferente de qualquer mulher que John já tinha visto antes. Embora não gostasse de mulheres que falavam palavrões e nunca tivesse sido realmente atraído pelo que considerava garotas mestiças, essa tinha uma espécie de ar ou aura fascinante. Era tão intensa quanto Oliver Cromwell, a uma curta caminhada por Marefair e quatrocentos anos antes, mas a força que queimava nela era menos sombria e pesada do que a energia que se agitava dentro do Lorde Protetor.

Também era um espécime muito mais saudável e atraente. Sua juba esplêndida de amentilho caía sobre os ombros nus onde os braços grossos e quase masculinos, os de uma levantadora de peso, emergiam das mangas cortadas da camiseta com o rosto de um homem estampado, com um penteado quase idêntico ao da usuária da roupa, com a palavra EXODUS acima e abaixo a frase MOVEMENT OF JAH PEOPLE. A moça parecia ter trinta e tantos anos, mas o brilho da juventude era prejudicado pela costura grave e irregular logo acima da sobrancelha esquerda. Não desfigurava sua beleza, mas emprestava força e maturidade ao seu rosto jovem. John achava que os braços poderosos e masculinos e o ar de nobreza resoluta transmitiam a impressão de uma Joana d'Arc caribenha e, quando juntou dois mais dois e se lembrou de onde tinha ouvido falar sobre essa garota, deixou escapar a resposta para Michael Warren.

— Era-será a santa. Era-será aquela que eu ouvi falar que cuida dos refugiados aqui nos vinte e cinco. Acho que já ouvi se referirem a ela como 'Kaff', então acho que era-será abreviação de Katherine. Era-será pioneira em alguns tratamentos aqui que salvam vidas em todo o mundo, pessoas que estão fugindo de guerras e inundações e tudo mais. Dizem que nos quarenta as pessoas falam dela como uma santa. Era-será a pessoa mais famosa vinda dos Boroughs neste século, e aqui estamos dando uma olhada nela.

Michael observou a mulher alheia a eles com curiosidade.

— Onde ela sofreu aquele corte feio em cima do olho?

John deu de ombros, fazendo-os se multiplicarem por instantes.

— Não sei. Não sei muita coisa sobre ela, para ser sincero, a não ser essa coisa de santa. Enfim, não podemos enrolar aqui. Vamos voltar para o primeiro andar e encontrar Phyllis e os outros.

Andando ao redor da deusa sentada enquanto ela terminava de examinar a pasta simples e a substituía por outra da mesma bandeja de arame, Michael e John atravessaram a parede do escritório e se viram em um corredor curto com a parte inferior de uma escada que levava para os patamares acima. Enquanto a dupla flutuava ao encontro do resto do Bando de Mortos de Morte, John se viu considerando o que seria necessário para ser rotular como santo.

Tudo dependia, muito provavelmente, dos tempos em que se estivesse, do passado de que se vinha. Na Idade Média foi necessário um milagre, como o que se diz ter ocorrido aqui na igreja de St. Peter em mil e cinquenta e alguma coisa, quando um anjo ajudou a encontrar o corpo do homem que se tornaria São Ragener, o sobrinho de Santo Edmundo. Então, nos dias de Cromwell, cem anos depois de Henrique VIII ter cortado os laços da Inglaterra com Roma, os santos eram pessoas vivas, homens como Bunyan, que acreditavam estar destinados a esse status elevado quando reinos mundanos pecaminosos fossem varridos e substituídos por uma sociedade igualitária unida sob Deus, uma nação inteira de santos que não precisaria nem de sacerdotes nem de governos.

Bem quando pensou que tinha se livrado da lembrança, John se viu recordando o homem que explodia lá nos patamares de Almumana. Ele não seria considerado um santo, um mártir, pelas pessoas que acreditavam no que fazia? John concluiu que uma coisa que unia Bunyan, Cromwell, Ragener, a bomba humana — e, a julgar pela aparência daquela cicatriz perto de seu olho, a garota lá embaixo também — era que todos passaram por algum tipo de batismo de fogo. Esse era um fator a levar em conta, claro, embora não o único, caso contrário, John também seria um santo depois de seu próprio desmembramento na França. John pensou que deveria ser a atitude com que se entrava nas chamas que fazia a diferença. Devia ser na coragem de alguém, ou na falta dela, que a santidade repousava. Era necessário muito mais para ser canonizado do que levar um tiro de canhão.

No momento em que John e Michael chegaram ao primeiro andar, o pandemônio irrompeu. Em sua extremidade superior, a escada emergia em um corredor com duas portas que davam para o lado direito, que John supôs serem os dormitórios que já tinham visto. Estava prestes a enfiar a cabeça na parede à procura de Phyllis quando um pequeno e doentio disco voador saiu pela porta mais próxima com duplos insubstanciais de si mesmo atrás de si, marcando sua trajetória. Antes de atingir o chão, um turbilhão de movimento como dois gatos siameses brigando seguiu o disco pela porta sólida e o pegou em pleno voo. Ainda por um segundo, esse borrão cinza se transformou em Marjorie Afogada e depois voltou para o suposto dormitório levando o objeto capturado consigo. John e Michael se entreolharam com espanto, então correram pela passagem para seguir Marjorie através da frágil parede moderna do cômodo.

Como John havia adivinhado, do outro lado da parede havia um dormitório, uma contrapartida masculina mais ou menos idêntica aos aposentos das garotas pelos quais haviam passado fazia pouco tempo. Quanto à ação frenética que acontecia lá dentro, no entanto, John não tinha como adivinhar.

Quatro homens vivos estavam sentados jogando cartas, com idades variando de dezoito a quarenta, todos sem nenhuma consciência da comoção espectral que acontecia ao redor. No tumulto de formas-fantasmas proliferando ao redor do cômodo, de início era quase impossível entender o que estava acontecendo, mas depois de alguns momentos

John acreditou ter compreendido a situação: contando John e Michael, havia sete fantasmas dentro do dormitório, seis deles do Bando de Mortos de Morte reunido. O sétimo era um fantasma adulto, um morador de rua que tanto John quanto Phyll conheceram enquanto estavam vivos, chamado Freddy Allen. Em seus dias mortais, Freddy era um conhecido vagabundo dos Boroughs, que dormia sob os arcos da ferrovia em Foot Meadow e se mantinha vivo surrupiando pães e garrafas de leite das portas das pessoas, esgueirando-se no silêncio deserto e conspiratório do início da manhã. Desde sua morte, era um dos espíritos mais anônimos e inofensivos a frequentar os tristes territórios da costura-fantasma, muito menos aterrorizante do que Malone, Mary Jane ou o velho Torce-o-Gato. Infelizmente, isso fez de Freddy um alvo fácil e livre de perigos para a vingança contínua de Phyll Painter contra fantasmas adultos.

O que deve ter acontecido foi que Freddy estava ali nos vinte e cinco, cuidando da própria vida, sentado ao lado de uma mão mortal de brag de três cartas, quando Phyllis, Reggie, Bill e Marjorie irromperam pela parede e começaram a zombar dele. O "disco voador" que John viu Marjorie recuperar do corredor um momento ou dois antes era o chapéu de Freddy, arrancado de sua cabeça careca por uma das crianças-fantasmas, que agora se ocupavam de correr pelo dormitório e jogar o chapéu de feltro surrado de Freddy de um lado para outro enquanto o fantasma barrigudo e sem nenhum condicionamento para isso se agitava impotente ali no centro, tentando pegar o chapéu quando passava zunindo por sua cabeça. Enquanto o Bando de Mortos de Morte jogava o chapéu fantasmagórico de mão em mão, suas pós-imagens persistiam por tempo o bastante para deixar uma cadeia de decorações de Natal pálidas e tristes penduradas ao redor da parte superior da sala.

Freddy balbuciava, furioso.

— Deem isso aqui! Deem isso aqui, seus pequenos baderneiros!

A peça de vestuário que ele queria girou em um arco alto acima de sua cabeça cinzenta e nua, fora de seu alcance, e foi arrebatada do ar por Phyllis Painter, que dançava para cima e para baixo ao lado das janelas do dormitório. Acenando com o chapéu velho e para trás acima da cabeça até que se multiplicasse em uma faixa sólida de chapéus, ela sorriu para Freddy.

— Vem pegar, velho trouxa! Bem-feito pr'ocê! Isso por pegar todos os pães das portas das pessoas!

Com isso, Phyllis arremessou o troféu imaterial através do vidro duro da janela para o ar livre lá fora, fazendo descer velejando para o adro da igreja castigado pela chuva. O vagabundo-fantasma uivou consternado e, com um último olhar furioso na direção de Phyllis, mergulhou pela janela em busca dele.

Phyllis, já começando a atravessar a parede do dormitório feminino ao lado, chamou o bando para segui-la.

— Vamos lá, vamos voltar para o Black Lion nos tempos do Cromwell, antes que o velho idiota encontre o chapéu e venha atrás de nós.

Os aventureiros do plano astral seguiram a líder de volta pelo quarto comunitário das meninas. Na enorme televisão do tamanho de um aparador, um dos caras que tomaram banho mais cedo estava em uma cozinha futurista conversando grosseiramente com uma jovem vestindo o que John só podia supor que fossem seios artificiais de loja de fantasias. O homem, pelo jeito, estava "passando na lábia" a "porra de uma trouxa" da garota, o que quer que isso significasse. As mulheres sentadas em suas camas e assistindo à enorme televisão faziam sons de reprovação e comentavam sobre os seios aumentados da megera na tela com seu sotaque de tons achatados do leste enquanto as crianças-fantasmas passavam sem serem vistas entre elas.

Deslizando pelo corredor além da parede oposta do dormitório, a turma chegou ao cômodo com toda a água sanitária, seringas e comida de bebê enlatada, de onde haviam emergido sem querer naquele estranho século nublado. O buraco que Bill havia feito ainda estava aberto no ladrilho antisséptico do chão, mas agora dava para uma escuridão implacável e silenciosa, em vez da luz do lampião e do farfalhar amoroso dos quais haviam subido. Reggie Bowler desceu primeiro no túnel do tempo, desaparecendo na escuridão do século XVII para poder ajudar os membros menores da gangue a vir atrás dele. Phyllis foi em seguida, depois Michael, Bill e Marjorie.

Dando uma olhada final e confusa em todos os remédios e nos pôsteres insondáveis — OBRIGADO POR NÃO GRITAR; FALANDO SOBRE TIFOIDE —, John desceu no escuro logo atrás de seus companheiros.

Mais abaixo, em 1645, a taverna estava fechada para a noite, com os clientes finais jogados na lama e na luz das estrelas. Phyllis subiu nos ombros de Reggie e, com paciência, fechou o tecido do momento na abertura feita por Bill, respeitando uma versão pós-vida do código de boas conduta em campo aberto, que John aprovava. Embora as pessoas vivas não pudessem passar por um buraco no tempo da maneira que um espírito fazia, um que fosse deixado aberto ainda poderia representar uma ameaça para eles. A mente de uma pessoa mortal pode cair por essa abertura, mesmo que seus corpos não sejam capazes, produzindo a experiência aterradora de estar em outro tempo. John nunca tinha ouvido falar em primeira mão sobre um caso assim, mas os espectros mais velhos e mais experientes garantiam que era assustadoramente possível. Seja como for, era melhor fechar as tocas atrás de si.

Quando Phyll terminou de cobrir seus rastros, as crianças passaram pela porta trancada da velha estalagem para uma Marefair desprovida de vida ou pós-vida. A turma serpenteava na direção de Pike Lane, uma fenda sem luz que corria para o norte pela rua principal, e John revirou seus pensamentos em busca desse negócio de santos guerreiros, dessa piada de morte e glória.

Na opinião de John, era tudo uma fraude, as coisas que haviam incutido nele quando estava na Brigada de Rapazes, cantando "Ser um Peregrino" enquanto associava a bondade à igreja e a igreja à marcha; pintar de branco seu cordão; acatar ordens. Todas essas coisas foram incorporadas à mentalidade da geração de John. O ritual de escurecer a fivela de latão de um cinto da Brigada de Rapazes acima da chama de uma vela antes de poli-la conduzia inevitavelmente àquele sentido de dever cristão que se sentia ao receber os papéis de convocação. "Nem goblin nem demônio sujo deve intimidar seu espírito. Ele sabe que no final a vida herdará"[14]. Então quando você percebia, estava em Naseby sendo trespassado por uma lança, explodindo em uma chuva de pregos e brilho, sendo arrancado da própria carne por um projétil de artilharia na França. Não era a vida que se herdava. Isso foi só uma coisa que lhe disseram para que morresse na campanha militar deles sem criar caso. Todas as guerras santas eram guerras, todas eram sangrentas, mas às vezes uma guerra era chamada de santa porque isso convinha a algum rei, algum papa, algum Cromwell que acreditava saber o que os céus queriam. Do ponto de vista de John, se você estava empenhado em matar pessoas, então era pouco provável que fosse um santo. Por mais estranho que parecesse, talvez aquela garota negra com a cicatriz terrível fosse a melhor candidata para ocupar essa posição. Até porque sua única arma era uma lata de sardinha.

À frente deles, a Pike Lane descia de Marefair até a Mary's Street, que levava à igreja Doddridge, o destino deles. Distraído, John pensava sobre a Mary's Street e o que havia acontecido lá, e Bill pareceu quase captar esses pensamentos, proclamando em voz alta sua nova ideia de procrastinação enquanto pulava de um pé para o outro na rua estreita e escura, gerando pernas extras a cada salto. O que quer que tivesse em mente, ele parecia animado.

— Já sei! Já sei! A gente podia ir ver o incêndio! É só trinta anos para cima naquela rota!

Todos concordaram. Seria um tremendo desperdício estar na Mary's Street durante os mil e seiscentos e não visitar o Grande Incêndio.

Phyllis começou a cavar no ar da madrugada, dizendo que ia parar quando chegasse nas faíscas.

ESPÍRITOS MALIGNOS E REFRATÁRIOS

V ocê vê mais pessoas nuas quando está morto, ou pelo menos essa era a conclusão à qual Michael estava chegando. Havia nus e seminus entre a multidão nas sacadas de Almumana, sonhadores sonâmbulos de cuecas e o garoto Cromwell pouco tempo antes em Marefair. No pós-vida, ninguém parecia se importar se você não estivesse vestido. Essa naturalidade atraiu Michael, que nunca havia entendido o motivo de tanta cerimônia, para começo de conversa.

E havia também as duas jovens que Michael olhava agora, passeando nuas pela monótona extensão da Mary's Street num mês de setembro em meados dos anos 1670. Tão lindas que até uma criança de três anos percebia; mas não eram mulheres de verdade, e sim algo criado a partir de um filme ou uma revista, saltitando alegremente através do vapor das cozinhas e do lixo na viela estreita naquela hora da manhã do passado. Michael refletiu se não era esse o motivo da comoção que a nudez causava.

As mulheres saltitantes tinham, pensou ele, uma forma adorável, embora uma fosse magra, e a outra, rechonchuda. Gostava das partes a mais que tinham no peito e do fato de não terem as quinas dos homens adultos, eram arredondadas como o campo, em vez de quadradas como uma cidade. Como de costume, ele se perguntou o que havia acontecido com os pipis delas, mas com certeza tudo aquilo em algum momento faria sentido, como piadas ou os desenhos do gelo. A coisa mais impressionante nas duas ninfas era a cor de seus cabelos: tinham cor, mesmo no implacável preto e branco da costura-fantasma. Jogadas sobre as cabeças como se pelas fortes brisas do oeste, ondulando e emaranhando-se ao vento, suas cabeleiras eram de um laranja vívido no cinza do álbum de fotos do meio-mundo.

A garota morta na qual começava a pensar secretamente como sua amada, Phyllis Painter, com sua gola de coelho podre, havia cavado um túnel da madrugada de Marefair na véspera da batalha nos anos 1640 até um dia em Pike Lane trinta anos depois. Michael e o bando tinham subido pela abertura em uma rua lateral, onde dois homens discutiam sobre marcas de giz num quadro negro pendurado na porta da loja de ferragens deles e onde velhas vestindo aventais puídos esvaziavam o conteúdo de penicos rachados em sarjetas já cheias. Como não havia outros fantasmas por perto, ninguém podia ver as crianças, enquanto elas, com responsabilidade, fechavam o buraco que fizeram ao chegar, saídas de uma noite três décadas antes.

Os rufiões fantasmas tinham subido para a St. Mary's Street, onde havia quintais confusos e casas empilhadas sem qualquer ordem, tudo cheio de galinhas, cachorros e crianças — nada parecido com os apartamentos modernos e elegantes da época de Michael. De onde os seis estavam, na parte de cima de Pike Lane, podiam ver apenas construções de madeira na colina a oeste, onde a igreja Doddridge seria erguida mais tarde. Olhando para o leste e para a Horsemarket, no entanto, avistaram as belas damas nuas com seus cabelos coloridos, rodopiando felizes ao longo da rua com o movimento da manhã, ao que parecia passando despercebidas pelos motoristas de carroça cabisbaixos e pedestres preocupados que cuidavam da própria vida. Phyllis parecia satisfeita em ver a dupla.

— Isso é bom. Chegamos aqui antes que elas começassem de verdade. Podemos ver a coisa toda, agora, do início ao fim.

Michael estava intrigado.

— Quem eram-serão aquelas mulheres? Achei que tínhamos vindo aqui para ver o Grande Incêndio de Northampton.

Phyllis olhou para Michael com impaciência, dando tapinhas nas mangas xadrezes dele ao explicar.

— Elas *eram-serão* o Grande Incêndio de Northampton.

John espigado entrou na conversa.

— Phyllis está certa. É por isso que ninguém mais pode vê-las, e porque o cabelo delas era-será colorido, enquanto o resto de nós está em preto e branco. Se olhar de perto, verá que não era-será cabelo, e sim chamas. Elas eram-serão Salamandras.

As mulheres de cabeça de fogo tropeçavam e riam em meio à ralé de Mary's Street. Eram parecidas o bastante para que Michael tivesse certeza de que eram irmãs, com a mais gorda da dupla talvez com dezenove ou vinte anos e a mais magra uns cinco anos a menos, mal chegando na adolescência. Notou que bem na parte de baixo de suas barrigas, onde deveriam estar seus pipis, o pequeno tufo de pelos também era de fogo alaranjado, com faíscas perdidas flutuando em torno dos umbigos. Giravam, lânguidas, em torno dos postes de madeira que sustentavam os celeiros mofados e andavam feito na corda-bamba ao longo dos caminhos de pedra. Nenhuma delas dizia uma palavra — Michael estava certo de que não podiam —, se comunicavam apenas com risos estridentes e risadinhas que lembravam a maneira como os pássaros canoros da manhã conversavam. As duas não pareciam ter um único pensamento entre elas que não fosse relacionado a suas risadas ou sua dança aleatória e agitada. Eram tão felizes e despreocupadas que pareciam quase idiotas.

Parecendo adivinhar o que o menininho estava pensando, Phyllis explicou com toda a gentileza:

— Sei que elas parecem meio mal da cabeça, mas é só o jeito que elas eram-serão. Não têm pensamentos ou sentimentos. Eram-serão puro espírito. Puro desejo, puro fogo. Eu e o Bill vimos elas pela primeira vez antes de começar o Bando de Mortos de Morte. A gente estava no Beckett's Park, Cow Medder, nos mil e quatrocentos, nas velhas Guerras das Rosas, só cavoucando nosso caminho de volta pelo do século dezesseis. Lá por 1516, entramos num dia em que tudo era um inferno total, com os Boroughs queiman'o ao nosso redor, e isso porque na época nem tinha muita coisa em Northampton além dos Boroughs, pr'ocê ver. As duas Salamandras, as duas irmãs, elas tavam fazendo piruetas pelo fogo, deixan'o tudo o que tocavam em chamas. Claro, naqueles dias eram-serão um século ou dois mais novas. A gordinha, a mais velha, parecia ter uns onze anos, e a mais nova só uns cinco ou por aí. Trotavam pra lá e pra cá entre as casas em chamas, carregan'o o fogo com elas nas mãos em concha, e jogan'o em cima de tudo como se fossem duas crianças brincando com água na banheira. Só que não era-será água.

"Eu conheci uns fantasmas que me falaram delas quando foram vistas pela primeira vez aqui. Foi por mil duzentos e sessenta e alguma coisa, quando Henrique III mandou saquear e queimar a cidade como punição por ficar do lado do De Montfort e os estudantes rebeldes. Pelo que esses caras dos velhos tempos me disseram, quando os homens do rei Henrique entraram nos Boroughs por um grande buraco no muro do priorado, ali na Andrew's Road, as irmãs entraram com eles, andan'o nuas e invisíveis ao lado dos cavalos. A menina maior parecia ter seis anos na época, e levava a irmãzinha no colo. Ninguém jamais ouviu as duas dizerem uma palavra. Elas só dão risada e botam fogo nas coisas."

O bando de fantasmas observou a dupla trinando e rindo enquanto pulava de casa em casa ao longo da St. Mary's Street do século XVII, deslizando entre os comerciantes e as donas de casa carrancudas sem que ninguém soubesse que estavam lá. Os cabelos esvoaçavam atrás delas a oeste em flâmulas alaranjadas, reluzentes e perigosas. Ao vê-las, Michael notou pela primeira vez como o cinza e o laranja brilhante combinavam, como o inchado sol da manhã visto através da neblina acima do Victoria Park. Em seus meandros, as mulheres pareciam gravitar em direção a uma única habitação, uma casa de palha no lado da rua em que ficava a Pike Lane, um pouco mais perto da Horsemarket do que onde as crianças estavam.

— Vamos. Parece que a casa é aquela. Vamos lá dar uma olhada enquanto elas começam.

Seguindo a sugestão de Phyllis, os pequenos mortos se dirigiram para aquela casa que não parecia ter nada de especial bem a tempo de seguir as duas irmãs pela mal-ajustada porta da frente, mantida aberta por um tijolo. Lá dentro, o andar de baixo da residência era um único cômodo, sombrio e desordenado, servindo como sala de visitas, sala de estar, cozinha e banheiro, tudo em um só espaço. Uma criança com o nariz sujo engatinhava pelos tapetes grosseiros espalhados sobre um piso frio de tijolos, enquanto junto à lareira aberta uma mulher que parecia velha demais para ser a mãe do bebê fritava restos de carne em banha derretida, sacudindo o fundo redondo da panela de ferro que segurava acima da lareira em uma das mãos. Ao mesmo tempo, com a outra, mexia com uma colher de pau em um jarro de barro que continha o que se constatou ser massa. A maneira como a velha conseguia fazer as duas coisas simultaneamente impressionou Michael. Quando via a mãe e a avó cozinharem na St. Andrew's Road, elas sempre dividiam as tarefas, para que só tivessem que fazer uma coisa de cada vez. Os outros membros do Bando de Mortos de Morte assentiram com ar cúmplice, todos menos Bill, que estava ocupado demais cobiçando as ninfas do fogo nuas enquanto elas vasculhavam com curiosidade o espaço aconchegante e lotado.

— Ela tá fazen'o um *bake pudden*. Quando tiver mexido a massa, vai jogar em cima da carne e aí vai colocar tudo no forno, aquela portinha de ferro preto do lado da lareira, até ficar pronto. Tem muita gente que diz que o Yorkshire puddin' é uma receita que os palermas do norte roubaram de nós, mas eram muito mão de vaca para colocar os pedaços de carne. Era só um jeito de fazer uma refeição decente com restos disso e daquilo.

Enquanto Phyllis discorria sobre as especificidades da receita do *baken pudden* e sua história, Michael observava as duas irmãs em seu progresso pela sala penumbrosa e iluminada pelo fogo. Apesar de sua natureza, pareciam desinteressadas na lareira em si e convergiam para um tapete do outro lado da mesa central de madeira, onde o bebê engatinhando investigava uma aranha gorda de jardim que talvez se retirara para dentro de casa ao primeiro sinal de frio do ar de setembro. As Salamandras faziam muita festa para o bebê, abaixando-se e rindo em suas vozes musicais de sino de vento com caras bobas e sorridentes.

Michael percebeu com um sobressalto que a criança pequena, com apenas um ano de idade, podia ver as jovens risonhas e trêmulas. O olhar do pequeno se movia entre as duas, acompanhando os penteados de colmeia de fogueira que oscilavam nas correntes de ar que entravam pela porta aberta. As Salamandras piscavam e sorriam e brincavam, passando os dedos finos para frente e para trás ao longo da borda da mesa como pequenos pares de pernas para chamar a atenção do bebê, enquanto ele rastejava no chão mais abaixo. Marcharam os dedos sobre as maçãs empilhadas em uma fruteira de madeira sobre a mesa, arrulhando e sorrindo para sua audiência fascinada de uma pessoinha. O bebê gorgolejou feliz ao observar as duas mulheres de cabelos cor de fogo ali de seu lugar perto da bainha pendurada de uma toalha de mesa que parecia ter sido usada antes como um xale de mulher. Só quando a mão gorducha e suja da criança alcançou a borda com franjas do pano, Michael percebeu o que as fadas de fogo estavam fazendo. Ele gritou um aviso distorcido para os outros:

— Olhem! As farpas querem arder o benzer começar uma maçalanche!

Mas quando entenderam o que ele queria dizer, já era tarde demais.

As coisas se encaixaram como uma cômica engrenagem de desenho animado: o bebê agarrou a toalha de mesa improvisada que estava pendurada, arrastando assim a fruteira para a beirada, depois para fora do móvel. Sem atingir a criança, a tigela de madeira caiu ruidosamente no tapete, mas uma de suas maçãs saltitantes atingiu o pequenino assustado acima do olho e o fez chorar. Alarmada, a velha encurvada que talvez fosse a avó do bebê se virou para ver o que estava acontecendo, momento em que a panela de ferro de fundo redondo que usava se inclinou um pouco, derramando banha derretida na lareira em chamas e incendiando o conteúdo da panela. A chama sibilante provocada por esse descuido momentâneo subiu para acender os espanadores pendurados com as panelas e caçarolas acima da lareira, fazendo com que a velhinha agora assustada e confusa estendesse a mão com sua concha, batendo os trapos em chamas para fora da lareira e para cima do chão de tijolos e, desastrosamente, para um dos tapetes empoeirados. Em cerca de cinco segundos, quase tudo o que poderia pegar fogo estava em chamas. A mulher continuou lá por alguns instantes, olhando com descrença atordoada para o que tinha feito, então correu ao redor da mesa para pegar o bebê aos berros e o levou porta afora, gritando "Fogo!" enquanto saíam tropeçando para a St. Mary's Street.

As irmãs bateram palmas de excitação, dando pulinhos e gritando enquanto a conflagração se espalhava pela sala. Apenas as línguas de tangerina lambendo as cabeças das Salamandras tinham alguma cor, observou Michael. Todas as demais chamas que agora rugiam pela casa entulhada eram brancas e brilhantes do lado de fora, com profundos corações cinzentos em seu interior, enquanto subiam como uma linha de formigas em direção às vigas de madeira do teto. Phyllis agarrou Michael pela gola chamuscada e descolorida do roupão.

— Vem, vamo cair fora daqui. Não queremos ficar presos aqui nesse fogaréu com essas duas.

A mais velha das fêmeas crepitantes e sibilantes tinha agora saltado sobre a mesa e executava uma variedade de cancã, enquanto a irmã mais nova ria e posava coquete entre as cortinas incandescentes. As crianças-fantasmas irromperam pela porta como um monte de cartas de baralho, todos valetes e damas, todos de espadas e paus, sem um toque de vermelho entre os seis.

A St. Mary's Street foi tomada por uma comoção incrível. Cães e pessoas corriam de um lado para o outro, em meio a latidos, berros e gritos de pânico que soavam bem altos, apesar do efeito amortecedor da costura-fantasma. Dois ou três homens corriam às pressas para a casa atingida com baldes de água, mas só chegaram a três metros da porta antes que aquilo que Phyllis havia previsto se tornasse verdade: as Salamandras saltaram juntas da casa para a rua, acompanhadas por altos repiques de hilaridade e uma grande explosão de chamas brancas de fornalha, que repeliu os pretensos bombeiros e seus pequenos recipientes inúteis. Eram quase dez horas da manhã de 20 de setembro de 1675.

Michael perguntava a John por que as duas fadas do fogo que se divertiam tanto eram chamadas de Salamandras quando a mais jovem e mais magra começou a escalar sem esforço a parede da frente da cabana em chamas, alcançando o telhado de palha em segundos, com a irmã mais velha, mais carnuda e intimidadora, seguindo atrás dela. Nenhuma das duas jovens se movia como as pessoas, pensou Michael, elas se moviam como insetos, ou talvez como...

— Lagartos.

Quem disse isso foi John.

— Uma salamandra, com "s" minúsculo, era-será como um lagarto ou uma lagartixa. Mas as pessoas antigamente acreditavam que as salamandras viviam no fogo, então quando falamos de uma Salamandra com um "S" maiúsculo, estamos falando do que chamamos de elementais, espíritos do fogo.

Nesse ponto Marjorie interveio, com a luz do fogo brilhando em seus óculos.

— As que governam a água eram-serão chamadas de Ondinas. A Bruxa do Nene, que quase me pegou quando sofri meu acidente lá em Paddy's Meadow, era-será uma delas. Ela tinha conchas de caramujos no lugar de olhos. E tem as que governam o vento, que são chamadas de Sílfides, mas os únicos de que já ouvi falar são Silfos velhos e horríveis que subiam um quilômetro e meio no ar. Os espíritos da terra eram-serão chamados de Gnomos, só que aqui a gente chama de Porcos-espinhos ou Urks. Você não vê muitos deles em cima da terra, andam mais pelos túneis subterrâneos montados numas coisas imensas que parecem cães negros, que eram-serão conhecidos como... ah, espera. Elas saíram e estão correndo.

A menina afogada apontava para os telhados, onde a dupla de Salamandras começava uma valsa bizarra sobre os cimos de palha das construções. As beldades incendiárias se abraçavam em uma alegria incontrolável, uma girando a outra com um tornado de chamas que as acompanhava subindo da palha ressequida em seus calcanhares, enquanto avançavam de telhado em telhado. As dezenas que se aglomeravam na rua mais abaixo observavam impotentes enquanto casa após casa era consumida pela coreografia invisível dos espíritos do fogo. Mesmo sem consciência da presença delas, a multidão acompanhava a performance deslumbrante das irmãs que se moviam com o vento oeste pela St. Mary's Street, na direção da Horsemarket, causando estrondo. Houve imprecações, gemidos, gritos desesperados e vários tipos diferentes de choro. Um velho com catarata gritava acima do clamor com uma voz alta e esganiçada, declarando que o fogo era um castigo de Deus porque os papistas no Parlamento tinham derrubado a Declaração de Indulgência de Carlos II para congregações dissidentes. Um jovem de cara fechada ao lado do ancião desvairado o empurrou na lama e foi então atacado por dois sujeitos corpulentos e raivosos que viram o que ele havia feito. Uma briga irrompeu na rua já em polvorosa enquanto, mais acima, as Salamandras dançavam entre as chaminés, com chamas rodando e ondulando sobre suas pernas nuas como vestidos de baile extravagantes. Quando a dupla se aproximou de Horsemarket, as pessoas na extremidade leste da Mary's Street já estavam evacuando suas habitações condenadas, levando o que podiam de seus escassos bens para a avenida frenética e em debandada.

Michael correu de mãos dadas com Phyllis através da multidão, literalmente em alguns momentos, enquanto o Bando de Mortos de Morte acompanhava o devastador balé das Salamandras. Quando as nudistas incendiárias alcançaram a larga trilha de terra da Horsemarket, que se estendia em declive de norte a sul pela extremidade da via, ambos os lados da Mary's Street eram furiosas paredes de fogo, com as palhas em chamas dos telhados desintegrados levadas pelo vento rua afora. Cadeias de combustão serpenteavam pela ladeira em direção à Gold Street enquanto, ao mesmo tempo, os riachos flamejantes iam morro acima até a Mayorhold. As duas irmãs pararam apenas para agachar-se sobre a chaminé da última casa da fileira e mijar córregos de faíscas douradas na escuridão, e depois se jogaram de cara no muro dos fundos, ambas rindo como toras de lareira crepitantes.

Alegres e pulando de uma carroça incendiada para outra, elas atravessaram a Horsemarket e correram para o leste pela St. Katherine's Street, com os moradores da cidade correndo à frente delas e os fantasmas rufiões e suas pós-imagens correndo atrás, não querendo perder nada.

Quando estavam se aproximando da College Street, as ruivas pararam diante do portão do que parecia ser um curtume de família. As lindas monstruosidades olharam para as instalações, depois uma para a outra, esforçando-se para manter uma cara séria. Com um braço em volta do ombro nu uma da outra, as duas irmãs risonhas atravessaram o portão agora em chamas, desaparecendo das vistas no pátio murado. Antes que Michael, Phyllis e companhia pudessem segui-las, todo o estabelecimento explodiu. Não se inflamou em um grande ímpeto, como todas as outras construções haviam feito; simplesmente explodiu, com uma torre de fogo irrompendo em direção ao céu nublado de setembro e fragmentos de detritos arrastando filamentos de fumaça atrás de si e chovendo por cem metros em cada direção, caindo através das crianças espectrais boquiabertas de espanto.

Michael foi o primeiro a falar.

— O quem foi-será toda essa explodideira?

John sacudiu a cabeça, olhando incrédulo enquanto as duas Salamandras saíam do inferno do local de trabalho destruído com lágrimas de alegria cor de lava vulcânica escorrendo por suas bochechas prateadas, segurando uma à outra para evitar que desmoronassem em um monte trêmulo e risonho.

— Não tenho ideia. Aquilo foi-será como fogo de artilharia. Sempre me perguntei como o Grande Incêndio se espalhou da Mary's Street até Derngate em apenas vinte minutos, mas, se houve explosões assim para ajudar, não estou surpreso.

A cara de lua cheia de Marjorie Afogada estava contorcida em uma carranca, como se refletisse sobre algum problema, revirando as alternativas dentro da mente. O que quer que estivesse pensando, a criança de óculos não parecia chegar a uma conclusão que valesse a pena mencionar. Marjorie manteve suas ruminações para si mesma enquanto Phyllis conduzia o bando ao longo do corredor barulhento atrás das garotas de fogo, que àquela altura avançavam rindo para o barril de pólvora da College Street, ou College Lane, como a ladeira era chamada nesse tempo, como Michael notou em uma tabuleta que leu sem a menor surpresa por conseguir fazê-lo. Trilhas pirotécnicas se desenrolavam das irmãs, rolando pela via inclinada em ambas as direções, transformando tudo que tocavam em outra tocha brilhante. Parecendo acelerar o passo, as criaturas animadas passearam por um portão carbonizado no lado oposto da College Street e desapareceram na longa passagem escura que Michael sabia que mais tarde se chamaria Jeyes' Jitty e que dava acesso à Drapery. Chilreando e gorjeando felizes, as duas belas máquinas de destruição vagavam pela escuridão do beco com suas tranças de fogo crepitando atrás delas e as crianças-fantasmas cinzentas no encalço.

Foi só quando saíram na Drapery que Michael percebeu a escala total do desastre. Centenas de pessoas choravam e berravam enquanto fugiam com pavor mortal ou corriam impotentes para lá e para cá na movimentada rua principal, arrastando e entornando baldes inúteis enquanto tentavam salvar seus negócios. Vastos bandos de pássaros assustados fluíam em formações abstratas sob cortinas de fumaça que transformavam a manhã clara em crepúsculo. Logo ao sul da entrada do beco, a extremidade superior da Gold Street estava em chamas, e um rio lento de luz incineradora começava a avançar pela Bridge Street, empurrando soldados, ovelhas e lojistas à sua frente. Metade da cidade já pegava fogo, e fazia apenas dez minutos desde que o bebê havia puxado a fruteira da mesa.

Do outro lado, os pilares que sustentavam uma versão de madeira da igreja de Todos os Santos estavam em chamas. As irmãs observaram por alguns momentos até terem certeza de que o prédio havia pegado fogo de verdade e então seguiram pela Drapery, tropeçando entre as barracas de chapeleiros e sapateiros e parando para inspecionar algum item de vez em quando, como damas exigentes em um passeio de compras, procurando algo específico. Nos paralelepípedos ásperos diante de um mostruário de botas e sapatos, acharam o que procuravam. Parando de repente, olharam para alguns barris enfileirados contra a parede leste da avenida, então ambas ergueram as mãos e gritaram de alegria. Com as mãos nos flancos, dançaram em círculos de fogo, dobrando-se em gargalhadas por alguma piada interna que só elas poderiam entender.

Marjorie Afogada abriu um sorrisinho tenso de satisfação. Havia descoberto algo.

— Então era-será isso. Foi-será por isso que a cidade inteira queimou em menos de meia hora.

A mais nova das Salamandras, a esbelta de treze anos com o peito liso e o cacho solitário de chamas púbicas onde a irmã mais velha e cheinha tinha uma fogueira, de repente entrou em ação. Ficando de pé em um pulo, deu um salto de bailarina através da fumaça em cascata, o cabelo em uma longa mancha laranja atrás de si, soltando faíscas como caspas, para pousar em cima do último barril, na ponta dos pés com braços finos curvados para cima, para dar equilíbrio.

Tinha acabado de pular para o barril seguinte quando o primeiro da fila explodiu, esmagado por dentro por um enorme punho de fogo líquido que mandou lascas de madeira voando para o céu e pulverizou com um orvalho ardente as construções ainda intocadas de ambos os lados. A menina esbelta dançou sobre a tampa do terceiro recipiente enquanto a do segundo decolou como um foguete: um disco preto e flamejante que desapareceu sobre o telhado na Market Square, mais adiante. Um lago de fluido ardente começou a rastejar pela Drapery. A fada pulou de um barril para o outro, que iam explodindo como uma série ensurdecedora de polichinelos enquanto a irmã mais velha da artista olhava e aplaudia, dançando de empolgação. Tudo à vista estava agora em chamas. Marjorie Afogada informou às crianças-fantasmas o resultado de seu veredicto ponderado.

— Tanino. Não foi-será um vento oeste forte sozinho que fez a cidade queimar tão rápido. Foi-será o tanino. Desde que existe uma cidade aqui, era-será conhecida pelas luvas e botas, e isso era-será porque a gente tinha aqui as coisas certas para produzir couro. Muitas vacas, e muitos carvalhos. Você precisa de carvalhos para extrair o tanino da casca. Mas o fato era--será que tanino parece combustível de avião. Acelera o fogo, faz ficar pior. Era-será por isso que o curtume na Katherine Street explodiu, e era-será o que tem nesses barris onde ela está dançando. Quer dizer, se pensar em todo o tanino que tinha na Drapery, e então aqui na Market Square, que tinha no Glovery...

A garotinha se interrompeu quando toda a extremidade superior da rua subiu com um enorme estrondo. Da direção do mercado, veio o que parecia o barulho de um grande avião a jato decolando, até que Michael se lembrou de que eram os anos mil e seiscentos e se deu conta de que o ruído era na verdade o de um monte de pessoas gritando ao mesmo tempo. Espremendo os olhos, entre as fontes de chamas e de uma cortina baixa de fragmentos negros e fumegantes ele podia ver as elementais subindo mais uma vez em direção aos telhados, grudando nas paredes em chamas, um par de répteis de crista alaranjada aos risos.

Logo adiante, a parte baixa da Sheep Street também estava pegando fogo. Um cavalo sem cavaleiro e em chamas saiu pela boca do antigo atalho para galopar aterrorizado na direção da igreja de Todos os Santos, revirando os olhos. Nada estava seguro e quase tudo era inflamável. Por consentimento mútuo, as crianças correram pelos altos da parte leste da Drapery para o pesadelo barulhento do mercado, para o centro brilhante do cataclismo, que fazia de tudo o que tinham visto até então um preâmbulo.

As irmãs Salamandra, tendo saltado para os cumes de palha, abandonaram o arremedo de dança e começaram a correr ao redor da parte superior da praça como duas velocistas em competição. Foi aí, porém, que todas as comparações com a humanidade se tornaram inviáveis: o ritmo com que as mulheres corriam pelos telhados era tão antinatural que chegava a ser aterrorizante, como a velocidade inesperada das aranhas. A visão teria sido hedionda mesmo se não tivesse sido acompanhada pela percepção de que as pessoas na praça, e havia dezenas delas, estavam agora presas em uma caixa de fogo fechada.

Os comerciantes nas instalações que cercavam o mercado corriam de um lado para outro, com o que pudessem tirar de suas lojas ameaçadas, e depositavam as mercadorias resgatadas na segurança pelo menos temporária das pedras da praça. À medida que a gravidade da situação começou a ficar clara para eles, no entanto, os encurralados habitantes da cidade ficaram menos preocupados em salvar seus pertences do que em sair vivos. Mas nem todos. Alguns saqueavam as lojas em chamas, e havia cenas terríveis no fundo do mercado, onde um saqueador mais imprudente havia sido pêgo e estava sendo levado de volta para dentro do prédio em chamas que tentou roubar por comerciantes furiosos armados com estacas de barracas e ganchos de carne. Gritos e berros individuais eram inaudíveis, agrupados em um grito comum ensurdecedor enquanto as pessoas corriam pelo recinto familiar que havia se transformado em um crematório, procurando desesperadamente por uma saída.

Não só os moradores da cidade tentavam escapar. Entre os vários estabelecimentos que circundavam o mercado havia muitas tavernas e elas vomitavam fantasmas. Jorrando das portas e janelas, atravessando paredes de madeira e se tornando indistinguíveis da fumaça ao redor, quatrocentos ou quinhentos anos acumulados de fantasmas de cavalheiros, espíritos malignos medievais e aparições antigas e disformes juntavam-se às hordas vivas em pânico que tiveram a infelicidade de estar no mercado naquele dia fatídico. Cachorros mortos passavam correndo com imagens como fotografias de linha de chegada atrás de si, como se fosse uma corrida de galgos, e acima deles todos os adoráveis fogos de artifício em forma humana cantavam, saltavam e davam cambalhotas enquanto supervisionavam sua obra.

Do caldeirão em chamas e transbordante da praça da cidade, os afluentes rugiam em Newland e por Abington Street, Sheep Street, Bridge Street, Derngate, com toda a cidade se transformando em uma teia de aranha em chamas, com a multidão do mercado presa e se debatendo em seu centro. Michael começou a chorar diante do horror de todas aquelas pessoas prestes a morrer, mas Phyllis deu um aperto na mão dele e disse para não se preocupar.

— Quase todo mundo conseguiu escapar daqui, cê vai ver. Em toda a cidade, só onze pessoas morreram, e isso não deve ser muito mais do que morrem num dia normal. Ah! Ali, tá vendo? Do outro lado do mercado, na ponta de baixo da Newland, onde a multidão tá in'o...

Ela apontou para o canto nordeste da praça, para onde a maioria do grande rebanho em pânico parecia se dirigir. Homens acenavam, gritando alguma coisa enquanto incitavam os demais a segui-los. As crianças-fantasmas foram na mesma direção que a multidão em fuga e, quando se aproximaram do outro lado da parte superior do mercado, Michael viu que todos convergiam para uma única construção na parte baixa de Newland, um lugar que em sua época teria sido transformado em uma confeitaria engraçada que tinha brasões e coisas assim esculpidas no gesso acima da porta. Essas decorações, ele via agora, eram uma característica da casa desde o século XVII. As pessoas presas na praça se amontoavam sob a heráldica de gesso enquanto tentavam se enfiar na casa, como palhaços de circo tentando voltar para dentro de seu carro minúsculo. Enquanto a turma observava esse êxodo quase cômico, Phyllis explicou a Michael.

— Era-será a Welsh House. Na minha época era-será uma loja de doces, acho que quando cê tava vivo também. Mas antes disso, porém, era-será como um escritório de pagamentos para os tropeiros que traziam as ovelhas de Gales. Os rebanhos chegavam na Sheep Street, e os camaradas que trouxeram elas pelo campo todos vinham aqui pegar o dinheiro deles. Como cê tá vendo, era-será quase toda de pedra, e tem telhas no telhado, em vez de colmo, então não pega fogo tão rápido como as outras casas por aqui. Todo mundo está entrando pela frente e saindo pelos fundos na viela, onde podem todos correr para a um lugar seguro.

Levou pouco tempo para que a bexiga cheia de humanidade do mercado em chamas se esvaziasse pela uretra apertada da Welsh House, inundando com uma grande sensação de alívio as ruelas mais a leste. A maioria dos fantasmas da praça também escolheu esse método de fuga de sua situação, perambulando invisíveis pelas passagens da casa entre os vivos. Pareciam relutantes em atravessar as paredes em chamas do mercado, talvez porque a maneira como aprenderam a lidar com o fogo quando estavam vivos ainda fosse o instinto dominante agora que estavam mortos. Michael viu um desses fantasmas parecendo mais confuso e assustado do que o resto, olhando alarmado o tempo todo por sobre o ombro para a própria cauda de imagens desbotadas, enquanto seguia na fila longa e arrastada de fantasmas e cidadãos que evacuavam o terreno condenado. Depois de um breve período de perplexidade, Michael o reconheceu como o saqueador que havia sido levado de volta ao prédio em chamas pelos comerciantes vingativos apenas alguns minutos antes. A criança observou o espírito que parecia em fuga, tropeçando pela porta abarrotada de multidão com os outros fugitivos, até ser distraído por um grito de Reggie Bowler.

— Ah, que merda! Para onde foram as Sally-Mandies? Tirei os olhos delas por um minuto e elas sumiram!

Eles também as perderam de vista. O bando de crianças-fantasmas olhou para cima e examinou o horizonte cercado de fogo do mercado, procurando alguma mancha laranja, algum sinal das irmãs, mas as duas garotas com cabeças de tocha não estavam por perto. Embora os meninos estivessem todos decepcionados, em particular por terem perdido de vista as hipnotizantes elementais incendiárias, Phyllis fez uma tentativa de tratar o assunto filosoficamente.

— Acho que ficaram de saco cheio e foram pro lugar onde moram, agora que já viram a melhor parte. Quer dizer, isso vai seguir queimando por mais cinco, seis horas, ou mais, só que os maiores espetáculos já acabaram, por assim dizer. A gente também poderia voltar para a St. Mary Street. Dali podemos ir para a igreja Doddridge em 1959, onde a sra. Gibbs está esperan'o. Vamos lá descobrir o que ela ficou sabendo sobre nosso mascote aqui.

A Northampton do século XVII cuspia fogo pelas janelas, com madeiras queimadas rachando e desmanchando-se em cinzas em todo lugar. O Bando de Mortos de Morte bruxuleou como refugiados de cinejornal atravessando a praça agora vazia, na direção da extremidade norte e da passagem para a Drapery. Assim como o mercado, havia sido abandonada à catástrofe, deixada para trás até pelos seus fantasmas. Enquanto serpenteavam pela inclinação crepitante e chamejante da rua principal devastada, as seis aparições se viram olhando para a boca fumegante da Bridge Street, mais abaixo. A cidade parecia iluminada até a ponte sul e o rio, e a tigela de vidro fria do céu do início do outono arqueado mais acima era negra como fuligem, como a camisa de um lampião a óleo. Além dos estrondos distantes levados pelo vento, os únicos sons eram os do incêndio: seus suspiros e tosses profundas que espalhavam uma expectoração de faíscas do outro lado da rua; seu murmúrio irritado nos batentes das portas.

Caminhar de volta pela viela apertada até a College Street foi uma experiência peculiar, já que essa precursora da Jeyes' Jitty estava agora totalmente consumida e tomada de chamas de altos-fornos de uma ponta à outra. Feitos em sua maior parte de ectoplasma, que é uma substância úmida e quase à prova de fogo, as crianças-fantasmas não corriam nenhum perigo enquanto marchavam ao longo da passagem estreita, mas, como Michael descobriu, podiam sentir o fogo dentro delas ao passarem, assim como no caso do cocô de passarinho e da chuva. Nas profundezas de sua memória fantasma de uma barriga, ele podia sentir as cócegas das chamas, evoluindo para uma coceira deliciosa e irresistível que parecia, na verdade, algo muito, muito bom. Aquilo meio que o fazia querer fazer as coisas apenas por impulso, sem pensar se estavam certas ou não, e ele ficou feliz quando saíram do beco infernal e chegaram ao que restava da College Street. A velha placa que identificava o lugar como College Lane estava reduzida a cinzas, por sua vez levadas pelo vento. Havia alguns saqueadores na extremidade superior da rua lateral carregando mercadorias de uma loja abandonada em um carrinho de duas rodas, mas fora isso a via estava deserta.

A St. Katherine Street, assim como todas as ruelas ao redor, parecia o inferno, ou pelo menos parecia o que Michael imaginava que fosse o inferno antes de ter seu encontro com o sarcástico Sam O'Day e descobrir que era um lugar plano feito de construtores esmagados, ou pelo menos algo parecido. Nas ruínas explodidas do curtume perto do topo, uma marca de fogo de seis metros de largura, eriçada com vergas de escombros enegrecidos como um ninho de pássaro gigante atingido por um raio, eles descobriram o que havia acontecido com as Salamandras.

Foram Bill e Reggie, correndo para casas vazias no caminho apenas para xeretar, que fizeram a grande descoberta e chamaram Michael, Phyllis, John e Marjorie para dar uma olhada. O irmão mais novo de Phyllis e o vitoriano de rosto sardento estavam parados no meio do quintal aplainado, ao lado de uma marca de catapora no solo escuro e dos destroços fumegantes, uma pequena cratera com não mais de trinta centímetros de diâmetro. Ambos pareciam muito satisfeitos com o que haviam encontrado.

– Quero virar mico de circo! Que coincidência abençoada. Venham dar uma olhada, pessoal.

A convite de Reggie, o melhor bando de mortos da quarta dimensão se reuniu ao redor do entalhe raso em um amontoado sussurrante e empolgado, embora demorassem alguns momentos até entenderem o que viam.

A depressão circular era uma cavidade cinzenta de brasas resfriadas e, aninhadas dentro dela, com a pele prateada quase indistinguível da cama empoeirada sobre a qual descansavam, estavam as duas irmãs. Ambas dormiam, sem dúvida cansadas da diversão, parecendo muito diferentes em repouso do que quando dançavam nos telhados de Market Square pouco tempo antes. Para começar, todas as chamas emaranhadas que nasciam de seus couros cabeludos estavam extintas, deixando ambas sem cabelos. Além disso, nenhuma delas tinha agora mais do que trinta centímetros de altura.

Haviam se reduzido a bonecas cinzentas e carecas, semienterradas e adormecidas no resíduo de talco quente do fogo, uma com acabeça nos pés da outra, de modo que pareciam os dois peixes na página do horóscopo do jornal diário. Era possível saber que estavam vivas porque as laterais dos corpos subiam e desciam, e com a visão melhorada dos mortos era possível ver suas pequenas pálpebras se movendo enquanto sonhavam com Deus sabia o quê. Exaustas com a grande farra aniquiladora, as ninfas estavam num sono profundo. Tinham devorado uma cidade inteira e agora dormiriam por décadas até a próxima vez, murchando em cinzas do que eram antes enquanto todo o seu calor as abandonava, e adormecidas sob os Boroughs em seu leito de poeira e brasas.

Depois de uma breve conferência sobre a ideia de tentar acordá-las com cutucões, uma sugestão de Bill, as crianças optaram por continuar com seu passeio pelas ruas em chamas em direção à St. Mary's Street e até a igreja Doddridge. Deixaram as Salamandras cochilando no curtume arruinado com os vapores venenosos a servir como lençóis, descendo a St. Katherine Street enquanto se dirigiam para os restos enegrecidos da parte inferior da Horsemarket. Michael se arrastava com seus chinelos soltos entre John e Phyllis enquanto os outros três corriam na frente, com suas formas cinzentas repetidas logo desaparecendo nas nuvens de fumaça que seguiam a uns três centímetros acima dos paralelepípedos.

— Os Boroughs foram-serão todos queixados, então?

Phyllis sacudiu a cabeça em uma mancha de feições que durou um breve momento, como quando se desenha um rosto com caneta esferográfica em um balão e depois estica a borracha.

— Não. Tinha um vento oeste, então o fogo foi-será todo soprado para o leste para queimar a Drapery, o mercado e tudo aquilo. Tirando a Mary's Street, a Horsemarket e um pedaço de Marefair, no fim da Gold Street, os Boroughs escaparam ilesos.

Michael se alegrou ao ouvir as notícias tranquilizadoras.

— Bom, isso foi-será sorte, não?

John, vadeando até os joelhos uma árvore caída em chamas à direita de Michael, não concordou.

— Não exatamente, pirralho, não. Como você vê, a parte leste da cidade foi-será destruída pelas chamas, e tudo foi-será reconstruído com novos edifícios de pedra, e alguns ainda estão de pé ao redor da Market Square no seu tempo. Todos os outros lugares em Northampton melhoraram, menos os Boroughs, que foram-serão deixados como estavam antes do incêndio que começou por lá. Se você datasse o momento em que os Boroughs começaram a ser vistos como um grande cortiço a céu aberto, teria que ser depois do Grande Incêndio, aqui nos anos 1670. Se tivesse um vento leste hoje, todos nós poderíamos muito bem ter crescido em um lugar chique e levado vidas bem diferentes.

Phyllis estava cética. Michael sabia pelas rugas aparecendo de repente na parte superior do nariz.

— Mas não foi-será assim que aconteceu, certo? As coisas só funcionam de um jeito, e era-será o jeito que precisa ser. Se tivéssemos crescido em casas chiques, íamos ser diferentes, não? Fico feliz sen'o quem eu sou. Acho que era-serei quem eu deveria ser, e acho que os Boroughs também eram-serão como deveriam.

Eles chegaram ao fim da rua e foram confrontados pela Horsemarket, uma fita carbonizada que se desenrolava ladeira abaixo, onde as pessoas trabalhavam diligentemente, com algum pequeno sucesso, para controlar o incêndio. As crianças espectrais enveredaram pela rua enevoada, rodopiando entre as fileiras de homens que passavam baldes, sobre quem o suor e a fuligem haviam se misturado em uma pasta preta, uma pintura de guerra tribal raivosa.

Eles deslizaram no pouco que restava da Mary's Street como rolos de filme, apenas para descobrir que o fogo estava quase extinto na rua onde tinha começado. As pessoas se moviam desoladas em meio a uma espuma grudenta de cinzas encharcadas ou acariciavam os cabelos de seus cônjuges em prantos como macacos tristes vestidos com roupas antiquadas para um anúncio. Despercebidos, os andarilhos mortos flutuavam em meio à desolação, passando pela cicatriz preta e cauterizada que era a Pike Street enquanto se dirigiam para a igreja Doddridge, que só estaria ali em mais vinte anos. Deprimido, indo um pouco atrás dos outros, Reggie Bowler começava a parecer um pouco triste e solitário por algum motivo, puxando o chapéu ainda mais para baixo e lançando olhares melancólicos por baixo da aba em direção aos terrenos baldios que se espalhavam morro abaixo da igreja ainda inexistente. Talvez algo sobre o lugar tenha despertado lembranças infelizes para o desajeitado pivete fantasma.

Michael, que esperava que alguém cavasse outro buraco de toupeira para o futuro, ficou surpreso quando Phyllis lhe disse que não seria necessário.

— Não precisamos fazer isso, não aqui. Tem uma coisa perto da igreja que podemos usar em vez disso. Pense numa escadaria que se move, ou um elevador, ou alguma coisa assim. É chamado de Ultraduto.

Estavam agora nas encostas baixas do monte chamado Castle Hill, onde Michael pensou que havia apenas celeiros e galpões quando olhou antes. No entanto, quando se aproximaram de Chalk Lane — ou Quart-Pot Lane, como dizem as placas hoje em dia —, ele pôde ver ao redor do lado oeste das frágeis construções improvisadas o que supôs ser a estrutura mencionada por Phyllis.

Fosse lá o que fosse, ainda parecia estar em construção. Meia dúzia de construtores de baixo escalão que tinha visto ocupados com seus afazeres nas Obras trabalhavam nos pilares de uma espécie de ponte semiacabada, com as vestes cinzentas brilhando na bainha com o que eram quase cores, mas não exatamente. Enquanto Michael observava, três velhas vivas se aproximaram do flanco do monte, vindas do norte, com expressões de preocupação para mascarar sua curiosidade mórbida natural para observar as consequências do incêndio. Elas atravessaram os construtores e os postes que erguiam, alheias à presença deles, enquanto, por sua vez, a turma de trabalho celestial não deixou que as mulheres os distraíssem por um momento de suas várias tarefas. A julgar pelo olhar atento em seus rostos, estavam tentando cumprir um cronograma apertado.

O material com o qual trabalhavam era branco, brilhante e translúcido, com tábuas pré-cortadas e colunas feitas da mesma coisa penduradas por cordas e polias. A imensa extensão de uma ponte que parecia estar mais ou menos concluída se estendia pelos Boroughs a partir do oeste, para terminar no ar a alguns metros do celeiro que ficava na Chalk ou Quart-Pot Lane. A passarela elevada, que parecia fazer uma curva para o sul, sumindo na distância cinzenta e enevoada, era sustentada ao longo de todo o seu comprimento onírico pelos mesmos pilares de alabastro que os construtores estavam tentando colocar no lugar nas encostas suaves e gramadas de Castle Hill. Alguma coisa na maneira como eles estavam posicionados pareceu muito errada para Michael.

A ponte era sustentada por duas fileiras de postes semitransparentes, uma de cada lado. Mas quando se olhava da base para cima o suporte mais próximo, via-se que ele acabava apoiando o lado mais distante da construção. Da mesma forma, ao focalizar a parte superior de um pilar que segurava a borda mais próxima da passarela e seguir seu traçado até a base, invariavelmente se via que acabava na fileira de colunas mais adiante. Quando se olhava tudo de uma vez, parecia certo. Era só ao tentar entender como tudo se encaixava que a impossibilidade daquele posicionamento se revelava. Quando se aproximou com o Bando de Mortos de Morte, Michael descobriu que só de olhá-la tinha a sensação fantasma de uma tremenda dor de cabeça. Fechando os olhos, ele esfregou a testa. Phyllis apertou sua mão, solidária.

— Eu sei. Faz o cérebro doer, não? Isso segue até Lambeth, e depois para Dover, aí atravessa o canal e a França e a Itália e tudo, para terminar em Jerusalém. Pelo que ouvi, era-será parecido com quando a prefeitura coloca uma rua de verdade onde antes só tinha uma trilha marcada na grama. O Ultraduto começou assim, só como uma passagem usada por homens e mulheres para circular por aí, com a diferença que o Ultraduto era-será um caminho marcado no tempo, e não só na grama. Está ali desde antes dos romanos, mas foram eles que oficializaram a coisa, por assim dizer. Então pessoas como aquele monge que veio pra cá de Jerusalém e trouxe a cruz para ser colocada no centro, eles marcaram mais fundo. Então, claro, teve todos os cruzados, indo daqui para a Terra Santa. Lá pelo tempo do Henrique VIII, nos anos mil e quinhentos, quando ele destruiu todos os mosteiros e forçou o rompimento com Roma, para ele poder se divorciar, foi nesse tempo que os construtores começaram a levantar o Ultraduto. O que estamos olhando aqui foi-será a fase final da construção, que foi-será terminada daqui uns vinte anos.

Em um esforço conjunto para parar de olhar para os pilares que causavam ilusões de óptica, Michael olhou para o Ultraduto em si, a passarela de alabastro atravessando Northampton até o horizonte distante. Ao longo de toda a ponte gradeada, parecia haver algum tipo de movimentação borrada, uma sensação de atividade constante, mesmo que não fosse possível ver nada se movendo. Ondas do que parecia ser uma névoa de calor pulsavam em ambos os sentidos ao longo do viaduto e ondulavam em padrões intrincados e líquidos onde se cruzavam. Embora a estrutura estivesse inacabada, era evidente que já estava em uso por alguém ou alguéns, que viajavam rápido demais para serem vistos. Ou, pensou Michael, poderiam estar se locomovendo devagar demais para serem detectados, embora ele mesmo não tivesse ideia do que queria dizer com isso.

O bando chegou ao ponto da Chalk Lane onde os construtores de mantos cinza estavam trabalhando. Como porta-voz autonomeada da organização, Phyllis abriu caminho a cotoveladas entre os colegas, arrastando Michael em seu rastro enquanto ia até o mais próximo dos construtores, um mais magro e mais alto que os outros, com a cabeça raspada e um rosto comprido e triste. Phyllis dirigiu-se a ele, falando devagar, da maneira que você faria se fosse conversar com alguém surdo ou meio tonto.

— Este era-será Michael Warren. Éramos-somos o Bando de Mortos de Morte. Podemos entrar no Ultraduto e falar com Phil Ardente?

O construtor olhou para a garota fantasma de cachecol horrendo e para o garotinho vestido de roupão ao lado dela. Seus olhos cinzentos brilhavam, e ele franziu os lábios como se quisesse evitar o riso.

—Nb lho banbril stamno filhaprich?!

Michael estava começando a se acostumar com a forma como os construtores falavam. Primeiro diziam a algaravia que era sua versão de uma palavra ou expressão, então esse absurdo se desenrolava dentro da cabeça do ouvinte em um longo discurso cheio de frases estrondosas e vibrantes. No exemplo atual, esse monólogo expandido começou com "*No brilho do Big Bang estamos nós, eu e ti, filho do capricho...*" e então pareceu continuar nessa linha por eras. Por fim, segundo o entendimento de Michael, depois de ouvir e assimilar tudo o melhor que podia, cada um meio que criava sua própria tradução. Se tinha ouvido bem, o sujeito risonho tinha acabado de dizer:

— O Bando de Mortos de Morte? Ora, eu li o livro de vocês! Então, era-sou o ângulo que conheceram quando estavam no Ultraduto, no capítulo doze, "O Enigma da Criança Engasgada", e depois no final do capítulo. Que honra. Agora, vamos ver, você deve era-ser Phyllis, com seu cachecol de coelho, e esse era-será o irmão de Alma, Michael. Acredito que deva ser a senhorita Driscoll atrás de você. Sim, claro que podem ver o senhor Doddridge. Eu mesmo levo vocês. Meu Deus, espere até eu contar aos outros!

Parecendo cheio de si a ponto de explodir, o construtor gentilmente os guiou em direção a uma escada apoiada contra a passarela elevada, mas, ao se aproximarem, Michael viu que tinha carpete e era na verdade uma seção estreita daquilo que ele ouvia ser chamado de "Escada de Jacó". O grupo de crianças-fantasmas foi adiante, obedientes, seguindo as orientações, sem que ninguém fizesse o tumulto de costume. Todos, na verdade, pareciam muito surpresos com o que haviam acabado de ouvir para se manifestar de qualquer forma que fosse. Embora o Bando de Mortos de Morte gostasse de fingir ser famoso, era perceptível que estavam perplexos com a ideia de que até os construtores teriam lido suas aventuras. Mas onde? Não havia livros de verdade sobre o bando, exceto o do sonho de Reggie Bowler, que, óbvio, não contava. E quem era essa senhorita Driscoll? Ao chegar ao fim da escada, Michael podia ouvir Bill e Phyllis sussurrando excitados em algum lugar atrás dele.

— Ele estava falando sobre *Forbidden Words*, quando eu e o Reggie o encontramos nos apartamentos da Bath Street, mas eu ainda não entendi.

— Bem, eu sabia que já tinha visto ele antes quando a gente estava lá nos Sótãos do Alento. Só não conseguia lembrar de onde, mas agora eu sei. Foi-será no espetáculo aqui em cima da rua. Ora. Isso muda tudo.

Parecia que estavam falando sobre ele, mas Michael não conseguia entender muito bem. Além disso, chegou na parte de baixo da Escada de Jacó com todos os outros na fila atrás de si, então teve de se concentrar na subida. Como sempre, foi estranho, com os minúsculos degraus pequenos demais até para os pés de Michael, mas sua subida foi muito auxiliada pela leveza geral da costura-fantasma. Em instantes, estava na passarela luzente e leitosa do Ultraduto.

Ficou ali imóvel, iluminado por baixo pelas tábuas de cristal branco da ponte inacabada, com sua pequena silhueta quase apagada da existência como uma figura em uma foto estragada pela luz. Enquanto seus cinco camaradas e o prestativo construtor subiam nas tábuas atrás dele, Michael olhava paralisado para a paisagem alterada visível desse novo ponto de vista, esse viaduto que Phyllis disse ter sido construído sobre um caminho demarcado pelo próprio tempo.

Ao redor deles, de horizonte a horizonte, várias eras diferentes aconteciam ao mesmo tempo. Árvores e prédios translúcidas se sobrepunham em uma corrida delirante de imagens em movimento, crescendo e sangrando umas sobre as outras, estruturas desmoronando e desaparecendo apenas para reaparecer e percorrer suas vidas aceleradas de novo, um borrão fervente de preto e branco como se um projecionista maluco exibisse ao mesmo tempo e na velocidade errada vários rolos diferentes de filme antigo em sua engenhoca sibilante e trêmula. Olhando para o oeste pela via elevada, Michael viu o Castelo de Northampton sendo construído por normandos e seus trabalhadores, enquanto era demolido de acordo com a vontade de Carlos II, mil e quinhentos anos depois. Alguns séculos de grama e ruínas coexistiam com o crescimento borbulhante e as flutuações de movimento da estação ferroviária. Carregadores da década de 1920, acelerados como em uma comédia muda, empurravam carrinhos carregados de bagagem através de um grupo de caça saxão. Mulheres com saias minúsculas se sobrepunham aos puritanos Cabeças Redondas, tornando-se compósitos de meias arrastão e piques.

Cabeças de cavalo cresciam dos tetos dos carros e, enquanto o castelo era construído e demolido, subindo, descendo, subindo, descendo, como um grande pulmão cinza da história que respirava cruzadas, santos, revoluções e trens elétricos.

O castelo, obviamente, não estava sozinho na inundação transformadora de tempo simultâneo. Mais acima, o céu estava marmoreado com a luz e o clima de mil anos, enquanto logo ao lado do edifício cintilante a ponte oeste da cidade se transformava de barragens de castores para postes de madeira, da ponte levadiça de Cromwell para a corcova de tijolo e concreto que Michael conhecia. Agora de pé ao lado dele, Phyllis lançou um olhar um pouco engraçado em sua direção, como se o visse sob uma nova luz. Por fim, sorriu.

— Então, que cê acha? Que cê acha da vista? Vou te dizer, se tem alguma coisa que quer entender, era-será só perguntar. Sei que posso ter te mandado calar a boca e não ficar fazen'o perguntas o tempo inteiro, mas vamos dizer que mudei de ideia. Cê pode me perguntar o que quiser, meu pequeno.

Michael apenas piscou para ela. Era uma reviravolta épica, e ele não tinha ideia do que havia causado aquilo tão de repente. Dito isso, pensou em aproveitar esse novo espírito de abertura em Phyllis enquanto durasse.

— Então tá. Quer ser minha namorada?

Foi a vez de Phyllis olhar para Michael sem entender nada. Por fim, ela pôs uma espécie de braço de consolação em volta do ombro dele ao responder.

— Não. Desculpe. Sou meio velha pr'ocê. E aliás, quando falei de perguntas, não era de perguntas como essa. Falei do Ultraduto e de coisas assim.

Michael olhou para ela e pensou por um momento.

— Ah. Certo, então, por que conseguimos ver todos os tempos diferentes daqui?

O bando inteiro e o construtor que se ofereceu como guia agora se dirigiam lentamente para o final irregular e incompleto da passarela. Phyllis, que parecia bem grata pela mudança de assunto, respondeu à pergunta de Michael com entusiasmo enquanto caminhavam juntos.

— Isso era-será a aparência do tempo quando cê tá em cima dele, olhando pra baixo. É um pouco como se ocê estivesse numa cidade bem grande, andando nas ruas, então só pode ver o pedaço que está no presente, e então cê era-será levado para o céu, assim pode olhar para baixo e ver o lugar todo, com todas as construções, de uma vez só. O Ultraduto é usado principalmente por construtores, diabos, santos e esse povo, quando estão se movimentan'o pela permanência que existe entre aqui e Jerusalém. Eles estão acostumados a ver o tempo assim, então não dão muita importância, mas pros fantasmas comuns ainda era-será uma coisa bem estranha. Dá uma espiada na igreja ali na frente se não acredita em mim.

Michael desviou o olhar de Phyllis e mirou a borda saliente e inacabada da qual se aproximavam. Logo além do ponto em que a ponte terminava no ar, havia um tremendo alvoroço visual, com imagens em movimento que ficavam no meio do caminho entre um filme acelerado anunciando um empreendimento imobiliário e um espetacular show de fogos de artifício de uma Noite de Guy Fawkes. Ele viu a encosta pré-histórica virgem que seria Castle Hill e acima dela, sobreposta, as dependências do castelo normando se erguendo e caindo, um único retiro de pedra cercado por um pequeno fosso, a torre solitária desmoronando em escombros, a vala ao redor drenada e preenchida para formar um anel de caminhos de terra batida ao redor do monte. Uma capela de madeira floresceu e desmoronou na grama vazia, com carroças que carregavam vítimas da peste movendo-se de um lado para o outro enquanto entregavam o preenchimento humano para a vala comum que se manifestou por instantes. Os celeiros e galpões que tinha visto no local quando na década de 1670, pouco tempo antes, bruxuleavam para dentro e para fora da existência, e entre tudo isso, uma estrutura oblonga de pedra cinza quente começava a tomar forma.

No início, a construção era composta apenas de paredes que se entrelaçavam de baixo para cima, deixando aberturas para três janelas altas na face sul e duas longas portas, onde os tijolos se estendiam em um prolongamento para o oeste no que parecia algum tipo de entrada para cargas. Michael notou que a passarela branca luminosa na qual estava parecia levar para a metade superior da porta mais à esquerda, mas foi distraído por um telhado que chacoalhava ao surgir no beiral, assim como um alpendre com telhado que tinha sua própria chaminé de tijolos começou a se esgueirar pelo lado sul, bem embaixo das três janelas. Os limites surgiram a alguns metros da propriedade, envolvendo-a em muros de pedra calcária que se erguiam em curiosas saliências arredondadas onde deveriam estar os quatro cantos, apenas para se fundirem nas formas mais baixas e mais afiadas com as quais Michael estava familiarizado. Ao mesmo tempo — e tudo ali era ao mesmo tempo, desde a antiga colina gramada até a torre normanda e os celeiros oscilantes e em ruínas que vinham em seguida —, viu a varanda com sua chaminé solitária e seu telhado íngreme desmoronar para dar lugar a uma fachada de igreja mais ampla e grandiosa: um vestíbulo vitoriano com um pátio lajeado e um portão de ferro adiante. Olhando para trás, para o lado oeste mais próximo, viu que as duas longas aberturas das portas haviam sido quase todas preenchidas, deixando uma pequena entrada na metade da parede de prolongamento, correspondendo ao ponto final do Ultraduto. Essa junção da passarela parecia ter sido terminada segundos antes e agora se encaixava com perfeição na capela, levando à porta suspensa. A igreja Doddridge, agora totalmente reconhecível, explodiu no espaço e no tempo enquanto apartamentos e casas modernas lambiam o horizonte com línguas de tijolo.

Enquanto isso, acima dos contornos da construção, algo mais acontecia. Traços de luz pálida esboçavam um diagrama imponente de andaimes e vigas, uma enorme e complicada treliça de traços luminescentes que se elevava em uma coluna de borda quadrada até os céus coagulados, com seus limites superiores fora das vistas e até mesmo além do alcance dos olhos-fantasmas de Michael. Contornos com linhas estreitas e de brilho fugaz cintilavam dentro e fora de seu campo de visão, grades elaboradas em branco contra os séculos rodopiantes de céu que enevoavam e clareavam mais acima, sugerindo que a igreja terrena era apenas uma pedra fundamental de algo mais vasto. Ele olhou intrigado para Phyllis, que sorriu de volta, com orgulho.

— E cê achou que os prédios em zero-cinco ou zero-seis eram-serão grandes, né? Bom, não chegam nem aos pés do lugar do Phil Ardente. Vai direto para Almumana, e até mais pra cima, para o escritório do Terceiro Borough, pelo que dizem os boatos.

Michael ficou intrigado com o nome que, embora achasse que poderia já tê-lo ouvido antes, ainda não havia sido explicado.

— Quem era-será o Terceiro Borough?

— Bem, como eu já te contei o Primeiro Borough é o bairro normal no plano dos vivos. Aí, em cima daquilo tem o Segundo Borough, que era-será o que chamamos de Andar de Cima. E em cima disso... bem, tem o Terceiro Borough. Ele era-será um tipo de cobrador de aluguel, e um tipo de policial ao mesmo tempo. Ele manda em todos os Boroughs. Ele garante que a justiça esteja acima da rua e coisas assim. É alguém que você nunca vê, a não ser que seja um construtor. Vem, vamos lá, vamos passar pela porta torta e encontrar a sra. Gibbs, ver se ela descobriu alguma coisa sobre essa nossa grande aventura.

O grupo havia chegado ao ponto em que a passarela brilhante se juntava ao batente da porta de madeira na metade da parede oeste da igreja. Pegando a mão dele, Phyllis puxou Michael através das tábuas da porta pintadas de preto para cores ricas e repentinas e um som ensurdecedor. Tão ruim quanto ou até pior do que ele se lembrava, o fedor do colar de pele de Phyllis se enrolou em suas narinas antes que pudesse fechá-las e o fez querer vomitar. As pós-imagens que os seguiam em sua excursão pelo Grande Incêndio de Northampton desapareceram abruptamente, indicando que agora estavam acima da costura-fantasma. Estavam no Andar de Cima. Estavam em Almumana.

Dito isso, a sala em que se encontravam parecia ser de tamanho normal e não tinha aquele bizarro gigantismo dos intermináveis aeródromos de Almumana. Seus móveis — mesas, cadeiras e tapetes — pareciam ser todos do século XVIII e, embora exalassem opulência e personalidade, não pareciam ser os de um homem rico, nem tão pouco de alguém extravagante ou ostentador.

Quando as crianças e sua escolta vestida de cinza se infiltraram na sala iluminada a ouro pela porta de madeira de tamanho médio, descobriram que a sra. Gibbs já estava lá, esperando por eles. A defunteira rotunda e de bochechas rosadas estava na outra extremidade do cômodo, usando um avental branco com abelhas e borboletas coloridas bordadas nas barras. Ao lado dela estava um homem de estatura mediana que parecia estar no início da meia-idade. Seu rosto forte, com a testa lisa e a lâmina curva do nariz, era, no entanto, propenso ao rechonchudo, com uma ligeira protuberância de gordura entre o retângulo de seu antigo colarinho de pároco engomado e o queixo firme e fendido. Seus olhos tinham uma profundidade abissal, em que o gentil azul-ardósia de suas íris recuava para grandes órbitas redondas que pareciam captar a luz refletida em torno de suas bordas, enquanto um brilho febril salpicava as salientes maçãs do rosto. Os cachos dourados em cascata do que Michael percebeu que deveria ser uma peruca caíam sobre os ombros da bata preta do pastor, encerrando os traços nobres e gentis em uma moldura dourada elegante, como uma pintura antiga. Um sorriso afetuoso rondava os cantos do arco fino dos lábios. Aquele, pensou Michael, deveria ser o homem que Phyllis tinha chamado de Phil Ardente, embora não parecesse ter a menor coisa ardente em seus modos. O fogo, como Michael tinha experimentado pouco tempo antes nas brincadeiras das meninas Salamandras, não era nem de longe tão razoável ou respeitoso em sua aparência.

Tanto a sra. Gibbs quanto o clérigo um tanto imponente pareciam satisfeitos em ver as crianças-fantasmas maltrapilhas e o construtor que as acompanhava. A defunteira se apressou para a frente, radiante.

— Aí estão vocês, meus queridos. E, sr. Aziel, que prazer encontrá-lo. Enfim, esse era-será o sr. Doddridge, com quem eu disse que iria falar. Sr. Doddridge, esse era-será o Bando de Mortos de Morte, de quem acho que já ouviu falar.

Doddridge sorriu, embora os olhos radiantes parecessem um pouco tristes para Michael.

— Então esses eram-serão os verdadeiros terrores de Almumana! Estamos honrados. Minha esposa Mercy costuma ler suas façanhas para nossa filha mais velha, Tetsy. Devo apresentá-los a elas em breve, mas no momento há um entre vocês que estou mais ansioso para encontrar.

Michael achou que seria mais provável que fosse ele, já que todos no pós-vida pareciam estar interessados nele. Por outro lado, sem o conhecimento de Michael, Phyllis Painter achava que o clérigo se referia a ela, a líder do Bando de Mortos de Morte. Até Marjorie, por suas próprias razões, empertigou-se um pouco de expectativa antes que os três acabassem decepcionados quando Doddridge atravessou o tapete estampado de diamantes, caminhando entre eles para segurar Reggie Bowler pelos ombros. Ninguém esperava aquilo, muito menos Reggie.

— Por suas vestes, posso dizer que era-será Mestre Fowler. Quando li que encontrou seu fim congelado em plena vista de nossa igrejinha, chorei, e Mercy também. Você precisa tirar um tempo de suas aventuras para frequentar a academia fantasma que estou tentando formar, onde os espíritos menos favorecidos podem fazer seu aprendizado mesmo quando seu período mortal tiver sido concluído. Diga-me que nos visitará, isso alegrará meu coração.

Aturdido, Reggie assentiu e apertou a mão estendida do homem. O clérigo sorriu de alegria e então voltou sua atenção para as outras crianças.

— Então, vejamos. Esta deve ser Phyllis Painter com seu famoso cachecol repugnante, portanto essa outra mocinha aqui era-será nossa pequena autora. O camarada mais alto ali atrás deve ser nosso corajoso garoto soldado e, pela semelhança familiar com a jovem srta. Painter, suponho que você seja Bill. Saiba que ficarei de olho em você.

Por fim, Doddridge se virou e sorriu para Michael, agachando-se para que seu olhar ficasse no mesmo nível do da criança de roupão.

— Por processo de eliminação, então, esse belo camaradinha deve ser Michael Warren. Pobre menino. Imagino que esteja desconcertado com tudo isso, os meandros de nossa existência em Almumana, enquanto o tempo todo seu corpo terreno é levado às pressas ao hospital que fundei com meus bons amigos sr. Stonhouse e o reverendo Hervey. E, se isso não fosse-seria suficiente, a querida sra. Gibbs me informa que um dos demônios superiores o enganou com uma barganha perversa.

Os lábios de Michael começaram a tremer com a lembrança.

— Ele disse que eu preciso ajudar a cometer um assassinato. Eu não preciso, certo?

Doddridge olhou para as decorações cor de creme e chocolate do tapete por um momento e mais uma vez ergueu a cabeça para Michael, com seus olhos agora sérios e preocupados dentro das órbitas brilhantes.

— Não, a menos que seja a vontade Dele que constrói todas as coisas, o que aliás é possível. Seja corajoso, meu rapaz, e saiba que tudo acontece por alguma necessidade. Cada um de nós tem seu papel a cumprir na construção imaculada, na criação do Porthimoth di Norhan, e você ainda mais. Sua parte era-será simplesmente prosseguir com sua aventura. Veja tudo o que puder deste município eterno onde continuamos, mesmo que essas visões sejam às vezes terríveis. Veja os ângulos e os demônios, belo rapaz, e tente se lembrar de tudo o que vivenciar. Seu tempo aqui deve fornecer a inspiração para eventos que, por mais modestos que sejam, eram-serão essenciais para a conclusão do Porthimoth.

Nesse ponto Phyllis cutucou Bill com força nas costelas com um cotovelo pontudo, sibilando:

— Viu? Eu te falei!

Michael ainda não tinha ideia do que os dois estavam falando e, de qualquer forma, estava mais preocupado com algo que o sr. Doddridge havia acabado de dizer.

— Aquele Sam O'Day disse que eu não ia me lembrar de nada quando voltasse à vida. Ele disse que eram-serão as regras do Andar de Cima.

O pregador assentiu, balançando os cachos dourados da peruca. Ele sorriu para Michael de forma tranquilizadora e, em seguida, voltou-se para as outras crianças, fixando nelas seu olhar tranquilo.

— Isso nunca deixa de me surpreender, mas o fato era-será que os demônios não podem mentir. Todos sabemos que o que nosso jovem amigo acabou de dizer é verdade, que todos os acontecimentos em Almumana eram-serão esquecidos no reino mortal. Imagino, também, que alguns de vocês já saibam por que esse não deve ser o caso de Michael. Vocês devem fazer tudo o que puderem para tornar memorável o tempo dele conosco. Embora isso pareça impossível, existe uma maneira de fazer coisas assim. Pelo que li de seu romance interessantíssimo, vocês devem confiar em seu próprio raciocínio e ter certeza de que, em última análise, tudo ficará bem.

Marjorie Afogada interveio nesse momento, parecendo irritada ao se dirigir ao clérigo.

— Se já sabe como vamos resolver as coisas, então por que não diz logo e nos poupa do incômodo?

Voltando a ficar de pé, o clérigo riu e passou uma das mãos pelo cabelo castanho da garotinha robusta, despenteando-o com carinho, embora Marjorie o encarasse com raiva através dos óculos do sistema público de saúde e parecesse ofendida.

— Porque a história não é assim. Em nenhum momento da narrativa que Mercy leu para mim o pobre e velho sr. Doddridge interveio e contou como a história terminava, para que vocês pudessem se poupar do incômodo. Não, vocês terão de resolver tudo sozinhos. Talvez o incômodo que você deseja evitar fosse-seja o elemento mais vital da sua história.

A sra. Gibbs se intrometeu gentilmente.

— Agora, meus queridos, tenho certeza de que o sr. Aziel e o sr. Doddridge têm assuntos sobre os quais gostariam de conversar. Por que não vamos encontrar a sra. Doddridge e a srta. Tetsy? Acho que a sra. Doddridge disse que faria chá e bolos para todos.

Todo o bando de fantasmas pareceu animadíssimo com esse anúncio, reunindo-se em volta da defunteira quando ela começou a conduzi-los pela porta da sala iluminada para o corredor mais além. A menção de comidas e bebidas foi um choque para Michael, que até aquele momento imaginava que fantasmas não podiam comer nem beber.

Ele percebeu que a última coisa a passar por seus lábios tinha sido o Tune mentol-cereja dado por sua mãe no quintal iluminado pelo sol na St. Andrew's Road, pelo menos uma semana antes, de acordo com seus cálculos. Desde então, não sentia necessidade de comida, mas agora a lembrança de como era bom mastigar e engolir uma coisa gostosa o fez sentir fome e nostalgia ao mesmo tempo, com ambas as sensações se misturando e se tornando indissociáveis. Suas lembranças estavam despertando sua voracidade.

Michael e as outras crianças seguiram a sra. Gibbs até a passagem aconchegante e rangente, deixando o reverendo e o construtor alto e ossudo conversarem. O sr. Doddridge e o homem que a sra. Gibbs chamava de sr. Aziel estavam se acomodando em duas poltronas quando a porta da sala se fechou atrás das crianças e da defunteira. O corredor em que as crianças-fantasma se encontravam agora era curto, mas agradável, com flores cor-de-rosa e amarelas em um vaso no parapeito da janela, sob uma coluna oblíqua de luz fresca da manhã que caía como uma poça branca sobre as tábuas envernizadas do piso. Um painel de bordado emoldurado pendia da risca de giz verde-menta do papel de parede à esquerda de Michael, com o desenho grosseiro que ele já tinha visto em Almumana, a extensão de uma rua ou estrada desenrolada sob um tosco conjunto de escamas, destacados em fio dourado sobre seda rosa. Um cheiro deliciosíssimo de massa assada vinha da passagem do outro lado, doce e perfumado mesmo tendo que competir com o fedor dos coelhos em decomposição de Phyllis Painter.

Agitada como uma galinha preta, a sra. Gibbs conduziu os espectros delinquentes através da porta simples de carvalho no final do patamar para o brilho digno de um Festival da Colheita de uma cozinha alegre e antiquada. Ali, Michael percebeu, era de onde o perfume de torta de frutas que havia detectado na passagem tinha se originado. Duas mulheres muito bonitas e arrumadas, com seus cabelos negros presos em coques, conversavam ao lado do fogão de ferro preto, mas se voltaram encantadas para a defunteira e seu bando de fantasmas durões quando eles entraram.

— Sra. Gibbs... e esses devem ser nossos pequenos heróis! Entrem e peguem uma cadeira. Tetsy e eu nos consideramos suas admiradoras mais fervorosas, e agora aqui estamos, bem no meio do capítulo "Criança Sufocando", dizendo todas as partes do diálogo que já analisamos mais de uma dezena de vezes. É uma sensação estranhíssima, mas muito emocionante. Sentem-se enquanto eu faço um chá para todos.

Quem falou foi a que Michael presumiu ser a mais velha das duas. Era magra, tinha um rosto em forma de coração e olhos gentis, usava um vestido de damasco branco bordado com flores de seda e borboletas alaranjadas salpicadas, como aquelas ao redor da bainha do avental da sra. Gibbs. Nos pés pequenos, usava sapatos de couro macio e ocre claro, com pontos de linha preta para parecer manchas de leopardo e saltos de talvez cinco centímetros de altura. Tudo nela remetia à maternidade, como se estivesse envolvida em um cobertor quentinho com cheiro de torrada, fazendo Michael querer se agarrar a ela e não soltar mais. Enquanto a simpática mulher o conduzia a uma das cadeiras de madeira ao redor da mesa da cozinha, perto da lareira de belos azulejos, ele sentiu falta da mãe, Doreen, mais do que nunca. A sra. Gibbs fazia as apresentações.

— Agora, meus queridos, prestem atenção. Esta era-será a sra. Mercy Doddridge, a boa esposa do sr. Doddridge, enquanto essa jovem ao meu lado era-será sua filha mais velha, srta. Elizabeth. É impossível imaginar só de olhar para ela, mas a srta. Elizabeth foi-será mais novinha do que muitos de vocês. Você tinha seis, querida, não foi-será, quando virou a esquina para Almumana?

A srta. Elizabeth, uma versão mais jovem e animada da mãe, usava um vestido que era a prímula delicadamente colorida do horizonte leste nos minutos anteriores ao amanhecer, embelezado aqui e ali com minúsculos botões de rosa. Ela deu uma risada maliciosa ao responder à pergunta da defunteira, balançando os cachos pretos. A julgar por suas expressões, Reggie, John e Bill já estavam apaixonados pela filha do reverendo, prestando atenção em cada palavra dela.

— Ah, não. Eu não tinha nem cinco quando comecei a me sentir muito mal e doente. Eu me recordo de que morri na semana anterior à minha festa de aniversário de cinco anos, por isso nunca pude ir, o que me deixou terrivelmente chateada. Acho que ainda estou enterrada debaixo da mesa de comunhão lá embaixo, não, mamãe?

A sra. Doddridge dirigiu à filha um olhar indulgente e afetuoso.

— Sim, você ainda está lá, Tetsy, mas a mesa da comunhão não. Agora me faça um favor e tire nossos bolinhos do forno enquanto eu faço o chá. A sobre-água já deve ter fervido.

Sentado ao lado da lareira chique, balançando as pantufas para frente e para trás, Michael olhou para o fogão. Uma grande panela de ferro fumegava, pelo jeito cheia das mesmas bolas de filigrana líquida que tinha visto chover sobre Almumana durante a luta entre os construtores gigantes. A julgar pelas pequenas contas intrincadas cuspidas acima da borda da panela, devia ser aquilo a sobre-água. A sra. Doddridge atravessou a cozinha espaçosa até um balcão de madeira sobre o qual repousava um lustroso bule esmeralda de cerâmica vitrificada. Com sua visão de fantasma, ele pôde ver uma miniatura bulbosa de toda a sala refletida na protuberância verde-mar antes que a esposa do reverendo se aproximasse do balcão e obscurecesse sua visão. Tirando a tampa do bule, estendeu a mão para a parte mais alta da janela sobre a bancada de madeira, puxando para baixo uma das coisas de formato estranho penduradas na moldura, presas em cordas, como se tivessem sido postas para secar. Michael não havia notado aquilo antes, mas, depois que percebeu, tomou um grande susto.

Variavam em tamanho, de tampa de pote de geleia até a mão de um homem, e pareciam estrelas-do-mar desidratadas ou as cascas secas de enormes aranhas, apesar da agradável coloração de sorvete. Essa ideia era por si só bem inquietante, porém olhando mais de perto Michael descobriu que a verdadeira natureza das formas penduradas era ainda mais perturbadora: cada uma era um aglomerado de fadas mortas, com suas cabecinhas e corpos unidos em um anel para que formassem uma teia radiante que parecia uma toalhinha de renda elaborada, só que mais roliça. Para Michael, lembravam os estranhos brotos cinza que Bill tinha encontrado quando estavam cavando seu caminho para fora da ensurdecedora tempestade-fantasma, na fuga daquele quintal perto da extremidade inferior da Scarletwell Street. Aqueles, no entanto, eram coisas horríveis com corpos encolhidos, cabeças inchadas e enormes olhos negros que pareciam olhar para você, enquanto esses espécimes eram graciosos em suas proporções e não pareciam ter olhos, apenas pequenas órbitas brancas como as câmaras no miolo da maçã depois de tirar os caroços. Havia quatro pedaços de corda amarrados, com dois ou três dos cachos de fadas secos em cada, e faziam um barulho oco ao se chocarem, como um conjunto de sinos de vento de madeira.

A sra. Doddridge arrancou uma das flores maiores, quebrando sem querer as pernas de algumas das frágeis fadas ao fazê-lo. Rapidamente e sem sentimentalismo, a esposa do reverendo começou a desfazer as ninfas unidas em pedaços pequenos o bastante para caber no receptáculo, correndo em seguida para o fogão e levantando a panela de sobre-água borbulhante pela alça, para que pudesse derramar o conteúdo no bule, sobre as fadas esmagadas. Um aroma de dar água na boca subia da infusão, muito parecido com tangerinas, se as tangerinas fossem de alguma forma pêssegos e talvez um saco de balas de anis ao mesmo tempo.

Enquanto isso, a encantadora senhorita Elizabeth tirava uma assadeira preta do forno. Carregada com uma dúzia ou mais de pequenos bolos cor-de-rosa, tinha um cheiro até mais tentador do que o chá perfumado. Colocando-os de lado para esfriar, a mais jovem das duas Doddridge foi buscar uma pequena bacia simples na lareira de azulejos, perto de onde Michael estava sentado. Quando se aproximou, ele não conseguiu conter sua curiosidade.

— Por que te chamam de Tetsy se o seu nome era-será Elizabeth e por que era-será tão adulta se só tem quatro anos? O que tem na bacia? Meu nome é Michael.

A srta. Elizabeth se inclinou para sorrir para ele.

— Ah, eu sei quem você era-será, jovem mestre Warren. Você era-será a Criança Sufocando do capítulo doze, e eu me chamo Tetsy porque era-será assim que eu dizia Betsy quando era pequena. Meu motivo para crescer desde que morri é que nunca tive a chance de saber como era-será crescer enquanto ainda estava viva. Quanto à bacia, bem, veja você mesmo.

Ela abaixou a tigela, inclinando-a para que ele pudesse ver dentro. Amontoada no fundo havia uma pequena duna de cristal em pó, bem parecido com açúcar granulado, mas com o tom azul e branco de um céu perfeito de verão. Elizabeth o incentivou a pegar um pouco do pó cerúleo na ponta de um dedo e prová-lo, o que ele fez. Era um pouco como o açúcar normal, só que também tinha um sabor vivo e efervescente, como sorvete. Apreciando aquele gosto até então desconhecido, Michael perguntou a ela o que era.

— São as sementinhas azuis que colhemos das Bedlam Jennies. Quando juntamos o bastante, moemos com um pilão até virar açúcar-de-puck, para polvilhar nossos bolinhos.

Tarde demais, ele percebeu o que havia acontecido com os olhos perdidos dos grupos suspensos de fadas mortas. Colocando a língua para fora como se não quisesse aquilo em sua boca depois de seu flerte com o glacê de globos oculares, Michael fez uma careta que causou riso na filha do reverendo.

— Ah, não seja bobo. Não eram-serão fadas de verdade. Eram-serão só partes ou pétalas de uma coisa tipo um cogumelo meio fruta, chamado de chapéu-de-puck ou de Bedlam Jenny. Uma vez recebemos a visita de um soldado romano vindo de Jerusalém, e disse que os chamava de Trufas de Minerva. Crescem na costura-fantasma ou no Segundo Borough, criando raízes onde puder encontrar sustento. Quando ainda eram-serão pequenos, parecem anéis de elfos ou de gnomos, e não se deve comê-los. Era-será preciso esperar até que amadureçam em fadas. As pessoas no mundo dos vivos não conseguem ver as flores. Só conseguem ver, às vezes, os brotos que o chapéu-de-puck enterra no mundo mais baixo, onde o que na verdade é uma muda só parece um anel de fadas dançando separadas... ou uma matilha de duendes cinzas horríveis com olhos negros, se não estão maduros. Na verdade, são só o que temos para comer aqui, apesar de ter também um tipo de manteiga de ectoplasma que se consegue de vacas-fantasmas. Sozinha, não tem gosto de nada, mas, se usar as flores trituradas como farinha, dá para colocar na gordura-fantasma para fazer uma massa rosa e doce. Era-será o que usamos para fazer nossos bolinhos, e agora, se me der licença, acho que devem estar frios o bastante para eu salpicar o pó-de-puck neles e servir.

A mais jovem das Doddridge deu a volta na mesa da cozinha, deixando todas as outras crianças lamberem o doce em pó e distribuindo a guloseima de modo uniforme. Enquanto isso, a mãe havia tirado uma flotilha de xícaras e pires pequenos de um armário antes despercebido e servia a todos uma medida da infusão rosada e fumegante do bule verde-escuro que brilhava como uma maçã gorda de cerâmica. A sra. Doddridge se movia entre a bancada de madeira e seus convidados sentados, servindo chá para todos e dizendo a todas as crianças mais novas para tomarem cuidado para não derramar.

— E tomem cuidado para não queimar a língua. Soprem o chá para esfriar antes de beber. Temos uma jarra de leite-fantasma, se alguém precisar, mas nós achamos que estraga o sabor e dá ao chá um gosto de giz.

Enquanto isso, Tetsy terminou de espalhar olhos de fada em pó nos bolinhos quentes, polvilhando cada objeto cor-de-rosa de fantasia com uma geada cintilante de cobalto. A sra. Gibbs e as seis crianças foram autorizadas a pegar um doce recém-assado cada da travessa em que estavam, como um aglomerado de nuvens contra um céu de pôr do sol de porcelana invernal. Servindo refrescos para si mesmas, as mulheres Doddridge puxaram banquinhos de madeira ao lado da mesa, ambas selecionando uma das guloseimas restantes para mordiscar e juntando--se ao sussurro suave da conversa na hora do chá.

A sra. Doddridge, que havia se sentado ao lado da sra. Gibbs, questionava a defunteira sobre um antigo estatuto relacionado aos portões de Almumana, que, pelo que dava para entender, eram cinco. De onde estava sentado ao lado da lareira, Michael não conseguia acompanhar a discussão, que parecia fazer comparações entre as várias entradas e os cinco sentidos humanos. Derngate, ao que parecia, era o tato, o que quer que isso significasse. Perplexo, o menino voltou sua atenção para a animada Tetsy, acomodada ao lado de Marjorie, que agora interrogava ansiosamente a estudante afogada sobre um assunto ainda mais insondável do que a conversa sobre papilas gustativas e portões da cidade.

— Meu capítulo favorito foi-será aquele com o odioso sujeito de camisa preta tropeçando no Andar de Cima enquanto sofre de delírio em seu corpo mortal. Mamãe e eu rimos tanto que quase não consegui continuar lendo para ela. E a parte em que o urso fantasma da Bearward Street se revela pró-judaico e o persegue pela costura-fantasma até as comemorações do Dia da Vitória na Europa era-será uma maravilha.

Marjorie parecia muito satisfeita ao ouvir aquilo tudo, embora nada fizesse sentido para Michael. Mais adiante na mesa, John e Phyllis estavam sentados e conversavam enquanto bebiam chá. Pareciam gostar um do outro e, embora ele ainda estivesse um pouco desapontado com Phyllis por dizer que não queria ser sua namorada, Michael achava que os dois formavam um casal adorável. Sentados à sua frente, Bill e Reggie ainda faziam planos para capturar um mamute-fantasma, e como falavam com a boca cheia de porções de bolinho, espalhavam migalhas violeta pelo rosto. Sem ninguém para conversar naquele momento, Michael achou que poderia aproveitar a oportunidade para experimentar sozinho as delicadas criações rosa-e-azuis. Levantou o pedaço tentador que recebeu, segurando-o sob o nariz e cheirando seu perfume quente. Assim como o chá, o bolo tinha um aroma delicioso, mas indefinido. Michael sabia que não era bem anis misturado com notas de pêssego e tangerina, mas algo muito distinto e incomum. Ele mordeu a parte superior açucarada de safira e sua boca como que explodiu de sensações tão imensas e intrincadas que sentiu que sua língua finalmente também havia chegado ao Céu. O bolo tinha um sabor tão rico e complexo quanto, digamos, a aparência ou o som de uma catedral. O sabor indescritível de frutas desconhecidas de ilhas semi-imaginárias ressoava em suas bochechas como música de órgão, e a textura aerada que desmanchava na boca era como a luz de domingo através de vitrais. Enquanto engolia, sentia um formigamento começando onde sua barriga costumava estar, espalhando-se para os dedos dos pés, das mãos e para as pontas dos cachos loiros. Como se seu espírito tivesse sido mergulhado no perfume de rosas que as pessoas às vezes colocam em cartões de aniversário, Michael se deleitou com um sabor residual que ecoou dentro dele como um hino. Aquilo o preencheu com uma nova vitalidade e ao mesmo tempo era tão saciante que trazia uma sonolência sonhadora e deliciosa. Foi uma experiência das mais contraditórias.

Ele soprou o chá como a sra. Doddridge havia sugerido, e então tomou um gole cauteloso. O sabor era como o dos bolos, só que mais nítido e mais agradavelmente adstringente, como uma brisa cálida soprando em sua mente e corpo fantasmais, em vez de uma coisa substancial. Michael notou que estava alegre e relaxado como nunca antes, sentado com amigos naquela cozinha que, apesar de nunca ter visto antes, de alguma forma lhe parecia familiar. A conversa das outras pessoas na mesa foi se transformando em um murmúrio distante – Reggie perguntando a Bill qual seria a melhor isca para atrair um mamute fantasmagórico, Tetsy Doddridge especulando com Marjorie se não era confuso para os leitores o fato de dois membros do bando terem o sobrenome Warren –, porém Michael não estava mais preocupado em acompanhar as várias conversas. Ele mastigava o bolinho e bebia o chá de fadas, descobrindo que aquilo despertava nele a emocionante sensação de maravilhamento que experimentou quando Phyllis o puxou pela primeira vez para Almumana.

Naquele primeiro momento, quando tudo era novo para ele, ficou hipnotizado diante de cada superfície e cada textura, perdendo-se em superfícies de madeira ou nos fios cor-de-rosa gastos do suéter de Phyllis Painter. Embora não tivesse notado que aquilo acontecia, desde então sua apreciação pelas coisas fabulosas que o cercavam havia se tornado mais monótona e embotada, como se começasse a subestimar aquele pós-vida extraordinário e todos os seus refinamentos. Só quando suas faculdades foram estimuladas por esse chá da tarde no vicariato Michael percebeu o quanto tinha se tornado apático, ou o quanto estava perdendo. Agora olhava ao seu redor para a cozinha com sua luz leitosa da manhã e os arranhões ou as marcas de uso em seus utensílios, deliciando-se com todas as modestas maravilhas e com o profundo senso de estar em casa que provocavam.

Seu olhar pousou nos azulejos decorativos da lareira ao seu lado, e ele viu pela primeira vez seu detalhamento atordoante. Cada peça de revestimento tinha uma cena diferente delineada nos tons gradativos de azul de um pires com desenho de salgueiro, com linhas finas de um marinho forte em um fundo de um tom mais gelado e pálido. Depois de um momento ou dois, Michael entendeu que os painéis quadrados estavam dispostos de forma que todas as imagens separadas contassem uma história, como nos quadrinhos de Alma. Se fosse esse o caso, parecia que o lugar mais sensato para começar a história seria o canto inferior esquerdo da fogueira, perto de onde estava sentado.

Olhando para baixo, foi imediatamente absorvido pelo episódio retratado, a visão aprimorada nadando em seus meandros azuis profundos até que, com um sobressalto, compreendeu que era quase uma imagem de si mesmo, um menino olhando para uma história contada em azulejos pintados ao redor de uma lareira, imagens em uma imagem dentro de outra imagem. Michael estava mais fascinado por essa regressão sem fim do que por todo o espetáculo e brilho de quando vislumbrou os Sótãos do Alento pela primeira vez. Embora o menininho na miniatura não se parecesse com ele, com cabelos escuros cortados em forma de tigela e usando sapatos de fivela com calças na altura do joelho, Michael sentiu-se sugado para a refinada ilustração. Ele não tinha mais certeza se era Michael Warren, sentado em uma cozinha comendo bolo e olhando para um azulejo, ou se era o jovem pintado no colo da mãe, enquanto ela se empoleirava perto da lareira e apontava para as histórias da Bíblia nos azulejos pintados ao seu redor. A sala quente ao seu redor e a mesa cheia derreteram em um brilho de cerâmica molhada, tornaram-se uma sala de estar em outro século e assim adquiriram um tom prussiano lustroso. As próprias mãos passaram a ser contornos cianos em uma leve camada de ultramarino e ele era...

Ele era Philip Doddridge, seis anos de idade e aprendendo as escrituras com sua mãe, Monica. O braço direito dela, delineado em azul, envolvia osombros dele. Mônica lia uma velha e gasta edição da Bíblia pousada na saia que cobria suas coxas roliças. Ela gesticulava com a outra mão em direção aos azulejos de Delft ao redor da lareira ao lado da qual se sentava, cada um decorado com uma cena do Novo Testamento, uma crucificação ou anunciação para iluminar a passagem que lia para o filho. Era uma tarde chuvosa nos meses de outono de 1708 e ao redor da lareira da sala de visitas em Kingston-upon-Thames todas as coisas pareciam sagradas. Na cornija, um par de leques de papel flanqueava um relógio de latão ornamentado dentro de uma bala gigante de vidro transparente, e a luz do fogo azul-real brilhava em uma tela de laca de um lado do fogo. A voz suave de Monica Doddridge continuava sua instrução enquanto o olhar de seu filho se movia de um lado para outro sobre os belos azulejos holandeses. Aqui um enorme Jonas foi regurgitado por uma baleia não muito maior do que um lúcio gorducho, enquanto não muito longe um filho pródigo de peruca era recebido de volta ao rebanho. Tão extasiado estava o menino com os quadros sedutores que quase se sentiu parte deles, uma figura quase turquesa sob o esmalte, talvez um menino Jesus dando sermão nos anciãos estupefatos nos degraus do templo. Perdendo-se entre os enfeites índigo, Philip se recompôs e se afastou dos cenários bíblicos antes de mergulhar. Ele era...

Ele era Michael Warren. Estava sentado em uma cozinha ensolarada em Almumana, reunido ao redor de uma mesa com outras cinco crianças e três adultos, todos conversando alegremente e sem prestar atenção nele. Tentando entender o que tinha acontecido, voltou sua atenção para os azulejos, dessa vez olhando com cautela para o segundo de baixo para cima, à esquerda. Não parecia...

Não parecia uma grande ocasião, aquela manhã de agosto na Igreja Congregacional em Fetter Lane em 1714. Philly tinha doze anos, um esboço pálido em tinta azul de caneta-tinteiro, sentado entre o pai e o amado tio Philip no primeiro banco, ouvindo o sr. Bradbury, o vigário, proferindo seu sermão matinal. A mãe de Philly tinha morrido repentinamente três anos antes, e a criança frágil e resignada não acreditava que o pai ou o tio ficariam com ele por muito mais tempo. Não era uma família com uma saúde vigorosa, sendo Philly e a irmã mais velha Elizabeth os únicos dois sobreviventes de vinte filhos, e tendo os outros dezoito morrido antes mesmo de ele nascer. Um movimento na galeria superior despertou Philly de seus devaneios e, olhando para cima, viu um lenço caindo, uma peça rendada com pontilhados de centáurea, apanhado em sua lenta descida em direção ao piso de lajotas da igreja. Todos arquejaram, exceto o pai do menino, Daniel Doddridge, que começou a tossir. O lenço era um sinal, derrubado deliberadamente por um mensageiro do bispo Burnet para anunciar o falecimento da rainha Ana, a monarca da dinastia Stuart que tanto havia feito para prejudicar a causa não conformista. Inclusive, seu último esforço para desconcertá-los, sua Lei do Cisma, deveria entrar em vigor naquele mesmo dia. Era uma clara tentativa de minar a grande tradição de descontentamento religioso que remontava aos lolardos de John Wycliffe no século XIV ou ao grande dissidente radical Robert Browne duzentos anos depois. Atacava a fé de Bunyan e seus afiliados revolucionários, os muggletonianos, morávios e ranters, mas a Lei do Cisma quase certamente seria agora abandonada com o falecimento da rainha Ana, sua instigadora. Arrastando-se no banco duro, Philly sentia-se muito apreensivo, mas não sabia por quê. Alertado pelo sinal da tribuna, o ministro interrompeu o sermão e fez uma oração pelo novo rei, o hanoveriano Jorge I, que já havia jurado apoio ao não conformismo. A essa altura, a igreja sussurrava com murmúrios excitados, e a emocionante percepção de que a odiada Ana estava finalmente morta. Sorrindo com satisfação pessoal, o sr. Bradbury liderou a entoação do Salmo 89 antes de ler mais uma vez com severidade o texto. "Ide ver aquela maldita e dá-lhe sepultura, pois é filha de rei"[15]. Os ouvidos de Philly zumbiam ao perceber que estava presente no alvorecer de uma nova era, uma era de liberdade religiosa que o menino mal podia visualizar. Ele sentiu...

Ele sentiu a borda dura da cadeira da cozinha pressionando suas coxas, com o pedaço de bolinho não engolido doce e viscoso descansando sobre a língua. Engoliu e tomou um gole apressado de chá antes de inspecionar o azulejo seguinte. Descobriu que...

Descobriu que vestia uma camisola e uma anágua emprestadas, usando uma forma de pudim em cima do cabelo escuro como capacete. Tinha 21 anos, interpretava o ilustre sultão Bazajet na peça Tamerlão de Rowe com amigos e colegas da academia dissidente em Kibworth, Leicestershire. Todo o elenco improvisado ria até as lágrimas, incluindo o bom e velho Obadiah Hughes, a quem chamavam de Atticus, e a pequena Jenny Jennings, a quem chamavam de Theodosia, a filha do reverendo que dirigia a academia. Seu próprio cognome era Hortensius e, enquanto agitava as saias azul-lavanda, desejou que essa diversão durasse para sempre, que pudesse de alguma forma parar o tempo e assim preservar o momento para a eternidade, uma mosca risonha e alegre em âmbar. O Senhor sabia que até então tinham sido poucas as risadas preciosas na vida de Hortensius. Órfão com a tenra idade de treze anos, foi tutelado por um cavalheiro chamado Downes, que perderia toda a herança do rapaz em especulações financeiras ruinosas na City. Após um período inútil e instável vivendo com a irmã mais velha, Elizabeth, e o marido dela, o reverendo John Nettleton, Hortensius havia encontrado um lugar no estabelecimento Kibworth, onde pela graça de Deus foram incutidas nele a disciplina e a humildade que, esperava, iriam sustentá-lo por todos os seus dias. O reverendo John Jennings e sua esposa tinham sido quase um segundo casal de pais para o menino, de tão queridos e preocupados com seu desenvolvimento. Ficou surpreso ao saber que o pai da sra. Jennings tinha sido um tal de Sir Francis Wingate de Harlington Grange, em Bedford, que havia condenado o pobre John Bunyan à prisão de Bedford. Agora, curvado de rir com o capacete de lata improvisado caindo no chão e todos os amigos ao seu redor, ele foi atingido pelo contraste entre essa frivolidade e a solidão permanente que sentia em quase todas as outras áreas de sua vida. Havia a paixão que sentia por Kitty Freeman, sua Clarinda, como a chamava, embora temesse que sua afeição não fosse correspondida. Tropeçando na linha de lápis-lazúli que era a borda de sua camisola, provocando assim renovados gritos de alegria, ele se perguntou se alguma parceira perfeita esperava por ele no futuro. Isso estaria no plano de Deus, se o plano de Deus realmente incluísse Hortensius? Uma esposa e uma vocação adequada figuravam nesse grande e inefável projeto? Qual era o seu destino? O que era...?

O que era tudo isso? Michael teve a sensação de ter sido deixado à deriva em algum lugar entre a cozinha aconchegante e o belo mundo gravado dos azulejos, uma reluzente paisagem de porcelana pintada em tons de giz de bilhar com todo o tempo reduzido a finos traços azuis em esmalte branco. Embora soubesse que era arrastado para cada nova imagem que contemplava, descobriu que não conseguia parar de olhar. A euforia que acompanhava o chá e o bolo cercava Michael como um cobertor grosso e macio, entorpecendo a preocupação de acabar preso entre os arabescos pintados. Ele permitiu que seu escrutínio avançasse para a representação seguinte na sequência. Parecia...

Parecia sinistra, a névoa matinal difusa e branca nos arbustos cor de safira da estrada rural; o vigário itinerante que parou para conversar com uma jovem vestida de farrapos de tecido hachurado, com os olhos arregalados e brilhantes contra uma cor de ardósia quase imperceptível no caminho bucólico. O reverendo Doddridge, passando pelos vilarejos ao redor de Northamptonshire e falando para as congregações para as quais foi convidado, montou em sua paciente égua e ficou maravilhado com a garota pálida e de aparência sobrenatural que bloqueava seu caminho. Seu nome era Mary Wills, e era uma profetisa respeitada da vizinha Pitsford, uma vidente e uma mística que parou o jovem pregador pálido e muito requisitado. Parecia ter a substância da neblina que escorria nas valas, construída com mato ou folhas secas encharcadas, e afirmava que aos seus olhos o futuro era um livro já escrito, uma forma esculpida dentro do molde de ferro do tempo. "E como não pudemos persuadi-lo, desistimos e dissemos: 'Que a vontade do Senhor seja feita'[16]*. Essas são as palavras do primeiro sermão que pregará nos bairros pobres de Northampton, onde será pastor". Ele voltaria a encontrar a oráculo esfarrapada ao longo dos anos e passaria a acreditar em suas visões, mas nessa primeira ocasião tinha 26 anos e considerou as profecias uma farsa, embora não a tenha tratado mal em nenhum momento. Foi o trabalho em um ministério aqui em Northampton, pensou Doddridge, que desmentiu suas previsões. Ele havia acabado de concordar com as súplicas de seus colegas dentro da congregação dissidente, dr. Watts e David Some e todo o resto, que imploraram para que assumisse a direção da academia dissidente em Market Harborough, um posto vago após o falecimento de seu ex-pároco, o saudoso reverendo John Jennings. Carroças já tinham levado os pertences de Doddridge para a residência de Harborough, onde a sra. Jennings continuaria cuidando dos assuntos domésticos, e Doddridge ainda alimentava a esperança de um relacionamento afetuoso com a encantadora filha de Jennings, Jenny. A ideia de que poderia ser persuadido a sacrificar uma posição tão ilustre por algum barraco frio nos distritos menos esclarecidos de Northampton era, portanto, uma fantasia sem sentido que, tinha certeza, nunca deveria acontecer. Agradeceu à criança estranha por seus avisos e continuou sua jornada. Não havia...*

Não havia como escapar da progressão implacável dos azulejos, uma vez que Michael se rendeu à força daquela história. Afogando-se entre as ondas vítreas azul-esbranquiçadas, desistiu de sua fraca resistência e caiu, sendo levado pela correnteza da narrativa de uma cena para outra. Ele não sabia...

Ele não sabia por que fazia aquilo, enquanto conduzia seu cavalo através de delicadas cortinas de renda da neve que caía na véspera de Natal, em direção às luzes quentes da capela em Castle Hill. Esmagou os acúmulos de neve endurecida do cemitério, uma mistura de costelas de indigentes e crânios de vítimas da peste em algum lugar sob a crosta de gelo e as profundezas frígidas e pulverulentas que ela escondia. Havia se estabelecido em sua academia em Market Har-

borough fazia um mês ou dois quando recebeu a sincera intimação em meio às imprecações oferecidas pelo povo de Northampton, de que deveria assumir o ministério em Castle Hill, aqui no bairro mais humilde do oeste da cidade. O distrito era uma monstruosidade em ruínas, ao qual foram negadas as belas reformas realizadas no restante do município após o grande incêndio, mas de qualquer maneira ele estava comprometido com seu trabalho em Harborough. Com toda a gentileza, recusou a oferta, mas a humilde congregação persistiu. Por fim, o jovem e popular reverendo decidiu fazer um gesto de gentileza e entregar sua recusa pessoalmente, informando ao seu pretenso rebanho que era preciso cessar suas súplicas, por meio de um sermão. Ele começava: "E como não pudemos persuadi-lo, desistimos e dissemos: 'Que a vontade do Senhor seja feita'", e ainda assim só pensou em Mary Wills e na previsão dela na metade de seu sermão, onde se viu cumprindo-a. O povo de Castle Hill, além disso, parecia tão cheio de boa vontade em relação a ele que seus pensamentos se transformaram em um turbilhão enquanto caminhava de volta para seus aposentos na parte baixa da Gold Street, nas proximidades. Passando por uma porta aberta, ouviu um menino lendo em voz alta as escrituras para a mãe, como o próprio reverendo inquieto havia feito tantas vezes, declarando: "Como os teus dias, assim será a tua força", com uma voz clara e verdadeira. O sentimento foi impresso nele naquele instante com grande força, de modo que parecia uma revelação: todos os seus dias eram parte de Doddridge, parte de sua substância eterna, e ele não era composto de nada além daqueles dias, seus pensamentos e palavras e atos. Eles eram sua força. Eram tudo dele. Decidiu ali mesmo desistir de sua academia em Harborough e aceitar o posto menos promissor em Northampton. Seus companheiros, sr. Some e Samuel Clark, ficaram indignados a princípio e imploraram que reconsiderasse, mas ambos acabaram por concluir que tão estranhos eram os acontecimentos que uma causa maior do que a deles pode ter decretado o resultado de acordo com suas próprias agendas inescrutáveis. E então ali estava ele, na véspera de Natal, marchando em direção ao seu destino através de sombras preto-azuladas salpicadas do branco que caía. Só com dificuldade ...

Só com dificuldade Michael conseguiu se lembrar de algo sobre a cozinha ou o bolo. Os episódios gravados em azul chegavam espessos e acelerados agora. Ele sabia que estava...

Ele sabia que estava destinado à srta. Mercy Maris desde o momento em que a viu, na sala de visitas de sua tia-avó, a sra. Owen. Seis anos mais nova do que ele, aos 22, bem-humorada e de pele fresca, tinha se mostrado uma joia brilhante que ele temia não ter como comprar. Havia pedido em casamento Jenny Jennings, de dezesseis anos, mas, ao ser rejeitado, interrompeu o cerco e se considerou satisfeito com a amizade dela. O impulso que o impelia naquela ocasião, porém, não se comparava à paixão que sentia pela senhorita Maris, que o atingiu como um raio. Ele persistiu em sua tentativa de cortejá-la, incapaz de fazer o contrário, e descobriu, para seu deleite, que suas afeições eram retribuídas. Eles se casaram no dia 29 de novembro de 1730 em Upton-on-Severn, e sua nova esposa foi morar com ele em Northampton, juntando-se, entusiasmada, a todas as suas obras, apesar da esqualidez do bairro. As pessoas locais eram exemplos de boa disposição e prestimosidade, apesar de todas as disputas que surgiriam entre o que poderia ser muito bem uma dúzia de diferentes credos não conformistas. Na verdade, tanto ele quanto a sra. Doddridge acharam sua congregação muito agradável e tranquila, apesar da reputação que ela ganhara com suas insurreições e badernas. Foi lá que, no século anterior, o mais sedicioso dos panfletos de "Martin Marprelate" havia sido escrito e publicado. Sir Humphrey Ramsden havia declarado que Northampton era "um ninho de puritanos" em correspondência com John Lambe, descrevendo os habitantes da cidade como "espíritos malignos e refratários que perturbam a paz da igreja". E, no entanto, foi naquele condado que os frequentadores da igreja insistiram pela primeira vez, no reinado da rainha Elizabeth, em cantar hinos em suas cerimônias, onde antes eram entoados apenas salmos. Era um bom lugar, à sua maneira um local sagrado como qualquer outro, e sua esposa e ele estavam bem ali, embora Mary Wills, a profetisa, tivesse dito que sua primeira tentativa de ter um filho terminaria em tristeza. Mas talvez nessa ocasião ela se provasse errada. Afinal, em relação à sua posição sobre o determinismo, ele ficou...

Ele ficou na igreja na semipenumbra em Castle Hill e chorou; olhou através de uma lente de sal trêmula para a pequena lápide colocada entre as lajotas do chão sob a mesa de comunhão. Achava que o choro tinha acabado, e aquele ataque repentino o surpreendera. Sem dúvida, havia sido ocasionado pelos panfletos, recém-entregues pela gráfica, um dos quais ele segurava agora entre as mãos trêmulas. "Submissão à Divina Providência na Morte de Crianças recomendada e imposta, em um SERMÃO pregado em NORTHAMPTON sobre a MORTE de uma CRIANÇA muito amável e esperançosa de cerca de cinco anos. Publicado por compaixão aos PAIS enlutados Por P. DODDRIDGE, D.D. Neve Liturarum pudeat : qui viderit illas. De Lachrymis factas sentit esse meis. OVÍDIO. LONDRES: Impresso para R. HETT, no Bible and Crown, no Poultry. MDCC XXXVII. [Preço de seis pence.]" Tinha sido escrito mais com lágrimas do que com tinta, e as primeiras agora respingavam para diluir e manchar a última. Talvez não fosse...

Talvez seu destino não fosse tão esplêndido como na academia de Harborough, mas ali na Sheep Street, de frente para entrada da Silver Street, Doddridge concluiu que seu trabalho era o melhor da Inglaterra. Ele, Mercy e seus quatro filhos sobreviventes haviam residido confortavelmente em seu estabelecimento anterior, na esquina de Pike Lane com Marefair, mas com novos alunos chegando toda semana para estudar escrituras, matemática, latim, grego ou hebraico, era óbvio que instalações mais novas e maiores da instituição dos dissidentes seriam necessárias para abrigar todos. Ele esperava...

Ele esperava que fosse sua tolerância que tinha lhe conseguido tantos amigos valorosos. Sua igreja desfrutava de uma amizade fraternal com o ministério batista em College Lane, e em sua vida privada contava calvinistas, morávios e swedenborgianos entre seus companheiros. Estava agora em George Row, em uma manhã de março de 1744, com seu companheiro mais estimado e improvável ao seu lado. O sr. John Stonhouse levou uma vida agitada e imprudente e chegou a escrever um panfleto atacando o cristianismo. Uma noite, a caminho de um encontro com uma mulher da vida, parou para ouvir o famoso Philip Doddridge falar e imediatamente renunciou aos antigos costumes, tornando-se um aliado mais firme da causa do doutor e ajudando-o a inaugurar uma enfermaria da cidade, a primeira fora de Londres, que foi a ocasião que os levou a George Row naquela manhã tempestuosa. Do...

Do céu escuro de novembro acima dele, flores de fogos de artifício derramavam pétalas cor de creme e cobalto em uma chuva na academia da Sheep Street, iluminada por uma horda de velas dispostas para soletrar "REI JORGE, NENHUM PRETENDENTE". Há muito tempo Doddridge tinha consciência da sorte que os dissidentes tiveram sob esse monarca hanoveriano e alertou sua congregação para desconfiar de um ressurgimento dos Stuart que pudesse restabelecer a opressão católica. Agora, porém, em 1745, a ameaça era mais do que hipotética, com o príncipe Carlos Eduardo Stuart, o pretendente ao trono britânico, erguendo seu estandarte em Glenfinnan e depois marchando para o sul e para a Inglaterra. Doddridge, avisado seis anos antes dessa eventualidade por Mary Wills de Pitsford, estava preparado. Engajando seu bom amigo, o conde de Halifax, galvanizou um parlamento que parecia indiferente à ameaça do Jovem Pretendente e mobilizou uma força de mais de mil homens que incluía duzentos cavaleiros, a maior parte aquartelados em Northampton. O Pretendente, que esperava contar com um forte apoio jacobita que não havia chegado, ficou ainda mais desencorajado pelas notícias de homens armados esperando um pouco mais ao sul. Ele já havia começado sua retirada de

volta para a Escócia e sua mais que provável ruína, daí essas esplêndidas celebrações em torno de fogueiras. Doddridge se alegrou...
   Doddridge se alegrou com a grande providência de Deus enquanto morria na pequena casa de campo a poucos quilômetros de Lisboa. Ele e Mercy, ajudados por doações do gentil povo de Castle Hill, foram enviados em uma viagem de convalescência para Portugal quando sua saúde, nunca robusta, começou a declinar por completo. Aquele país ensolarado, em 1751, era famoso por seu bom tempo e pelos efeitos restauradores de seu ambiente, embora seus conselheiros em Northampton não soubessem que o final de outubro marcava, tradicionalmente, o início da estação chuvosa anual. Agora eram quase três horas da manhã negra do dia 26. Ouviu o tamborilar do aguaceiro no telhado e imaginou que o fim não tardaria. A própria esposa estava doente, vítima do clima. Doddridge sabia que Mercy não poderia mais ajudá-lo, embora ela quisesse de todo o coração. Agradeceu a Deus por aquela mulher leal e amada que tanto enriqueceu boa parte dos quarenta e nove anos que passou na Terra. Agradeceu a Deus por sua vida, todos os seus triunfos e reveses, por permitir que promovesse a causa dissidente na extensão notável com que tinha feito, forçando a igreja a reconhecer seus irmãos não conformistas, e tudo isso a partir do modesto monte onde estava sua humilde casa de reunião. Mercy dormia ao seu lado. Ouviu a chuva e sentiu a respiração dela em seu rosto. Ele fechou...
   Ele fechou os olhos. Michael achava que fantasmas não dormiam, mas também tinha pensado isso sobre comer, até que lhe serviram o chá e o bolinho. Afundando em uma sonolência rosada, supôs que, embora os mortos não precisassem de uma refeição ou soneca, provavelmente se entregavam às duas coisas de vez em quando, apenas pelo simples prazer de fazê-lo. Ainda podia ouvir todas as outras vozes na cozinha ensolarada, mas pareciam distantes e um tanto desconectadas dele. Sentiu alguém — talvez uma das Doddridge — pegar a xícara e o pires de suas mãos frouxas antes que os derramasse no chão. Ele havia comido o bolo ou o tinha deixado cair, mas não sabia qual das duas opções, e não importava.
   Bill e Phyllis murmuravam um para o outro em algum lugar próximo. Bill estava dizendo:
   — Bem, devemos pensar em alguma maneira de manter suas memórias, porque vimos as imagens.
   O que isso significava? Estavam falando sobre todas as figuras nos azulejos onde Michael ainda se sentia meio submerso? Em outro lugar, Tetsy Doddridge insistia que Marjorie Afogada deveria assinar seu nome

em alguma coisa.

— Você me faria essa gentileza? Levará apenas um instante.

Ouvia uma batida fraca e rítmica, que a princípio tomou como uma pulsação, antes de lembrar que não tinha mais isso, e perceber que devia ser o tique-taque de um relógio de cozinha, contando os momentos daquele mundo atemporal.

Em algum momento mais tarde, foi pego por alguém, um dos dois meninos mais velhos e, levando em conta o cheiro limpo e seco, não foi Reggie Bowler. Isso significava que foi John quem o carregou como um saco flácido de farinha contra o peito e o ombro, da cozinha para o corredor curto e em direção à sala de estar. Michael ouviu os outros membros do bando se aglomerando e fazendo barulho ao redor deles e presumiu que todos estavam saindo, agora que a hora do chá havia terminado. Tinha certeza de que se sua mãe, Doreen, estivesse aqui, ela lhe diria para acordar e agradecer à família Doddridge por tê-los recebido e se despedir de todos adequadamente. Ele fez o seu melhor para acordar e tentou forçar suas pálpebras a se abrirem, mas elas não se moveram e, de qualquer forma, estava muito aconchegado e confortável nos braços de John no momento. Então aceitou de bom grado deixar que tudo acontecesse em meio a uma névoa luminosa e rosada.

Estavam agora na sala, e à frente deles ouvia o sr. Doddridge encerrando sua conversa com o construtor de túnica cinza, que segundo a sra. Gibbs era o sr. Aziel. Michael descobriu que era muito mais fácil entender a algaravia estranha e espiralada que os ângulos falavam estando semiadormecido. Pelo que podia entender, o doutor em divindade de peruca dourada ainda estava interrogando o sr. Aziel sobre o suspeito Sam O'Day, perguntando ao pedreiro como as diferentes entidades se relacionavam umas com as outras, todos os demônios e as pessoas comuns e os construtores, e como todos se conectavam ao misterioso "Terceiro Borough". O convidado de Doddridge riu e disse "Els dobrem vonel", que se expandiu na consciência adormecida de Michael em algo que era apenas um pouco mais compreensível:

— Eles se dobram em você. Você se dobra em nós. Nós nos dobramos n'Ele.

Isso pareceu ao mesmo tempo intrigar e satisfazer o pároco, que cantarolou pensativo antes de arriscar uma última pergunta ao amável artesão.

— Entendo. E posso perguntar se, em algum lugar desse engenhoso arranjo, algum de nós realmente teve Livre-arbítrio?

O ângulo esguio soou de alguma forma triste e apologético quando respondeu com uma sílaba que pelo jeito era a mesma em inglês e em sua própria língua.

— Não.

Depois de uma pausa bem cronometrada, como se antes do final de uma piada, ele passou a pronunciar outra palavra-ângulo que Michael entendeu quase imediatamente.

— Vocenfal?

O que isso significava era "Você sentiu falta?".

Houve um silêncio de perplexidade, e então tanto o reverendo doutor quanto seu convidado começaram a gargalhar, mas Michael não sabia o que era tão engraçado. Como acontece com a maioria das piadas de adultos, ele evidentemente não havia entendido. Como aquela que terminava com "Se eu colocar uma moeda na fenda e apertar o botão, os sinos vão tocar?". Ele não tinha ideia do que isso tinha a ver com qualquer coisa que fosse em meio às penas de pato que flutuavam no algodão-doce de seus pensamentos confortáveis.

Quando a diversão compartilhada pelo sr. Doddridge e seu visitante acabou, o doutor se despediu das crianças, assim como a sra. Gibbs, a srta. Tetsy e sua mãe. Dessas despedidas, a do sr. Doddridge foi a mais longa e efusiva.

— Obrigado, crianças, pela visita. Espero ver todos vocês de novo, e não apenas o mestre Reggie quando vier estudar na minha academia do pós-vida. E quanto a você, jovem Phyllis Painter, deve ter em mente que estão cuidando dessa criança porque essa era-será a vontade do Altíssimo. Todas as experiências que compartilham com ele, até mesmo suas travessuras de gazeteiros e transgressões, eram-serão lições que ele deve aprender. Fazer com que ele se lembre dessas lições será um enigma para vocês desvendarem, mas tenham certeza de que nós, que servimos Almumana, temos toda fé em vocês. Quanto ao demônio de que falamos antes, parece óbvio que conseguirá ter sua vontade feita em algum momento e, quando esse dia chegar, meu melhor conselho seria lembrá-los de que mesmo as criaturas mais inferiores são apenas as folhas desdobradas do Terceiro Borough, e no final subservientes ao desígnio Dele. Agora podem ir com nosso amigo, o sr. Aziel. Tenham fé e não temam.

Como se estivesse de longe, Michael ouviu Phyllis perguntar ao reverendo se o que ele tinha dito sobre travessuras de gazeteiros e transgressões significava que o Bando de Mortos de Morte poderia levar Michael para procurar maçãs malucas nos asilos, sem arrumar nenhuma encrenca. Doddridge riu de novo e disse que achava que sim. Seguiram-se mais despedidas, e Michael sentiu pelo menos dois pequenos beijos úmidos em sua bochecha quase adormecida, provavelmente da esposa e filha do doutor.

Então houve a breve sensação de um elaborado grão de madeira quando passaram pela porta na metade da parede oeste da igreja. Não era como se Michael de repente ficasse com frio, mas apenas não sentia mais o menor vestígio de qualquer temperatura. O cheiro da estola de roedores de Phyllis Painter foi fechado como uma torneira, e ele quase podia ouvir o algodão da costura-fantasma enfiando-se em seus ouvidos. Abriu os olhos grudentos de ectoplasma para um mundo em preto e branco assim que John gentilmente o baixou sobre as tábuas fosforescentes do Ultraduto, onde o tempo fervia como leite escaldante ao seu redor.

Phyllis perguntou se alguém ainda estava com fome.

AS ÁRVORES
NÃO PRECISAM SABER

Marjorie Miranda Driscoll estava entre os mortos que tinham lido bastante. Não era uma grande leitora quando seguiu seu cachorro, Índia, para a escuridão do Nene em Paddy's Meadow, mas colocou as leituras em dia no tempo atemporal desde então. Ela vagava, sempre no limiar, por bibliotecas, esgueirava-se espectralmente em salas de estar e rastejava, crepuscular, por salas de aula. A forma atarracada e leve da garota de óculos pairava sem ser vista nos ombros dos estudiosos como um travesseiro cinza e translúcido enquanto ela os seguia por Chaucer, Shakespeare, Milton, Blake e Dickens, até os territórios linguísticos áridos de Joyce e Eliot, com bastante M.R. James e Enid Blyton no caminho. Gostou de quase tudo, principalmente Dickens, embora não tenha se impressionado com a morte da Pequena Nell, que Marjorie considerava uma garota fingida. Se tivesse escrito essa história, alguém teria jogado a chorona no Tâmisa; só para ver como ela lidava com aquilo.

Não que Marjorie pudesse ter escrito *A Velha Loja de Curiosidades*, a bem da verdade. Ela sabia, apesar da recente e inesperada bajulação do sr. Aziel e da família Doddridge, que não era nem de longe tão boa assim. Era emocionante, seria capaz de admitir, pensar que em algum lugar mais adiante na eternidade seu romance já estava terminado, de alguma forma publicado e muito bem recebido. No entanto, por ser do tipo mais realista, Marjorie achava que sua popularidade futura provavelmente se devia mais à peculiaridade de *O Bando de Mortos de Morte* do que a algum grande mérito literário. Além do mais, quase ninguém escrevia livros depois de morto, e menos ainda via seus esforços impressos em uma publicação fantasmagórica, então supôs que qualquer um que o fizesse acabaria recebendo uma boa dose de atenção.

Marjorie era uma iniciante, sabia disso, com somente uma vaga ideia de como elaborar uma narrativa ou moldar uma história. Chegou a algumas conclusões por conta própria — um capítulo pareceria mais completo se colocasse alguma questão menor na mente do leitor logo no início, e depois a respondesse, talvez nas linhas finais —, mas, a não ser por um punhado de artimanhas semelhantes, sentia-se terrivelmente mal equipada para lidar com as exigências que a escrita de um livro inteiro havia colocado sobre ela.

O mais irritante era que ninguém lhe contava como terminar um romance ou como conseguir publicá-lo. Tinha ouvido falar que o sr. Blake ainda publicava, em uma reluzente gráfica nos territórios mais altos de Lambeth, mas parecia uma caminhada longa demais pelo Ultraduto tendo em mãos apenas os onze capítulos esboçados e sinuosos concluídos até então. Ainda assim, a julgar por seus admiradores nos escalões superiores de Almumana, a estoica garotinha admitia que era uma jornada que um dia poderia vir a fazer. Então teria uma cópia encadernada verde e dourada de suas memórias, que poderia esconder em uma fantasia centenária da Escola Spring Lane para que Reggie Bowler a encontrasse em um sonho, que era o que havia inspirado o romance de Marjorie, em primeiro lugar. Quando descobriu de onde vinha o nome do Bando de Mortos de Morte, decidiu que escrever o livro que aparecia nos sonhos onde o nome surgiu seria uma sacada muito inteligente. Um belo artifício literário, como aprendeu que essas coisas eram chamadas — não que alguma vez tivesse dito a frase ao alcance dos ouvidos de seus colegas-fantasmas cascas-grossas, que só tirariam sarro de sua cara. Foi o medo do ridículo, ou até de ser ostracizada, que fez com que a criança destemida se sentisse pouco inclinada a ler ou escrever enquanto estava viva. Lá embaixo, nos Boroughs mortais — o Primeiro Borough —, tudo com que se podia contar era com as outras pessoas, todas no mesmo barco furado. Se começasse a falar de um jeito empolado ou a andar com um exemplar de *Um Retrato do Artista Quando Jovem* debaixo do braço, corria o risco de todos acharem que estava tentando ser mais do que era. Melhor do que eles. As pessoas poderiam somente rir e chamá-la de Crânio ou Lady Sujinha no começo, mas depois quebrariam seus óculos. Apesar de considerar que ninguém de seu grupo atual fosse agir assim, ainda optou por perseguir sua educação literária e começar a trabalhar em seu romance sem contar para ninguém, para não parecer tão burra se não conseguisse.

Embora estivesse com seus companheiros do bando de fantasmas em quase todos os momentos desde que a salvaram da Bruxa do Nene, Marjorie descobriu que era muito fácil manter sua vida dupla secreta como estudiosa e aspirante a escritora, graças à natureza sólida da costura-fantasma. Ali o tempo era algo que podia ser escavado. Era possível abandonar o que estava se fazendo, esconder-se em algum lugar diferente — digamos, passar seis meses assombrando uma sala pública de leitura — e então voltar meio segundo depois de partir, antes que alguém percebesse que havia saído. Marjorie tinha sua própria existência à parte do Bando de Mortos de Morte, e imaginava que os outros membros provavelmente também. Phyllis certa vez falou algo que levou Marjorie a concluir que a menina tinha outra vida adulta, ou vidas, em algum lugar nos limites simultâneos do pós-vida, talvez um marido em uma região e um namorado em outra. Não que houvesse alguma coisa de errado com isso, claro. Phyll Painter tinha vivido até uma idade mais avançada, e era natural que houvesse diferentes períodos nessa vida que quisesse preservar de outras maneiras. Marjorie nem teve tempo de se apaixonar por alguém antes de ir atrás de Índia no frio noturno do rio, então para ela não havia tantas opções. Era o Bando de Mortos de Morte, ou a biblioteca, ou nada.

Dito isso, Marjorie havia ficado impressionada com Tetsy Doddridge. Ali estava alguém que foi arrancada da vida muito mais jovem do que Marjorie, mas que escolheu crescer, postumamente, para se tornar uma mulher vibrante e atraente. Isso significava que Marjorie poderia ter esse mesmo pós-vida para si, se fosse o que queria, e se tivesse coragem. Poderia ser mais alta, mais magra, mais bonita, sem os óculos do sistema de saúde pública que só usava porque precisava deles em vida. Nem seria necessário deixar seus camaradas saberem que vagava pelas casas noturnas espectrais do distrito como uma adorável debutante, já que, quando estava com eles, se manifestaria como uma menina de dez anos quatro-olhos e rechonchuda, como sempre. Marjorie imaginou-se nos braços de um ou outro espectro jovem e bonito, talvez Reggie Bowler, se crescesse uns trinta centímetros e ficasse um pouco mais elegante, ambos rodopiando por um salão de baile fantasmagórico. Imaginando por instantes como seria o sexo, sentiu seu rosto corar em um cinza profundo no continuum incolor da costura-fantasma. Esperando que ninguém tivesse notado, a jovem autora se concentrou em suas circunstâncias presentes para dissipar as nuvens de pensamentos excitantes que a incomodavam desde que se tornou escritora.

Marjorie estava na passarela brilhante do Ultraduto com o Bando de Mortos de Morte e o construtor, sr. Aziel. Olhando pela grade de alabastro, observaram como até os mais ínfimos e irrelevantes momentos dos Boroughs se acumulavam em décadas: séculos de sapateiros e cruzados, com o castelo florescendo como uma rosa de granito enorme e pesada, para murchar com os baluartes de pétalas arrancados, ou caídos, um por um. O tempo fumegava, e em seus cachos de vapor imagens e instantes fugidios flamejavam e derretiam, enquanto o passado e o futuro borbulhavam juntos, simultaneamente e para sempre. Uma das vinhetas trêmulas recicladas em particular chamou a atenção de Marjorie, surgindo como uma chama e fazendo seus movimentos antes de desaparecer, com o ciclo se repetindo a cada poucos minutos subjetivos: em um muro baixo de pedra que havia surgido ao redor da fachada sul da igreja Doddridge, à esquerda, ela viu uma dupla de velhos homens sentados lado a lado, se dobrando de tanto rir. Um dos dois, o mais alto, talvez queer, vestido com um suéter peludo de menina com o cabelo bagunçado até os ombros e o que parecia ser maquiagem no rosto. O outro, chorando de alegria ao lado de seu amigo esquisito, era muito bonito, embora estivesse um pouco careca na frente. Marjorie teve a vaga e incerta sensação de que poderia conhecer esse segundo homem de algum lugar; de que poderia ter encontrado com ele uma vez, mas se esquecido. Estava intrigada com isso quando John magricela a distraiu, gritando do lugar onde estava ao lado do parapeito, com duas crianças mortas e um construtor à sua direita.

— Uau! Cacete! Venha ver o que achei, pirralho. Phyllis, levante ele para ver o que está entalhado nesse gradil.

John falava com o menino novo, Michael Warren. O rapaz alto havia encontrado algo que achava digno de atenção inscrito na balaustrada translúcida que margeava o Ultraduto. Enquanto Phyllis Painter seguia as instruções de John, levantando o garotinho de roupão para que pudesse ver, Marjorie e as outras crianças-fantasmas se aglomeraram em volta deles, assim como o sr. Aziel, ansioso para dar sua espiada na descoberta. Marjorie, na retaguarda do grupo e não muito mais alta que o pequeno Warren, teve de se contentar com descrições de segunda mão, incapaz de olhar para a pichação por si mesma. Mas se certificou de guardar na memória todos os detalhes, ciente de que precisaria deles quando escrevesse seu próximo capítulo, ou "O Enigma da Criança Engasgada", como havia sido informada pouco tempo antes que se chamaria. John apontava para algo rabiscado no gradil para o menininho.

— Vê? Ali, entalhado no mármore ou o que seja, bem ali onde estou apontando. "Snowy Vernall brota eterno". Era-será seu avô, esse. Não, espere. Seu *bisavô*. Deve ter estado aqui no Ultraduto em algum momento, mas só Deus sabe o que usou para gravar o nome no gradil de pedra assim... a menos que tenha afanado um dos cinzéis dos ângulos.

Foi nesse ponto que o sr. Aziel interveio, o artesão lúgubre parecendo um pouco irritado, triste e relutantemente divertido ao mesmo tempo em que pronunciou sua breve explosão de algaravias em cascata.

— Elfisso confultran temo suminsci.

Isso se desdobrou, dentro de uma parte da mente de Marjorie que existia apenas com o propósito de decifrar a fala dos construtores, em um discurso fluorescente em movimento que teria levado uns bons vinte minutos para ser lido, e então condensado novamente no inglês normal do resumo da própria garotinha rechonchuda:

— Ele realmente fez isso, e foi-será meu próprio cinzel que roubou. Com a neta, a linda pequena May, montada em seus ombros, ele saiu a explorar os confins do Ultraduto, caminhando e escalando até os confins do próprio Tempo. Eu mesmo subi há mais de vinte séculos e encontrei esta mesma inscrição esperando por mim, embora ainda não tenha encontrado meu cinzel.

Depois que a mensagem foi absorvida, John soltou um assobio baixo e de admiração.

— Então é por isso que não vejo ele ou a pequena May desde que cheguei aqui. É como quando ele fazia aquelas longas caminhadas, indo e voltando daqui até Lambeth.

O sr. Aziel assentiu.

— Fissme dogami judorma vemfuntru.

Depois de passar pela fase floreada e épica do processo de filtragem verbal, aquela fala emergiu como algo um tanto mais edificante.

— Foi-será isso mesmo. Na verdade, as longas caminhadas dele ajudaram a formar o vinco através do Tempo no qual o Ultraduto foi-será fundado e construído.

Marjorie memorizava tudo com alegria. Era um material tão bom, não apenas como um detalhe de pano de fundo que poderia usar no Capítulo Doze de O *Bando de Mortos de Morte*, mas como um potencial assunto para seu segundo romance, se um dia escrevesse um. Podia até ver a imagem central em sua mente. Snowy Vernall, de cabelos brancos e excêntrico, de quem tinha ouvido falar — todo mundo em Almumana havia escutado falar de Snowy Vernall —, viajando através dos tempos para um futuro distante, com May, a bebê sobrenaturalmente bela, sentada em seu ombro. Marjorie também tinha ouvido falar da adorável criança falecida, mas só se deu conta naquele momento de que a jovem e trágica beldade era parente do louco e destemido operário de campanários citado nas lendas. Pelo que haviam dito a ela, a menina de dezoito meses tinha escolhido permanecer com a mesma aparência de bebê encantadora de antes de ser arrebatada pela difteria, embora sua mente e seu vocabulário tivessem amadurecido até se tornar o que era, segundo todos os relatos, uma jovem sábia e bem-falante; uma Tetsy Doddridge, se tivesse deixado sua aparência infantil intocada. Marjorie imaginou todas as conversas maravilhosas que eles poderiam ter, os diálogos entre o velho estranho e a linda menininha, enquanto faziam uma pausa em sua busca talvez interminável pelo futuro para contemplar algum marco inimaginável, talvez cidades inteiras esculpidas em uma geleira isolada no século XXII, ou vilarejos de tendas no deserto no século XXIV. Percebendo que a nuvem de pensamentos excitantes de escritora havia se insinuado mais uma vez, ela voltou a atenção para a conversa dos colegas do Bando de Mortos de Morte.

Phyllis, que havia colocado Michael Warren no Ultraduto novamente depois de o levantar para que pudesse ver as palavras gravadas no gradil, insistia em voz alta que seus colegas aceitassem a sugestão feita quando voltou para a ponte brilhante e perguntou se alguém ainda estava com fome.

— Vamos. Já ficamos aqui tempo o bastante. Precisamos ir roubar maçãs malucas nos hospícios, como eu falei. Quando encontrei o pequeno aqui nos Sótãos do Alento, estava voltan'o dos depósitos de malucos pra falar pr'ocês que todos os chapéus-de-puck estavam maduros, prontos pra colher. Já que estamos aqui no Ultraduto, bem que podemos ir até Berry Wood, assim pegamos todos. Além disso, cês ouviram o que o sr. Doddridge falou. Pode ser uma experiência educativa pro jovem Michael aqui.

Ninguém discordou, e a própria Marjorie achava que parecia uma boa ideia. Ficou mais perturbada do que saciada com os deliciosos bolinhos e o chá de chapéu-de-puck que a sra. Doddridge servira. A perspectiva, então, de cachos de fadas maduros e úmidos pendurados nos beirais do hospício, aos baldes, pingando suco, era algo bastante atraente. Ela havia descoberto que sempre tinha as melhores ideias para histórias quando se empanturrava de Bedlam Jennies e, além disso, estava sempre interessada em uma excursão musical e literária aos manicômios. Havia heroínas e heróis de Marjorie por lá.

Todos se despediram do sr. Aziel, que apertou a mão de um por um e a de Marjorie duas vezes, antes de partirem corajosamente pelo Ultraduto, que fazia uma curva para sudoeste, enquanto o construtor soturno e ossudo foi se juntar a seus colegas artesãos em algum lugar na parte inferior da Escada de Jacó, perto da base das colunas de apoio da passarela no final do século XVII. Os desordeiros-fantasmas foram pelo caminho cantando alegres a música do clube criada por Phyllis. Marjorie suspeitava que fosse uma velha canção de um bando qualquer que Phyllis costumava fazer parte, mas com a letra modificada.

— Nós somos o Bando de Mortos de Morte! Nós somos o Bando de Mortos de Morte! Somos educados, gastamos uns trocados, aonde vamos somos respeitados. Sabemos dançar, sabemos cantar, sabemos fazer o que precisar, porque somos o Bando de Mortos de Morte!

Até mesmo o intrigado Michael Warren decorou a letra depois de algumas repetições e cantou com vontade, mas com uma vozinha estridente, junto dos demais. Enquanto murmurava em sintonia com aquela marcha abusada, Marjorie refletia sobre o fato de que quase nada da música era verdade. Eles eram o Bando de Mortos de Morte, essa parte era fato, mas fazia algum tempo desde que qualquer um deles se importara em ser educado ou gastara algum trocado. Tecnicamente, também não era possível dizer que fossem respeitados aonde quer que fossem, nem mesmo nos lugares habituais, aonde iam com mais frequência. A maioria dos fantasmas respeitáveis considerava que Phyllis e companhia eram a escória ectoplásmica, e a maior parte dos fantasmas de má reputação concordava. Também não sabiam dançar coisa nenhuma e, no que diz respeito ao canto, Marjorie se deu conta de que o barulho profano que faziam no momento impossibilitava também aquela reivindicação. Fora a parte da educação, dos trocados, da dança, do canto e do respeito, porém, a música estava certa. Eles eram mesmo capazes de tudo.

Ela pensou na noite esquisita em que os conheceu. "Índia! Volte, seu maldito, maldito bicho idiota!". Foi a frase mais pavorosamente construída que já disse, e graças a Deus não a escreveu. Ela entrou no rio e, quando a água gelada entrou em suas botas Wellington, teve seu primeiro momento de incerteza, mas deixou isso de lado enquanto mergulhava nas profundezas da escuridão rastejante do Nene atrás do maldito, maldito cachorro. Ela se lembrou de ter pensado, quando o frio atingiu sua calcinha e sua cintura: "Isso é o que uma menina corajosa faria". Olhando para trás, Marjorie percebeu que teria se saído melhor se pensasse: "Eu sei nadar?". Devia ter pensado que o Nene era mais raso, ou talvez imaginasse que nadar era algo que os mamíferos faziam com naturalidade assim que a água chegava no pescoço. Sendo bem sincera, não tinha ideia do que estava se passando em sua cabeça, além de sua imprudente preocupação com Índia.

O coro estridente de jovens espectrais caminhava pelo Ultraduto, que zumbia e ressoava com seus passos desleixados. Abaixo deles, a Chalk Lane fervilhava de bares, poeira e fanáticos, e, enquanto as crianças mortas passeavam pelo píer elevado com todas as suas pós-imagens se arrastando atrás de si, perceberam que não estavam a sós sobre as tábuas fosforescentes. Luzes opacas fluíam na sua direção do ponto de fuga distante onde os gradis paralelos da passarela pareciam se encontrar, transformando-se em figuras leitosas e translúcidas à medida que se aproximavam, depois passando pelo bando para se arremessar em direção à igreja mais atrás. Como Marjorie sabia, eram viajantes de épocas diferentes que se moviam de um lado para o outro pelo viaduto reluzente. Alguns deles eram, sem dúvida, fantasmas de normandos, saxões, romanos, antigos britões, enquanto outros eram demônios fumegantes e os demais eram construtores. Para esses outros viajantes, o Bando de Mortos de Morte pareceria igualmente fugaz e insubstancial, formas vislumbradas através daquele vasto e atemporal período.

A essa altura, haviam atravessado a Chalk Lane e seguiam pelo trecho peculiar e desdobrado de terreno baldio que se estendia até o muro alto da St. Andrew's Road. Essa era uma característica surpreendente da paisagem, mesmo para os padrões da costura-fantasma, e por isso Marjorie não ficou nem um pouco surpresa quando Michael Warren pediu à turma que parasse para dar uma olhada. Pelo que havia juntado das conversas fantasmagóricas que ouviu, Marjorie entendeu que esse pedaço de terreno acidentado era um exemplo de subsidência astral, muito parecido com os manicômios sobrepostos para os quais as crianças seguiam no momento. A mera noção de um colapso etéreo, a ideia de que mesmo o eterno tinha componentes quebráveis e transitórios, lhe soava tão assustadora quanto confusa, mas a evidência estava bem debaixo de seus pés.

Parte da área superior de Almumana, feita de sonhos e memórias congelados, havia caído sobre a costura-fantasma, fazendo o próprio meio-mundo cinzento ser comprimido na lama e nas poças do domínio material. Visto do Ultraduto, esse nível terrestre mais baixo parecia ser há muito tempo um deserto, sem a constante ascensão e queda de habitações mortais que fervilhavam por toda parte. Apenas as linhas de contorno rochosos daquela terra erma se modificavam, movendo-se para cima e para baixo, com árvores e arbustos desalinhados florescendo por segundos antes de serem sugados de volta para a argila, como transitórias proliferações de fungos. Naquele pedaço relativamente pequeno de terra corpórea, as estruturas imaginárias e expandidas em enorme escala de Almumana haviam caído, fazendo a área que olhavam abaixo parecer imensa: um aterro escancarado, no qual bordas retas eram cortadas em penhascos imponentes de sílex, calcário e solo compactado. O que não eram mais do que poças lá embaixo no terreno acidentado do nível mortal também eram refratadas nos espaços mais altos que haviam desmoronado mais acima, com os derramamentos separados de chuva cor de petróleo desenrolando-se em uma lagoa opaca que batia contra os muros de barro altos e irregulares. Vista de cima, a escavação parecia enorme, pré-histórica, como uma monstruosa piscina de rochas onde as fantasias fugitivas de Almumana ou espectros alquebrados da costura-fantasma esmagada poderiam fugir como caranguejos terríveis sob o tremor preto e prateado da superfície reflexiva do lago. Em suma, parecia um lugar fantástico para pequenas aparições maltrapilhas se divertirem, e o menino Warren perguntou se poderiam descer e brincar lá por um tempo. Phyllis recusou, é claro, embora não de maneira indelicada. Algo na postura de Phyll Painter em relação a Michael Warren parecia ter mudado drasticamente desde que todos foram visitar a igreja Doddridge, pelo menos na opinião de Marjorie.

— Se é ali que cê quer ir, então vamos dar uma olhada um pouco mais tarde, no caminho de volta dos hospícios. Vamos primeiro afanar a colheita, assim não vamos brincar de estômago vazio e ficar se irritando um com o outro. Que tal?

Aquilo pareceu acalmar o mascote deles, e assim seguiram em frente, atravessando o profundo declive da St. Andrews Road e mais adiante, a estação ferroviária e o rio, o que, como sempre, fez com que Marjorie pensasse na má sorte que lhe coube, e na Bruxa do Nene.

Ela soube que ia se afogar no momento em que as biqueiras de seus sapatos gastos não conseguiram localizar o fundo do rio e por fim entendeu a física elementar de sua situação. Ainda assim, haviam lido para ela histórias vitorianas nas quais as heroínas deslizavam com toda a tranquilidade e elegância para uma morte aquática, as anáguas ondulando ao redor delas, abrindo como anêmonas de renda, o que fazia com que o afogamento parecesse uma maneira bastante fácil, digna e, acima de tudo, poética de morrer. Isso, claro, acabou se revelando tão útil quanto uma pilha de merda.

Em suas leituras post-mortem, Marjorie havia aprendido que o primeiro estágio do afogamento era o que os especialistas chamavam de "luta da superfície", o que, em seu ponto de vista, era uma descrição sucinta e precisa do processo, ou pelo menos de como ela se lembrava: a primeira coisa era a percepção assustadora da dificuldade em manter a cabeça erguida onde ainda existe ar para respirar. Caso não seja possível nadar, o que se tenta fazer é sair do rio como se estivesse em um fluxo de escadas, em vez de água gelada. Quando não funciona, você se debate um pouco em desespero e depois cansa, para de se mover por apenas um segundo e afunda. Ao afundar, prende a respiração e espera que aconteça o desmaio vitoriano, para ignorar o que está acontecendo, mas isso não acontece e, por fim, acontece o inevitável...

Tremeu e ficou triste só de pensar... A ideia, a lembrança daquilo, a fazia cerrar os dentes fantasmagóricos e os dedos de seus pés-fantasmas se encolherem.

Por fim, é impossível não abrir a boca e aspirar um pouco de água, o que faz você tossir e assim inalar muito mais e... *aarrgh*. Era insuportável, a dor negra lembrada em seu peito. Aquele momento terrível em que se entende que nunca mais vai respirar, e que a vida está acabada, enquanto a escuridão vazia e na periferia do campo de visão começa a se aglomerar no centro, e a dor e o horror parecem acontecer a outra pessoa; aquela garotinha de óculos e gordinha lá embaixo.

No entanto, foi a parte seguinte — o estágio de afogamento mencionado em todos os lugares, mas muito raramente escrito em jornais respeitáveis – o momento em que tudo se tornou estranho e inesperado. Era a suposta junção do processo de afogamento em que "você vê toda a sua vida passar diante de seus olhos", e sim, Marjorie podia confirmar por experiência própria que foi isso o que aconteceu, embora não da maneira que a frase sugeria. Marjorie achava que, quando toda a sua vida passasse diante de seus olhos, seria como um velho filme de Mack Sennett, cheio de pessoas aceleradas correndo por cada episódio cômico ou sentimental. A realidade do que se abriu dentro de sua mente enquanto descia em direção aos sedimentos ascendentes do fundo do rio com os pulmões cheios de verde congelante, no entanto, não era nada disso. Para começar, o cenário de *Keystone Kops* imaginado por ela teria seus incidentes vertiginosos e acelerados todos acontecendo em uma sequência, em ordem cronológica, com uma coisa após a outra. Isso não chegava nem perto de descrever o fenômeno que Marjorie mais tarde descobriu que se chamava "Revisão da Vida".

Foi um mosaico de momentos, um arranjo como os azulejos de Delft que Marjorie havia observado pouco tempo antes em torno da lareira da casa dos Doddridge. Cada segundo vital de sua vida estava lá como uma requintada miniatura em movimento, preenchida com o significado mais intenso e delineada em cores tão profundas que faiscavam, mas não dispostas em alguma ordem perceptível. Além disso, cada cena era menos uma vinheta pintada do que uma experiência integral, portanto olhar para um instante retratado era revivê-lo com todos os seus cheiros e sons e palavras e pensamentos intactos, com seus prazeres chocantemente fortes e suas provações bem vívidas.

As imagens brilhantes e vivas não eram nem um pouco como, digamos, por exemplo, *The Rake's Progress*[17], pois para começo de conversa não estavam todas dispostas como uma progressão de eventos e, em segundo lugar, não tinham uma moral. Alguns dos episódios iluminados retratavam feitos dos quais Marjorie não se orgulhava, outros mostravam o que considerava seu melhor lado, e a maioria parecia bem neutra, até insignificante. Em nenhuma das vinhetas reluzentes, porém, havia um sentido de julgamento moral, ou a impressão de que uma imagem representava coisas boas que realizou, enquanto outra remetia aos malfeitos que cometeu. Em vez disso, a principal percepção que acompanhava o movimento tesselado de imagens era mais a de responsabilidade: aquelas, boas ou más, eram coisas que Marjorie havia feito.

Como exemplo, ela se lembrava agora de um dos que, na época, pareciam os cenários mais monótonos e menos promissores. Em meio ao mosaico à sua frente havia um estudo em tons suaves de marrom e cinza, Marjorie e a mãe na cozinha apagada da casa na Cromwell Street. A mãe remexia no fogão, esquelética e desanimada, com uma expressão de exasperação enquanto a filhinha puxava suas saias e fazia súplicas. Ao examinar aquele instante, suspenso junto dos outros na cintilante cortina repleta de imagens que se movimentavam diante dela, Marjorie viveu tudo de novo até seus mínimos detalhes. Sentiu mais uma vez o cheiro insosso do rolo seboso de bacon e cebola que a mãe preparava, e ouviu o ritmo tão familiar da torneira de metal amassada quando seu padrão de gotejamento particular caiu na velha pia de pedra. Uma das hastes de baquelite de seus óculos feios roçava a orelha direita, onde havia feito uma ferida rosada e, acima de tudo, reviveu cada impulso, cada ideia que se passava em sua cabeça e cada sílaba que passou por seus lábios enquanto estava na cozinha sombria, atormentando a pobre mãe incansavelmente, as mesmas palavras repetidas vezes e mais vezes. "Podemos, mãe? Podemos ter um cachorro? Por que não podemos ter um cachorro, mãe? Mãe? Mãe, podemos? Eu cuidaria dele. Mãe, podemos ter um cachorro?"

Não era bom, não era ruim, era apenas algo que Marjorie tinha feito. Ela era a responsável. Era responsável por insistir até que seus pais finalmente cederam e lhe compraram Índia, o cachorro que levaria Marjorie pelos juncos e pelas profundezas geladas e ofegantes. A percepção tinha sido chocante e sóbria, apenas uma entre milhares dessas pequenas revelações brilhando na exibição sobrenatural de destaques extraídos de sua curta vida. Ela ficou pendurada em uma espécie de nada reluzente, contemplando todos os mistérios de sua existência e descobrindo que as respostas sempre foram óbvias. Marjorie não sabia por quanto tempo havia permanecido nessa condição — poderia ter sido um século ou apenas aqueles segundos finais em que seu coração parou e seu cérebro se desligou —, mas ainda conseguia se lembrar com absoluta precisão de como e quando o devaneio eterno tinha terminado.

Ela notou movimentos sutis na superfície dos ladrilhos do tempo espalhados à sua frente — fios de luz em movimento, falhas luminosas que pareciam viajar do centro da montagem pictórica até suas bordas — e percebeu depois de um tempo que eram ondas. Era como se a visão caleidoscópica de sua vida tivesse se tornado líquida, ou como se tivesse sido líquida desde o início, o menisco imóvel de um lago que só agora era perturbado por algum movimento invisível em suas profundezas sob a superfície cintilante e visionária.

Foi quando o rosto gigante da Bruxa do Nene irrompeu por três dimensões salientes para surgir da tela plana e decorada de memórias de Marjorie.

As imagens se desfaziam em espuma colorida de lagoa; coágulos molhados de pele de bexiga de tinta a óleo vívida deslizando como muco de arco-íris através dos fios de mato que se arrastavam de cada lado daquele horrível rosto esculpido. Os fragmentos viscosos da vida rememorada da menina afogada deslizaram por uma sobrancelha projetada para a frente com tanta agressividade que era quase plana; as têmporas brutais e estreitas de um lúcio. Bocados de reminiscências rosa e turquesa, ainda com restos fluidos e distorcidos de um lugar ou pessoa familiar rolando em seus contornos gelatinosos, pingavam da saliência grotesca da testa para escorrer pelas bocas sem luz das grutas-cavernas das órbitas oculares, ou escorriam para baixo pela ameaçadora lâmina de foice do nariz da criatura. Nas profundezas negras de suas cavidades oculares, havia um brilho pegajoso de molusco e, embaixo de uma probóscide em forma de gancho, tão grande quanto a própria Marjorie, uma boquinha horrível se fechava e se abria como se mastigasse lama ou pronunciasse uma complicada maldição silenciosa. Havia gatos mortos e esqueletos corroídos de bicicletas entre os dentes tortos e podres feitos de caixote de chá afundado.

A Revisão de Vida despedaçada se derreteu, transformou-se em filamentos de pigmento diluídas flutuando na sopa turva do Nene noturno, e Marjorie se viu de volta debaixo d'água, porém não mais dentro de seu próprio corpo, que tombava para longe dela, um pacote cinza e irregular que colidiu lentamente com o leito assoreado do rio em meio aos acúmulos de lama e camisinhas. Marjorie se viu à deriva em um continuum de preto e branco sem temperatura, onde pareciam brotar braços e pernas extras a cada movimento. No entanto, por mais alarmante que tenha considerado esses fenômenos estranhos, eles não eram sua maior preocupação.

A ondina, o elemental da água que ela mais tarde aprendeu a chamar de Bruxa do Nene, estava com ela no crepúsculo subterrâneo. O rosto enorme da monstruosidade estava bem diante de Marjorie, meio lúcio e meio velha deformada, com a mandíbula aberta, as presas podres dragando pela areia do leito. O corpo translúcido do ser espectral se arrastava atrás dela na escuridão do rio, uma coisa indefinida e longa que parecia ser em sua maior parte pescoço, uma enguia de três metros de espessura ou talvez uma seção do cabo transatlântico. Próximos da enorme cabeça da criatura, bracinhos mirrados exibiam garras enormes e dedos palmados cresciam do tronco para os dois lados. Um deles havia se desdobrado, com uma breve impressão de ter cotovelos demais, para agarrar a forma ectoplásmica confusa e indefesa de Marjorie por um dos tornozelos, arrastando a fantasminha recém-nascida e levando-a até o nível dos olhos, para examiná-la melhor.

Suspensa diante daquela aparição horrenda, com sua juba de algas ondulando e convulsionando ao redor dela, olho no olho de caracol, Marjorie observou os movimentos de mastigação da boca medonha e pequena demais e concluiu que aquele não era o habitante de nenhum inferno ou céu de que já tivesse ouvido falar. Aquilo era outra coisa, algo aterrador que implicava um pós-vida de pesadelo infinito e insondável. Em que tipo de universo todos viviam, ela pensou com uma mistura de medo e raiva, quando uma criança de dez anos que apenas tentou salvar seu cachorro não era recebida por Jesus, anjos ou um avô com saudades, mas por essa abominação rangente e salivante, com a cabeça do tamanho de um trem?

A pior coisa, porém, foi o momento em que finalmente encontrou o olhar da aparição, olhou para os poços sem luz que eram suas órbitas e viu os olhos brilharem em suas profundezas como espirais de amonites. Naqueles segundos terríveis, e embora não quisesse isso de jeito nenhum, Marjorie entendeu a Bruxa do Nene. Todos os detalhes horríveis e indesejados de quase dois mil anos sozinha na escuridão fria haviam inundado a consciência paralisada da menina recém-falecida, enchendo-a de metal iluminado pela lua e fetos abortados, os sonhos odiosos de sanguessugas, até que todo o terror explodiu dela em um grito longo e borbulhante que nenhum ser vivo podia ouvir...

Marjorie percorria o Ultraduto de um branco bem lavado atrás de seus colegas tagarelas. Sabia que era conhecida por não falar muito, mas só porque estava sempre pensando, tentando encontrar as palavras certas para transmitir memórias e sentimentos urgentes, para que pudesse colocá-los em uma página que seria de uma *ghost writer*, no sentido mais literal do termo. A passarela elevada agora os levava em segurança para o outro lado do rio e acima da pastagem afundada de Foot Meadow, até Jimmy's End. Uma vez passado o redemoinho remanescente da torrente cor de chumbo, Marjorie descobriu que podia deixar para trás o que havia acontecido bem ali, pelo menos por ora, e voltar sua atenção para o paradeiro atual deles.

St. James's End, que borbulhava abaixo deles enquanto olhavam da ponte-alma em seu fluxo contemporâneo, parecia ter sido possuído desde o início por um ar de distrito sombrio. Até os casebres saxões que se construíam e se demoliam nas camadas de tempo mais profundas pareciam estar muito separados entre si, com grandes lacunas solitárias varridas pelo vento entre um e outro. Em níveis mais modernos, coexistindo com as cabanas de barro e palha de uma lavra anterior, as lojas vitorianas apertadas ganhavam vida recém-pintadas e depois faliam, desmoronando em uma decepção de vidro ensaboado e painéis descascados e queimados pelo sol. Uma garagem de ônibus florescia e morria repetidamente, com os ônibus de dois andares empoleirados em um pátio castigado para sempre pela chuva, e uma espécie de modernidade maltrapilha e impetuosa estava por toda parte do bairro, espalhando-se e encolhendo como uma peste pelas vitrines insondáveis. O que era um Carphone Warehouse? O que era Quantacom? Em portões de madeira de mandíbula aberta e cercas feitas de metal corrugado, pichações se contorciam, evoluindo da caligrafia elegante e sentimentos simples de "Que o Diabo leve o rei", passando por BUF e NFC e GEORGE DAVIES É INOCENTE[18] em maiúsculas lisas e utilitárias, até um léxico derretido e fluorescente de arabescos ilegíveis e maravilhosos: inescrubelos. Marjorie queria poder ver aquilo em cores.

O Bando de Mortos de Morte seguia em frente, conversando, assobiando e cantando pela passarela brilhante que passava sobre St. James's End, mergulhando acima da Weedon Road e saindo em Duston. Ali, nos estratos mais recentes da paisagem temporal simultânea, havia residências mais bonitas, pelo menos quando comparadas com as fileiras de casas cobertas de fuligem dos Boroughs. Geminadas em apenas um dos lados, eram as casas de famílias que, com muito trabalho ou sorte, conseguiram se colocar a uma distância considerável e literal dos bairros oprimidos em que seus pais nasceram. Casas como as de Duston, não os simpáticos chalezinhos de pedra do vilarejo original, e sim as habitações posteriores, sempre pareceram a Marjorie ter expressões de sofrida condescendência em seus grandes rostos chatos, tendo algo a ver talvez com a disposição das grandes janelas modernas, que prometiam ambientes arejados. Todas tinham o aspecto de alguém sentindo cheiro de peido. Mas, na opinião de Marjorie, quem acusava muito provavelmente era o culpado por liberar os gases no ar.

Do seu ponto de vista atual, olhando para a arquitetura de uma dúzia de séculos ocorrendo ao mesmo tempo, Marjorie não conseguia ver as pessoas, vivas ou mortas, que supostamente deveriam fazer fervilhar de movimento as diversas estruturas que subiam e desciam. Comparadas com ruas ou prédios estáticos, fantasmas e pessoas vivas nunca ficavam parados por tempo o bastante para serem registrados na fervura urbana acelerada visível ali de cima no Ultraduto. De qualquer modo, Marjorie já havia se aventurado por ali antes, na costura-fantasma comum, e sabia dos fantasmas que residiam nos becos sem saída cinzentos, drenados e crescentes sobre as quais o bando passava, embora não pudessem ser vistos em lugar algum no presente.

Ela sabia, por exemplo, que os estábulos agradáveis mais abaixo tinham uma costura-fantasma muito mais movimentada do que as ruas decadentes dos Boroughs. Se no meio-mundo fantasmal sobreposto à Scarletwell Street se podia encontrar talvez mais um ou dois fantasmas em determinado momento, naquele local mais abastado havia dezenas de médicos, banqueiros, gerentes de escritório e donas de casa bem penteadas, mortos e vagando ao lado de canteiros bem cuidados ou passando as mãos melancólicas e imateriais sobre os contornos de carros estacionados. Nas salas de visita silenciosas das casas vendidas pelos filhos adultos após a morte dos pais, encontraria casais falecidos pouco comunicativos, criticando as reformas do novo proprietário, preocupando-se para sempre com a valorização ou depreciação de sua antiga propriedade. Às vezes se via uma multidão deles: um grupo espectral de ação cívica sombriamente parado às margens de alguma antiga campina onde costumavam passear com seus labradores e onde um novo condomínio estava em construção. Ou isso, ou se reuniriam no quintal de um casal qualquer de paquistaneses que houvesse acabado de se mudar para a área, apenas para olhar e murmurar sua desaprovação, em manifestações tornadas duplamente inúteis pela invisibilidade dos manifestantes. Deve ser por isso, concluiu Marjorie, que nunca se deram ao trabalho de fazer cartazes.

Era engraçado, agora que pensava nisso, todas as diferenças que havia entre o mundo espiritual acima dos Boroughs e aquele sobre essa categoria melhor de vizinhança. A principal diferença, paradoxalmente, era que nos Boroughs não havia nada sequer próximo daquele número de moradores de rua, pessoas que mesmo no pós-vida estavam tão distantes do sossego. Além disso, os espectros infelizes do bairro mais pobre eram em sua maioria castigados apenas pela baixa autoestima, uma sensação de que não foram bons o suficiente em vida para habitar o distrito superior de Almumana. No entanto, isso não parecia ser o que mantinha os tipos bem-sucedidos ali debaixo presos a seus habitats terrenos. Seria, então, o contrário? A costura-fantasma das distintas áreas residenciais pelas quais o bando passava era ocupada por almas que se achavam boas demais para o Céu?

Não. Não, Marjorie suspeitava que não fosse algo assim tão óbvio. Talvez fosse mais porque os pobres tinham menos coisas materiais de que não conseguiam abrir mão. Afinal, não havia muito sentido em ficar rondando a casa em que você viveu a vida toda quando ela foi demolida ou entregue pela prefeitura para outros inquilinos. Pelo menos não para quem morava de aluguel, de qualquer forma. Era muito melhor subir às "muitas mansões" de Almumana[19], como a maioria das pessoas dos Boroughs fazia. Os espíritos por ali não tinham os mesmos incentivos para a salvação que existiam no local de onde Marjorie vinha, mas ela ainda não estava totalmente convencida pelo próprio argumento. A incapacidade de se desapegar dos bens materiais não parecia uma razão suficiente para se renunciar às glórias do Segundo Borough, por mais que a pessoa fosse rica. Aquilo não soava verdadeiro. Havia muitas pessoas excelentes em Almumana que não eram de forma alguma da classe trabalhadora e, no entanto, correram para o Andar de Cima sem pensar duas vezes logo após o fim da vida. O sr. Doddridge e sua família, por exemplo. Deveria ser outra coisa, algum outro fator que impedia que tantos dos moradores dos distritos mais afluentes subissem para as avenidas eternas lá do alto.

Depois de pensar por um momento, concluiu que provavelmente era o status. Essa era a palavra que sua mente de escritora iniciante procurava. Os fantasmas abastados abaixo dela evitavam Almumana porque o status terreno das pessoas não tinha significado por lá. Além de construtores, demônios, os Vernall, as defunteiras e casos especiais, como a família Doddridge ou o sr. Bunyan, Almumana não tinha classes. Uma alma não poderia ser classificada como superior a outra, a não ser pelas virtudes inatas que porventura possuísse, e mesmo isso estava nos olhos de quem as contemplava. Para aquela gente que nunca se preocupou com status, fosse qual fosse sua classe, subir para Almumana não representava nenhuma dificuldade. Por outro lado, para aqueles que não podiam suportar aquela plebe radiante, na prática era impossível.

Ela pensou nos poucos pedaços da Bíblia de que se lembrava da escola dominical, a parte sobre o camelo passando no buraco da agulha para representar o tamanho do desafio que seria para as pessoas ricas subirem ao céu. Quando ouviu isso, achou que deveria haver alguma lei no paraíso proibindo os abastados de entrar, mas agora percebia que não era bem assim. Não existiam regras para a entrada em Almumana. Eram as pessoas que se mantinham fora, ricas e pobres, porque se consideravam boas demais para se misturar com quem estava por lá, ou então indignas disso.

Explorando ainda mais essa ideia – talvez viesse a ser um poema ou um conto um dia, quem poderia dizer –, Marjorie sentiu que também poderia se aplicar aos aristocratas de berço, aqueles que eram realmente refinados e ricos, as classes altas com suas propriedades rurais ou castelos nas cidades e vilas nos subúrbios de Northamptonshire. Por definição, os bens materiais e o status aos quais teriam que renunciar eram muito maiores do que o do resto das pessoas. Não era de admirar que houvesse tão poucos grã-finos em Almumana. Ah, era possível encontrar um ou outro, raridades que nasceram no luxo, mas nunca deram muito valor para sua posição ou até viraram as costas para isso, mas eram uma minoria ínfima. A grande maioria no Andar de Cima era das classes trabalhadoras de uma dezena ou mais de séculos, com uma confortável vantagem em relação aos remediados, seguidos muito de longe por um punhado de condes, lordes e cavalheiros arrependidos e isolados como espinhas de ouro naquele traseiro exposto.

Se por um lado a costura-fantasma dos Boroughs estava, como consequência, quase deserta, por outro as ruas nos distritos residenciais mais respeitáveis pareciam até cheias de profissionais liberais póstumos e afins. Como devem ser as casas senhoriais? Cheias de assombrações e *banshees* de incontáveis gerações com ressentimentos medievais, todas reivindicando sua senioridade e se perguntando onde tinham ido parar todos os criados... Marjorie se torceu de rir. Não era de admirar que os lugares chiques tivessem tanta fama de assombrados: estavam perigosamente superpovoados, com suas fendas de pedra rangendo com fantasmas e espectros ancestrais, vinte em cada sala de visitas, contrariando os regulamentos astrais de segurança contra incêndios. Era estranho pensar em todas as colunas e palácios majestosos como cortiços superlotados, casas de pensão fantasmagóricas com o tio-bisavô sifilítico Percy delirando sobre Gladstone no cômodo ao lado, mas de certa forma a ideia fazia todo o sentido. Os primeiros serão os últimos, e tudo mais. Justiça esteja acima da Rua.

Caminhando à frente de Marjorie, o pequeno Bill de Phyllis, sempre aprontando alguma, debatia seriamente todos os prós e contras da criação de mamutes-fantasmas com Reggie Bowler, que não parecia convencido.

— Levaria um tempão, isso de cavoucar de volta para a idade do gelo pra gente conseguir pegar um mamute-fantasma. Acho que você não pensou nos detalhes.

— Não seja tonto. Claro que pensei, e vai ser sopa no mel, tô te falan'o. Que importa se levar séculos, seu trouxa idiota? A eternidade não é isso? Não é uma coisa que leva um tempão? Podemos cavar de volta, achar um mamute, levar o tempo que quisermos pra amansar ele e então trazer de volta pra cá cinco segundos depois que saímos.

— Como vamos amansar ele, então, e como você vai saber se era-será ele? Pode ser, sei lá, uma mamuta, talvez.

— Ah, puta merda. Olha, somos parceiros nesse plano do mamute ou não somos? Não faz diferença se era-será macho ou fêmea. Sobre a parte de amansar, era-será só ganhar a confiança do bicho dando um monte do que mamutes-fantasmas gostam de comer.

— E o que era-será, já que você era-será tão inteligente?

— Não era-serei inteligente, Reggie, só não era-serei um puta de um burro igual você. Chapéu-de-puck, Reg. Vamos dar chapéus-de-puck pra eles. Me fala uma coisa morta que recusaria um saco de chapéus-de-puck.

— Monges. Alguns monges-fantasmas, eles não podem comer, porque acham que tem demônios neles.

— Reggie, não vamos encontrar um mamute que acredite nisso, confia em mim. Não tinha nenhum mamute cristão. Mamutes não tinham religião.

— Bem, talvez seja por isso que todos morreram, então, você não tem como saber.

Marjorie ignorou essas bobagens e se concentrou nos coros do amanhecer sobrepostos de vários séculos de pássaros, uma maré de som feliz que se derramava pelo céu e soava maravilhosa, apesar do abafamento da costura-fantasma. Na verdade, sem a acústica monótona do meio-mundo, poderia ter sido insuportável.

O Ultraduto passou por Duston, a extensão de brilho de fita de magnésio correndo nivelada com o borbulhar multitemporal das copas das árvores. Marjorie conseguia saber quais eram as mais antigas e mais permanentes por mudarem menos e por seus galhos superiores parecerem vivos com um fogo de santelmo de cores suaves, mesmo no monocromo a la Cecil Beaton da costura-fantasma. Isso acontecia porque as árvores mais antigas, todas construções quadridimensionais por si sós, surgiam do plano material nos Sótãos do Alento, nas regiões correspondentes de Almumana, com todos os pombos favorecidos subindo e descendo seus troncos transcendentais, entre dois mundos.

Marjorie se perguntou como deveria ser uma árvore, nunca se mover a menos que apanhada pelo vento, somente crescer e seguir no tempo, com os galhos nus varrendo o futuro, arranhando a próxima estação e a estação depois daquela. Enquanto isso, as raízes atravessavam animais ou pessoas enterradas, contorcendo-se através de pontas de flechas de sílex e entre as costelas do mamute de Bill e Reggie, alcançando o passado. Às vezes, um tronco serrado expunha uma bala de mosquete encravada, um pequeno meteorito de ferro mortal cercado pelo espessamento da idade e do tempo, com os anéis de crescimento se espalhando como ondas de espuma para engolir aquele instante violento dos anos 1640 em uma sufocante maré de madeira.

Teriam as árvores algum tipo de consciência, ela se perguntou, do fluxo animal e humano que se movia tão freneticamente em torno delas em sua longevidade imóvel? Marjorie achava que as árvores deviam ter *algum* conhecimento da atividade dos mamíferos, mesmo que apenas no sentido histórico mais amplo: vales neolíticos florestados reduzidos a tocos negros pelas primeiras queimadas e áreas de madeira derrubada para erguer os primeiros assentamentos. As guerras deixariam seus lembretes — lanças e estilhaços afundados na casca — enquanto enforcamentos, pragas e dizimações produziam um bem-vindo composto orgânico humano; nutrientes para estimular crescimento renovado. As extinções provocadas pela caça excessiva, pelo homem ou por outros predadores, mudariam e modificariam o mundo da floresta em que essas gigantes atemporais existiam, às vezes sem maiores consequências, às vezes desastrosamente. Os séculos acumulados seriam acompanhados por transbordamento urbano, alvarás de construção, carregadeiras amarelas e escavadeiras. Tudo isso teria seu impacto, enviando tremores pelo contínuo silencioso de uma consciência arbórea, uma consciência vegetal que circulava com a seiva.

Ela considerava provável, portanto, que as árvores conhecessem o mundo humano mesmo à distância. Os eventos de grande escala acabariam sendo absorvidos, se tivessem a duração necessária. Aqueles despojos e esgotamentos que duraram anos ou séculos seriam registrados, mas e as interações mais fugazes? A floresta notava cada coração escavado, cada declaração de amantes cortada a fundo para disfarçar pressentimentos ou incertezas? Haveria um registro de cada cachorro que passeava e seu mapa de urina? A rainha Elizabeth I, de acordo com o que Marjorie se lembrava, estava sentada sob a sombra de uma árvore ao ser foi informada que herdaria o trono, enquanto a rainha Elizabeth II, cerca de quinhentos anos depois, estava em cima do galho de uma árvore. O que dizer da macieira anedótica sob a qual Isaac Newton sentou-se enquanto formulava as ideias que impulsionariam a era da máquina, ideias que colocariam o maquinário de obras em seu avanço implacável em direção aos bosques? Houve algum farfalhar nervoso nas folhas? Os galhos suspiraram com uma premonição cansada? Marjorie achava que era bem provável, pelo menos no sentido poético, o que para ela bastava.

A passarela de alabastro onde as crianças fantasmagóricas estavam agora se curvava ao se aproximar dos hospícios, entre as copas das árvores simultaneamente murchas e florescentes. Olhando por cima do ombro, Marjorie podia ver as imagens das crianças dissipando-se atrás dela em uma multidão de aparência arruaceira, embora silenciosa. Estudou a própria imagem atarracada, caminhando na retaguarda do grupo, e ficou desapontada pela aparência apática e inexpressiva. Quase imediatamente, porém, as múltiplas exposições posteriores alcançaram o instante em que Marjorie se virou para olhar para trás, e ela percebeu que espremia os olhos sem muito interesse de fato para ver a parte de trás da própria cabeça. Observando que daquele ângulo ela parecia ter um problema de caspa fantasma, olhou para a frente mais uma vez enquanto o Bando de Mortos de Morte desacelerava o passo até parar no viaduto celestial. Parecia que Michael Warren precisava de mais alguma explicação.

— Por que aquele lugar na frente escava todo estanho? Não caro da gosta dele.

A criança parecia ansiosa. Marjorie sabia pela forma com que ele misturava as palavras com conversa onírica, ainda não habituado por completo com o vocabulário mais elástico do pós-vida. Mas ela entendia exatamente o que ele queria dizer, e compreendia muito bem as razões da apreensão do menininho.

À frente deles, a passarela brilhante seguia por cima de uma extensão da costura-fantasma que parecia muito mais anormal do que o normal, por assim dizer. Por um lado, havia clarões súbitos de matiz vívido entre o implacável cinza do meio-mundo abafado. Por outro... bem, o ar em si estava meio enrugado, assim como as estruturas estranhas que se via através dele. O próprio espaço parecia ter sido horrivelmente mutilado, amassado como papel no punho de um gigante, com dobras aleatórias correndo por toda parte e todos os terrenos e prédios do lugar mais abaixo transformados em uma colagem desajeitada e louca. A fragmentação e a distorção espacial, somadas ao deslocamento e fluxo de diferentes tempos, tornavam os manicômios uma visão alarmante. A realidade era esmagada em um emaranhado facetado e caótico do agora, lá e aqui e então: uma topografia indescritível que era num momento cristalina e convexa e no outro um campo de cavidades e buracos de formas estranhas, onde formas invertidas em preto e branco eram saturadas de tempos em tempos por rajadas coloridas de um azul alucinatório assustador, ou um laranja polinésio quente e lúgubre. Imaginando como Phyllis Painter poderia explicar esse espetáculo demente e ainda assim glorioso para um Michael Warren de olhos arregalados, Marjorie era toda ouvidos. Poderia aprender algo importante e, além disso, sempre fazia um esforço para se lembrar dos diálogos.

— Bem, aqui tamo chegan'o ao que chamam de hospícios ou manicômios. Era-será um pouco como aquele terreno baldio esquisito entre a Chalk Lane e a St. Andrew's Road que vimos antes, onde eu disse que podíamos voltar e brincar no caminho de volta, cê deve lembrar. Nos dois lugares tem um tipo de afundamento. Por algum motivo, pedaços do Andar de Cima caíram pro Andar de Baixo. O que estamos ven'o, ali, no mundo lá embaixo, era-será mais ou menos o mesmo lugar que o Berry Wood, o hospital pra cuidar da cabeça.

Saint Crispin, é como chamam. Mas, como a maioria dos que moram ali embaixo eram-serão malucos, é um pouco mais complicado do que parece. Olha, em Almumana, onde te encontrei nos Sótãos do Alento, todas as lojas e as avenidas, tudo era-será feito de um tipo de casca dos sonhos das pessoas, da imaginação delas. O problema aqui era-será que metade dos lunáticos que esses lugares tiveram, eles não sabem nem onde estão. Alguns não sabem *quando* estão, então a área em Almumana em cima dali era-será feita de sonhos e memórias errados. Os pensamentos, no Andar de Cima, são o material dos construtores, e se os pensamentos eram-serão defeituosos aí toda a arquitetura do que se faz com eles também era-será defeituosa, e foi isso o que aconteceu aqui. Uma parte defeituosa de Almumana desabou e amassou a costura-fantasma, e por isso todos os hospícios de Northampton caíram em um só lugar, pelo menos do nosso ponto de vista. Como os pacientes não têm muita ideia de em qual hospital eles estão, tudo fica confuso nos níveis mais altos também. Era-será para isso que estamos olhando ali, o hospital St. Crispin, na Berry Wood, mas pedaços eram-serão do Hospital St. Andrew, na Billing Road, e outros eram-serão do hospício que ficava em Abby Park, onde era--será o museu agora. Todas essas cores que brilham, isso é o entulho colorido de Almumana que terminou se misturando com a costura--fantasma. Era-será uma confusão danada, e espera até a gente descer lá! Loucos vivos e mortos por todos os lados, e nem eles sabem quais eram-serão uns e quais eram-serão outros!

Marjorie concordou em pensamento. Foi uma avaliação dos hospícios tão sucinta quanto ela mesma poderia ter feito, e não sabia antes que o afundamento no Segundo Borough havia sido causado pelas mentes frágeis e defeituosas que o sustentavam no reino terrestre. Sabia que todas as diversas instituições psiquiátricas se sobrepunham, o que permitia aos internos delirantes de um lugar ou tempo se misturar livremente com os zumbis dopados de outro, mas não entendia bem como tudo funcionava. A explicação de Phyllis também dava sentido às surpreendentes erupções de cores puras: as qualidades visuais de uma Almumana em colapso reagindo com as explosivas emoções dos perturbados mentais.

Com a curiosidade de Michael Warren agora plenamente satisfeita e com seus medos apenas um pouco aplacados, o bando de fantasmas seguiu pelo

Ultraduto, aprofundando-se na dobra e no fluxo dos hospícios. Marjorie, que teve seu devaneio interior interrompido pela pergunta da criança, descobriu que não conseguia se lembrar do que estava pensando. Sem dúvida era alguma reflexão literária sobre pássaros ou nuvens ou algo assim, mas agora tinha desaparecido. Na falta de uma distração, Marjorie Miranda Driscoll encontrou seus pensamentos retornando ao costumeiro fluxo de memórias e imagens sombrias, as mesmas coisas que buscava evitar quando se entregava às reflexões literárias.

A forma imensa e sombria da Bruxa do Nene estava na escuridão do fundo do rio diante da criança afogada, com seu comprimento horrível e incalculável se arrastando atrás dela na escuridão subaquática. Fragmentos brilhantes da Revisão de Vida despedaçada de Marjorie ainda estavam presos nos emaranhados estrangulados do cabelo da criatura, girando e se enrolando em torno de ambas. Uma das mãos de guarda-chuva pterodáctilo da Bruxa envolvia o tornozelo da menina recém-morta, segurando-a enquanto a observava. Bem no fundo dos poços viscosos que eram suas órbitas, tinha visto o brilho de lesma dos olhos do monstro, onde estava toda a história insuportável e não solicitada da coisa do mar; cada detalhe aterrorizante de sua existência de quase dois mil anos vazava para Marjorie como a drenagem séptica de uma cisterna enferrujada.

Era das Potâmides, dos Fluviais. Sereiana, náiade, ondina, era tudo isso e já havia sido chamada de Enula, quando pela última vez teve um nome; tinha sido chamada de "Ela" quando pela última vez teve algum vestígio de gênero. Isso foi durante o século II, quando o que se conhecia agora como Bruxa do Nene era então uma pequena deusa do rio, adorada por um grupo de soldados romanos saudosos de casa, estacionados na ponte sul da cidade em um dos muitos fortes erguidos entre ali e Warwickshire, ao longo do Nene. Aquelas tardes antigas, os coágulos de cor que eram oferendas florais encharcadas, flutuando com a corrente. As imprecações em latim, meio crentes, meio envergonhadas, murmuradas baixinho. Enula — esse era mesmo o nome dela ou era um mal-entendido, uma falsa memória? A criatura não sabia nem se importava. Não importava. Enula era o suficiente.

Havia começado a vida como quase nada, uma mera compreensão poética da natureza do rio nas mentes e canções dos primeiros colonos; um tecido frágil de ideias, pouquíssimo consciente de sua própria existência tênue. Aos poucos, as canções e histórias que a levaram ao limiar do ser tornaram-se mais complexas, acrescentando-lhe novas e mais sofisticadas metáforas: o rio era o próprio fluxo da vida, sua constante passagem de mão única, a do tempo, sua superfície reflexiva trêmula, o espelho de nossa memória. Havia se tornado uma substância frágil, pelo menos no mundo das fábulas, sonhos e fantasmas, mais próximo da esfera mortal lamacenta, e enfim espiritualmente concreta quando lhe deram um nome. Enula. Ou tinha sido Nendra? Nenet? Algo assim, de qualquer maneira.

Naquela época, era um belo conceito jovem, e sua aparência, a de uma sereia muito alongada, três ou quatro metros de proa à popa, com um rosto de uma confecção fabulosa. Cada olho, então muito mais próximo da superfície de sua cabeça, era um requintado lótus violeta, com suas miríades de pétalas se abrindo e fechando nas rugas de seu sorriso. Seus lábios eram cachos de sessenta centímetros de comprimento de pele de peixe iridescente, onde tons prismáticos de lavanda e turquesa brincavam, e mechas lustrosas de um verde-garrafa profundo flutuavam sobre a dureza de seixos polidos de seus seios e sua barriga. Tanto as sobrancelhas quanto os cabelos eram das mais macias peles de lontra, e sua cauda extraordinária terminava em uma barbatana como um imenso pente de joias, grande como um arco longo. As escamas brilhantes e suas oito unhas ovais eram feitas de espelho, onde faixas negras de sombra ondulavam como árvores refletidas.

Ela até teve um amor, muitos séculos antes. O nome dele era Gregorius, um soldado romano cumprindo sua missão no forte do rio, sentindo falta da esposa e dos filhos distantes, na quente Milão. Suas oferendas florais ao espírito das águas tinham sido as mais frequentes e as mais abundantes, e todas as manhãs ele se banhava nu em seu fluxo gelado, com as bolas e o pênis encolhidos como uma noz. Ela se lembrou do sabor distinto do suor dele, do jeito como jogava a água no couro cabeludo para lavar o cabelo escuro e curto. Suas gotas de opala escorrendo pela espinha em direção às nádegas. Certa vez, durante suas abluções à beira do rio, ele se masturbou e descarregou sua semente na correnteza que espumava em seus joelhos, e o esperma coagulado flutuou para o oceano distante. Doente de amor, ela havia seguido essa oferta mais preciosa quase até o Wash antes de desistir e voltar para casa, e ao longo do caminho não deixou de questionar a feroz obsessão que a dominava.

Então, em uma manhã desoladora, seu jovem se foi, assim como seus companheiros. O forte ribeirinho abandonado tornou-se uma casa de brinquedos em ruínas para as crianças locais e, em poucos anos, foi revirado e desmantelado a ponto de não servir mais para nada. Ela esperou e esperou, contorcendo-se de frustração entre o lodo e o sedimento, porém nunca mais viu Gregorius, nem ninguém como ele. Não havia mais flores, apenas sujeira noturna jogada em seu peito todas as manhãs pelos britões peludos e grosseiros. Ela não era mais considerada uma semideusa e, assim, em sua escuridão fria e ressentida, começou a mudar.

Ficou muito solitária. Foi isso que a alterou aos poucos, transformando a adorável Nenet, Nendra ou Enula na Bruxa do Nene, aquela coisa de um quilômetro e meio que era hoje. Sua simples solidão a transformou em um monstro, precipitou todas as suas ações desesperadas desde então. Todas as almas afogadas reivindicadas, tomadas apenas como companhia.

Ela se conteve, restringiu seus impulsos por alguns séculos antes de ceder e agarrar um fantasma que lutava para escapar de seu corpo oscilante. Sabia que, uma vez dado aquele passo, era irrevogável, um crime vil do espírito do qual não havia como voltar atrás. Foi por isso que adiou tanto aquele momento, por que hesitou até que a ideia de uma vida eterna sem amor não pudesse ser suportada nem mais um instante. Aquele ponto havia sido alcançado em uma noite de verão no século IX, quase mil anos antes. O nome do homem era Edward, um pequeno agricultor robusto de cerca de quarenta anos, que tropeçou e caiu no rio enquanto voltava para casa pelos campos escuros com a barriga cheia de cerveja. Edward foi seu primeiro.

Não eram coisas agradáveis do ponto de vista dela, nem o fato de ter tomado Edward para si nem o relacionamento que veio a seguir. Nunca se preocupou em considerar qual poderia ter sido a visão do próprio homem afogado sobre essas questões. Durante os anos que passaram juntos, Edward parecia estar em um estado contínuo de choque ou trauma, desde o momento em que ela fechou a enorme mão palmada em torno daquele corpo espectral desorientado que se debatia. Nos olhos arregalados dele, teve seu primeiro vislumbre de como ficara seu aspecto depois de tanto tempo de solidão, de qual era sua aparência para os humanos. Mesmo que tivesse a sorte de encontrar um novo Gregorius, como impedi-lo de gritar diante do ser que ela havia se tornado?

Edward, claro, tinha gritado no começo — longos e borbulhantes ruídos de espírito, em algum lugar entre som e luz. Por fim, ficou em silêncio por sua própria vontade e recuou para o transe letárgico em que permaneceu pelo resto do namoro. Ele se tornou um brinquedo de estimação, que não se mexia e apenas olhava, flutuando inerte enquanto Nendra ou Enula o jogava de um lado para outro entre seus dedos de perna de caranguejo ou tentava se comunicar com ele. Incapaz de obter uma reação que fosse além de um gemido, uma contração ou uma convulsão, a Bruxa do Nene se contentou com uma conversa unilateral que continuou ininterrupta pelas cinco décadas em que esteve com ele. Ela desabafou suas muitas provações e decepções, várias vezes, e até contou a ele do dia em que perseguiu o esperma coagulado de Gregorius até os limites de água doce de seu território. Edward não deu nenhum sinal de ter ouvido ou entendido suas declarações, e ela poderia ter pensado que não tinha nenhum efeito sobre ele, não fosse a contínua desintegração de sua personalidade, derramando camadas de consciência em um esforço para escapar do horror implacável de suas circunstâncias. Quando, enfim, Edward não tinha mais personalidade do que um nó de madeira à deriva, Nenet o soltou. Um destroço fantasmagórico, usado e sugado de sua vitalidade, foi levado para o leste, em direção ao mar, ainda em silêncio e ainda a encarando.

E então ela pegou outro.

Quantos tinham sido desde então? Duas dúzias? Três? A Bruxa do Nene tinha perdido a conta e já havia se esquecido da maioria dos nomes de seus companheiros. Pensava em todos como "Edward", até mesmo a meia dúzia de mulheres capturadas ao longo das décadas. Alguns foram mais receptivos à sua presença do que o primeiro Edward. Outros tentaram suplicar, e houve até quem fizesse perguntas, enfrentando o medo para compreendê-la e entender o pesadelo em que estavam presos. Todos, no entanto, afundavam ao estado catatônico de seu primeiro pretendente, cedo ou tarde. E, quando não restasse quase nada, quando a consciência tivesse se reduzido a um ponto entorpecido e insensato, ela se livrava deles. Quando seus olhos deixavam de seguir os raros raios de sol filtrados de cima, como através de um vidro sujo, quando suas almas ficavam moles e não se moviam depois disso, quando não havia mais nem mesmo o entretenimento sombrio de Nendra para ser obtido deles, ela os mandava embora em suas correntes grandiosas e inabaláveis, sem jamais imaginar o que aconteceria com seus amantes, se permaneceriam como cascas sem mente até o fim dos tempos ou se um dia poderiam se recuperar. Mudos e apáticos, não tinham mais serventia, e sempre havia outros peixes no rio.

Aquilo – pois era um "aquilo" agora – só pegava mulheres quando não havia como obter um homem, tendo chegado à conclusão de que as fantasmas davam mais trabalho do que satisfação. A maioria das mulheres tinha durado mais do que os homens antes de se retirar para um torpor vegetativo, verdade, mas também haviam sido mais ferozes e assustadiças, além de resistirem mais. Combinada à antipatia natural de Enula por seu próprio gênero anterior, essa resistência trouxe um traço de crueldade para a natureza da Bruxa do Nene, onde antes havia apenas sentimentos de solidão e amargura sombria. Uma das Edwards que atravessaram o caminho da criatura foi pouco a pouco desmantelada psicologicamente, despedaçada em flocos de comida de peixe astral e então, depois de quase noventa invernos, jogada fora. O espectro subaquático ancestral se surpreendeu com a reação que aquela tortura deliberada havia lhe causado: um vislumbre vago e distante de uma sensação que era quase prazer. Uma vez descoberta, essa nova tendência de infligir sofrimento se tornou mais urgente, mais pronunciada, mais necessária ao equilíbrio da monstruosidade do rio.

Nunca tinha pegado uma criança antes. Não sentiu essa necessidade, por considerá-las peixes pequenos em meio a uma grande abundância de mais alimentos adultos à mão a cada novo ano, entre tantos acidentes e suicídios. Os séculos XIX e XX, no entanto, tinham sido uma espécie de tempo de escassez, por causa do número crescente de pessoas que aprendiam a nadar. Perto da junção dos dois períodos, Nenet notou com desdém um velho dando aulas de natação para um bando de meninos nus no trecho que demarcava o limite oeste da cidade velha. Para sua irritação, pelas conversas que ouviu à beira da água, soube mais tarde que a grande campina local, perto de onde ficava o Priorado de St. Andrew, havia sido renomeada em homenagem a esse enervante salva-vidas irlandês, um ex-militar chamado Paddy Moore, e agora era conhecida como Paddy's Meadow. Assim, por causa dos esforços de interferência de tais pessoas, a maioria daqueles que entravam nos domínios da Bruxa sairia de lá em segurança. A criatura estava sem companhia depois do abandono dos restos de seu último companheiro, em algum momento da década de 1870, mas agora seu período de seca havia chegado ao fim. Agora tinha Marjorie.

Toda essa maré assustadora de história entrou na criança fantasma indefesa, junto com uma grande variedade de apreensões, mistérios e curiosidades terríveis relacionados à longa e faminta existência da criatura. Embora paralisada pelo terror, Marjorie de repente descobriu os segredos nebulosos do rio, o paradeiro dos desaparecidos e dos assassinados, onde as joias perdidas da coroa do cruel Rei João Sem-Terra tinham ido parar, aquelas que nunca apareceram no Wash. A menininha olhou para a espiral molhada e cinza do olho da ondina e entendeu com absoluta convicção o que aconteceria com ela: passaria décadas insuportavelmente prolongadas, com a terrível consciência de que seu próprio ser se desfazia, encolhendo-se em pedaços enquanto aguentava o peso total das atenções da Bruxa do Nene e, no final, quando até mesmo a identidade e a consciência de Marjorie fossem demais para suportar, seria descartada, como mais uma fantasma sem serventia indo para a costa leste, duas vezes morta.

Foi quando absorvia tudo aquilo que houve uma terrível comoção nas águas ali perto. Os olhos viscosos da Bruxa do Nene se estreitaram e se contraíram de surpresa com a interrupção indesejada. A enorme cabeça achatada se virou, procurando a fonte da perturbação, e então...

Marjorie esbarrou de repente nas costas de Reggie Bowler, parado no Ultraduto à sua frente. O viaduto radiante naquele momento passava logo acima de um ponto central na teia de manicômios emaranhados, onde Phyllis Painter tinha visto uma abundância de maçãs malucas mais cedo, antes de encontrar Michael Warren nos Sótãos do Alento.

— Certo, aqui foi-será onde eu vi os chapéus-de-puck. Tinha centenas deles, pendendo das árvores e das calhas. Se pularmos de onde estamos agora, podemos pegar todos.

Depois de dizer isso, Phyllis subiu agilmente no corrimão de alabastro que margeava a passarela, pedindo a John que lhe passasse Michael Warren, para que Phyllis e a criança pudessem pular do Ultraduto juntos, de mãos dadas. As demais crianças seguiram o exemplo, e logo todos mergulhavam na atmosfera melada da costura-fantasma em direção ao tempo e espaço amassados mais abaixo, pós-imagens cinzentas em uma mancha atrás deles, marcando suas trajetórias. Os rufiões-fantasmas caíram na direção dos gramados sobrepostos do hospício como granadas de fumaça graciosas e sem pressa.

Marjorie aterrissou agachada sobre o gramado, acompanhada de sua chuva escalonada de múltiplas exposições. O pedaço de grama onde pousou parecia bem cuidado e, portanto, provavelmente era um fragmento deslocado do Hospital St. Andrew, em vez de parte do hospício mais humilde em Berry Wood. Após observar mais de perto, podia até ver as costuras onde as bordas de grama bem aparada de St. Andrew se encontravam com o mato mal podado do St. Crispin's ou do Abington Park: trapézios irregulares e cunhas de grama escura ou clara mais ou menos encaixavam-se um ao lado do outro como um quebra-cabeças mal fabricado, lugares diferentes amassados em uma única paisagem pelo desmoronamento dos planos superiores. Inclinando a cabeça e olhando para cima, Marjorie notou que o próprio céu parecia remendado; tipos distintos de nuvens de diversos locais e de altitudes extremamente variadas, justapostas de maneira desajeitada, com apenas linhas grosseiras de papel rasgado dividindo-as. De alguns segmentos ou fatias do céu, garoava.

Por mais desorientadoras que pudessem ser as características naturais da paisagem, como a grama e o céu, os prédios dobrados e misturados das várias instituições que os cercavam pareciam muito mais peculiares. Trechos de pedra calcária cobertos de hera que faziam parte do hospício transformado em museu em Abington fundiam-se irregularmente com edifícios pálidos e majestosos semelhantes a navios do hospital de St. Andrew, metamorfoseando-se por fim nos edifícios de tijolos um tanto sinistros de St. Crispin. Essas construções vitorianas bizarras eram mais prevalentes entre a mistura de hospícios, sem dúvida porque St. Crispin era a posição geográfica real na costura-fantasma com a qual esses outros lugares se confundiam, tanto nos territórios superiores quanto nos confusos sonhos dos internos onde os reinos superiores se fundavam.

A arquitetura da instituição em Berry Wood parecia perversa para Marjorie desde que ela aprendeu a palavra "perversa". Parecia errado reunir os desequilibrados mentais em um ambiente perturbador como o St. Crispin, onde as alas de tijolo de janelas altas se amontoavam em uma conspiração sussurrante, espiando com desconfiança sob as abas íngremes de seus chapéus de ardósia, e onde uma torre aracnídea sem propósito aparente erguia-se do horizonte já opressivo. Tomado como um todo, o Hospital de St. Crispin tinha o jeito de um estranho experimento social bávaro, remanescente de um século anterior. Havia um sabor de prisão ou asilo de pobres em seus caminhos labirínticos, no silêncio de toque de recolher, no isolamento. Ter fragmentos do St. Andrew ou do hospício de Abington Park misturados ali era uma grande melhoria.

As crianças-fantasmas avançavam com cautela pelo gramado heterogêneo em direção a uma miscelânea de prédios de hospício dominados pela torre sem propósito de St. Crispin, uma coisa estreita demais para fazer qualquer sentido, exceto como uma chaminé de crematório. Uma das estruturas amontoadas perto da base da torre era uma extensão pré-fabricada de seu hospital nativo, uma unidade térrea onde, em visitas anteriores, Marjorie havia tropeçado em várias obras de arte emolduradas dos internos. Entre as paisagens estranhamente cativantes em exibição, os céus alaranjados, os arbustos de metal aparados em uma topiaria perigosa e pontiaguda, não se surpreendeu ao encontrar representações pintadas de como os hospícios sobrepostos apareciam quando vistos da costura-fantasma, com pedaços de Abington Park ou do St. Andrew unidos com St. Crispin como que por engano. Até mesmo as explosões repentinas de fenômenos do espaço superior — como o padrão de moiré em cascata em erupção por trás da torre de tijolos à frente deles — foram reproduzidas em algumas das telas, uma prova de que pessoas vivas em um estado mental extremo às vezes podiam ver o mundo superior e seus habitantes. Ela até encontrou um desenho de giz de cera de uma figura que parecia a fuça morta de Phyllis Painter, com as peles de coelho penduradas em uma guirlanda rançosa em volta do pescoço. Era um esboço de carvão distorcido que fazia a líder do bando-fantasma parecer muito mais assustadora do que era na vida ou na morte real.

O devaneio de Marjorie foi interrompido por uma súbita explosão alta e indignada da verdadeira Phyll Painter, cuja veemência a fez pensar que o retrato do paciente mental desconhecido poderia ter sido mais preciso do que havia imaginado a princípio.

— Algum desgraçado pegou elas! Tinha milhares antes, e essas árvores todas estavam estalando com o peso delas! Se eu descobrir quem levou as nossas Bedlam Jennies antes que a gente pudesse pegar, vou dar um soco até ele desmaiar, mesmo se for o Terceiro Borough!

Todos os outros, até mesmo seu suposto irmão mais novo, Bill, pareciam atordoados com o discurso incendiário e quase blasfematório de

Phyllis. Marjorie olhou para as árvores próximas e para os beirais do hospício. Notou que, embora ainda houvesse chapéus-de-puck suficientes ali em cima para fornecer uma refeição satisfatória para os jovens mortos, não eram nem de longe tantos quanto Phyllis os levou a esperar. A líder enfurecida estaria certa? Haveria algum outro caçador-fantasma bem-informado e muito organizado trabalhando ali, talvez um bando rival tentando invadir seu território? Marjorie esperava que não fosse o caso.

Nunca tinha ouvido falar de guerra de gangues em Almumana, mas imaginou que poderia ficar bem feia. Brigas de fantasmas se espalhando a partir da Mayorhold, moleques brandindo sonhos ou memórias de cabos de picareta, mas como seria possível fazer uma distinção entre as diferentes cores dos bandos na arena monocromática da costura-fantasma? Um lado poderia ser preto, talvez; o outro, branco, como um xadrez tosco e desalinhado. Seus pensamentos errantes já chegavam a exorcismos por vingança quando percebeu que não estava pensando em suas circunstâncias reais daquele momento, e sim planejando um terceiro livro, supostamente uma continuação de seu romance seguinte sobre Snowy Vernall e sua linda neta caminhando pela Eternidade.

Foi quando Marjorie estava forçando suas incontroláveis fantasias literárias de volta para a jaula que John altão gritou de repente.

— Tô vendo um dos desgraçados! Olha! Ele está espiando de trás da torre!

Marjorie se virou a tempo de ver uma cabecinha loura balançar atrás de um canto da base da construção. Era possível saber que era a de uma criança-fantasma pela forma como deixara um fluxo cinza de cabecinhas evaporando em seu rastro. Então ela estava certa. Havia mesmo um bando rival de rufiões espectrais que chegou antes para pegar as maçãs malucas. Caçadores furtivos em suas terras! Surpresa com sua própria indignação, Marjorie juntou-se às outras crianças enquanto avançavam em direção à torre, com sua meia dúzia inflada em uma horda mongol estridente por todos os doppelgangers atrás.

Contornando a alvenaria daquele canto do edifício, eles pararam, e Marjorie mais uma vez se viu batendo nas costas de Reggie Bowler. Recuperando-se, olhou entre os membros mais altos do bando à sua frente, tirando os óculos para limpá-los em uma manga antes de recolocá-los, como se fosse incapaz de acreditar no que ela e seus confederados viam. Na verdade, foi um gesto que ela tinha visto alguém fazer uma vez em um filme — talvez Harold Lloyd —, e não um comportamento natural. Como o que quer que estivesse vendo fosse uma mancha de sujeira a ser limpa da lente. Precisaria ser, pensou, uma mancha bem estranha e complicada, especialmente no caso atual.

A alguma distância, um buraco no tempo havia sido aberto no ar bem próximo ao nível do solo, chegando a quase um metro de diâmetro pela estimativa de Marjorie e cercado pelas alternadas faixas estáticas tremeluzentes pretas e brancas que geralmente acompanhavam esses fenômenos. Havia dois garotos-fantasmas durões e de aparência suja, um alto e outro baixo, segurando entre eles o que parecia uma espécie de faixa com letras que pendia sob o que deviam ser centenas de chapéus-de-puck maduros, com todas as suas figuras de fada úmidas e entrelaçadas em seus cachos de estrelas do mar, toques de cor em seu brilho, fugidios e delicados, empilhados como nabos prismáticos na estranha bandeira usada para carregá-los. Agora que ela olhava mais de perto através de seus olhos mortos e seus óculos limpos, Marjorie via o topo de algumas letras bordadas na faixa que parecia formar a palavra "union" ou "upiop". Alguém havia formado um sindicato no Céu, barganhando condições melhores e um para-sempre de trabalho com turnos mais curtos? Concentrando-se nos dois improváveis representantes sindicais que estavam prestes a fugir pela janela do tempo com toda a comida roubada dos fantasmas, Marjorie não pôde deixar de notar que o intruso mais arrogante tinha um chapéu como o de Reggie Bowler...

Em uma cabeça como a de Reggie Bowler. E um corpo.

Era Reggie Bowler, a vários metros de distância dela e do outro Reggie que estava parado bem na frente de Marjorie e resmungando de perplexidade enquanto observava seu gêmeo mau, ladrão de chapéus-de-puck. O sósia de Reggie segurava uma ponta do estandarte carregado, enquanto a outra ponta estava nas mãos de uma reprodução precisa e vívida do pequeno e barulhento Bill de Phyll Painter. O verdadeiro Bill, enquanto isso, despejava um fluxo ininterrupto de imprecações ao lado da irmã mais velha, que pela primeira vez não o repreendeu. Marjorie tirou os óculos e limpou-os novamente, incapaz de pensar em qualquer reação mais apropriada. Isso ela deixou para Phyllis, que afinal era a líder titular do bando.

— William! Que porra cê acha que tá fazendo, seu merdinha FDP?

Marjorie soltou um suspiro de susto. Nunca imaginou que Phyllis Painter fosse usar letras tão grosseiras e vulgares do alfabeto. Foi então que John grandalhão interferiu, parecendo quase tão irritado quanto.

— É uma bandeira da União Britânica de Fascistas que vocês estão segurando! Se vocês se juntaram aos homens do Moseley além de pegar todas as nossas Bedlam Jennies, serei obrigado bater a cabeça de um na do outro!

A essa altura, o Bill e o Reggie excedentes, a quem aqueles comentários tinham sido dirigidos, conseguiram manobrar sua maca improvisada aparentemente afiliada aos camisas negras cheia de chapéus-de-puck pelo buraco do tempo. Estavam do outro lado da lacuna, tecendo as bordas com cores de interferência de volta ao centro, enquanto selavam a abertura. Pouco antes de o buraco desaparecer, os dublês de Reggie e Bill olharam através dele para seus equivalentes estupefatos.

— Tem uma boa explicação pra isso, então não começa a botar a culpa em mim.

— Cala a boca, Reggie. Então, pessoal, lembrem que o diabo era-será quem está de motorista. Assim não vai ser surpresa quando...

Foi nesse momento que os filamentos cintilantes finais foram puxados sobre a brecha no espaço, interrompendo a frase do gêmeo de Bill. Restava apenas a visão fragmentada dos hospícios conjugados, onde cerca de cem anos de internos vagavam sem rumo por uma colcha de retalhos de diferentes tons de gramados amalgamados, e não havia nada que sugerisse que o buraco do tempo em algum momento existiu. Tinha desaparecido sem deixar vestígios.

Sem palavras de tanta raiva, Phyllis bateu na orelha de Bill.

— Ai! Puta merda, sua morcega velha! Por que era-será que tá me baten'o?

— Bom, por que cê roubou todos os nossos chapéus-de-puck, seu babaca de merda? E que conversa foi essa de que é o diabo quem está guiando?

— Não sei, ora! Cê enlouqueceu de vez? Eu estava ali o tempo todo. Aquele não era-será eu, nem era-será o Reggie. Só pareciam com a gente.

— Pareciam! Vou te mostrar o pareciam num minuto! Aquele era-será você! Acha que eu não conheço a carne da minha carne? Aquele era-será 'ocê vindo de algum lugar lá na permanência, de um momento em que ainda não chegamos! Cê vai cavar ali de novo e pegar nossas maçãs malucas antes que a gente possa colher elas, cê e esse merdinha tonto do teu lado.

Phyllis olhou para Reggie nesse momento. Desastrosamente, Bill tentou argumentar com ela.

— Bom, como vou saber o que isso tudo quer dizer se ainda não chegamos lá? Eu só tô morto, não sou nenhum vidente. John, meu amigo, você pode falar com ela? Quando ela tá sem tomar os hormônios dela assim, era-será melhor eu nem tentar.

O garoto mais velho e bonito deu à dupla desgarrada um olhar gelado de desprezo fulminante.

— Não tentem chegar perto de mim, seus nazistas de merda. Vamos, Phyll. Vamos você, eu e Michael juntar tudo o que esses dois bandidos quiseram deixar.

Assim dizendo, John e Phyllis pegaram uma das mãos de Michael cada um e caminharam com a criança na direção de um bosque, balançando-o entre eles na débil gravidade da costura-fantasma. Marjorie sentiu-se um pouco desapontada pela forma como foi deixada com os renegados, mas achou que o aparente desprezo não era uma afronta pessoal, devia ser só uma desculpa velada para John e Phyllis fugirem juntos. Além disso, ela sempre se deu um pouco melhor com Reggie e Bill do que com Phyll Painter e John grandalhão. Phyllis podia ser muito mandona, e John às vezes abusava da aparência de herói de guerra. Bill, apesar dos comentários lascivos sobre seus peitos ou calcinhas, tinha surpreendentemente uma boa cultura literária e era bem-informado. Além disso, Marjorie sempre teve um fraco pelo pobre Reggie. Em certo sentido, Reggie quase chegava a ser bem-apessoado, embora ela fosse obrigada a concordar com a avaliação de Phyllis sobre suas faculdades intelectuais: ele era um merdinha tonto.

— O que foi-será tudo isso, então? Você tem algum plano para roubar os chapéus-de-puck e dividi-los entre vocês dois e seus novos camaradas camisas negras?

Reggie começou a protestar sua inocência, mas Bill sorriu com tristeza.

— Bom, agora não tem jeito, porque vou te contar, aquilo foi de graça. Se aquela vaca velha vai me bater na cabeça por uma coisa que ainda não fiz, então vou tratar de merecer muito. Não sei nada sobre me juntar aos nazistas, apesar de sempre ter achado que eu ia ficar bem rock'n'roll de bota de cano alto. Não, Marge, aquilo foi-será esquisito, me ver daquele jeito. Queria saber o que eu quis dizer com isso do diabo estar guiando.

Reggie parecia pensativo, ou pelo menos tão pensativo como sempre.

— Acho que aquilo era-será um truque feito com espelho.

Bill bufou ironicamente.

— Reggie, amigo, você não é o espelho mais brilhante da vitrine, é? Como era-será um truque feito com espelho? Eles estavam arrastando uma bandeira grande cheia de chapéus-de-puck, enquanto nós obviamente não estamos. E, aliás, como é que um espelho ia falar com a gente? É só luz que eles refletem, não vozes. Agora, vamos lá, vamos ver se conseguimos fazer as pazes com Phyllis achando um monte de frutas de fada para ela se entupir, aquela vaca ranzinza.

Estavam todos rindo agora às custas de Phyllis enquanto os três passeavam pelos vários prédios confusos e fundidos do hospício, olhando para a parte debaixo das calhas em busca de qualquer sinal das iguarias indescritíveis. Uma fonte de ácido verde quase fluorescente irrompeu de repente nos céus montados por trás de um galpão ou anexo próximo, fazendo todos pularem, e depois rirem de alívio quando o efeito diminuiu e desapareceu.

No que parecia ser um pedaço mal colocado da capela do hospício do Hospital St. Andrew, encontraram um delicioso cacho de chapéus--de-puck maduros que os outros Bill e Reggie devem ter ignorado, crescendo no ângulo sombreado sob o parapeito de uma janela. Reggie tirou o chapéu para usar como receptáculo enquanto Marjorie e Bill começaram a colher os abundantes hipervegetais, ou fungos 4D, ou o que quer que as flores peculiares fossem. Alcançando sob um espécime de uns trinta centímetros de largura que era especialmente magnífico, Marjorie o arrancou com a unha etérea e pôde ouvir um breve gemido agudo como o de um pequeno motor desaparecendo no silêncio, um daqueles ruídos que você só percebia que estava ouvindo quando o barulho parava. Ela ergueu o esplêndido troféu, apoiado nas duas palmas gordinhas e, com olhos de escritora, o examinou.

As figuras de fadas, irradiando em seu padrão de toalhinha de crochê, como um anel de bonecas de papel, eram loiras naquele caso. Uma borla dourada de sua juba compartilhada crescia do ponto fofo no centro da coisa, onde as cabeças minúsculas estavam presas em um laço de bracelete, enquanto os minúsculos tufos de pelos pubianos falsos que brotavam da interseção das pernas das pétalas também eram dourados. Mesmo no domínio incolor da costura-fantasma, era

possível ver um rubor em suas bochechas minúsculas, um brilho azul-
-celeste no círculo de olhos de furos de alfinete que nada viam. Só que
o chapéu-de-puck não era realmente um buquê de fadas bonitas, era?
Era só sua aparência, para que pudesse atrair fantasmas para comê-lo
e espalhar cuspindo por aí suas sementes crocantes de olhos azuis. Na
verdade, o chapéu-de-puck era uma única forma de vida com seus próprios motivos inescrutáveis. Tentando ignorar os rostos femininos cativantes, Marjorie tentou ver a verdadeira face do misterioso organismo.

Observado sem pensar nas várias partes da criatura como pessoas
miniaturizadas, e sem as simpatias naturais que essa semelhança provocava, o meta-fungo era uma coisa bem horrível, um polvo cor de doce
com convoluções indutoras de contorções confusas e desnecessárias.
Cercado em torno do erro que era seu topete melado central havia pelo
menos quinze ou vinte olhos minúsculos e desumanos, muitos perturbadoramente invertidos, com uma faixa concêntrica de bocas de botão
de rosa como pequenas feridas desagradáveis. Uma faixa de pseudosseios
esculpidos vinha em seguida, depois umbigos, depois as ondulações obs-
cenas das partes pudendas, onde a penugem loira crescia como manchas
de penicilina. Visto como um todo, era um bolo confeitado assustador,
decorado com uma simetria enervante por um esquizofrênico alucinado.

Antes que ela pudesse desenvolver uma aversão àquelas coisas pelo
resto do pós-vida, Marjorie estremeceu e jogou a fruta-fantasma alarmante no chapéu virado de Reggie. Por ser tão grande, seu achado ocupou quase todo o espaço, levando os meninos a improvisar, tirando o
suéter de Bill com as mangas amarradas em um nó, convertendo-o em
um saco um pouco mais espaçoso. Marjorie observou-os por um tempo
enquanto continuavam a coletar os espécimes mais maduros entre aqueles que se amontoavam sob o parapeito da janela, deixando as flores-
-homens do espaço imaturas e azuladas de lado. A garotinha fantasma
atarracada nem sequer tentou ver o semblante alienígena que escondiam atrás de suas formas individuais de fetos magros. Eram bem horríveis quando vistos da maneira normal. Devia ser a aparência de bebê
não nascido que tinham, com aquelas cabeças enormes, mas Marjorie
sempre achou que se assemelhavam mais a algum desastre pré-natal extraordinário, óctuplos siameses com os crânios fundidos para se tornarem
as pétalas de uma margarida hedionda. Marjorie sabia pela própria experiência amarga qual era o gosto deles, mas sempre considerou aquele

sabor acre muito difícil de traduzir em palavras. Era um pouco como comer metal, mas se tivesse a consistência macia de torrone e de algum modo pudesse apodrecer, azedar como moedas de um centavo suadas. Ela conhecia alguns fantasmas que comeriam um chapéu-de-puck verde se a fruta de fada adulta não estivesse disponível, mas não tinha a menor ideia de como conseguiam. Ela preferia ficar sem até o fim dos tempos, que era mais ou menos quanto duraria sua memória daquela primeira mordida descuidada. Além disso, obtinha com um bom livro a mesma sensação de uma refeição saudável e sustento espiritual fornecido pelas Bedlam Jennies. No lado negativo da equação, porém, um livro ruim poderia ser deixado por décadas e nunca amadureceria mais doce.

Bill e Reggie juntaram todas as maçãs malucas comestíveis do cacho embaixo da janela e se afastaram um pouco, procurando mais e discutindo acaloradamente o que suas duplicatas estariam aprontando com aquilo de roubar a colheita de frutas-fantasmas antes que Phyllis e a turma pudessem pegá-las.

— Bem, a gente só vai saber no futuro, né? É uma coisa que ainda não fizemos.

— Você não tem como saber. Poderia ser a gente no passado.

— Reggie, essa bosta de chapéu era-será muito apertado ou o quê? Se fosse no passado, a gente lembraria disso, seu trouxa. E, aliás, como a gente ia saber que ia ter tetas-de-bruxa crescendo aqui? Só ficamos sabendo por que a Phyllis falou. Não, presta atenção, Reggie, esse negócio que vimos, isso é uma coisa que a gente ainda *vai* fazer. O problema é entender por que e quando nós vamos fazer isso. Isso, e o que o outro eu quis dizer quando falou que é o diabo que está guiando.

Os dois garotos pelo jeito haviam se esquecido de Marjorie. Absortos em sua discussão, vagavam por entre os prédios dos hospícios justapostos, em busca de novas colheitas. Marjorie não se incomodou tanto assim, sendo bem sincera. Deixando de lado os chapéus-de-puck e sua colheita por algumas horas pelo menos, pensou em dar um passeio pelo vasto gramado na direção do bosque para onde Phyllis, John e Michael estavam indo quando os viu pela última vez. Um leque ondulante de amarelo vivo abriu-se subitamente acima de uma ala pré-fabricada de pacientes em observação, durando um curto período antes de diminuir mais uma vez em meios-tons graduados para os diversos tons de fumaça da costura-fantasma. Marjorie olhou por cima do ombro, em meio aos dublês dissipados que a seguiam, e vislumbrou Reggie Bowler enquanto desaparecia na lateral de um hospício, ainda discutindo com Bill.

— Bem, não vejo como não pode ser a gente do passado. Poderia ser até alguma coisa que a gente fez e esqueceu!

Marjorie sorriu ao virar e seguir o próprio caminho sobre a colcha malfeita de retalhos da grama em direção às árvores distantes. Pensou na primeira vez que viu Reggie, na noite em que se afogou. Não estava com o chapéu coco naquela ocasião. Nem com o casaco. Nem com qualquer outra coisa, agora que parava para pensar sobre isso.

A Bruxa do Nene virou o rosto alongado para o outro lado, revelando um perfil perturbador, como um jacaré com um bico. A testa plana estava enrugada por uma expressão de irritação intrigada enquanto olhava através das sombras submersas, procurando a fonte da comoção, do respingo que a distraiu antes que pudesse começar seu terrível trabalho destruidor de almas em Marjorie.

A alguma distância, agitando-se na escuridão cinzenta do rio, havia um menino nu — ou pelo menos o espírito deslocado de um menino nu, com todos os braços e pernas nus extras que Marjorie mais tarde perceberia que eram as marcas de alguém morto. Ainda apertada na garra membranosa da bruxa, sentiu a perplexidade da ondina: depois de uma longa seca sem suicídios ou acidentes para serem reivindicados pela monstruosidade, o destino entregava duas oferendas em uma noite?

O menino era alto, branco e magro, e caía em direção ao lodo e às rodas de carrinho de bebê no leito do rio. Embora não fosse, talvez, uma beldade como o rapaz romano que se banhava, pelo menos era jovem, muito mais jovem do que os velhos bêbados barrigudos que eram as típicas capturas de Enula desde o início. Além disso, e o mais importante de tudo, era um homem. Era muito provável que a criatura não estivesse realmente ansiosa para desmantelar Marjorie, dada sua antipatia pelas fêmeas e em especial as jovens demais para desenvolver uma personalidade que valeria a pena despedaçar. Por um instante, a Bruxa do Nene olhou para a figura nua se debatendo na escuridão subaquática enquanto considerava suas opções, e então tomou sua decisão. Os três dedos pálidos e finos como pernas de caranguejo soltaram Marjorie quando a bruxa subitamente se lançou contra a corrente vagarosa, subindo o rio na direção do jovem indefeso. Foi nesse ponto que as coisas começaram a acontecer bem depressa, tanto que Marjorie só mais tarde entendeu o que tinha de fato ocorrido.

Recém-libertada, boiando atordoada e assustada nas águas escuras, com a forma incorpórea flutuando em direção à superfície, Marjorie observou a nova presa da Bruxa enquanto o menino nu boiava no fundo lamacento do rio. Teve tempo de perceber que ele havia caído em uma postura agachada que parecia ser planejada e deliberada, e não se debatendo desordenadamente como até aquele momento. Enquanto todo o comprimento estupefato da enorme ondina se aproximava dele através da escuridão, o menino até parecia ter um sorriso em suas feições sardentas e de nariz arrebitado.

Foi então que alguma coisa mergulhou na água, agarrou Marjorie por baixo dos braços e a puxou para o ar límpido da noite, do qual ela descobriu que não precisava mais, agora que não estava mais respirando. Houve um momento de pavor durante o qual acreditou estar nas garras de uma enorme gaivota astral depois de escapar das garras de uma enorme enguia fantasmagórica, mas esses temores foram substituídos por uma perplexidade genuína assim que Marjorie de fato entendeu sua situação.

O que a puxava para o alto era algo ainda mais estranho do que o pássaro fantasma gigante de sua imaginação. Parecia ser um número de trapézio composto por duas crianças-fantasmas de cabeça para baixo e um monte de cadáveres de coelhos suspensos no ar. Um garotinho segurava Marjorie debaixo dos braços, pego pelos tornozelos por uma garota que parecia um pouco mais velha e estava pendurada com os sapatos de fivela enfiados no galho bifurcado de uma árvore antiga que pendia sobre o rio. Enrolado em seu pescoço estava um longo pedaço de barbante onde balançavam as carcaças aveludadas que Marjorie havia notado. Isso pelo menos explicava por que os animais mortos pareciam flutuar, mas não por que a garota os usava como joias.

A dupla de jovens trapezistas tinha rompido a superfície da água em seu arco para agarrar Marjorie, levando os três para o alto com seu impulso como se estivessem em um balanço perigosamente impulsionado. Bem no auge da trajetória, as mãozinhas sob seus braços soltaram Marjorie, que foi para cima, girando em direção à luz das estrelas com uma lentidão onírica, como se o ar fosse feito de mel. Em um instante, seus dois salvadores vieram voando de baixo para impedir sua subida desordenada, dessa vez com cada criança segurando uma das mãos estendidas e agitadas de Marjorie. Ligados como um bracelete de berloques, o trio navegou noite adentro através da atmosfera espessa e grudenta até pairar, pisando no nada, cerca de quinze metros acima do Nene e olhando para sua lenta extensão prateada, com as constelações refletidas.

Foi quando o adolescente nu subiu do rio como um míssil disparado de um submarino, com um longo fluxo de reproduções de imagens arrastando-se pela escuridão atrás de si. Marjorie lembrou-se de pensar que isso explicaria o agachamento do rapaz no leito do rio: fora para melhor se impulsionar das profundezas até as altitudes estreladas depois de servir de distração para a medonha ninfa do rio. Logo em seguida, o plácido Nene se estilhaçou com uma feroz explosão subaquática que fez todas as crianças gritarem, e não apenas Marjorie, a mais inexperiente.

Elevando-se até o nível da copa das árvores, da torrente sombria vinham os primeiros nove ou dez metros da Bruxa do Nene, como se algum trem submarino tivesse saltado em alta velocidade dos trilhos enferrujados para se lançar ao céu. Os longos dedos de guarda-chuva da criatura estavam estendidos ao máximo, com a membrana cinzenta e manchada esticada entre eles enquanto o monstro imponente e disforme varria o ar na tentativa de capturar a presa em fuga. O sorriso confiante anterior do garoto nu havia sido trocado por uma expressão de surpresa e terror quando percebeu a verdadeira extensão e alcance da criatura sereiana. Batendo as pernas e fazendo o que parecia ser um nado livre vertical, o jovem corajoso disparou além do alcance daquele horror, para a segurança dos céus de lantejoulas sobre Paddy's Meadow, onde Marjorie e as outras crianças espectrais flutuavam, sem fôlego com o agito de uma situação de risco mortal.

A ondina gritou de frustração e raiva, com os membros dianteiros rasgando em vão o espaço vazio por vários segundos antes de desistir e, com um urro de decepção que arrepiou sua apreensiva plateia, caiu de volta para o Nene como uma chaminé em colapso. Não houve nenhum respingo quando seu grande comprimento insubstancial atingiu a superfície material da água, apenas um enervante gemido final com um som de algo que já esteve muito próximo da fala humana, mas que se transformou em um berro estrangulado por desuso. Por um instante terrível, era como se estivesse tentando dizer "Gregorius".

E depois disso, com Marjorie já formalmente apresentada ao Bando de Mortos de Morte, todos foram se movendo leves como penas em direção ao ponto um pouco mais acima na margem gramada onde Reggie Bowler havia deixado às pressas todas as suas roupas descartadas sobre uma armadilha mortal chamada chapéu-de-bruxa, montada no parquinho infantil um pouco mais acima no rio. Nisso, passaram por cima de um pacote que subia e descia, virando lentamente no brilho da gasolina e na espuma do lago a caminho da Spencer Bridge, que Marjorie havia esquadrinhado por algum tempo sem perceber que era ela própria; seu envelope humano, enfim livre dos óculos feios, os pulmões cheios de água.

Também viu o maldito, o maldito bicho idiota do Índia, que, afinal, sabia nadar. O cachorro estava chegando à margem, onde em seguida se sacudiu e começou a trotar ao lado da água, latindo enquanto acompanhava o corpo à deriva. Foi isso. Capítulo Sete: O Bando de Mortos de Morte contra a Bruxa do Nene. Essa foi a curta vida de Marjorie.

Ela andava agora em um pedaço de grama bem cortada em listras, que devia ser parte do Hospital St. Andrew, mais bem conservado. Isso foi confirmado pela melhor categoria de lunáticos espalhados pela ampla faixa verde-acinzentada como peças de xadrez, extraviadas do tabuleiro. Ao avançar pelo gramado em direção ao bosque, Marjorie passou por um interno vivo que pensou reconhecer, um sujeito na casa dos sessenta anos que arrastava os pés, vestido com um cardigã solto e calças manchadas pelo café da manhã. O pobre homem cantarolava baixinho algo complicado e transversal enquanto passava por Marjorie a duras penas, sem saber que ela estava lá, e com quase certeza era o velho compositor, aquele que fez seu nome muito tempo depois que Marjorie viveu e morreu. Sir Malcolm Arnold, era isso. Ele, que criou uma música selvagem e delirante a partir de *Tam O'Shanter*, de Robbie Burns, e que orquestrou "Colonel Bogey" com um arranjo completo e impertinente de metais soltando sons de peido. Confuso e careca, muito bêbado ou medicado, Arnold deslizou pelos terrenos do hospício fraturado sem reconhecer a presença dela, cantando seu refrão com apenas garotas-fantasmas e as árvores por perto para ouvi-lo.

Marjorie, horrorizada, notou que o compositor tinha um chapéu-de--puck maduro e próspero crescendo em sua testa com manchas de idade, logo acima de um olho. Sabia que Bedlam Jennies floresciam com a proximidade de pessoas loucas ou embebidas em álcool ou as duas coisas, e talvez fosse daí que veio o nome, mas nunca tinha visto uma que parecia enraizada no cérebro de alguém. Seus sonhos deviam estar infestados, invadidos por pseudofadas trêmulas e irracionais, a tal ponto que Marjorie imaginava que novas composições seriam quase impossíveis. E como se livrar daquela coisa aflitiva se, pela própria natureza do fungo 4D, ninguém vivo poderia vê-lo? Ninguém, incluindo o próprio compositor, sabia que aquilo estava lá. Marjorie observou Sir Malcolm cambaleando para longe dela em direção ao tumulto de prédios desiguais de hospícios, com o crescimento pulcro balançando em seu crânio a cada passo. As pequenas ninfas de olhos vazios cujos corpos nus formavam as pétalas da flor pareciam até exibir sorrisos maliciosos em miniatura em seu anel de rostos sobrepostos.

Marjorie seguiu, passando entre os pilares de ilusão de ótica do Ultraduto enquanto ele seguia por cima em seu longo arco entre Jerusalém e a igreja Doddridge, com sua massa de alabastro interminável sem projetar sombra no composto de gramados das instituições mais abaixo. Quando a grama mudou de clara para escura, de curta para desgrenhada e desalinhada sob seus sapatos de amarrar, ela soube que havia cruzado para o território pertencente a St. Crispin ou ao hospício mais antigo de Abington Park. O bosque denso e eriçado estava agora muito mais próximo, e era possível ver Phyllis, John e Michael passeando entre as árvores, coletando os poucos chapéus-de-puck que o futuro Bill e o futuro Reggie ainda não haviam arrancado. Phyllis acenou para ela.

— Tudo certo, Marge? Imagino que os dois ladrõezinhos trouxas estão se gabando de que vão voltar aqui e pegar todos os nossos chapéus-de-puck em algum lugar mais adiante.

Aproximando-se para se juntar às outras crianças no mosqueado das folhas pendentes, Marjorie balançou a cabeça.

— Nada. Estão tão confusos quanto nós. Seu Bill está enchendo a blusa com todas as Jennies que eles conseguem encontrar, pra te compensar.

Phyllis pareceu surpresa, e projetou o lábio inferior enquanto refletia a respeito.

— Hmm. Bom, acho que não tô sendo justa, descascan'o os dois antes que eles façam a coisa que me deixou brava. Além disso, achamos maçãs malucas o suficiente para fazer nossa visita valer a pena só aqui nessas árvores. Olha... tão todas maduras e tudo mais, só que são bem pequenininhas.

Enfeitada com coelhos ocos e em decomposição, a líder do Bando de Mortos de Morte estendeu o lenço branco para a inspeção de Marjorie. No centro desdobrado, havia meia dúzia de pequenas Bedlam Jennies, sendo que a maior não tinha mais de cinco centímetros de diâmetro. Como Phyllis havia afirmado, as hiperfrutas estavam maduras, com cada pétala de fada formada até o último detalhe infinitesimal, apesar do fato de que algumas não mediam mais do que um centímetro e meio dos dedos dos pés à coroa. Marjorie descobriu que precisava tanto da visão aprimorada dos mortos quanto de seus óculos apenas decorativos do sistema público de saúde para identificar as características menos aparentes, como os umbigos quase microscópicos. Com cada espécime fornecendo no máximo um ou dois bons bocados, era fácil ver por que aquela linhagem anã havia sido negligenciada pelos dois catadores de algum momento futuro. Phyllis, John e Michael tinham bolsos cheios de flores do tamanho de moedas, o que acrescentava a transportabilidade às vantagens daquela variedade. Também pareciam ser abundantes, crescendo em um tapete virtual nas laterais traseiras dos olmos e bétulas prateadas, onde se afastavam do terreno do hospício e se voltavam para o interior da floresta vizinha. Lutando contra a repulsa autoinduzida pelas criaturas fúngicas, Marjorie concordou em experimentar algumas, depois mais um pouco.

Eram excelentes mesmo. O sabor era ainda mais doce que o das espécies maiores, e o perfume, mais evocativo, mais concentrado. Melhor ainda, depois da ingestão, os benefícios imediatos eram mais pronunciados. O formigamento energizante de euforia que permeava cada fibra do seu ser, que Marjorie associava aos chapéus-de-puck de tamanho normal, era mais perceptível e parecia durar um pouco mais. Enchendo os bolsos da blusa com o máximo que cabiam, ela os comeu como se fossem um tipo de bala de fruta muito gostosa, enfiando um ou dois na boca de uma só vez enquanto brincava de pega-pega improvisado com as outras três crianças-fantasmas. Rindo e gritando, corriam de um lado para o outro entre as árvores que cercavam os gramados e jardins desconexos das instituições.

Marjorie foi a primeira a reconhecer a paciente viva que parecia apresentar um número incompreensível na grama bem aparada do St. Andrew, não muito longe dali, embora tenha sido o jovem Michael Warren o primeiro a notá-la.

— Olhem aquela mulher engraçada ali. Está andando como aquele homem faz nos filmes, e fazendo olhos vesgos como aquele outro.

Marjorie olhou, junto a John e Phyll, e viu a quem a criança de pijama se referia. A paciente pulava, dançava ou bamboleava por uma área gramada do tamanho do palco de um pequeno teatro de repertório. Seus movimentos, que pareciam incluir saltos e giros de balé incongruentes, eram, no entanto, como Michael havia observado, uma imitação assustadoramente exata da caminhada do "pequeno vagabundo" popularizada pela primeira vez por Charlie Chaplin, aquele homem dos filmes. Para tornar mais concreta sua imitação, a paciente de meia-idade e cabelos escuros havia se apropriado de um galho de árvore longo e esbelto da vegetação próxima, enfiando-o debaixo de um braço como a bengala de Chaplin enquanto andava de um lado para outro, murmurando longos absurdos quase musicais e algaravias para si mesma: "Je suis l'artiste, le auteur e eu vivo, sua belle plural, eu viffey lavada em Lux, em luz, em voo, em fluxuria and em flow-motion, gravitalmente desvenriodando jargão translúcido, demora mais franca em messonhos molhados, messonhos salgados, enquanto deslizo para verafrente e não tenho um pedaço mole ou craca para me atrapalhar e vou sair na despida lavagem, escura minhas palavras, sobre meu Velho do Santo Mar Errante, quando estava pelas minhas costas ou eu estava, lambida pelo gato e foi assim que ele comeu minha língua..."

O monólogo insano prosseguia, sem nenhuma relação com a bengala giratória ou o andar de Chaplin, o balançar do nariz contraído de um bigode imaginário ou uma ocasional pirueta. Embora estivesse certo sobre o andar estranho da mulher, Michael Warren estava errado quando achou que os olhos dela estavam vesgos em uma imitação de Ben Turpin ou quem quer que fosse "aquele outro homem". Marjorie sabia que era assim que os olhos da mulher eram de verdade. Ela inclinou o corpo robusto para um lado para poder falar baixinho no ouvido de Michael Warren. Não tinha ideia do motivo para não fazer barulho, já que a paciente mental viva não podia ouvi-los, de qualquer maneira, mas pensou que poderia ser em resposta à forte semelhança da mulher em delírio com um pássaro raro e assustado. Ela sussurrou para a criança em um esforço desnecessário para não assustar a paciente.

— Sabe quando você está morto como a gente, e às vezes as palavras se confundem, e aí saem todas erradas? E Phyllis ou alguém diz que você está demorando para achar seus lábios de Lucy?

A criança piscou e assentiu com a cabeça, lançando olhares de soslaio para a louca que balançava de um lado para outro nas tábuas gramadas de um palco que só ela podia ver. Marjorie continuou, ainda cochichando.

— Bem, aquela mulher ali, ela era-será a Lucy.

Até Phyllis pareceu espantada.

— O que, era-será a filha do, como é o nome mesmo, do velho Ulisses? Aquele que escreveu o livro safado?

A líder do bando de fantasmas fez suas perguntas em seu volume normal e rouco, levando Marjorie a desistir do próprio tom moderado enquanto respondia a Phyllis.

— Sim. Aquela era-será Lucia Joyce. O pai dela era-será James Joyce, e enquanto ele escrevia seu grande livro, *Finnegans Wake*, ela costumava dançar para inspirá-lo. Quando Joyce recebeu o escritor Samuel Beckett como assistente no trabalho, Lucia achou que tinha sido deixada de lado. Também começou a achar que Beckett estava apaixonado por ela, e começou a ter uma série de problemas mentais. Ela está na Billing Road agora, no St. Andrew, tem alguns anos. Dizem que Beckett às vezes vai visitá-la lá, quando está na área. A família dela, os que estão vivos, minimizam sua existência, para que não projete uma sombra sobre o legado de seu pai. Pobre mulher. Era-será uma pena a forma como ela foi tratada.

Phyllis olhava para Marjorie com desconfiança.

— Ora, como cê sabe tanta coisa sobre isso tudo? Nunca soube que você era-será uma leitora.

A garota roliça olhou impassível através dos óculos para a oficial superiora envolta em coelhos.

— Não era-serei. Só fico sabendo de toda a fofoca.

Phyllis pareceu se dar por satisfeita e, depois de mais alguns momentos assistindo ao número repetitivo e estranhamente hipnotizante de Lucia, os quatro resolveram voltar pela ampla extensão de gramados recombinados e encontrar Bill e Reggie. Com os bolsos cheios de um tesouro de chapéus-de-puck anões que mais do que compensariam os roubados pela futura dupla, todos concordaram que foi uma excursão muito legal, mas que não havia sentido prolongá-la agora que tinham a recompensa pela qual vieram, ou pelo menos um substituto razoável. Uma vez que tivessem localizado seus dois membros desonrados — a quem Phyllis parecia estar preparada para pré-perdoar após o pré-julgamento anterior —, poderiam voltar para o Ultraduto até a igreja Doddridge e talvez ter tempo para brincar no terreno baldio submerso sobre o qual tinham passado a caminho dali.

Marjorie pensava em Lucia, pensava em Sir Malcolm Arnold e em todos os outros pacientes, do passado e do presente, dos vários hospícios de Northampton. John Clare, J. K. Stephen e os inúmeros outros cujos nomes ninguém, exceto seus parentes e amigos, jamais saberia, todos por fim vagando pela fronteira não demarcada que separava as loucuras aceitáveis e menores da vida comum dos comportamentos e pontos de vista mais inaceitáveis classificados como loucura. Como seria, ela se perguntava, enlouquecer? A pessoa estava ciente de que aquilo estava acontecendo? Nos primeiros estágios, ainda possuía alguma medida de autoconsciência que lhe permitia perceber que o mundo ao seu redor e suas reações a ele eram bem diferentes do que costumavam ser? Teria forças para resistir a esse mergulho na insanidade? Ocorreu-lhe que, para muitas pessoas, a própria vida comum era uma espécie de luta para se manter à tona.

Enquanto caminhavam pela beirada do bosque, tomando um caminho lento e tortuoso de volta para os prédios confusos dos hospícios, toparam com duas mulheres sentadas conversando em um banco desgastado. Vivas, nenhuma das duas pareceu detectar a presença das crianças-fantasmas. Pelo comprimento e cor da grama onde estavam sentadas, Marjorie julgou que seus corpos estavam na verdade no Hospital St. Crispin, em vez de se sobreporem ao St. Andrew no caos do colapso do mundo superior, como no caso de Sir Malcolm Arnold e Lucia Joyce. Marjorie não reconheceu a dupla, de qualquer forma. Ambas pareciam ser de meia-idade, uma alta e um tanto esquelética, a outra mais baixa, porém mais robusta. Marjorie via que apenas uma delas, a magricela, parecia ser uma interna, enquanto a amiga carregava uma bolsa e parecia mais uma visitante. Fora isso, não parecia haver nada de muito notável nelas. Marjorie teria seguido em frente caso o alto e bonito John não tivesse parado de repente e ficado olhando de um rosto para o outro com espanto antes de fazer um anúncio ao grupo em geral, e a Michael Warren em particular.

— Ora, vejam só. Acho que conheço essas duas. A menor, aquela era--será Muriel, prima de seu pai, pirralho, e acho que a outra era-será sua prima, a prima dela, Audrey. Audrey Vernall. Ficou maluca um pouco antes da guerra. Tocava acordeão em uma banda de baile agenciada pelo pai, então uma noite, quando a mãe e o pai dela tinham ido ao Black Lion, ela trancou os dois para fora e ficou tocando "Whispering Grass" no piano várias vezes, sem parar. Os pais dela tiveram que passar a noite toda sentados embaixo do pórtico da igreja de Todos os Santos, ali nos degraus, e de manhã mandaram alguém trazê-la para o hospital aqui em Berry Wood. Ela está aqui desde então, pelo que ouvi.

Marjorie examinou mais de perto a mais alta das duas, à luz do que ouviu de John. A mulher, Audrey, tinha um rosto forte e um par de olhos grandes, acesos e atormentados. Parecia estar se dirigindo a Muriel, sua visitante, com uma urgência considerável, com a mão da prima apertada com força nos dedos longos e sensíveis de acordeonista de Audrey. Como o anúncio de John fez com que todos parassem de tagarelar e prestassem atenção à conversa das mulheres, todas as quatro crianças fantasmagóricas ouviram claramente as palavras que Audrey Vernall disse em seguida, depois das quais Phyllis e John ficaram enojados e envergonhados, e trataram de tirar Michael Warren às pressas dali antes que ele pudesse ouvir mais.

Logo depois, encontraram Reggie e Bill, que haviam juntado uma grande quantidade de chapéus-de-puck como um ato de penitência por crimes ainda não cometidos. Assim que Phyllis deu seu perdão oficial pelo roubo iminente, o bando subiu de volta ao Ultraduto, saltando alto na atmosfera espessa da costura-fantasma e depois remando pelo restante da distância, com John e Phyllis rebocando Michael Warren no meio deles.

Enquanto voltavam pelo deslumbrante viaduto para a igreja Doddridge, mastigavam suas maçãs malucas e Phyllis mais uma vez os fez cantar a música do Bando de Mortos de Morte. Marjorie achou que Phyllis estava tentando fazer muito barulho para que todos se esquecessem do que Audrey Vernall, esquelética e de olhos arregalados, disse à prima quando as duas estavam sentadas no banco e achavam que não poderiam ser ouvidas. Marjorie, porém, não conseguia esquecer. Tinha um tom terrível, aquela confissão dura entre os galhos farfalhantes e bisbilhoteiros, e com sua sensibilidade de escritora Marjorie pensou que seria um final poderoso para pelo menos um longo episódio em seu Capítulo Doze, ainda por vir:

— Nosso pai vinha para a minha cama.

O bando continuou, seguindo na direção leste para a igreja Doddrige e cantando enquanto andavam.

Ah, e o cão tinha aquele nome porque no seu dorso havia uma mancha marrom-escura que parecia um pouco com a Índia.

MUNDOS PROIBIDOS

Bill sabia por experiência própria que ser inteligente e da classe trabalhadora costumava ser uma receita certa para encrenca. Nas ordens mais baixas — sem inspirações acadêmicas —, a inteligência genuína em geral se manifestava como algum tipo de esperteza e, se Bill fosse sincero consigo mesmo, admitiria que sempre foi mais esperto do que a prudência recomendava. Bastava ver a situação medonha resultante de seu mais recente esquema, agachado atrás da sombra corpulenta de Tom Hall, enquanto um bando de espectros bêbados e horripilantes torturavam um homem careca que parecia ser feito de madeira e estava aos prantos. Mesmo para um otimista contumaz como Bill, que geralmente tentava ver o lado positivo de tudo, aquela situação estava bem longe de ser a ideal.

Ele se lembrava bem do germe inicial de seu plano desastroso. Foi um bom tempo antes, logo depois que escaparam da tempestade-fantasma subindo pela casa de esquina isolada na Scarletwell Street, em algum momento durante zero-cinco ou zero-seis. Naquela ocasião, chateado ao descobrir que a fileira de casas de sua rua tinha sido demolida havia muito tempo, Michael Warren fugiu para a noite assombrada, e foram Reggie e Bill que o encontraram, sentado nos degraus centrais dos apartamentos da Bath Street e reclamando que sentia falta da irmã e dos quadrinhos que ela costumava ler. *Forbidden Planets*, esse foi o título específico que o garotinho mencionou, o que ressoou nos confins nebulosos da memória nada perfeita de Bill.

Foi só no encontro do bando com Phil Doddridge, porém, quando o grande homem casualmente deixou escapar o nome de batismo da irmã de Michael Warren, que Bill descobriu que todas as peças do quebra-cabeça começavam a se encaixar. O nome da irmã leitora de quadrinhos era Alma, Alma Warren. Ora, claro. Nascida nos Boroughs e fã de histórias estranhas de fantasia e terror desde criança, quem mais poderia ser? Bill conheceu Alma quando estava vivo, e muito bem. O bastante para saber que o que aquela artista meio famosa considerava sua principal obra era uma série de pinturas fascinantes e inescrutáveis que ela dizia serem baseadas em uma experiência visionária de quase morte relatada por seu irmão mais novo. Michael Warren, agora ficava evidente, era o irmão a quem se referia, enquanto todas as excursões do garotinho com o Bando de Mortos de Morte deveriam ser a experiência visionária de quase morte que em algum momento contou a ela. Bill, caso suas pernas fossem um pouco mais longas em sua forma infantil atual, poderia ter chutado a si mesmo por não ter feito a conexão óbvia entre Michael Warren e a Alma Warren que ele conheceu em vida.

Claro, assim que Bill descobriu o que estava acontecendo, conversou com Phyll, a única outra do bando que tinha alguma ideia do que ele estava falando. Phyll também conheceu Alma, embora não tão bem quanto Bill. Ele e Phyllis concordaram entre si que essa informação mudava praticamente tudo. Por um lado, já tinham descoberto que Michael Warren era um Vernall por parte de pai, um daquela raça estranha, como funileiros que, em Almumana, eram encarregados da manutenção de limites e cantos. E, se Michael Warren era um Vernall, então sua irmã Alma também era. Isso trazia outros fatores para a equação, vários deles muito maiores e mais sinistros do que a própria Alma havia sido, de acordo com o que Phyllis e Bill se lembravam dela.

O mais preocupante era toda aquela conversa sobre o Inquérito de Vernall. Pelo que Bill entendia, "Inquérito de Vernall" era um termo — como "Porthimoth di Norhan" e expressões como "defunteira" — desconhecido fora dos Burroughs de Northampton. Bill pensou que isso talvez acontecesse porque todas essas expressões se originaram no Andar de Cima, em Almumana, o Segundo Borough, e de alguma forma se infiltraram no território inferior, o Primeiro Borough, esse distrito mortal que parecia ser de tanta importância para o esquema superior das coisas. O ponto central do território, onde os ângulos haviam instruído aquele monge do século VIII a largar sua cruz de pedra da distante Jerusalém, bem em frente ao salão de bilhar. O boato que circulava entre fantasmas bem-informados era que o homem mais importante, o Terceiro Borough (cujo título ou cargo não existia em nenhum lugar, a não ser Northampton) tinha algo importante planejado para esse distrito tão pouco atraente.

Os construtores mais amigáveis e comunicativos tinham até um nome e uma data prevista para o grande evento que marcaria a conclusão desse projeto: seria chamado de Porthimoth di Norhan, um tribunal onde os limites e as fronteiras seriam enfim decididos, onde um julgamento seria proferido de uma vez por todas. E tudo isso aconteceria nos primeiros anos do século XXI. Bill não tinha uma ideia clara do que aquilo significava, claro, eram uns boatos que tinha ouvido. Como a decisão seria tomada no mais alto nível, em algum lugar além da vida e do tempo, Bill considerava provável que os limites e as fronteiras sob escrutínio fossem de grande importância, e não disputas a respeito de cercas entre vizinhos rivais. Mas como saber o que era? Talvez as fronteiras entre as dimensões estivessem prestes a ser revistas. Talvez a linha do limiar da morte fosse redesenhada. Algo dessa ordem, de qualquer forma, que soava como uma versão do Dia do Juízo Final para Bill. Esse era o Porthimoth di Norhan. Antes que qualquer julgamento pudesse ser feito, no entanto, deveria primeiro ocorrer uma investigação completa e rigorosa, também encomendada pela misteriosa administração de Almumana, e essa investigação preliminar era conhecida como Inquérito de Vernall.

Ora, de acordo com as conversas nas ruas do céu, o Porthimoth di Norhan seria realizado durante as primeiras décadas do século XXI, antes da primeira metade, com o necessário Inquérito de Vernall ocorrendo algum tempo antes disso, Bill imaginava, talvez nos primeiros dez ou quinze anos do século.

Ele se lembrava de ter visto as pinturas de Alma, um bom tempo antes de bater as botas por causa das complicações trazidas pela hepatite C, e se recordava da impressão, ainda que fugaz, que causaram nele. Aquelas paisagens surrealistas surpreendentes, povoadas por entidades peculiares e cheias de cores deslumbrantes; os suaves esboços em carvão das ruas e becos dos Boroughs, pisados por figuras cinzentas que deixavam pós-imagens desbotadas atrás de si — só depois de morrer Bill pôde avaliar por completo o quanto as imagens de Alma se assemelhavam às realidades de Almumana ou da costura-fantasma. Ele se lembrava de Alma lhe dizendo que havia sido inspirada por algo contado por seu irmão

Michael, que descobriu, depois de algum acidente de trabalho, que era capaz de se lembrar de detalhes de um incidente anterior, a já mencionada experiência de quase morte na infância. O tal acidente tinha ocorrido, se a lembrança de Bill estivesse correta, no primeiro semestre de 2005. Alma tinha de algum modo conseguido concluir todo o trabalho em um único ano, e Bill viu o alucinatório resultado pela primeira vez em 2006. A data estava dentro do período atribuído para o Inquérito, para o preâmbulo vital do vindouro Porthimoth di Norhan e, como todos souberam pouco tempo antes, Alma Warren era uma Vernall.

Se — e Bill estava especulando — as pinturas de Alma fossem de alguma forma essenciais para o Inquérito de Vernall, e se tivessem sido inspiradas pelas aventuras do irmão mais novo durante sua breve visita à vida após a morte, então isso explicaria tudo. Explicaria por que os dois mestres de obras consideraram a vida ou a morte de uma criança suficientemente importante para provocar uma briga em público na Mayorhold. Poderia até explicar por que aquele demônio que raptou o pobre garoto havia se interessado tanto por ele. Foi uma percepção iluminadora, que esclareceu muitas coisas, mas que, pelo que Bill podia ver, deixava o Bando de Mortos de Morte numa situação de merda.

A pior coisa, naturalmente, era a responsabilidade. Embora nunca a tivesse evitado, responsabilidade não era algo que Bill costumava buscar. Quando Phillip Doddridge e aquela defunteira assustadora e formidável, a sra. Gibbs, disseram a eles que as autoridades de Almumana estavam deixando todo o lance de Michael Warren nas mãos deles, o sangue metafórico de Bill gelou. À primeira vista, pareciam adultos com uma visão indulgente e relaxada em relação às brincadeiras das crianças, mas não era isso, Bill sabia. Não era isso o que estava acontecendo. O reverendo dr. Doddridge e a defunteira não eram realmente adultos, para começar, assim como os membros do Bando de Mortos de Morte não eram crianças de verdade. Todos eram apenas almas eternas e atemporais suspensas na permanência pirotécnica da Eternidade, vestindo as formas e personalidades que achavam mais convenientes. E as instruções do doutor em divindade para a turma eram algo muito mais sério do que "correr e brincar".

Se Michael Warren era tão crucial quanto Bill começava a acreditar para o ainda não iniciado Inquérito de Vernall e o posterior Porthimoth di Norhan, então o sucesso ou não de um plano divino havia sido deixado nas mãos de um grupo indisciplinado de fantasmas baderneiros. Era *Missão: Impossível* de novo, só que sem a vantajosa brecha para uma saída: "Sua missão, caso decida aceitá-la...". O bando não teve escolha, considerando a fonte de onde os pedidos vieram. Com alguma dose de ironia, Bill esperava que o Terceiro Borough soubesse o que estava fazendo, mas, depois de uma vida toda desconfiando de autoridades, duvidava. A falha central na proposta, na visão de Bill, era que eles haviam sido mais ou menos instruídos a garantir que Michael Warren voltasse à vida com pelo menos alguma lembrança de onde esteve, para que pudesse inspirar as pinturas aparentemente necessárias da irmã. No entanto, todos os regulamentos de Almumana, invioláveis como as leis da física, decretavam que era impossível reter a memória de suas façanhas no mundo superior uma vez que se voltasse à vida. Caso contrário, todos se lembrariam desde o momento do nascimento de que tudo aquilo já havia ocorrido um bilhão de vezes antes. Como não era isso o que todos experimentavam no próprio nascimento, então essa percepção súbita equivaleria a mudar o que havia acontecido, o que estava acontecendo, o que aconteceria para sempre. Alteraria o tempo, o tempo como dimensão física, o tempo como componente sólido de uma eternidade sólida e imutável. Era impossível, simples assim. Nem mesmo o Terceiro Borough havia conseguido e, como resultado, o que acontecia em Almumana ficava em Almumana.

Esse era o problema que ele e Phyllis tinham em mente durante boa parte da longa caminhada pelo Ultraduto até os hospícios desmoronados e fundidos. Discutiram como fazer para devolver Michael Warren ao mundo mortal sem que se esquecesse de tudo, e o que tinham para enfrentar a desesperança era apenas sua memória. Afinal, ambos tinham visto as pinturas acabadas de Alma durante suas próprias vidas mortais, portanto iriam encontrar uma maneira de resolver aquela situação das mais complicadas, para que os quadros pudessem refletir a visão do irmão da artista sobre esse pré-e-pós-vida cômico e assustador.

O problema era que Bill não tinha prestado muita atenção às obras de arte quando as viu, e não conseguia se lembrar do quanto foram específicas ao retratar o Andar de Cima ou a costura-fantasma. Ele se lembrou de uma placa de azulejos do tamanho de uma parede que parecia ter sido plagiada de M.C. Escher, e de outra peça grande e aterrorizante que era como olhar para um triturador de lixo de um quilômetro e meio de largura prestes devorar tudo o que era nobre ou apreciado na história humana. Havia os desenhos a carvão com suas figuras duplamente expostas que lembravam os moradores de rua desolados do meio-mundo, e os imensos estudos em acrílico de paisagens que podiam representar Almumana, embora Bill não conseguisse se lembrar de nada conclusivo. A peça que mais tinha impressionado Phyllis e Bill era a maquete em papel machê dos Buroughs, que não tinha nenhum elemento obviamente sobrenatural e que acabou não sendo incluída na exposição final do trabalho de Alma em Londres. Preocupado, Bill se deu conta de que só porque Alma havia feito alguns quadros sobre um pós-vida, isso não significava que eram os corretos. E se o Bando de Mortos de Morte não conseguisse devolver Michael de volta à vida com memória o suficiente de sua visão para tornar as pinturas de Alma significativas o bastante para a tarefa exigida? E se o Inquérito de Vernall fosse um fracasso, e o Porthimoth di Norhan não pudesse ser realizado? Ocorreu a Bill que essa aventura atual, longe de ser o maior triunfo do bando, poderia se tornar um fracasso contundente que reverberaria sem parar pelas longas ruas da eternidade. Ele e Phyllis ainda estavam processando tudo aquilo quando chegaram aos hospícios e sua conferência foi interrompida pelo outro Reggie Bowler e pelo outro Bill, invasores desconcertantes do futuro, com todas as maçãs malucas embrulhadas em uma bandeira fascista.

Ele não tinha ideia do que aquilo se tratava. Devia ser algo que ele e Reg iriam fazer em algum momento, mas, com todos os outros problemas que enfrentava, não teve tempo nem vontade para refletir sobre aquilo. A coisa com Michael Warren, esse era o negócio principal, e já que Phyll ficou toda mal-humorada com ele após o aparecimento de seu futuro eu ladrão, seria preciso pensar em tudo sozinho. O melhor que conseguiu foi que seria melhor estar em zero-cinco ou zero-seis, mais perto do momento em que esses eventos deveriam ocorrer, para que tivessem uma noção mais exata do que estava acontecendo. Tinha mencionado isso para Phyllis no caminho de volta dos hospícios, quando ela se recuperou do surto de raiva e decidiu que ainda estava em bons termos com ele e concordou a contragosto que talvez fosse uma boa ideia. Ela não tinha uma ideia melhor, isso era óbvio. Na verdade, Phyllis parecia um pouco preocupada e chateada depois que ela, Michael, Marjorie e John voltaram a se juntar a Bill e Reggie nos hospícios. Bill não tinha certeza do que havia acontecido naquela meia hora em que ficaram separados, mas parecia que Phyllis agora tinha coisas piores em mente do que o futuro roubo de algumas maçãs malucas por ele e Reggie.

Os seis caminharam pelo Ultraduto se empanturrando de chapéus-de-puck e tentando cantar a música "Nós Somos o Bando de Mortos de Morte" de Phyllis com a boca cheia de fadas mastigadas, borrifando pedaços de asa, rosto ou dedo quando riam. Imagens turbulentas perseguiam cada um deles como uma versão mais alegre e pediátrica de A Dança da Morte, com as figuras saltitantes fluindo ao longo da passarela de alabastro em seus rastros.

Acima deles, crepúsculos de dez mil anos de dias e noites competiam por atenção nos céus em mutação e derretimento. Bill havia marchado e cantado junto a todos os outros, permitido que o tônico estimulante e revigorante das Bedlam Jennies se espalhasse por seu organismo fantasmagórico, quem sabe inspirando-o com alguma solução para sua situação desconcertante. Enquanto o conhecido vislumbre onírico e criativo dos metafungos começava a envolver seus pensamentos, Bill olhou para baixo, pelo corrimão da calçada ardente, para as árvores e casas suburbanas borbulhantes por onde passavam, as propriedades rurais e chalés e empreendimentos imobiliários da empreiteira Barratt Homes construindo-se da poeira e, em seguida, desmontando-se de volta para a mesma substância. Duvidando que sua astúcia estivesse à altura do imenso enigma metafísico que enfrentava, Bill vinha repassando o assunto Michael Warren, analisando-o de vários pontos de vista enquanto ele e seus companheiros voltavam pelo viaduto brilhante para a igreja Doddridge.

Pelo que se lembrava, foi um acidente de trabalho em algum momento de 2005 que restaurou as lembranças do já adulto Michael sobre o que aconteceu após o incidente da asfixia quando tinha mais ou menos três anos. Bill se lembrava de Alma ter contado a ele, com uma indignação raivosa, que o irmão trabalhava recondicionando tambores de aço no Martin's Yard, amassando-os com uma marreta, como era contratado para fazer. Ao que parecia, Michael havia achatado um tambor sem rótulo que no fim continha produtos químicos corrosivos. A coisa explodiu no rosto dele, queimando-o e cegando-o, levando Michael a bater em uma barra de aço convenientemente posicionada, perdendo a consciência no processo. Foi quando acordou, segundo Alma disse a Bill, que o irmão foi revisitado pelas lembranças daqueles poucos minutos da infância em que esteve tecnicamente morto.

Enquanto passeava pelo Ultraduto mastigando um chapéu-de-puck dos mais saborosos e perfumados, ocorreu a Bill que, se isso era o que se lembrava que Alma lhe disse, então era quase certamente o que havia acontecido. E, como havia acontecido, também aconteceria e continuava acontecendo no universo quádruplo e eterno deles, onde o Tempo era uma direção. O que aconteceria já tinha acontecido, não importava se Bill arrumasse uma solução para a questão de Michael Warren. Isso livrou sua barra por talvez trinta segundos, mas então se deu conta de que o "acidente" no trabalho poderia muito bem ter acontecido por causa de alguma manobra astuta ainda sequer sonhada que o próprio Bill faria, o que obviamente o colocou de volta na mesma situação desconfortável. Tudo isso trouxe à lembrança o trecho de conversa que ouviram entre aquele tal Aziel e o sr. Doddridge, em que o reverendo perguntou se alguém realmente já havia tido livre-arbítrio, embora Bill não pudesse explicar ao certo por que essa breve conversa parecia ser relevante para seu dilema atual. Só sabia que era melhor encontrar uma resposta para o problema, e rápido.

Então, raciocinou, se havia uma chance de ter de alguma forma contribuído para o acidente de Michael Warren, talvez essa fosse a área de estratégia em que se concentrar. Como poderia ter feito isso?, ele se perguntava. Era mesmo uma possibilidade? Com sua imaginação estimulada pelos chapéus-de-puck, ele se perguntou a princípio se havia alguma maneira de interferir no posicionamento da barra de ferro que derrubaria Michael, mas, como em todos os esquemas de lucro fácil que inventara no passado depois de alguns baseados, as pontas soltas de seus inovadores projetos teóricos logo ficaram evidentes.

O principal era a questão de como Bill, limitado por seu estado fantasmagórico, iria mover uma barra de ferro ou, mais, o mecanismo quase certamente pesado ao qual a barra estaria presa. Como ia fazer isso, quando a única maneira que um fantasma dispunha para afetar o mundo físico era girando até ficar zonzo em algum canto de estacionamento, tentando mover uma porra de um saco vazio de batatas fritas? E, mesmo assim, só em dupla conseguiam gerar uma pequena tempestade de poeira. Seria necessário um continente inteiro de fantasmas, todos correndo em círculo, para mover uma barra de ferro...

Foi bem quando o bando estava chegando à ponta do Ultraduto que dava na igreja Doddridge que Bill começou a formular a ideia que o conduziu à dificuldade atual que enfrentava, agachado com um Michael Warren aflito atrás da forma volumosa do falecido Tom Hall, no andar de cima do bar dos fantasmas, o Jolly Smokers espectral, assistindo ao horrendo espetáculo.

Bill foi tomado de repente pela inspiração assim que Phyllis ordenou que parassem de andar alguns metros antes da portinha no meio da parede oeste da igreja Doddridge, que marcava o fim daquele trecho do Ultraduto. E se houvesse algum objeto que fosse muito, muito mais leve do que a barra de ferro, mas que tivesse um papel tão importante quanto no incidente em que Michael nocauteou a si mesmo? Bill pensava nisso quando Phyllis disse que, se todos saltassem do viaduto brilhante naquele ponto, poderiam ir brincar na lagoa de terraplanagem que haviam notado antes, como tinha prometido a Michael.

A pequena extensão peculiar de terreno baldio desdobrado ali entre Chalk Lane e o muro de tijolos que delimitava a St. Andrew's Road sempre havia sido um dos lugares favoritos de Bill na costura-fantasma. Como os manicômios fundidos, esse trecho acidentado havia sido submetido à subsidência e ao colapso astral, mas, ao contrário da situação dos hospícios, ninguém parecia ter certeza do motivo por que isso tinha acontecido. Afinal, nas instituições existiam lunáticos cujos pensamentos e sonhos confusos haviam levado a falhas nos fundamentos do mundo superior. Ali, pelo que se sabia, a área sempre havia sido um terreno baldio, exceto por quinhentos anos ou mais, quando foi uma área periférica obscura e despovoada do perímetro do castelo. Por que as tábuas espalhafatosas do assoalho de Almumana escolheram aquele ponto para ceder, quando nada de mais tinha acontecido ali, e onde não havia pesadelos ou delírios internos minando os territórios celestiais mais acima? Talvez, Bill imaginava, a região fosse do jeito que era por causa de sua proximidade com o fim do Ultraduto, ou então tivesse despencado por causa dos efeitos da passagem do tempo e da negligência, assim como a maioria das coisas tendia a acontecer.

As crianças pularam da passarela branca acima da história, com suas pós-imagens cinzentas em uma trilha de carimbos de borracha seguindo atrás delas, e aterrissaram no estacionamento da Chalk Lane em uma noite de primavera de zero-seis. Logo acima da alameda deserta, podiam ver a igreja Doddridge, com seu contorno baixo contra o crepúsculo iminente, e os ameaçadores prédios de apartamentos de vários andares que se erguiam em seu entorno. Quase todo o distrito ao redor estava irreconhecível desde quando o bando o viu nos anos 1600, ou mesmo nos anos 1950. Phyllis, ainda parecendo um pouco distraída com o que quer que tivesse ouvido ou testemunhado nos manicômios, conduziu a turma pelo cercado silencioso até o canto noroeste, onde era possível escalar o pedaço de terra com o qual a lagoa desmoronada coexistia. No plano mortal, o trecho de terreno baldio havia sido designado como remanescente do Castelo de Northampton, apenas para seduzir turistas que nunca haviam aparecido, mas todo mundo do local sabia que era papo-furado. Troncos foram colocados como se para replicar alguns degraus desaparecidos de um castelo, quando tudo o que realmente existiu no local foi muita lama e grama, o mesmo que havia agora.

As crianças escalaram o terreno elevado, com Phyllis apressando-as por trás. Bill foi o penúltimo a subir e, depois disso, virou-se para descer e dar a mão a Phyllis. Foi quando notou a jovem mulher viva subindo a Chalk Lane, do outro lado do estacionamento, e parou para se perguntar de onde a reconhecia.

Ela parecia estar na vida, com sua saia curta, salto alto e casaco de PVC, mas Bill não achava que esse era o contexto em que a viu quando a notou em outra ocasião. Em uma daquelas cadeias de associação bizarras e tênues, descobriu que ela fazia vir à mente as palavras *Forbidden Worlds*, que era o gibi que o menino Warren havia mencionado depois que Bill e Reggie Bowler o encontraram sentado nos degraus centrais dos...

Apartamentos na Bath Street. Foi onde Bill tinha visto a garota antes. Enquanto Reggie e ele mostravam a Michael Warren o Destruidor, o redemoinho astral vasto e fumegante que emanava do ponto da Bath Street onde a chaminé do incinerador de lixo ficava até a década de 1930. Seu raio de obliteração, que girava lentamente, parecia cruzar vários cômodos dentro dos prédios de apartamentos, incluindo um onde essa mesma garota, com o cabelo arrumado em trancinhas, estava sentada fumando crack e colando fotos em um álbum de recortes, sem saber que uma grande serra circular fantasmagórica raspava suas entranhas, seu espírito.

Foi bem quando Bill conseguiu puxar Phyllis para o lado dele que a mulher, uma garota parda, ao que parecia, virou a cabeça, olhando para eles através das sombras do estacionamento como se na dúvida de estar ou não vendo as crianças. Ele apontou a garota para Phyllis.

— Ali, Phyll, olhe bem para ela ali. Acho que ela consegue ver a gente.

Phyllis, com seu colar de coelhos pendendo no pescoço, olhou por cima do ombro para a prostituta de aparência perplexa antes de fazer esforço para ficar de pé e seguir para o terreno baldio.

— Ora, não me surpreenderia se ela conseguisse nos ver. Parecia uma puta, e todas elas por aqui tão usando esse negócio, o crack. Não ficaria surpresa se ela estiver vendo coisas bem piores que nós. Cê não deveria estar olhan'o pra ela, de qualquer jeito, seu imbecil de mente poluída.

Mesmo animado pelos chapéus-de-puck engolidos, Bill não foi capaz de reunir a energia necessária para discutir com Phyll. Poderia ter dito que olhava para a garota porque achava que a reconhecia, mas teria sido um desperdício de saliva. Bem, não exatamente saliva, porque ele não tinha nada disso fazia muito tempo, mas teria sido um desperdício de alguma coisa.

Quando os dois passaram por cima do cume gramado para o primeiro vislumbre da lagoa e terraplanagem, um impressionante pôr do sol acontecia num cinza e branco radiante acima da horrenda expansão da Estação Castle. De alguma forma gloriosa e etérea, apesar da falta de cor, a exibição foi lindamente refletida nos lagos oníricos delimitados pelos muros de terra escarpada das obras de terraplenagem desdobradas. Descendo o caminho arqueado de montanha-russa à frente de Bill e Phyllis, seguindo para a beira das águas calmas, os outros quatro membros do bando-fantasmal já brincavam nas margens e nas bordas rochosas da vasta anomalia. Grandes blocos de granito, bíblicos em suas proporções, projetavam-se em ângulos íngremes das manchas piche-e--cromo da superfície, fundindo-se com as imagens espelhadas invertidas abaixo delas em manchas de Rorschach 3D descoloridas, e ao redor as paredes de terra de corte quadrado e cantos da paisagem de pedreiras elevavam-se em direção à chama cinzenta do céu.

Era a escala do ambiente, ao menos visto da costura-fantasma, que tornava visível o colapso astral. A terraplenagem, vista dali, parecia ter pelo menos quatrocentos metros de diâmetro, enquanto, observado da perspectiva do reino mortal, o pedaço correspondente de terreno baldio — ou restos de castelo, para quem preferir assim — media apenas quinze metros. O que eram buracos e poças despercebidos no mundo físico de três lados tinham se desembrulhado em lagos opacos como espelhos negros, onde sanguessugas oníricas e salamandras imaginárias rastejavam invisíveis através de profundezas não vistas.

Ele sabia que as pessoas vivas às vezes sonhavam com aquele lugar. Já as tinha visto vagando pelas margens de cueca ou pijama, olhando perplexos para seus penhascos negros, desnorteados pela mistura sedutora do desconhecido primordial e do dolorosamente familiar. Enquanto estava vivo, achava que se lembrava de tê-lo visitado uma vez durante algum passeio noturno subconsciente. Tanto no sonho quase esquecido quanto agora, enquanto vagava para a beira da água com Phyllis, o lugar mantinha a mesma atmosfera assombrada e um pouco melancólica. Os contornos talhados remetiam a algo atemporal e duradouro, em comparação com o qual a duração de uma vida humana mal merecia registro. "Estamos aqui desde sempre", os grandes baluartes silenciosos pareciam dizer, "e não o conhecemos, e você logo irá embora". O céu acima das bordas escuras do penhasco tinha uma claridade aquosa, uma aparência gradual e nostálgica, ao substituir o sol que caía.

Bill mexia com todos os demais, brincando de perseguição na beira da lagoa, pulando de um poleiro de pedra inclinado para o outro, mas o tempo todo repassava os detalhes mais sutis do plano que ia se formando. Se onde estavam naquele momento era a primavera de 2006, então o acidente do já adulto Mick Warren no Martin's Yard devia ter ocorrido cerca de um ano antes. Talvez um pouco de escavação de volta ao período anterior fosse necessário, embora Bill não se sentisse inclinado a se submeter aos canais apropriados e consultar Phyllis. Ainda que os dois meio que tivessem feito as pazes depois de todo aquele negócio com os doppelgangers do futuro, Bill ainda não sentia que ela confiava completamente nele. Se sugerisse seu plano enquanto ela ainda estava irritada com ele, achava que havia uma boa chance de que o vetasse, só para bancar a difícil. A melhor atitude, decidiu, seria ignorar Phyllis por completo, embora isso por si só exigisse algum planejamento.

De cócoras em um afloramento de pedra com vista para os lagos rochosos e silenciosos mais abaixo, avistou o esguio John e Phyllis conversando seriamente, sentados na grama perto da água. Bill imaginou que poderiam estar discutindo o que quer que os tivesse incomodado nos manicômios, e isso não importava muito para sua estratégia. Ele tivera uma discreta conversa com Marjorie Afogada e Reggie, apenas para ter certeza de que estariam prontos para uma excursão se surgisse a oportunidade, então foi e se sentou ao lado de John e Phyllis, que pareceram um pouco irritados com a interrupção.

— Ei, Phyll, tudo bem se cavarmos pra outro tempo aqui por perto? Reg diz que acha que no tempo dele tinha casas aqui onde estamos agora, mas não sei se pode estar certo. Podemos levar Marjorie e Michael com a gente, dar uma olhada, ver como as coisas eram-serão, e voltamos antes de você se dar conta. Quer dizer, vocês dois podem vir também, mas achei que parecia que estavam conversando.

Phyllis respirou fundo enquanto se preparava para dizer que, se Bill achava que ela confiaria Michael Warren a um vagabundo como ele, deveria estar louco, ou pelo menos achou que isso havia passado pela cabeça dela, mas então se deteve por um momento e pareceu pensativa. Para Bill, parecia que estava considerando quem ficaria sozinho ali se ele, Reggie Bowler, Marjorie Afogada e Michael fossem fazer um túnel para o passado por meia hora. A resposta, obviamente, era ela e o John alto e galante. Uma vez que Phyllis fez os cálculos necessários, pareceu mudar sua postura.

— Certo... desde que não esteja cavando para se juntar aos camisas negras e pegar todos os nossos chapéus-de-puck...

Bill assumiu uma atitude de protesto indignado.

— Claro que não. Foi-será por isso que vamos levar Michael e Marjorie Afogada com a gente, assim eles podem ficar de olho, e como você sabe que eles não tavam também quando vimos nós mesmos nos hospícios... mas olha, se não confia, podemos ficar todos aqui com você. Não faz diferença pra mim.

Provavelmente com medo de perder seu interlúdio idílico e crepuscular na lagoa com John, Phyllis fez o melhor possível para amenizar o que pensava ser a irritação de Bill.

— Não, não, vão brincar. Só não mete o Michael em nenhuma trapalhada.

Bill jurou que não e então saltou de pedra em pedra pela beira da água para dizer aos outros que tinham permissão para um passeio no passado do aterro. Pelas expressões confusas dos outros, Bill teve a impressão de que ninguém achava que isso soava como um passeio, mas, assim que Reg concordou lealmente em ir com Bill, os outros dois deixaram de lado sua resistência.

Raspando com a ponta dos dedos no ar vazio, arrancaram rapidamente as fibras pretas e brancas crepitantes do tempo, representando noites e dias, para fazer um buraco do tamanho de um bambolê com uns doze meses de profundidade. Como havia seguido os três companheiros pela abertura até o ano anterior, até arriscou um aceno alegre para John e Phyllis antes de subir pela abertura no tempo e fechá-la atrás de si.

Do outro lado do portal, encontrou Reggie, Marge e Michael, todos melancólicos, parados em uma escavação inundada idêntica ao lugar onde estavam dez segundos antes, apenas um pouco mais escura. Reg brincou com o ângulo do chapéu por um minuto e depois cuspiu um bocado de ectoplasma na lagoa, um sinal claro de que a criança vitoriana desajeitada havia se irritado com uma coisa ou outra.

— Bom, isso não me parece muito divertido. Achei que teria algum lugar um pouco mais animado que esse em mente quando me disse para sair em expedição.

Bill deu uma boa olhada em Reggie e então perguntou o que ele achava do Oddjob em *Goldfinger*. Reggie, que era bom em nomear carros, mas que mal tinha ouvido falar de cinema, apenas franziu a testa, sem entender.

— Do que você tá falando!? Odjo?! Fingue!? Você não fala nada com nada. Cara, você perdeu a cabeça?

Em resposta, Bill apenas sorriu e habilmente arrancou o chapéu das mechas encaracoladas de Reggie e o arremessou como um frisbee através da escuridão e pelo topo do penhasco escavado que se agigantava ao norte, onde aquilo desapareceu de vista, seguido por sua trilha graciosa de pós-imagens.

— Não, mas a sua perdeu alguma coisa.

Com Reggie de queixo caído com a afronta que Bill fez e Marjorie e Michael Warren começando a rir, Bill correu na direção em que jogou o chapéu, parando no meio do muro norte do aterro para gritar de volta para Reggie.

— E, se eu pegar primeiro, vou mijar dentro!

Enquanto continuava subindo a encosta, Bill ouviu as outras três crianças-fantasmas gritando enquanto o perseguiam, com Marjorie e

Michael gritando de alegria enquanto Reggie só berrava que era melhor Bill não mijar em seu chapéu. Bill na verdade não pretendia fazer isso, claro, e se Reg tivesse parado para pensar por um segundo se daria conta de que fantasmas nem podiam mijar. Bem, podiam espremer uma ou duas gotas se quisessem, assim como Reggie podia cuspir, mas não tinham muita umidade extra que precisavam descarregar. Feitos principalmente de energia, os espectros não eram suculentos, suados ou mijadores. Eram tão secos quanto as folhas marrons do outono, a não ser pelo ectoplasma, que tendia a torná-los um pouco roliços.

Chegando ao topo do penhasco, onde terminava a zona desdobrada e ampliada do aterro astral, Bill se sentou na extensão de grama cinzenta que corria pela St. Andrew's Road, nos baixos da Scarlet Street, esperando que os outros o alcançassem. Estava bem escuro e, a não ser por um ou outro carro roncando para lá e para cá na via principal, a caminho do Sixfields ou da Semilong, praticamente deserto. O chapéu fantasma de Reggie estava virado de cabeça para baixo, o menino sardento notou, a alguns metros das botas esparramadas de Bill, mas longe demais para mijar nele.

Olhando para o trecho redundante de gramado vazio, um campo de jogo não utilizado onde antes havia vinte ou mais casas, a atenção de Bill acabou pousando na construção solitária na parte inferior da Scarletwell Street, a casa isolada, abandonada pela fileira. Mesmo quando Bill estava vivo, achava o lugar estranho, e isso foi antes de descobrir sobre a escada de corda para Almumana, ou sobre quem atualmente habitava o local, a tal pessoa sensível a fantasmas, um Vernall de quem tinham fugido antes. De acordo com o que Bill ouviu falar, o espaço ocupado pela peculiar casa pertencia a um indivíduo admiravelmente teimoso, um cara do Leste Europeu, que se recusou a vender a propriedade à prefeitura para ser derrubada. A partir dali a história era ainda mais nebulosa. Bill imaginou que aquele incorruptível proprietário deveria estar morto fazia muito tempo, e que a propriedade estaria em outras mãos. Tinha ouvido dizer que a certa altura a prefeitura usou o local como uma casa de recuperação, um lugar para enfiar pacientes mentais retirados de instituições e colocados sob o cuidado, quase inexistente, da comunidade. Mas teria acontecido há algum tempo. Isso era o que Bill sabia da história oficial da casa da esquina e, de sua situação sobrenatural, sabia ainda menos.

Até onde conseguiu apurar, a construção solitária tinha sua porta de entrada para o reino do Andar de Cima graças a sua relação geométrica com o que um dia foi a prefeitura original, na esquina de cima da Scarletwell Street, do outro lado da rua — a estrutura que havia fornecido uma fundação para a enorme sede dos construtores, chamada de Obras, de onde Almumana era governada. Isso era tudo o que Bill sabia sobre os aspectos mais etéreos do local e, para ser sincero, nem mesmo aquilo ele entendia direito.

Além disso, naquele momento, Bill estava menos preocupado com a história da casa, material ou não, do que com seus prováveis efeitos sobre Michael Warren. Afinal, aquele havia sido o ponto exato de onde a criança vestida para dormir tinha fugido pela faixa aberta de relva vazia onde sua casa, sua rua e sua família um dia ficaram. Uma vez que Bill podia ouvir seus três perseguidores escalando a beira do penhasco para a encosta suave atrás de suas costas, decidiu evitar a casa de esquina assustadora e isolada e tomar um caminho diferente para Martin's Yard, que era onde sempre tivera intenção de chegar.

Reggie correu atrás de Bill e o empurrou, pulando em cima de seu chapéu caído e inspecionando-o com cuidado antes de enfiá-lo na cabeça. Disse a Bill que era melhor não ter mijado nele, mas aos risos, assim como Marjorie e Michael, quando enfim alcançaram os dois garotos, que se empurravam. Foi quando Bill esclareceu o verdadeiro propósito de seu passeio, ou pelo menos o máximo que podia dizer sem se complicar.

— Escutem o que era-será, tive essa ideia que acho que pode resolver vários problemas de todo mundo, mas, se contasse para Phyllis, tenho certeza de que ela ia recusar por puro despeito. Isso envolve ir até o Martin's Yard — ou Martin's Field para vocês três — e fazer um experimento que inventei. Sei que não parece muita coisa, mas achei que, se a gente fosse voando para lá, em vez de só andar, poderia animar um pouco as coisas.

Essa última parte, o voo, foi uma improvisação que na verdade pretendia levar todos ao Martin's Yard sem o obstáculo adicional de fazer Michael Warren passar pela velha casa nos baixos da Scarletwell Street, mas a perspectiva de uma manobra aérea pareceu bem aceita pelos outros três, então Bill ficou feliz por ter pensado nisso.

O quarteto subiu com algum esforço pelo ar usando como método uma série crescente de pulos e saltos de pouso lunar. Isso se devia em grande parte ao fato de ser o modo mais fácil de conduzir voadores novatos, como Michael Warren, para o céu. Quando o iniciante saltasse alto o suficiente, bastava avisá-lo para nadar cachorrinho ou de braçadas para manter ou talvez até aumentar a altitude, ajudando-o com um reboque, se necessário, como no caso de Michael Warren. Assim que todos haviam subido até um ponto acima dos pátios ferroviários da Andrew's Road, Bill pegou a mão de Michael para que o menino de olhos brilhantes e claramente encantado pudesse permanecer no ar. Ele notou, espiando na escuridão com sua visão noturna espectral, que Marjorie Afogada fingia que também não sabia nadar cachorrinho ou de braçadas, o que fez Reggie ajudá-la pegando sua mão. Essa incapacidade de Marjorie era uma mentira, Bill tinha certeza. Ela poderia ainda não ter aprendido a nadar quando o Bando de Mortos de Morte tirou seu corpo espiritual do Nene tantos anos antes, mas fez um nado de peito bem competente quando estavam perseguindo pombos pela Marefair em 1645. Enquanto escalava a noite dos Boroughs com Michael Warren, na direção de uma meia-lua de limão, Bill se questionava se Marjorie estaria se apaixonando por Reggie.

A jornada em linha reta voando sobre pátios das ferrovias e caminhões noturnos estacionados em direção à Spencer Bridge e ao Martin's Yard tinha sido emocionante, mesmo para um voador contumaz como Bill. Talvez por estar acompanhado de Michael Warren, que estava de olhos arregalados e sem palavras, Bill descobriu que era capaz de se lembrar de como havia sido seu primeiro voo pós-morte, motivado pela expressão maravilhada no rosto da criança.

Abaixo deles, mesmo naqueles confins estígios da cidade, brilhava uma galáxia de luzes, todas tornadas brancas ou esbranquiçadas pela falta de cor da costura-fantasma. Interrompendo esses aglomerados luminosos, havia massas escuras representando fábricas esvaziadas e campinas sem iluminação, com uma centena de lantejoulas de postes de rua incrustadas nas bordas dessas formas negras e enigmáticas como cracas fosforescentes. A St. Andrew's Road, desenrolada abaixo deles, de norte a sul, era um cinto de couro cravejado de cromo que provocou um comentário do menininho que se esfalfava no ar ao lado de Bill, embora tivesse que gritar acima da rajada do vento.

— Foi-será perto daqui que o diabo me levou no voo dele, mas era-será tudo colorido.

Bill gritou de volta através dos poucos metros que os separavam, uma distância igual aos braços esticados dos dois e de suas mãos dadas.

— Isso foi-será porque vocês dois desceram do Primeiro Borough, dos Sótãos do Alento, viajando de um jeito especial que só os construtores, os diabos e seres assim conseguem. Eu mesmo nunca olhei de cima em cores. Aposto que foi-será uma visão e tanto.

Nesse ponto passavam pela Spencer Bridge, o que arrancou um comentário berrado de Marjorie Afogada, voando de mãos dadas com Reggie Bowler a estibordo de Bill.

— Olha aquela maldita ponte lá embaixo de nós. Foi debaixo dela que me encontraram. Uma coisa eu digo, estou feliz por estarmos aqui em cima e não lá embaixo, andando por ela. Ainda me dá arrepios, pensar naquela mulher-enguia, lá embaixo, no escuro e no molhado.

Isso Bill não discutia. Ele se lembrava da noite de arrepiar os cabelos em que resgataram Marjorie da Bruxa do Nene e sabia que, de todas as coisas surpreendentes que viu, tanto em vida quanto fora dela, aquele vislumbre da criatura interminável, quando ela se ergueu do rio da meia--noite, varrendo o ar com suas longas garras dobradas e a membrana lazarenta esticada entre elas, uivando sua frustração e seu ódio assassino às estrelas, tinha sido a mais espetacular... ao menos até que o demônio gigante que bufava e batia o pé apareceu. Ou os dois Mestres de Obras lutando. Isso havia sido bastante surpreendente também, pensando bem. Ah, e aquelas duas Salamandras espalhando o Grande Incêndio. Fora isso, Bill achava que a Bruxa do Nene ofuscava todo o resto.

Com seu rastro enfumaçado de pós-imagens, as crianças desceram suavemente para as instalações de recondicionamento de tambores em St. Martin's Yard, como foguetes lentos e cansados. Quando Bill soltou a mão de Michael Warren, a criança reajustou o cinto xadrez do roupão e ficou parada por um momento, avaliando os arredores antes de perguntar:

— E então, o que era-será esse lugar?

É o lugar onde você vai trabalhar quando for homem. É para isso que todas aquelas horas chatas na escola vão prepará-lo. Todas as esperanças e sonhos que você vai ter enquanto cresce vão acabar aqui, sendo amassados com martelos; sendo recondicionados. Todas essas respostas, honestas, mas cruéis e dolorosas demais para uma criança suportar ou até mesmo entender, permaneceram por dizer na ponta dolorida da língua mordida de Bill. Ele sentiu uma súbita onda de empatia pelo pobre garoto inocente, que o encarava parado ali, alheio às perspectivas sombrias e desanimadoras ao seu redor. Bill, enquanto estava vivo, tinha trabalhado em lugares tão tristes e mortíferos quanto aquele, mas nunca por mais de seis meses. Pelo que se lembrava de Alma ter lhe contado sobre o irmão, Michael trabalharia naquele lugar cinzento e sem inspiração por muitos anos. Se tivesse assassinado seus patrões da maneira que evidentemente mereciam, teria sido libertado de seu confinamento mais cedo, o pobre coitado. Tentando esconder esses pensamentos sombrios por trás de seu sorriso maroto mais impermeável, Bill olhou para Michael enquanto tentava formular uma resposta com a qual o garoto pudesse viver. Bem, não exatamente *viver*, mas isso não vinha ao caso.

— É um lugar ruim, nanico. Lugares assim, Alma do Buraco era-será como chamamos, não fazem nada de bom para você ou qualquer um. Nunca fizeram, nunca vão fazer. Então, se a gente fosse aprontar alguma, não ia machucar ninguém que não merece.

Essa última parte foi uma mentira abjeta. A pessoa que ficaria mais ferida com o que Bill propôs aprontar seria o próprio Michael, que receberia um tratamento facial com ácido e depois seria nocauteado por uma barra de ferro, e ele certamente não merecia passar por apuros desse tipo. Claro, seu infortúnio pessoal estaria a serviço de um bem maior, pelo menos teoricamente, mas Bill tinha a sensação desconfortável de que era isso que se costumava dizer para os galgos que fumavam oitenta cigarros por dia nos laboratórios.

A essa altura, Marjorie e Reggie também haviam descido, parecendo constrangidos ao soltarem a mão do outro, e queriam saber no que aquele mergulho insano ao fundo do nada estava ajudando. Ele explicou o melhor que podia, considerando a presença de Michael.

— Olha, sabe aquilo que Phil Ardente falou na igreja Doddgridge, quando falou que a gente tinha um desafio em mãos, mas que os poderosos tinham certeza de que podemos dar conta? Bem, ele estava falando do Willie Winkie aqui. Ao que parece, quando ele voltar à vida, temos de garantir que ele pelo menos se lembre de alguma coisa do que aconteceu aqui, por mais que digam que era-será impossível. Enfim, acho que descobri um jeito de fazer isso, mas não posso dar os detalhes de tudo na presente companhia. Gente pequena tem orelha grande, se é que vocês me entendem.

Nesse ponto Bill deu uma boa encarada em Marjorie e Reggie, que assentiram quase imperceptivelmente para sinalizar que haviam entendido e estavam preparados para seguir seu plano, apesar de não poder ser explicado com Michael presente. Quanto ao próprio menininho, ele balançou a cabeça como se compreendesse, embora obviamente não tivesse ideia do que Bill estava falando. Não encontrando objeções, Bill continuou com seu esquema.

Ele originalmente pretendia dar uma olhada nos dias e noites ao redor, para ter certeza de que estavam na data e na ocasião certas, mas mudou de ideia. Foi o que Phil Doddridge havia dito, que deveriam se sentir livres para levar Michael onde quisessem e garantir que qualquer coisa que acontecesse fosse o que deveria acontecer. Essa predestinação e o livre-arbítrio funcionavam para os dois lados, pelo que Bill era capaz de ver. Se tinha trazido Michael e os outros para o pátio naquela exata noite, era o destino divino em ação, e teria sido quase falta de educação verificar. Bill tinha começado a perceber que aceitar a ideia do Destino poderia de fato remover parte do peso da responsabilidade. Bastava delegar para cima.

Tendo assim decidido que estavam mesmo no lugar certo na hora certa, Bill levou o quarteto para um passeio pelo pátio de recondicionamento, inspecionando o estoque e procurando o material adequado para o que tinha em mente.

Aquele pátio era mesmo um local deprimente. Bill se lembrava de histórias contadas por sua mãe, de quando era uma garotinha e vinha para Martin's Fields, como o lugar era chamado na época, ao sair para celebrar o "Maio Florido". Isso era uma coisa que ela e as amigas faziam no Primeiro de Maio. Iam de porta em porta exibindo uma pequena cesta cheia de flores silvestres com uma boneca de criança no meio e, por uma moeda, cantavam a musiquinha que decoraram: "No Primeiro de Maio, na porta da vizinha deixo minha flor. Não passa de um broto, vizinha, mas é de Nosso Senhor". Olhando ao seu redor para os montes de cilindros amassados, Bill refletiu que o pátio, ou campo, parecia um local muito mais agradável e pitoresco nos tempos de sua mãe.

Da própria vida de Bill, o que havia de mais marcante a contar sobre o lugar era uma história da qual ele nem participava. Foi no Martin's Yard, conforme se lembrava, que a polícia tinha colocado agentes para vigiar o terreno na extremidade da St. Andrew's Road que pertencia a Paul Baker, um notório bandido que Bill conheceu.

Os policiais achavam que Baker poderia estar escondendo o resultado do roubo de algum assalto a banco na propriedade, e tiveram sua desconfiança atiçada quando avistaram dois tipos suspeitos que pareciam estar cavando túneis nas pilhas de lixo que se acumulavam há cinquenta anos naquele território que agora pertencia a Baker.

Na verdade, os dois supostos cúmplices eram os antigos companheiros de Bill, Roman Thompson e Ted Tripp. Ted havia sido um ladrão talentoso e perspicaz que só assaltava casas majestosas, enquanto Rome tinha sido um destemido sindicalista com fama de ser completamente maluco. Estavam no terreno de Paul Baker com a permissão dele, cavando por entre os montes de lama comprimida e cinzas despejados por lá décadas antes como resíduos do Destruidor, na Bath Street. Ted e Roman caçavam velhas garrafas vitorianas de pedra, do tipo que tinha bolinhas de gude como tampa, pelas quais poderiam conseguir uns trocados nas lojas de antiguidades. Rome, cuja coragem imprudente chegava a parecer até um tanto suicida, cavava um túnel na pilha, cada vez mais atraído por um sedutor vislumbre da palavra "gengibirra" numa superfície curva. No final, havia só os tornozelos dele aparecendo, e foi nesse momento que tudo aquilo decidiu desabar em cima de Roman Thompson.

Ted, um sujeito bem forte para seu tamanho, agarrou os pés de Roman e o puxou da sujeira e do clínquer sufocante em um pico considerável de adrenalina. Foi nesse ponto que dois ou três carros cheios de policiais, que assistiam a tudo do St. Martin's Yard, entraram rugindo nas instalações de Paul Baker e pararam ao lado da dupla completamente desorientada. Bill não sabia o que a polícia esperava conseguir com a manobra, mas podia apostar que não era a visão pavorosa de Roman Thompson, coberto da cabeça aos pés com sujeira preta, com cabelo e barba formando espinhos lamacentos e olhos enlouquecidos e furiosos brilhando em meio à fuligem e à lama. Ocorreu a Bill, enquanto pensava no incidente de lá em Martin's Yard, xeretando com Reggie, Marjorie e Michael, que, se não fosse pelas ações oportunas de Ted Tripp, o Destruidor teria matado Rome Thompson mesmo depois de ter sido demolido quase quarenta anos antes. Se Bill fosse supersticioso, do tipo que acredita prontamente em demônios, fantasmas e monstros do rio de mil metros de comprimento, poderia até ter concluído que era essa a intenção maligna do Destruidor.

Enquanto continuavam vagando pelo pátio de recondicionamento —
Bill não sabia que horas eram, apenas que não era horário de trabalho
—, finalmente encontraram cerca de uma dúzia de tambores separados
de todo o resto, talvez para serem os primeiros na manhã seguinte. Um
dos cilindros de metal amassados, a um ou dois metros de distância dos
demais, tinha uma tira de fita pendurada, com o feroz aviso de advertência
arrastando-se em areia e poças oleosas onde havia se desprendido em
uma extremidade.

Destino. Sina. Sorte. Bingo.

Bill, encantado porque pela primeira vez em sua existência precária
as coisas pareciam estar saindo como planejado, organizou as outras três
crianças-fantasmas em um trenzinho. Como Reggie era o mais alto, Bill
o deixou ser a locomotiva na frente da fila de conga improvisada, com
Michael, Marjorie e o próprio Bill como carro de carvão e os vagões. Com
Reg Bowler se esforçando para fazer sons apropriados de apito de trem e
ruídos de baforadas, partiram em um círculo restrito ao redor do tambor
isolado, girando em torno de seu laço em miniatura de trilhos imaginários
como se fingissem ser um trem de brinquedo em vez de um de verdade.

Mesmo na atmosfera lenta da costura-fantasma, rapidamente
ganharam velocidade, como Bill havia aprendido que aconteceria se
houvesse gente suficiente impulsionando. Circulando cada vez mais
rápido, as pós-imagens se fundiram no que de fora devia parecer uma
rosquinha gigante cinza e giratória feita de borrão: um toro, como Bill
tinha ouvido aquela forma supostamente importante ser descrita pelos
habitantes mais sábios de Almumana. Na parte de baixo do tambor,
a poeira e as pontas dos cigarros começaram a ser apanhadas pelas
correntes rotativas do redemoinho em miniatura que os garotos-fan-
tasma estavam criando. Embrulhos metálicos brilhantes de caramelo
e fósforos gastos espiralaram noite adentro, e Bill gritou acima dos
efeitos sonoros idiotas de Reggie Bowler para que o moleque vitoriano
corresse mais rápido. A ponta solta da fita de advertência começou a
se erguer da poça de água, óleo e produtos químicos perigosos inde-
terminados em que estava envolta, sacudindo-se tristemente, com gotículas tóxicas lançadas de suas extremidades trêmulas. Bill gritou mais
uma vez para Reg, para dizer que ele estava correndo como uma menininha, o que resultou na aceleração alimentada pela raiva que Bill
esperava. Logo o tambor estava bem enrolado em um tornado de pali-

tos de pirulito e areia giratória, com o pedaço de fita se erguendo na escuridão sobre o contêiner, chocalhando contra o torvelinho como uma pipa amarrada.

Por fim, a outra extremidade também se soltou, e nesse momento Bill gritou para Reg parar e todos se chocaram uns contra os outros, caindo em uma pilha ofegante e aos risos. Os pivetes espectrais sentaram-se no St. Martin's Yard e observaram a serpentina suja ser soprada para longe, rolando pela cerca da propriedade e seguindo para o brilho da lâmpada de sódio da noite. Missão cumprida, mesmo que ninguém, a não ser Bill, soubesse exatamente qual era.

Não ficaram muito tempo depois disso. Saltaram, deram braçadas e nadaram cachorrinho para o firmamento varrido pelo vento enquanto voltavam para o aterro desdobrado, pelo caminho por onde vieram, trilhando o luar sobre a Spencer Bridge e o ímã de prostitutas que era o estacionamento noturno para caminhões em viagens de longa distância. O estacionamento ficava no canto onde a ponte se encontrava com a Crane Hill e a St. Andrew's Road, e tinha uma cafeteria onde antes havia sido um banheiro público e, ainda antes, banhos públicos. Havia se tornado um grande ponto de comércio, que abastecia os clientes que atraíam as meninas, que traziam os cafetões, que traficavam as drogas, que forneciam as armas que atiravam nos jovens que moravam na casa que o crack construiu. Embora Bill tivesse vivido um bom pedaço daquele século, o vinte e um – ou pelo menos muito mais do que esperava –, ele descobriu que visitar o período o deixava tão desconfortável quanto Reggie Bowler ou, a julgar por sua expressão, Marjorie.

Havia algo na aparência das ruas, fábricas e casas vistas de cima, algo que fazia pensar em todos os sacrifícios e lutas, ambições e partos e mortes e decepções que aquelas casinhas que lá do alto pareciam de bonecas tinham visto ao longo dos anos, tudo isso levando a quê? Bill foi incapaz de conter os sentimentos melancólicos de que as coisas deveriam ter ficado muito melhores do que aquilo que viraram no fim das contas. O mundo que todos receberam não foi o prometido, o que esperavam, o que deveriam ter. Mas, levando em conta o estado de Almumana durante esses primeiros tempos do novo milênio, o estrago causado pelo Destruidor e seu arco cada vez maior de influência, Bill não podia dizer que estava surpreso. As ruas modernas do céu estavam em péssimas condições, bem aqui no centro divinamente designado do tecido do país. Seria de se admirar, perguntou-se Bill, que a sociedade inglesa atual começasse a desmoronar, começasse a se desfazer, à medida que o buraco no meio de suas fibras meticulosamente tecidas começava a se espalhar, até pouco a pouco desmanchar a tela por inteiro?

Enquanto Bill refletia sobre tudo isso no céu assombrado acima dos pátios da ferrovia com Michael Warren, e com Reggie e Marjorie Afogada cavalgando a brisa noturna de mãos dadas ao lado deles, ele foi atingido por sua segunda e, em retrospectiva, ainda mais desastrosa ideia. Talvez tenha sido encorajado pelo aparente sucesso imprevisto de seu primeiro esquema, ou talvez ainda fossem os chapéus-de-puck que comeu provocando uma euforia na consciência de Bill, mas de repente ele fez uma conexão surpreendente. Estava pensando no Destruidor e na visão miserável do século XXI de cima dos Boroughs, quando se lembrou de supetão das pinturas de Alma Warren, principalmente a enorme e aterrorizante que retratava de cima algum tipo de moedor ou incinerador de lixo de mais de um quilômetro de largura.

Aquele era o Destruidor, percebeu com um sobressalto. Era assim sua aparência quando visto da perspectiva de uma Almumana semidevastada naquela conjuntura sórdida do século. Como Alma havia recebido todas as suas imagens de segunda mão, através de Michael, Bill entendeu que em algum momento deveriam levar a criança até lá, embora fossem um lugar e horário horríveis, geralmente evitados por todos, menos pelos Mestres de Obras e as almas já condenadas. Não era, de fato, um lugar ao qual alguém em sã consciência sonharia em levar uma criança assustadiça, embora fosse evidente que era isso que precisavam fazer. Ele daria um jeito. Decidiu contar a Phyllis tudo sobre essa última viagem paralela incluída em seu itinerário antes de levar a criança de volta a 1959 e para seu corpo infantil ressuscitado. Não havia como evitar o envolvimento de Phyllis em uma expedição repleta de desolação e perigo e, além disso, raciocinou, ela também teve contato com a visão devoradora do apocalipse representado por Alma. Ela entenderia a necessidade daquilo que Bill sugeria.

Os quatro pousaram suavemente no mesmo trecho deserto de grama de onde haviam partido, em direção ao final da estação ferroviária da Andrew's Road. Sem pressa nenhuma – tinham um ano inteiro antes de se encontrarem com John e Phyllis, afinal –, vagaram pelo que parecia ser um declive gramado que levava ao modesto pedaço de terra em que os "restos do castelo" eram exibidos. Pelo menos a encosta parecia assim, do jeito que uma pessoa viva a veria e sentiria, até chegarem ao topo, quando, por baixo das paredes do aterro astral, viram a lagoa escura desmoronada em vez das tediosas placas nada convincentes e degraus de castelos recriados a baixo custo.

Como cabras montanhesas sujas, desceram uma trilha sinuosa e estreita no penhasco, em fila indiana, até as profundezas da escavação fantasmagórica. Ali as sombras pareciam se estender em lajes sólidas, apoiadas umas sobre as outras em ângulos assustadoramente sugestivos, enquanto na escuridão havia sons pequenos e repentinos. Ouviu um tilintar de cromo aural como se alguma coisa onírica, talvez coberta de escamas iridescentes e sem olhos, tivesse emergido para devorar outra coisa onírica que, com suas asas de ouropel rendadas, teve a infelicidade de pairar muito perto da superfície da meia-noite. A noite era animada por fantasias carnívoras.

Quando desceram até o ponto à beira da água onde havia pegado o chapéu de Reggie e o mandado voando para a aventura, Bill começou a raspar o ar noturno para dar início ao buraco do tempo que os levaria por doze meses até a primavera de 2006. Arrastando para um lado as camadas alternadas pretas e brancas de casca de cebola representando as noites e os dias, logo escavou uma abertura de um metro com uma cintilação semelhante a uma enxaqueca em seu perímetro. Sem pensar duas vezes, escalou pela fenda crepitante e gritou uma saudação estridente na escuridão ao redor.

— Tudo bem? Éramos-seremos nós. Estamos de volta.

A primeira indicação percebida por Bill de que havia algo estranho acontecendo foi a fileira de peles de coelho rançosas jogada ali, descartada em um afloramento de granito a vários metros de distância. Sua visão noturna fantasmagórica, que bordava cada coisa escondida com costuras de prata nas beiradas, dirigiu-se para a guirlanda carnal caída, e seu coração fantasma parou. Phyllis tinha tantos inimigos em todo o mezanino da costura-fantasma, concluiu sombriamente, que algo assim ocorreria mais cedo ou mais tarde.

Bill estava prestes convocar as últimas reservas de astúcia que tinha para lidar com essa situação nova e desesperadora quando duas figuras se levantaram de um vale de musgo convidativo nas rochas próximas: um homem e uma mulher, ambos parecendo ter seus vinte e poucos anos. O jovem era um soldado, fechando às pressas os botões brilhantes da jaqueta do exército, olhando furiosamente para Bill o tempo todo com olhos profundos e escuros de galã de matinê. A mulher que alisava a saia dos 1950 na altura do joelho ao lado dele era uma verdadeira beldade: uma loira pálida com batom brilhante e feições fortes e finamente esculpidas que haviam acabado de ser dispostas em uma expressão de consternação, constrangimento e espanto. Havia algo tão familiar naquele par tão bonito que Bill se perguntou por um instante se poderiam ser astros de cinema, um casal de atores que já tinha visto em alguma produção dos Ealing Studios, uma reprise exibida em uma tarde de domingo na infância. Certamente os tons de cinza do meio-mundo espectral, com seu ar de *Brief Encounter*, reforçavam a atmosfera que fazia lembrar filmes do pós-guerra, e talvez por isso Bill tenha tido essa impressão.

Foi então que Bill enfim se deu conta de quem era o casal. Mais envergonhado do que em qualquer outro momento de sua vigorosa existência terrena, voltou diretamente pelo respiradouro do tempo para 2005, colidindo com Marjorie Afogada, Reggie e Michael Warren, que estavam prestes a atravessar o buraco depois dele. Aquilo exigia algum raciocínio rápido de sua parte.

— Desculpe, pessoal. Não quero atrasar vocês nem nada, mas eu tava com um belo chapéu-de-puck suculento no bolso que tinha guardado pra mais tarde, e agora não tá aqui. Acho que devo ter derrubado entrando no maldito buraco. Por que cês não me ajudam a procurar?

Os quatro andaram em círculos por alguns minutos, examinando a área ao redor com a visão aprimorada da vida após a morte, até que Bill suspirou dramaticamente e anunciou em tom de lamento e decepção que devia ter perdido seu querido chapéu-de-puck em outro lugar, e que poderiam desistir de sua busca e, por fim, segui-lo de volta pela janela reluzente até um ano depois.

Dessa vez, quando Bill voltou para o lugar quase idêntico do outro lado do buraco, ficou aliviado ao descobrir que tudo estava de volta ao normal. John altão estava sentado em cima de uma pedra em forma de tijolo a alguma distância, mastigando um talo de grama fantasma enquanto coçava preguiçosamente um joelho sob a bainha da calça curta, sem se preocupar em olhar em volta quando Bill e os outros três subiram pelo intervalo de tempo para se juntar a Phyllis e ele. A própria Phyllis estava não muito longe do rasgo no tecido do tempo quando os quatro aventureiros retornaram, vestindo sua saia cinza-escura e cardigã cinza-claro, seus sapatos de fivela de ponta chata. Estava reorganizando o nojento colar de coelho, colocando-o em volta dos ombros antes de lançar para Bill um olhar impassível, procurando nas feições sorridentes do menino alguma indicação do que tinha visto ou sabia antes de, enfim, falar com ele.

— E aí, como foi-será? Levaram bastante tempo, isso que foram fazer. Andaram aprontando, certeza, pestinha sem-vergonha.

Phyllis sorria enquanto falava, e o próprio sorriso de Bill se alargou em resposta.

— Ah, cê sabe. Foi tudo bem. E, falan'o disso, não precisa se preocupar em como vamos fazer o menino maravilha aqui voltar pra vida com as lembranças e sei lá o quê. Dei um jeito nisso.

Ela pareceu surpresa e um pouco irritada.

— Cê fez o quê? Seu bostinha. Por que não me contou?

Ainda rindo, Bill passou o braço em torno da cintura dela e apertou um pouco.

— Eu me lembro da minha mãe querida me dizendo que todo mundo deveria ter seus segredinhos, menina. Ela também dizia que, se não fizesse perguntas, ninguém te contaria mentiras.

Phyllis riu e deu um soquinho carinhoso no estômago dele. Por um momento, foi quase como eles costumavam ser juntos, o relacionamento dos dois quando ambos estavam vivos. Ela sempre teve uma queda por cavalheiros bem-vestidos naquela época também, Bill lembrou, achando graça, mesmo quando era uma mulher na casa dos setenta.

Vendo que ela parecia estar de bom humor, Bill aproveitou a oportunidade para dizer para onde achava que deveriam conduzir Michael Warren, fazendo um caminho tortuoso antes de chegar ao cerne do assunto, para não desestimular Phyllis.

— Então, Phyll, cê se lembra daquela pintura grande da Alma? A que parecia que a gente tava em cima de algum tipo horroroso de unidade de tratamento de lixo, e tinha todas as ruas de casinhas enfileiradas e pessoinhas caindo em um buraco grande soltando fumaça?

Phyllis assentiu, balançando os coelhos.

— O que era-será que tem?

— Bom, eu acho que eu descobri o que era-será. O Destruidor, Phyll.

Era-será o Destruidor, quando cê olha pra ele do Andar de Cima, o Andar de Cima como é agora, nesses primeiros anos do século novo.

A líder do Bando de Mortos de Morte ficou pálida. Chamar aquilo de palidez mortal, ele percebeu, seria uma redundância, dada a condição póstuma deles.

— Ah, puta merda. Cê tá certo... Eu me lembro de quando vimos a pintura, o susto que me deu, parecia que o mundo estava acaban'o. Não tinha pensado nisso desde que cheguei aqui, então não me toquei que parecia o Destruidor. Puta merda. Isso quer dizer que precisamos levar ele lá em cima, pra ele ver e descrever pra irmã?

Bill, triste, assentiu. Apesar de ter sido ideia dele, uma viagem a Almumana em seu estado atual não era nada que o deixasse muito ansioso. Agora empalidecendo para um tom do que Bill considerou ser infrabranco, Phyllis, contrariada, continuou.

— Mas cê sabe como tá ruim lá em cima. Só os bombeiros chegam perto! Teve almas que caíram também, e não saíram mais. E se levamos o pirralho lá em cima antes que ele volte pra 1959 e pro corpo dele e sai tudo errado? E se ele se danar todo e a gente acabar estragando tudo? Se todo o Inquérito de Vernall e o Portimoth di Nor'an derem em nada e for nossa culpa? Vou te dizer, quem vai explicar isso pro Terceiro Burrer é 'ocê e não eu, se acontecer alguma coisa.

A boa e velha Phyll, tão rápida quanto o próprio Bill quando se tratava de fugir da responsabilidade. Pensando bem, era mais do que provável que fosse de onde tinha herdado isso.

— Certo, mas cê ouviu o que Doddridge disse, que a gente pode levar ele para onde quiser, sabendo que fosse-seria para onde deveria ser levado. Acho que essa decisão pode ser exatamente do que ele estava falando. Pode ser que ele tenha falado isso para termos a confiança de fazer a escolha certa. Isso pode ser muito importante, Phyll. Pode fazer toda a diferença na questão de conseguirmos ou não fazer o que eles disseram.

Aquilo pareceu persuadi-la. Com o medo e a determinação competindo pelo predomínio em sua voz e sua expressão, Phyllis reuniu seus soldados. Disse que eles tinham uma última parada a fazer antes de devolver o novo mascote regimental e membro mais recente ao seu próprio tempo e ao seu próprio corpo ressuscitado. Explicou que isso significaria outra curta viagem à Mayorhold, até a Tower Street, para onde foram da última vez que estiveram naquele século, antes de cavar de volta para 1959, para subir e assistir aos Mestres de Obras lutando. Não falou muito mais que isso, por medo de assustar Michael Warren, mas era possível ver nos olhos de Reggie, John e Marjorie que eles sabiam que algo sério estava acontecendo, apenas pela tensão na voz séria de Phyllis.

Ela conduziu o bando de fantasmas e suas duplicatas para a direita, pela mesma parede do aterro ao norte da lagoa desmoronada que Bill e seus cúmplices haviam escalado em sua breve viagem de volta a 2005. Isso os levou para o mesmo longo declive de grama que descia pela St. Andrew's Road até a Scarletwell Street e a casa solitária perto da esquina. Bill estava prestes a apontar para Phyllis que aquele havia sido o local que fez Michael Warren fugir assustado antes — motivo para escolher voar, em vez de caminhar, afinal — quando o próprio Michael deu sua contribuição para a conversa.

— Era-será nossa rua ali, a que tensa a casa solzinha na espinha? Eu querida ir radar uma molhada, se for tudo bem. Puro que não vou sair morrendo de novo, como na última tez.

Embora fosse perceptível, pela forma como misturava as palavras, que o garotinho estava nervoso, também era possível ver que falava sério. Parecia ter amadurecido bem depressa desde a fuga, talvez começando a crescer em sua alma atemporal e eterna do jeito que as pessoas faziam quando estavam mortas, não importava a idade em que morriam. De qualquer forma, parecia bastante interessado em ir dar uma olhada na relva nua e nas árvores jovens que agora dominavam o local em que a casa da sua família ficava antes, e a turma toda desceu a encosta com ele em direção à esquina da Scarletwell. Quando pensou no trabalho que teve para evitar o lugar para o bem de Michael, Bill ficou um tanto irritado ao constatar que foi tudo em vão. Claro, se as quatro crianças-fantasmas tivessem atravessado a Spencer Bridge, aquilo teria chateado Marjorie Afogada e, de qualquer forma, os voos que fizeram de ida e volta foram bem agradáveis. Além disso, foi a vista aérea que o alertou sobre o que era a grande tela que Alma havia pintado com a imagem do Armagedom, então tudo bem. Decidiu parar com a reclamação interna e continuar com o trabalho a fazer.

O bando e suas pós-imagens haviam parado no meio do gramado abandonado logo depois da esquina da Scarletwell Street e sua casa solitária. Todos ficaram em silêncio enquanto um Michael Warren incomumente soturno andava de pantufas para lá e para cá entre as bétulas prateadas de trinta anos plantadas pela primeira vez algum tempo depois da demolição de sua rua natal. Quando a criança-fantasma enfim identificou um local que pareceu convencê-lo de que era onde sua casa ficava, apenas sentou na relva e chorou sozinho, ao mesmo tempo digno e breve, antes de enxugar as lágrimas de ectoplasma dos olhos com uma manga do roupão xadrez e, em seguida, se levantar, juntando-se a seus amigos mortos, parados a alguns metros de distância, mantendo uma distância respeitosa.

— Eu só queria isso, descobrir como era-será sem nada ali, mas foi-será tranquilo, como sempre foi-será. Podemos ir todos para a Mayorhold agora, se era-será o que precisamos fazer antes de me levarem para casa.

Estavam todos prestes a fazer o que Michael havia sugerido quando a jovem de minissaia e casaco de PVC que tinham visto mais cedo na Chalk Lane veio batendo os saltos altos ladeira abaixo e começou a andar de um lado para o outro pela calçada entre a Scarletwell e a Spring Lane, enquanto o bando ficou na beira da grama, observando-a.

Reggie e Marjorie começaram a rir quando perceberam que a mulher parda com o cabelo preso em trancinhas era uma prostituta, e Michael Warren ria junto sem ter a menor ideia de qual era a graça. Nesse ponto, a jovem parou e virou a cabeça em sua direção, olhando perplexa e insegura para eles através da escuridão por um momento antes de retomar seu passeio de um lado para outro ao longo da antiga fileira de casas agora vazia.

Phyllis havia sibilado em reprovação a Reg e Marjorie por rirem.

— Parem com isso, cês dois. Eu e meu menino cruzamos com ela mais cedo na Chalk Lane e achamos que pode ver a gente, seja lá qual foi a droga que usou.

Reggie, observando a jovem profissional quando ela chegou à Scarletwell Street e se virou de novo para eles, caminhando de volta com os braços cruzados para reprimir um calafrio, tirou o chapéu para coçar a cabeça encaracolada e depois se abaixou para falar com Phyll em um sussurro alto.

— Acho que já cruzei com ela antes também, mas não lembro onde foi-será.

Bill se intrometeu, tirando a dúvida do amigo de inteligência menos afiada.

— Na Bath Street, seu imbecil de chapéu. Ela tava no apartamento dela e a vimos pelas paredes, com o Destruidor moendo a parte interna dela enquanto ela completava o álbum de recortes. Cê lembra. Foi-será bem quando estávamos tirando o pirralho aqui dos apartamentos, depois que encontramos ele ali nos degraus, falando sobre *Forbidden Worlds* e tal.

Reg sorriu amigavelmente.

— Ah, era-será verdade. Não lembro nada de mundo proibido, só de ver ela com aquela roda grande soltando fumaça atravessando ela e ela sem ter ideia do que tava acontecendo.

Foi então a vez de Marjorie Afogada de fazer objeções.

— Bom, e quanto a mim, então? Eu não estava junto quando vocês encontraram ele perto do Destruidor. Estava com Phyllis e John, e ainda assim acho que conheço ela de algum lugar também. Não foi-será ela que vimos trabalhando em algum lugar, não o trabalho que faz agora, mas numa loja ou alguma coisa assim? Ah, não lembro. Posso estar enganada.

Enquanto as crianças-fantasmas conversavam na grama, vários carros sérios e severos da época passaram, com olhos estreitos e desconfiados, na direção da estação ou da Spencer Bridge e do estacionamento de caminhões. Bill divagou e talvez com alguma malícia que, quando trouxeram a princesa Di de volta para Northamptonshire para o enterro, deveriam ter vindo com ela pelo Spencer Estate e pela Spencer Bridge, para que passasse pelo menos uma vez pelas vias em ruínas às quais a família dela emprestou o nome. Ele passou disso a se perguntar por que a garota fazia seus negócios aqui, quando a menos de duzentos metros havia o café Super Sausage e o estacionamento de caminhões com clientes em potencial, homens solitários longe de casa com suas supersalsichas cheias de urgência para saciar. Ele a viu tremer e se sacudir ao andar pelos limites escassos de seu território, provavelmente por causa da abstinência das drogas, e não pelo frio, em uma noite de primavera tão amena, e percebeu que, ao contrário da área perto da Spencer Bridge, não havia câmeras ali. Era talvez a razão para ter escolhido o local, embora houvesse muito menos chance de passar alguém para fazer negócio.

Como se para provar que Bill estava errado, o Ford Escort escuro veio ronronando pela St. Andrew's Road, seguindo para o norte a partir da estação na direção deles, diminuindo a velocidade e parando no meio-fio do outro lado da Scarletwell Street, perto do local onde havia sido aterrado o antigo poço escarlate. A garota agora trêmula e desesperada olhou na direção do veículo parado por um momento, hesitando enquanto tentava avaliar a situação, antes de sair batendo os saltos, cloc cloc, ao longo da fileira de casas desaparecida, indo na direção da construção única e assustadora no final do caminho, para a Scarletwell Street e o carro parado mais adiante.

O carro, um veículo comum com apenas alguns anos de uso, estava envolto em uma aura de encrenca tão gritante que as crianças-fantasmas podiam senti-la a cem metros de distância. "Alma do buraco", disse Marjorie Afogada em voz baixa, e todos sabiam que ela estava certa. Não conseguiram, daquela distância, ver quantos homens havia dentro do Escort, mesmo com a visão aprimorada. No entanto, todos respiraram fundo quando a jovem se abaixou para trocar palavras pela janela lateral com o motorista e depois cambaleou pela frente do carro, silhuetada pelos faróis, antes de se acomodar no assento do passageiro. O motor ganhou vida e o carro quase preto partiu, fazendo uma curva fechada à direita como se pretendesse subir a Scarletwell Street, mas então virando de novo à direita para desaparecer na curva inferior da Bath Street, e depois disso o ruído do motor sumiu totalmente.

Isso não era da conta deles, óbvio, e os seis pirralhos-fantasmas começaram a caminhar pelo resto escondido do antigo beco, ao longo do alambrado e das cercas vivas em torno da área de lazer da Escola Spring Lane. Reduzido a alguns paralelepípedos, esse rastro vestigial os levou à Scarletwell Street, bem ao lado da construção solitária, ao que parecia sem perturbar a pessoa clarividente que lá residia. Virando à esquerda, os seis começaram a subir o aclive danificado na direção da Mayorhold. Mal haviam começado a avançar pela ladeira na área de lazer da escola do outro lado dos apartamentos, quando ouviram os gritos fracos, entorpecidos pela acústica morta da costura-fantasma, emanando da boca preta e escancarada da Bath Street, do outro lado da via.

Não era da conta deles. Era uma questão do mundo mortal, já pré-ordenada, e não tinha nada a ver com os seus. Não conheciam de verdade a garota e, de qualquer forma, estavam em uma missão importante. Além disso, se fosse algo grave, os gritos não teriam parado assim que começaram, não? Mesmo que fosse algo sério, o que fariam a respeito? Eram apenas um bando de crianças, e ainda por cima mortas, que não podiam tocar nem alterar as coisas no mundo material, a menos que fosse um saco vazio de batatas fritas ou um pedaço de fita adesiva. Mesmo que hipoteticamente aquela garota estivesse em uma situação terrível e assustadora, o que... era... *Merda*.

Phyllis e Bill começaram a correr para a entrada da Bath Street ao mesmo tempo, com os outros quatro seguindo uma fração de segundo depois. Jorrando pós-imagens enevoadas como uma chaleira fervendo, o Bando de Mortos de Morte fluiu para a pista torta e retorcida, mas a encontrou vazia, fervilhando no escuro e no silêncio. Depois de alguns momentos de perplexidade, olharam para a abertura na linha curva do outro lado da Bath Street, que servia como a entrada para um espaço murado isolado dos locais de estacionamento dos empreendimentos em Moat Place e Fort Place. Se Bill se lembrava bem, a pista de asfalto que descia com um corredor de vento para o recinto havia sido uma pequena rua com fileiras de casas conhecida como Bath Passage. As crianças-fantasmas desceram com cautela na noite absoluta da garagem.

O Escort estacionado estava no meio do retângulo diante da fileira de portas de metal da garagem, com a frente apontando para o outro lado do conjunto fantasmagórico. Gritos abafados, junto de solavancos e rosnados, escapavam do veículo baixo e imóvel, soando como se dois pastores alemães barulhentos tivessem sido trancados lá dentro. As crianças se aproximaram do carro. Se tivessem corações, teriam saído pela boca.

Espiaram na escuridão pelo vidro traseiro. No banco de trás do carro, a mulher estava de costas, com a saia rasgada ou amassada até a invisibilidade. Ajoelhado entre as pernas finas, estuprando-a ao mesmo tempo em que lhe dava socos na cabeça, havia um homem corpulento e de aspecto quase infantil, com trinta e tantos anos, cabelos pretos curtos e encaracolados já grisalhos nas têmporas. Suadas e, se não fosse pela costura-fantasma, cheias de cor, as bochechas roliças balançavam a cada estocada, a cada golpe que desferia no rosto ou nos ombros dela. Apesar da ferocidade com que a atingia e das instruções rosnadas para que apenas calasse a boca e fizesse o que mandava, a julgar pela expressão do homem, não parecia estar possuído por uma raiva incontrolável, ou, na verdade, por nada do tipo. Suas feições estavam vazias e mortas, quase desinteressadas, como se todo aquele pesadelo sórdido fosse algo na televisão; era uma repetição pornô vista vezes demais para despertar qualquer entusiasmo real. Diante dos olhares horrorizados das crianças, o homem havia acertado um soco enfeitado com anéis na testa da mulher, logo acima do olho. Mesmo em preto e branco, o sangue em erupção da ferida parecia terrível. Escorria pelo rosto dela, pelos lábios partidos que abriam e fechavam em torno de ruídos que ela estava apavorada demais para emitir.

Eram três figuras no carro. Havia um segundo homem, vestindo um chapéu de aba larga, sentado atrás do volante, de costas para todos e ao que parecia totalmente despreocupado com o que acontecia atrás dele.

Talvez impelido pela lembrança do voo de mãos dadas até o Martin's Yard que haviam compartilhado, Michael Warren estendeu a mão e agarrou a luva de Bill, procurando segurança. Paralisado no lugar pela cena repugnante que testemunhava, Bill havia até então se esquecido da presença de Michael e amaldiçoou a si mesmo por ter deixado uma criança pequena ver aquela abominação. Deu um ou dois passos para longe, ainda segurando a mão de Michael, e eles terminaram alguns metros à direita do carro, um pouco mais abaixo na suave inclinação de asfalto. E dali, sem ser de propósito, puderam mais nitidamente ver a figura de chapéu sentada no banco dianteiro e estava de perfil. Que era um perfil bem duro, até se virar e sorrir para Bill e Michael.

Embora todos os outros objetos no campo de visão de Bill fossem de um tom diferente de cinza, ele percebeu que os olhos do homem eram coloridos. Um era verde. O outro, vermelho. Então era isso que seu eu futuro queria dizer, sobre o diabo estar no volante.

O trigésimo segundo espírito, que tinha centenas de metros de altura, ostentava três cabeças e montava em um dragão na última ocasião em que Bill o viu, inclinou-se pela janela lateral do Escort para se dirigir aos meninos. Não tinha abaixado a janela ou a quebrado. Apenas se debruçou através dela. A essa altura, o restante do bando havia se reunido atrás de Bill e Michael para ver o que estava acontecendo, mas, quando o demônio falou, ficou bem claro que suas palavras eram apenas para o jovem Michael Warren.

— Ah, meu amiguinho. Sabia que não se esqueceria do nosso acordo. Eu acreditei em você, está vendo? Sabia que não se esqueceria de que eu tinha arrumado um trabalho para você, aqui nesse novo e audacioso século, como pagamento pela viagem que fez comigo. Mais especificamente, se você bem se recorda, eu queria certo alguém morto, com os ossos do peito esmagados até virarem lascas de cálcio, e os pulmões e o coração amassados em uma massa indiferenciada.

Acha que poderia fazer isso por mim, ou então quer ver de novo o que acontece quando me deixa nervoso? Hein? Como foi-será aquilo para você? Todas as minhas diferentes cabeças grandes como edifícios, todas gritando com você, quando sua pequena defunteira, sua pequena bruxa que cheira a placenta, não estiver por perto para te salvar? Era-será isso que quer?

Os olhos de semáforo brilharam. Pequenas chamas azuis vazavam dos cantos dos lábios do demônio enquanto ele falava. Na parte de trás do carro imóvel, o homem gordo de camisa branca e blusão cinza virou a menina agora ensanguentada de quatro, ambos sem fazer ideia de que algo mencionado na Bíblia estava no assento dianteiro os observando satisfeito e até divertido.

Analisada em retrospectiva, a reação do Bando de Mortos de Morte parecia uma sequência póstuma de *Os Goonies* ou um episódio de *Scooby-Doo*: eles gritaram em uníssono perfeito e depois fugiram, com Bill ainda segurando a mão de Michael Warren, e os dois gritando enquanto ele arrastava a criança para fora da garagem nos baixos da Bath Street. Todos estavam na metade da Scarletwell Street antes de pararem de uivar e fazerem uma pausa para respirar, pelo menos em termos figurativos. Todos ficaram horrorizados, e ninguém sabia o que fazer. Phyllis parecia mais preocupada e nervosa do que nunca, em um estado ainda pior do que naquela vez em que foi visitar Bill na cadeia, quando ele esteve por lá por causa de um esfaqueamento.

— O que vamos fazer? Não podemos deixar eles fazerem aquilo com aquela pobre moça e ficar de braços cruzados. Bill, consegue pensar em alguma coisa?

Bill, ainda tremendo por causa do confronto com o demônio, sentia-se perdido, incapaz de pensar no que quer que fosse, como se tivesse esgotado toda a sua astúcia no Martin's Yard.

— Bom, não sei! Poderíamos encontrar os moradores de rua maiores e mais feios que acharmos, ver se eles sabem o que fazer, só que todos querem te matar, porque você fica enchendo o saco deles!

Phyllis ficou em silêncio, olhando para o nada por alguns momentos antes de responder.

— E o Freddy Allen? Nós não fizemos com ele nada que machucasse, só fizemos umas brincadeiras, e era-será um bom sujeito. Ele ia ajudar se a gente pedisse.

Bill sacudiu a cabeça em violento desacordo, ganhando por um breve instante cabeças extras como uma hidra ao fazer isso.

— O que ele pode fazer de bom? Não é muito diferente da gente. E aliás, onde vamos encontrar ele, e isso se perdoou a gente por tomar o chapéu dele antes, lá nos vinte e cinco?

Phyllis refletiu por um momento.

— E o Jolly Smokers? A maioria dos moradores de rua vai pra lá de noite, e se a gente não encontrar Fred, então alguém vai saber onde ele tá.

Bill a encarou com uma expressão incrédula, com as outras crianças assistindo em um silêncio carregado de ansiedade.

— Cê tá louca? O Jolly Smokers, era-será lá onde Mick Malone, o rateiro, e todos eles vão! Tommy Torce-o-Gato e Deus sabe quem mais! Se colocarmos os pés lá, vão arrancar nossa cabeça e colocar nas torneiras de cerveja!

Phyllis apenas lançou para ele um olhar engraçado e pensativo que surgiu em seu rostinho pontudo.

— Sim. Sim, eu entendo o que cê diz. Se eu fosse lá, é o que fariam comigo, pode ter certeza. Mas e se só você fosse e perguntasse pelo Freddy Allen? Afinal, cê que me lembrou do que o sr. Doddridge disse, que a gente podia ir onde quisesse e ficar tranquilo porque era-será o lugar aonde precisamos ir.

Olhando para trás, Bill percebeu que aquele havia sido o momento em que suas grandes ideias afundaram de vez. Fez um esforço débil para usar a lógica como meio de se livrar da armadilha que ele mesmo havia preparado.

— Não. Não, o que o Doddridge falou foi só pro Michael aqui, que a gente devia se sentir feliz de ir pra qualquer lugar porque ia ser parte da educação dele. Se for pra todo mundo levar Michael pra outro lugar, isso significa que foi-será tudo planejado pela administração, e que provavelmente vai dar tudo certo. Se for só eu, sozinho, então pode acabar em assassinato sem que isso afete nenhum plano superior. Nem pensar. Não, não vou fazer isso.

Phyllis havia inclinado a cabeça. Parecia estar tomando uma grande decisão.

— Tá certo. Leva ele com você.

Bill duvidou dos próprios ouvidos. Para ser sincero, não estava esperando aquilo.

— Quê? Levar quem comigo?

Phyllis permaneceu impassível.

— Leva o Michael junto. Se levar ele, então foi-será parte da educação dele, como cê disse, e cês dois vão ficar bem. Se acha que eu vou levar ele para o Andar de Cima, no mesmo estado em que está agora, só por que cê tá dizen'o, então precisa bancar o que fala.

Bill se atrapalhou, já sabendo que seu argumento estava condenado antes mesmo de tentar expressá-lo.

— B-bom, por que não vamos todos, então? Ou por que não vão só você e o Michael?

Phyllis abriu um sorriso quase de pena.

— Bem, se for todo mundo lá, vai parecer provocação. E, se eu pisar lá em cima, vai ser ainda pior. Considerando tudo, cê é o melhor pro serviço, porque cê tem mais experiência em bares barra-pesada do que todos nós juntos.

Bem, não havia como discutir com aquilo. Foi um xeque-mate. A turma subiu a ladeira o mais depressa que podia, com Bill ainda segurando a mão um pouco pegajosa de Michael. Andaram em torno das bases dos prédios ironicamente batizados como NOVAVIDA e entraram na Tower Street, com sua fileira curta de casas, que levava ao muro elevado da atual Mayorhold, antes a parte superior da Scarletwell Street.

Caminharam até o final da rua, passando pela casa onde tinham visto o cara chateado mais cedo, aquele que tinha dado a risada engraçada e que parecia vê-los também. Com as múltiplas exposições cinzentas fumegando atrás, moveram-se pela luz pálida de sódio que se derramava do entroncamento de tráfego elevado que a Mayorhold havia se tornado nas passagens subterrâneas e passarelas abaixo. Viraram à esquerda na Tower Street e, quase na esquina, lá estava a porta escondida do Jolly Smokers.

Parecia uma folha fina de vapor, do tamanho de uma porta e pendurada na penumbra acentuada por lâmpadas perto do salão do Exército da Salvação, em frente às muralhas de mosaicos feios da Mayorhold. Bidimensional em sua aparência, era plana demais para ser vista de lado e, a não ser para os mortos, não era mais discernível quando vista de frente. Com a visão fantasmagórica, era possível ver a porta ao se postar diante dela, mas por que alguém iria querer ver uma feiura tão desoladora era algo que ia além da compreensão de Bill. Mesmo para os padrões miseráveis do meio-reino, a entrada do pub era sem atrativos e pouco convidativa. A pintura fantasma havia descascado, pendendo da madeira fantasma carcomida por baixo em pequenos cachos que pareciam lagartas mortas. Riscado em suas vigas superiores como se por um canivete em uma mão infantil e pouco firme estavam os dizeres *Joly Smoaker's* e, quando o Bando de Mortos de Morte ouviu além do algodão sônico do mundo do mezanino, distinguiu os gritos embriagados e as explosões de risadas desagradáveis, originados do ar noturno vazio e tingido de sódio acima da passarela afundada.

Sendo bem sincero, Bill tinha medo daquilo. O último lugar no universo que queria visitar era o pub-fantasma mais notório dos Boroughs, o fantasma de um pub havia muito demolido, onde o que havia de pior na velha guarda do distrito costumava se reunir. Embora Bill sempre tivesse sido um anarquista de coração e aplaudisse as condições em grande parte não supervisionadas do pós-vida, tinha admitido muito tempo antes que utopias sem regras acabariam abrigando alguns pesadelos completos, como o Jolly Smokers. Christiana, na Dinamarca, o extenso e bem estabelecido Estado livre hippie que visitou em suas viagens mortais, era um bom exemplo: no início eram casas maravilhosas e visionárias, com cúpulas feitas de latas de cerveja vazias que se abriam para as estrelas, mas a partir de certo momento, segundo ouviu, virou campo para partidas de futebol jogadas com cabeças humanas. A verdade é que, dessa vez, Bill não estava ansioso pela perspectiva de uma passada no pub.

Foi quando a visão mais bem-vinda que Bill já tinha presenciado saiu ondulando da boca da passagem subterrânea que se abria do muro da prefeitura a alguma distância à esquerda. A figura enorme – masculina – estava tão morta quanto eles, a julgar pelas pós-imagens redondas que rolaram depois dela para fora da entrada do túnel e da passagem iluminada por lâmpadas.

Embora o grande fantasma fosse monocromático como seu entorno, era, de alguma forma, evidente o quanto era colorido. Uma boina frouxa e um tanto parisiense dormia como um gato de desenho animado minimalista em cima de seu mullet, ou "o penteado dos deuses", como Bill se lembrava de ouvir o volumoso fantasma o descrevendo uma vez, quando estava vivo. O cabelo, nas circunstâncias atuais, era grisalho esfumaçado como a barba mefistofélica, ou o bigode com as pontas enroladas em duas pontas enceradas. Redonda como a lua, a circunferência inspiradora do espírito estava envolta em roupas que só poderiam ter sido fabricadas para aquele propósito. Ursinhos de pelúcia costurados arrumavam, alegres, uma toalha de mesa para fazer seu piquenique nas encostas da impressionante barriga, sob as nuvens brancas e fofas e o sol alegre posicionados no peito nobre de seu macacão. Sobre a peça, havia um enorme paletó de verão com listras verticais arrojadas, que lhe dava a aparência de uma cadeira de praia ambulante, ou pelo menos de algo que sugeria calor e beira-mar. Em uma das mãos, a bem-vinda aparição levava uma bengala robusta, enquanto na outra segurava uma caixa de instrumento de couro como uma lágrima gigante preta, com uma forma incomum sugerindo que continha um bandolim napolitano.

Tom Hall. O espectro glorioso que roncava na direção deles havia sido Tom Hall (1944 a 2003): o menestrel, bardo e bicicletada de um homem só de Northampton — era um espetáculo memorável cada vez que ele punha os pés do lado de fora de casa. Tinha sido o fundador dionisíaco, descontralado e incansável de vários grupos musicais brilhantes de meados dos anos 1960 em diante, como Dubious Blues Band, Flying Garrick, Ratliffe Stout Band, Phippsville Comets e uma dezena de outros que Bill se lembrava de ter visto tocar no salão dos fundos do Black Lion. Esse era o Black Lion na St. Giles's Street, e não o pub mais antigo com o mesmo nome ali perto da Castle Station. O Black Lion da St. Giles's Street, aclamado como o local mais assombrado da Inglaterra por caçadores de fantasmas como Eliot O'Donnell, foi um santuário para os boêmios drogados e artistas bêbados da cidade dos anos 1920 até seu triste fim durante os anos 1990, quando foi desastrosamente melhorado, convertido em um bar que tinha como público-alvo advogados de passagem por ali e renomeado como Wig & Pen. Por todas aquelas décadas, porém, o Black Lion havia sido um ponto fixo em torno do qual grande parte da loucura da cidade poderia orbitar, e, de todos os muitos titãs lendários que um dia presidiram a cacofonia do salão principal, Tom Hall foi sem dúvida o maior.

O respeitado fantasma, de sandálias e meias feitas para serem escandalosas, havia chapinhado e perambulado pela calçada com um andar que Bill achou que lembrava um rebocador atracado, parando em seu caminho ao avistar o Bando de Mortos de Morte, fazendo seus sósias arrastados se empilharem nas costas dele e derreterem. Seu olhar calmo, que não se surpreendia com nada e demonstrava uma confiança inabalável, recaiu sobre o amontoado de crianças-fantasmas paradas na entrada do Jolly Smokers, pairando no ar diante deles. As sobrancelhas eriçadas se franziram e, por um momento, o músico bem-humorado, mas bastante durão, pareceu severo e assustador, um pouco como Zeus ou um de seu tipo. E então Tom Hall riu, como um cavaleiro malfeitor.

— Haharr. O que era-será isso, então? Finalmente descobriram onde todas as crianças da Bisto[20] estavam enterradas?

Bill deu um passo adiante, arrastando Michael Warren com ele. Sabia que Tom não o reconheceria em sua forma atual, nem pelo nome. William ou Bill, como tinha sido batizado, era como apenas os membros da sua família o chamavam em vida. Achou melhor se apresentar a Tom usando o apelido que recebeu na juventude de um professor de educação física distraído durante um jogo de futebol particularmente enérgico: "Vamos! Passe a bola para o... Bert."

Michael e Bill ficaram olhando para Tom sob o que teria sido o local de um eclipse total caso o enorme poeta, compositor e multi-instrumentista ainda tivesse uma sombra. Bill sorriu.

— Oi, Tom. Como cê vai indo, amigo? Era-será eu, Bert, da Lindsay Avenue.

As sobrancelhas se ergueram em uma expressão interrogativa, com o tom zombeteiro que Bill se lembrava de suas conversas terrenas.

— Meu caro menino! Não acredito, o Bert Facada?

Essa variação imbatível, concedida após o infeliz incidente noturno da adolescência no salão dos fundos do Black Lion — havia circunstâncias atenuantes, garantia Bill — era o apelido ao mesmo tempo carinhoso e ridículo de Tom para o jovem e quase imberbe Bill. Admitindo que era, sim, o Bert Facada, Bill explicou ao artista falecido como essa parte dele, a que adorava ter oito anos e brincar nas ruas, estava nesse momento envolvida em uma aventura bem séria com seus companheiros, o Bando de Mortos de Morte. A imensa aparição jogou a cabeça para trás, de alguma forma sem desalojar a boina, e deixou uma risada como um terremoto ondular através de seu corpo ectoplásmico, fazendo os ursinhos costurados balançarem em sua barriga.

— HaHAAAR! Har HA har! O Bando de Mortos de Morte. Gostei.

O versificador compulsivo começou a improvisar na hora.

— O Bando de Mortos de Morte, o Bando de Mortos de Morte, tão terríveis que precisam mostrar que morreram de verdade! O Bando de Mortos de Morte nasceu para a morte na primeira idade! HaHAAAR! Que tal? Essa podia ser a música tema de vocês, não? Que acham? Ha HAARR!

Phyllis fez uma careta para o leviatã lírico que continha uma ameaça genuína, brincando com sua fita de coelhos mortos.

— Nós já temos uma música tema.

Bill interveio para tentar impedir Phyllis de alienar outro espírito que de outra forma seria prestativo, desviando a conversa das músicas para os assuntos mais urgentes em questão.

— Tom, o que preciso era-será visitar um lugar aqui, o Jolly Smokers. Tem uma pessoa que ando procurando que pode estar lá, mas, pra ser sincero, não estou querendo muito, não desse tamanho, e não com os malucos que entram aí. Cê poderia ser nosso acompanhante, amigo? Eu e o pirralho ali?

O colosso genial sorriu de modo radiante.

— Você quer entrar no Smokers? Bem, devia ter dito. Era-será para onde estou indo agora. Tenho um show lá com minha banda nova, Buracos em Camisetas Pretas. Foi-será Os Arrebatadores da Hora Morta de Tom Hall por alguns anos, mas aí fiquei de saco cheio e mudei. Claro que levo você lá, pequeno Bert Facada. HaHARR! Não ia deixar você sentado aqui na porta com uma garrafa de Corona e um saco de batatas fritas enquanto estou lá tomando uma cerveja feito um pai negligente, certo? Har har har. Vamos.

Com isso, Tom colocou a palma da mão contra o tecido 2D pendurado na porta e empurrou. O portal balançou para dentro e para longe deles, parecendo ganhar uma terceira dimensão ao fazê-lo. Abriu-se para um corredor estreito e monótono com papel de parede escuro tedioso, um espaço esculpido no ar vazio que, quando Bill se inclinou na beirada da porta para ver, acabou se revelando invisível quando olhado de lado. Tom já havia entrado e estava se afastando ruidosamente pelo corredor sombrio que não estava lá. Com um último olhar ansioso para Phyllis, e ainda arrastando Michael Warren pela mão, Bill entrou pela porta, fechando-a atrás de si. Ele e sua criança desnorteada seguiram o amado artista até o notório pub de fantasmas, ouvindo o pandemônio mais acima aumentar de volume enquanto se aproximavam da escada apodrecida na extremidade do salão.

Sem interromper seu ritmo vagaroso e sem pressa, Tom olhou por cima do ombro de seu paletó listrado, estudando o par de crianças-fantasmas, correndo obedientemente atrás dele com suas pós-imagens engolidas pelas muito maiores que ele próprio deixava em seu rastro.

— Então, quem era-será o pequeno querubim com você? Não fomos apresentados. Era-será alguém de quem devo me lembrar? Jesus, não era-será John Weston, certo? Ha HARR!

Bill, a essa altura rindo também só de pensar que Michael Warren pudesse se tornar o desastre químico e humano que o trovador havia nomeado, sacudiu a cabeça em negação, criando outras por um breve período ao fazê-lo.

— Não. Não, esse era-será Michael Warren, e tem a mesma idade que aparenta. Está tecnicamente morto, mas, em 1959, está em coma ou sei lá o que por dez minutos, e então vai voltar pro Andar de Baixo e pra vida. Ele era-será o irmãozinho de Alma Warren. Cê se lembra da Alma.

Tom interrompeu seus passos pesados, perto do pé da escadaria dilapidada.

— Claro que me lembro da Alma. Estou cremado, não senil. Ela leu aquele negócio no meu funeral, sobre eu ser... másculo... em minha estatura, e contou que estourei três sofás dela, aquela desaforada. Então esse é o irmão de Alma, Michael. Michael. Acho que conheci você quando apareci para tocar na festa de aniversário da sua tia, que morreu um dia antes e não pôde comparecer, sabe. Claro que você era-será muito mais velho. Está mais novo que aquilo agora. HaHAAAR! Prazer em conhecer você, irmão da Alma.

Enfiando sua impressionante bengala debaixo do braço, Tom se inclinou e fez um cumprimento todo elaborado, com a mãozinha minúscula da criança desaparecendo no punho do músico até o antebraço.

— Esse povo com quem vou tocar hoje, Buracos em Camisetas Pretas — Jack Lansbury, Tony Marriott, o Duke e todo aquele pessoal —, eu tirei o nome de um sonho que tive com a sua irmã, sabe. Ela colocou meus três filhos todos deitados em um trilho de trem e disse que, se um trem passasse por cima deles, iam ficar invisíveis. A ideia dela era-será a de, quando eles estivessem invisíveis, vestir os três com umas camisetas velhas deles e fazer um espetáculo chamado "Buracos em Camisetas Pretas". HaHAAR! A boa e velha Alma. Até em sonhos a companhia dela rendia!

Depois daquele endosso retumbante, começaram a subir a escada espectral até o salão principal do Jolly Smokers. Que era onde estavam agora, encolhendo-se sob o abrigo do artista montanhoso, nervosos, espiando entre suas pernas decoradas com ursinhos de pelúcia para o horror doentio da cena mais adiante.

Não era um terror no estilo O *Massacre da Serra Elétrica*, porque não tinha nem cor nem sangue. Era mais como *Dr. Caligari*, rodado em um filme inflamável e degradado, cenários assustadores em preto e branco derretendo em uma erupção de supernovas com o calor do projetor. Filigranas hieroglíficas contorcidas de pichações psicóticas estavam cravadas em todas as mesas antigas e cheias de cicatrizes, rabiscadas em cada área vazia da parede em palimpsestos centenários de bile e amargura. Havia uma luz como prata escurecida escorrendo sobre cada detalhe nítido da cervejaria ressuscitada, pingando em bombas de cerveja feitas de crânios de cavalo, reluzindo no espelho fantasma rachado atrás dos dosadores, no qual nada se refletia além de um lugar vazio e danificado pelo fogo. Na verdade, o salão principal do Jolly Smokers não parecia danificado pelo fogo e também não estava vazio.

Cada banqueta mal envernizada, cada alcova de canto com seus estofados puídos e manchados, tudo estava ocupado pelos espectros degenerados de um bairro em decadência havia séculos. O lugar fervilhava com ectoplasma beligerante e transpirava uma jocosidade mórbida de provocar arrepios, se houvesse alguém de carne e osso por perto. Sobre um tapete com um mosqueado que, numa inspeção cuidadosa, revelou ser formado por diversos tipos de mofo em tábuas de madeira nua; sob um teto opressivamente baixo e encrustado de nicotina, coberto de canecas enferrujadas, medalhões oxidados retratando cavalos e um gato mumificado balançando em um canto; em uma atmosfera que parecia saturada de fumaça por causa de todas as pós-imagens sobrepostas, os espíritos feios dos Boroughs se acotovelavam e saltitavam.

Em um canto estava George Blackwood, gângster e cafetão, abrindo braços extras enquanto distribuía cartas, fantasmagórico agora, e não um homem vivo como quando Bill e a turma o viram antes, nos anos 1950. Blackwood estava sentado em uma mesa inclinada diante do terrível rateiro, Mick Malone, cujos furões de muitas cabeças borbulhavam dos bolsos de sua jaqueta, farejando o ar fétido do pub, e cujos terriers pretos e brancos latiam e rosnavam em torno de suas botas de trabalho polidas. Como participou da operação quando Phyllis colocou um rato-fantasma sob o chapéu-coco de Malone, Bill se encolheu atrás da ampla cobertura que Tom Hall oferecia antes que o caçador de ratos o visse.

Reunidos ao redor do balcão estavam outros fantasmas que Bill reconhecia, pelo menos os que ainda tinham rostos normais. O velho Jem Perrit segurava um copo com uma dose dupla do ponche de chapéu-de-puck feito na própria taverna, destilado das flores de fadas fermentadas. Estava gargalhando ruidosamente, compartilhando alguma piada sombria com seu companheiro Tommy Torce-o-Gato, fantasma local e vítima daquela bebida feroz, cidra de maçã maluca, como Bill costumava chamar. A exposição repetida e prolongada ao poderoso fermentado caseiro afetou a mente de Tommy, que, é claro, era tudo o que mantinha a coerência de sua forma insubstancial, com seus vários componentes na ordem correta. Enquanto Bill observava, os olhos turvos do fantasma dissoluto começaram uma viagem lenta e rastejante subindo por uma bochecha não barbeada em direção à boca quase desdentada, que se contorceu e fez uma careta desconcertante no centro da testa do homem morto, espirrando saliva fantasma quando ria. As terríveis circunvoluções de uma orelha de couve-flor, de cabeça para baixo, forneciam uma peça central apropriada na posição que se esperava que ficasse o nariz. A outra orelha e o nariz de Tommy estavam talvez em alguma expedição para a parte de trás da cabeça grotescamente bagunçada e retornariam em breve.

Embora o rosto de Torce-o-Gato fosse quase insuportável de se olhar, não era a característica mais perturbadora da cena que ocorria no balcão. Junto ao velho Jem Perrit e sua risada de carniça, a valentona lésbica Mary Jane e vários monges cluniacenses ou augustos, Tommy se divertia assistindo ao que era, literalmente, uma apresentação de chão: de alguma forma, debatendo-se nas tábuas do assoalho aos seus pés arrastados, havia uma escultura em relevo viva de um homem, feita de madeira e em movimento. Pelo que Bill podia ver através de todas as espirais de nós e cabeças de pregos duplos que formavam o semblante gritante e contorcido da figura semissubmersa, parecia ser um jovem de, no máximo, dezenove anos. Os braços esqueléticos de madeira se agitavam no ar, com os dedos de pinho com unhas roídas bem esculpidas flexionando e arranhando como se procurassem um ponto de apoio. As pernas de marionete se debatiam, com um joelho dobrado feito de alguma madeira muito flexível erguendo-se da superfície antes de se endireitar e afundar de volta nas vigas imundas e mofadas. Jem Perrit, com sua gargalhada rouca, apoiou brutalmente um calcanhar no nariz da forma presa, empurrando o rosto esculpido de volta para baixo dos arabescos de mofo que cobriam as tábuas nuas, zombando da escultura animada enquanto forçava sua cabeça para baixo para se afogar no piso sujo.

— Vamos, seu merdinha inútil. Volta lá pra baixo que era-será seu lugar. Não queremos você aqui em cima!

Ao que parecia, isso não se aplicava a uma outra aparição feita de pedaços de tábua incomumente flexíveis, que emergia soluçando ao lado do balcão. A segunda marionete humana pareceu a Bill um espécime um pouco mais velho, talvez na casa dos trinta e poucos anos, em relação o companheiro adolescente preso ao chão e se debatendo sem parar. Muito acima do peso e com as voltas e os nós de sua carpintaria delineados em um crânio raspado, a coisa-boneco corpulenta gemia e lamentava, com lágrimas talhadas de balsa líquida rolando por suas mandíbulas de madeira oscilantes. Sem dúvidas era por isso que Mary Jane, a malvada grosseirona, o pegou por um antebraço torneado e esculpia suas iniciais na carne lascada e chorosa de seiva com uma chave de fenda fantasma. De onde quer que viesse o maldito tampo de madeira, observou Bill, devia saber que, em um lugar entupido de pichações como aquele, ele era visto apenas como uma tela nova.

Por toda a estalagem barulhenta e infernal, pessoas saídas de pesadelos batiam nas costas umas das outras ou atiravam ectoplasma brônquico nas bebidas umas das outras. Em uma área limpa na parede oeste do salão, um grupo em trajes casuais de músicos locais falecidos que Bill reconhecia montava os amplificadores-fantasmas crepitantes. Lá estava Tony Marriot, o baterista com físico de agricultor e penteado de espantalho, com a palha cinzenta roçando seus ombros na parte de trás, mas com entradas acentuadas na testa, emoldurando uma cara impassível e um tanto bêbada que parecia preparada para a decepção. Ao lado de Marriot, Pete Watkin, conhecido como Duke, afinava o baixo e sorria em silêncio, assombrado e incrédulo, para o caos sobrenatural que o cercava, sacudindo seu esfregão de cachos à la Jerry Garcia como um arbusto de salgueiro duplicado. Enquanto isso, Jack Lansbury esvaziou o cuspe-fantasma do bocal de sua trombeta espectral e olhou com desaprovação para a variedade de criaturas tumulares, relíquias e moradores de rua que compunham sua plateia. Parecia já ter tocado para um público morto ou para um público barulhento no passado, mas nunca para os dois ao mesmo tempo.

Bill examinou o salão por entre as coxas de tronco de árvore de Tom. A sombra de Freddy Allen, que Bill havia sido enviado para encontrar, estava longe das vistas. Embora imaginasse que Freddy pudesse estar se escondendo em algum lugar atrás dos embriagados sobrenaturais que enchiam o pub, Bill não gostaria de vagar entre eles para dar uma olhada. Não com Torce-o-Gato e Mick Malone e todo o resto dos inimigos não tão mortais do Bando de Mortos de Morte. Nesse caso raro, se não único, Bill descobriu que não tinha coragem.

Ele olhou para Tom Hall, que tinha a coragem de usar pantalonas de ursinho de pelúcia e, se era audacioso a esse ponto, então tinha coragem para qualquer coisa. Bill se lembrava de um incidente no salão do Black Lion, a área onde todos os bandidos mais velhos e perigosos se reuniam. Como era seu costume, Tom tinha tratado de forma sarcástica um viciado em drogas, assassino de verdade, frequentador do velho pub boêmio, um imponente esqueleto vestido em couro chamado Robbie Wise. O drogado nervosinho, ressentido com um comentário de Hall, sacou uma navalha aberta do bolso da capa de chuva e a segurou contra o rosto do músico. Tom apenas inclinou a cabeça para trás e traçou uma linha reta na própria garganta com o dedo indicador gorducho, logo abaixo da linha da barba.

— Meu querido menino, é só cortar aqui. Hahaha HARRRRR!

Robbie Wise pareceu quase aterrorizado por alguns tensos segundos antes de embolsar a lâmina e sair correndo em pânico do salão do Black Lion para a escuridão e o vento da noite da St. Giles Street. Não, Tom Hall era destemido, em vida e sem dúvida em morte. Era o único que Bill deveria consultar sobre a questão de Freddy Allen.

— Tom? Então, fomos mandados pra cá pra procurar um vagabundo velho chamado Freddy Allen. Cê poderia perguntar se alguém viu ele em algum lugar?

Os cantos dos olhos do maestro se enrugaram de alegria. Bill achava que os admiradores de Tom estavam errados quando diziam que ele era como Falstaff. Em vez disso, era mais o homem que Falstaff queria ser. A voz dele, quando respondeu para Bill por cima do burburinho, tinha o rangido cativante de barris de mel ou barricas de hidromel.

— Hahaar! Como se eu pudesse dizer não para o pequeno Bert Facada! Vou fazer isso já.

Aumentando seu volume pessoal para onze, o experiente artista dirigiu-se ao salão movimentado. Toda a conversa parou enquanto os frequentadores-fantasmas prestavam atenção naquela alma barulhenta que parecia vestir um monstruoso saco de doces. Até a torturada vítima de madeira perto do balcão e sua torturadora lésbica pararam o que estavam fazendo para ouvir.

— HahaHAAR! Lâmias e cavalheiros, meninos e assombrações, peço a atenção de vocês por um momento, POR FAVOR! Obrigado. Vocês eram-serão muito gentis. Muito generosos para um bando de gente que não conseguiu evitar o caixão. Bom, alguém sabe por onde anda alguém chamado... Freddy Allen, era isso? Freddy Allen. Ele está no céu ou está no inferno, o maldito fujão subalterno? Hahaaar!

Jem Perrit, parando por um momento de pisotear o rosto da máscara protuberante de volta para as tábuas do piso, ergueu a voz negra e ondulante de corvo no silêncio repentino.

— Fred Allen tá naquele lugar no final da Sheep Street, Bird in Hand ou Edge O'Tayn ou sei lá como chama agora. O bar dos viventes. Ele está lá com aquele meu menino meio idiota. Quando vai ter música, aliás?

Foi isso, em suma. Despedindo-se afetuosamente de Bill e Michael, Hall deslizou como uma mina marítima de peça infantil através de uma maré de escória do lugar, indo para o local onde seus músicos ajustavam os instrumentos. As duas crianças-fantasmas, sem aquela cobertura corpulenta, correram para a porta do salão e desceram a escada em um salto longo e lento, com Bill ainda segurando a mão de Michael como tinha feito o tempo todo. O menino não disse uma palavra durante a visita ao boteco fantasma. Ficou paralisado ali, naquele lugar de terror, olhando para Torce-o-Gato e todos os outros monstros, o pobre coitado. Bill desejou não ter levado a criança até lá com ele, mas isso ajudou a garantir sua própria segurança e, além disso, aonde quer que levassem Michael, acabaria sendo o lugar para onde ele deveria ir. Foi isso que Phil Doddridge disse.

Chegaram à porta da rua, irrompendo na passarela iluminada por lâmpadas onde os amigos os esperavam. Batendo a porta de volta ao seu estado 2D atrás de si, Bill informou Phyll sobre a suspeita do paradeiro de Freddy Allen, e a partir disso o bando rumou para a Sheep Street. Nadando pelo ar ou quicando pelo chão com os pés, o bando emergiu da passagem subterrânea e se espalhou pelo entroncamento movimentado da Mayorhold, com as pós-imagens misturando-se com a fumaça de escapamento ao serem despejadas na entrada da Broad Street.

Os garotos-fantasmas correram pela estrada dupla, sombria e funcional, ao longo do muro de concreto de um metro de altura que era o canteiro central, com rios de luz brilhante e metal fluindo em direções opostas de cada lado. Estavam se aproximando da Regent Square, onde a Sheep Street e a Broad Street convergiam, o limite nordeste dos Boroughs, marcado na mesa de trilhar do ângulo com uma caveira desenhada de modo grosseiro, a caçapa do canto do óbito, o quadrante da morte. Foi onde queimaram as bruxas e os hereges, onde encravaram crânios em estacas, com resquícios astrais desses momentos terríveis às vezes visíveis em um dia claro, apesar dos séculos que se passaram. Bill foi obrigado a admitir, não pela primeira vez, que os Boroughs eram e sempre foram um lugar inacreditavelmente estranho.

Bill não nasceu na área, nem viveu lá, mas era o lugar de onde vinha todo o lado materno da família. Como o imponente invasor de lares Ted Tripp, Bill foi criado como um menino de Kingsley, mas desde cedo conhecia os Boroughs e sua aura que se alternava entre o fantástico e o perturbador. A dupla personalidade do distrito ficou bem clara na época em que Bill comparava suas histórias de infância com as de Alma, a irmã mais velha e enervante do pequeno fantasma que ele acompanhava na Broad Street. Alma descreveu um incidente em uma visita à sua avó assustadora, May, que morava na Green Street. May tinha galinheiros no quintal, ao que parecia, assim como muitas pessoas durante os dias de escassez do pós-guerra. Alma havia se lembrado da ocasião mágica em que fora chamada pelo pai para dar uma olhada no que estava acontecendo na cozinha de sua avó. Sentada no degrau de pedra mais alto, ela olhou para o piso rebaixado, atapetado com pintinhos amarelos fofos, piando e tropeçando uns nos outros em suas pernas de recém-nascidos. Esse era o aspecto idílico dos Boroughs, enquanto o episódio com o qual Bill havia rebatido, embora semelhante em muitos aspectos, refletia a faceta mais surpreendente do antigo bairro.

Bill também estava visitando um parente que morava nos Boroughs, embora no seu caso fosse a casa do avô em Compton Street. Estava acompanhado de um dos pais, assim como Alma, embora fosse pela mãe, e não o pai, e havia um milagre da natureza na cozinha, ainda que nem de longe tão encantador quanto a visão de Páscoa da qual Alma se lembrava. O caso era que o avô de Bill costumava pegar e preparar suas próprias enguias gelatinosas. Na ocasião em que Bill, de cinco anos, e a mãe faziam a visita, o velho tinha acabado de trazer para casa uma nova leva, filhotes de enguias que havia capturado das hordas que migravam para o rio Nene. Ele as colocou em uma grande panela de ferro, com a tampa bem fechada, e as levou para a cozinha para matá-las e esfolá-las. Bill queria muito ver as enguiazinhas e, apesar de a mãe e o avô terem feito o possível para dissuadi-lo, explicando que as enguias seriam soltas em uma cozinha fechada e que a porta não seria aberta até que o trabalho terminasse, ele ainda assim insistiu. Mesmo nessa idade, geralmente conseguia fazer valer sua vontade, e mesmo nessa idade, tudo geralmente acabava virando uma situação horrível. Daquela vez não foi exceção. Ele seguiu o avô até a pequena cozinha e a mãe fechou a porta atrás dele, do outro lado. Ela não era tonta e sabia o que estava por vir. O avô de Bill então retirou, com cautela, a tampa de ferro da panela.

Os pontos de interrogação pretos e escorregadios irromperam em uma corrida horripilante do receptáculo, desesperados por liberdade, e se espalharam para todos os lugares. Devia haver pelo menos duzentas daquelas malditas coisas, pedaços de tubo digestivo com olhos minúsculos e vidrados, ondulando pelos ladrilhos gastos do chão da cozinha e de alguma forma arremessando-se sobre as paredes, a porta, as pernas da mesa, com o menininho de cinco anos aos berros. Foram parar em cima dele, dentro de suas roupas e em seu cabelo ruivo, e ele se deu conta tarde demais do motivo por que ninguém abriria a porta da cozinha para deixá-lo sair até que tudo aquilo acabasse. Com o rosto sério e, com o tempo, encharcado de sangue de enguia, o avô de Bill decapitou e depois arrancou a pele das abominações rastejantes aos punhados. Ainda levou uma boa meia hora, com o jovem Bill traumatizado, tremendo, olhando e balbuciando, nem de longe satisfeito com a experiência quanto Alma com seus lindos pintinhos. Mas os Boroughs eram assim, pensava agora: um sentimento fofo ao lado de um medo e uma loucura de retorcer o corpo inteiro.

O bando-fantasma já havia chegado ao final da Broad Street e se movia em um arco borrado ao redor da construção arredondada em sua extremidade. O lugar havia pertencido a Monty Shine, o agente de apostas, antes de se tornar uma casa noturna e sofrer tantas alterações de identidade que Bill pensou que poderia estar em algum programa de proteção a testemunhas. A certa altura tinha sido um ponto de encontro de góticos chamado MacBeth's, e Bill sabia que a parede da frente curvada havia sido pintada de um lilás vampírico, embora na costura-fantasma parecesse um cinza frio, que era muito melhor. Bill muitas vezes pensou que fazer uma reforma gótica naquele lugar era um exagero. Cabeças em estacas, bruxas na fogueira... Dava para ser mais gótico que isso?

Indo para o outro lado da Sheep Street, atravessando os clientes mortais que ignoravam sua presença na rua naquela noite, o bando entrou pela parede frontal do Bird in Hand. O lugar estava cheio de desordeiros, mas, como estavam vivos e respirando, não eram sinônimos de encrenca como seus equivalentes póstumos no Jolly Smokers. Cintilando através da fumaça de cigarro no bar — Bill achava que fumar dentro de ambientes fechados tinha sido proibido no final daquele ano —, os pequenos poltergeists localizaram Freddy Allen sem dificuldade. Ele estava empoleirado em um banquinho vazio ao lado de uma mesa na qual dois homens ainda vivos conversavam, o que por si só não era surpresa: muitos dos moradores de rua gostavam de ficar em pubs, onde havia mais chances de um beberrão vislumbrá-los e onde poderiam escutar as conversas dos mortais como nos velhos tempos. O que surpreendeu Bill e companhia, no entanto, foi que Freddy não estava apenas ouvindo a conversa dos vivos. Estava participando.

Quando Bill observou os dois homens com quem o andarilho-fantasma parecia estar falando, reconheceu os dois e teve uma resposta parcial para a pergunta de como Freddy poderia estar debatendo com alguém que não estava entre os mortos. O homem com quem Freddy conversava era o mesmo indivíduo peculiar que as crianças tinham visto chegar à casa na Tower Street, sublimemente bêbado, antes de irem até Almumana para assistir à luta dos ângulos. Ele conseguiu ver as crianças-fantasmas na ocasião, e então, pelo jeito, podia ver e falar com Freddy agora. O outro sujeito, sentado do outro lado da mesa do vagabundo espectral, com os olhos ansiosos fixos no bêbado de sangue quente ao lado dele, era um homenzinho gordo de cabelos brancos encaracolados e óculos que Bill reconheceu como o vereador trabalhista Jim Cockie. Parecia silenciosamente aterrorizado, mas Bill logo percebeu que isso não se devia à presença de Freddy. Cockie não conseguia ver o espectro sentado à sua frente e, em vez disso, estava assustado com seu companheiro de mesa, o sujeito com a risada contínua e demente que conversava, pelo que o vereador rechonchudo podia ver, com um banquinho vazio.

Phyllis respirou fundo, ainda que apenas pelo som, tomou coragem e marchou até os três homens sentados, dois vivos e um morto. No momento em que Freddy a viu, pulou do assento e apertou o chapéu gasto pelo tempo perto no couro cabeludo careca.

— Vocês fiquem longe de mim, seus merdinhas! Já aguentei vocês o suficiente por um dia, com isso de me sacanear quando estavam lá nos vinte e cinco.

Phyllis levantou as palmas das mãos na direção do espírito irritado em um gesto tranquilizador de apaziguamento.

— Sr. Allen, sei que fomos podres com você, e peço desculpas. Não vamos mais fazer isso. Não iria te incomodar, mas acontece que todos dizem que cê é um tipo decente, e tem uma menina em apuros.

A partir do momento em que Freddy se levantou, o sujeito bêbado e ao que tudo indicava clarividente ao seu lado começou a gargalhar, transferindo suas atenções embriagadas para o vereador, que não conseguia disfarçar seu nervosismo.

— Hahahaha! Viu isso? Ele ficou de pé como se tivesse hemorroidas. Está puto porque um bando de sujeitinhos acabou de entrar.

O vidente bêbado virou a cabeça para olhar diretamente para Bill e seus parceiros mortos.

— Vocês não podem entrar! Não têm idade! E se o gerente pedir para ver seus certificados de óbito? Ahahaha!

O vereador abalado olhou na mesma direção que o outro homem, mas parecia incapaz de ver qualquer coisa. Cockie olhou de volta para o bêbado barulhento sentado ao seu lado, bem apreensivo agora.

— Eu não entendo. Não entendo vocês.

Freddy, enquanto isso, ficou menos furioso e mais intrigado com a menção de Phyll a uma jovem em apuros.

— Que menina? E, de qualquer jeito, o que isso tem a ver comigo?

O cara bêbado que ria virou para o vereador agora, dizendo:

— Não consigo ouvir eles. Mesmo quando estão bem do seu lado, têm a voz bem fraca, reparou? Ahaha.

Phyllis persistiu.

— Não sei se já viu ela andando por aí e tal, mas era-será uma moça mestiça de uns dezenove anos, com tranças nos cabelos arrumadas feito listras. Ela usa um daqueles casacos brilhantes e parece ser da vida.

Um brilho de reconhecimento surgiu nos olhos tristes da aparição esfarrapada.

— Eu... eu acho que sei de quem está falando. Ela mora nos apartamentos da Bath Street, no que costumava ser a velha casa de Patsy Clarke.

A líder do bando-fantasma assentiu uma vez, dobrando o número de cabeças e provocando um breve tremor através de suas peles de coelho penduradas.

— Era-será ela mesmo. Um cara pegou ela naquele lugar de estacionamento onde ficava a Bath Passage. Ele tá com o carro parado lá e tá fazendo cê-sabe-o-que com ela. Não como freguês, mas à força.

Pela expressão em seu rosto, parecia que uma linha inviolável havia sido cruzada no campo de jogo moral de Fred Allen.

— Bath Passage. Passei por ali mais cedo, visitando minha amiga. Podia sentir que alguma coisa ruim estava para acontecer. Ah, meu Deus. É melhor eu ir lá. É melhor eu ver o que posso fazer.

Com isso, a alma esfarrapada do notório ladrão de garrafas de leite atravessou cinco ou seis clientes, uma mesa e a parede da frente do Bird In Hand, jorrando para a noite lá fora como vapor furioso. Bill não sabia se o andarilho-fantasma seria capaz de ajudar aquela jovem ou não, nem se o demônio ainda estaria atrás do volante quando Freddy chegasse lá, mas isso não importava. Fizeram tudo o que podiam e agora a questão não estava mais em suas mãos. Ou talvez nunca tivesse estado.

Com o bêbado de nariz adunco ainda rindo enquanto apontava para as crianças fantasmagóricas que só ele podia ver, o bando de mortos seguiu Freddy para a garganta escura da Sheep Street, mas o vagabundo desencarnado já havia desaparecido, para resolver aquele assunto urgente. Phyllis jogou sua estola pútrida sobre o ombro como uma estrela infantil zumbi e anunciou que voltariam pela Broad Street até a Mayorhold, onde retornariam à Tower Street e em seguida subiriam até as Obras, ou o que restasse daquele estabelecimento sublime em 2006. Então levariam Michael de volta para 1959, para seu corpo e para sua vida.

A ideia tinha sido de Bill, verdade, mas na boca de seu estômago que já não existia, ele vinha temendo aquilo, a Almumana arruinada e o Destruidor, acima de tudo o último. Era o que aquilo representava, a presença aniquiladora que havia na vida de todos, seja qual forma que assumisse. Bill sentiu pela primeira vez suas correntes implacáveis quando estava vivo, um jovem de dezessete anos recém-expulso da escola e experimentando a primeira dose de heroína em um salão de festas à luz de velas, numa sexta-feira à noite depois do pub. Todos estavam lá, todos os seus companheiros, ou pelo menos um bom número deles. Kevin Partridge, Big John Weston, a linda Janice Hearst, Tubbs Monday e mais uns quatro outros, pelo que Bill se lembrava. Tubbs tinha sido o generoso fornecedor das mercadorias em questão, e era o fruto de seu trabalho manual que o restante deles passava um para o outro. E, embora fosse imune à doença, Tubbs foi o portador que transmitiu as hepatites B e C para todos os demais.

Bill conseguia se lembrar de cada palavra idiota da conversa sem importância enquanto passavam o pico um para o outro, lembrava-se até do instante frio em que pensou consigo mesmo que não era uma boa ideia, quase como se soubesse que seria a ação que o mataria, quando tivesse uns quarenta anos ou mais na jornada da vida. Esse foi o momento em que, em retrospecto, sentiu o roçar do Destruidor, sentiu sua preocupante brisa soprada do futuro. E ainda assim Bill fez aquilo, como se não tivesse escolha, como se fosse o destino, o que supôs que tivesse sido. "Sim, valeu", disse Bill, e enfiou a agulha.

Pensou na conversa que ouviu, entre o simpático construtor sr. Aziel e Phil Doddridge, quando Doddridge perguntou ao ângulo se a humanidade realmente teve livre-arbítrio, ao que o sr. Aziel, de cara séria, sombria, respondeu com uma negativa, depois acrescentou "Você sentiu falta?", soltando em seguida uma risada insondável. Insondável àquela altura, pelo menos, mas agora Bill entendia. Ele sacou a piada. De certa forma, era quase reconfortante, a noção de que o que quer que fizesse ou realizasse, no fim você era apenas um ator executando um drama muito bem roteirizado. Ele não sabia disso na época e achou que estava improvisando. Era meio cômico, Bill percebia agora, mas ainda encontrou algum consolo no pensamento de que, em um mundo onde era tudo predeterminado, não havia sentido algum em se preocupar com alguma coisa nem em se arrepender por qualquer motivo.

Ainda tentava tirar algum conforto daquilo quando o Bando de Mortos de Morte chegou à Tower Street e começou sua escalada até os destroços fuliginosos do Céu.

O DESTRUIDOR

– Michael? Ai meu Deus! Michael, tá me ouvindo?
Tosse, por favor. Respira, por favor...
– Guenta firme, tamo quase lá. Guenta firme, Doreen.

A visão do sulfuroso Sam O'Day debruçado na janela daquele carro, aquele que tinha a mulher sendo ferida dentro, aquilo quase acabou com Michael. E o pub cheio de fantasmas maus, com aquelas duas pessoas de madeira gritando e o homem com feições que flutuavam em volta do rosto como nuvens, isso quase tinha sido pior. Deixando essas coisas de lado, porém, estava começando a se acostumar com todo esse negócio de assombro.

Gostava de escavar no tempo, de estar em um bando e de ter se apaixonado secretamente por Phyllis, embora ela não quisesse ser sua namorada. Estar apaixonado era o principal, no fim das contas, e Michael não conseguia achar que importava muito se a outra pessoa sentia o mesmo ou até se sabia que você a amava. Apenas aquele sentimento triste e adorável já não era o bastante? Era sobre isso que todo mundo escrevia canções e poemas, não?

Michael estava afeiçoando-se inclusive a todos os outros Michaels que se separavam dele toda vez que se movia. Era um pouco como ter sua própria torcida de futebol seguindo-o em todos os lugares, e isso o deixava se sentindo mais confiante e não tão solitário. Mesmo sabendo que todos os seus dublês eram feitos apenas de luz-fantasma, estava ficando bastante apegado. Até começou a dar nomes para cada um, mas, como eram todas variações ou diminutivos de Michael – Mike, Mick, Mickey, Mikey, Micko e alguns outros que eram apenas sons que tinha inventado –, era inútil, e parou com aquilo. Além disso, eles derretiam no ar depois de apenas alguns segundos e, se fizesse amizade com eles e lhes desse um nome, isso só tornaria a situação muito mais difícil.

Na verdade, havia muitas coisas no pós-vida de que Michael gostava. Andar pelas paredes era divertido, enxergar no escuro e voar pela noite era mortalmente empolgante, mas, de longe, a melhor coisa de estar morto era comer os chapéus-de-puck. No início, ficou desolado com a ideia de morder fadinhas bonitas, mas, uma vez que ele descobriu que o interior era de fruta branca doce e suculenta, em vez de vísceras, começou a comer com um apetite que até o surpreendeu. Afinal de contas, era como comer as balas de goma em forma de bebê, ele racionalizou, mesmo que, como acontece com esse tipo de doces, você ainda se sentisse um pouquinho culpado quando mordia os pés. De qualquer forma, considerando o sabor delicioso das flores-fantasma, Michael sentia que poderia devorar chapéus-de-puck às dúzias, mesmo que aquelas coisas com ar de estrelas-do-mar esperneassem e chorassem e implorassem para ele não fazer isso. Bem, nesse caso não, mas eles tinham um sabor maravilhoso. Sentiria falta disso quando fosse levado de volta à vida.

Pelo que Phyllis lhe disse, seria muito em breve. O Bando de Mortos de Morte precisava apenas levá-lo em uma última viagem para o Andar de Cima, Almumana, antes de mandá-lo para casa. Era por isso que tinham se espalhado como uma névoa espessa de fotos antigas por toda a Mayorhold, deixando os carros passarem por eles para que tivessem vislumbres borrados de interiores iluminados, homens murmurando para si mesmos e casais brigando, antes que o bando descesse mais uma vez pelos caminhos afundados da Tower Street. Olhando para os enormes prédios de apartamentos, os dois grandes marcos com os dizeres NOVAVIDA que pairavam sobre as passagens subterrâneas e nas acanhadas casas de aluguel do conselho de habitação, Michael achou que as enormes lápides pareciam mais desgastadas do que um pouco mais cedo, antes que os construtores gigantes brigassem, quando Michael fugiu de todos os outros e se perdeu. A escavação no tempo podia ser confusa, verdade, mas pelos seus cálculos a visita anterior às torres de apartamentos não teria sido mais do que doze meses atrás. Como um lugar podia começar a parecer tão maltratado e velho dentro de um ano? Sua casa na St. Andrew's Road, aquela que não existia naquele século de ventos fortes, tinha cerca de cem anos quando ele e sua família moravam nela, e parecia mais bem conservada e bonita do que os prédios altos.

Ainda não tinha certeza do que Phyllis e os outros queriam que ele visse em Almumana, ou por que estavam decididos que devia ver, mas, se era para ser sua última aventura no mundo do Andar de Cima, então iria aproveitar ao máximo. Suspeitava de que o bando ia lhe mostrar algo ainda mais fantástico do que as coisas que já tinha visto, como uma espécie de presente especial ou festa de despedida. Aos três anos, tinha passado por Natais e aniversários suficientes para saber que, quando alguém planejava uma surpresa para você, era preciso fingir que não sabia, ou então estragaria tudo. Era por isso que estava apenas sorrindo para si em silêncio enquanto Phyllis e os outros providenciavam a entrada deles no local de encontro dos construtores, as Obras, e todos fingiam estar preocupados com alguma coisa. Michael sabia o que era aquilo. Estavam tentando despistá-lo do incrível evento que estavam organizando para marcar sua partida, mas não deixou transparecer que sabia. Não queria ferir os sentimentos deles.

Michael entrou no jogo, então, enquanto a turma se aglomerou nos ombros uns dos outros, uma manobra que já tinha visto sendo feita antes. John ficava na parte inferior da torre, depois Reggie Bowler, equilibrado com suas botas gastas em ambos os lados do rosto heroico de John. Escalando os dois meninos como uma alpinista, Phyllis estava empoleirada em cima de Reggie, tateando no ar mais acima, no topo da pilha humana. Como Michael, Bill e Marjorie eram os menores e, portanto, não colaborariam muito para a altura do arranjo, apenas ficaram parados observando, alguns passos mais adiante no caminho.

Um tanto intrigado, Michael perguntou a Bill o que os três fantasmas mais altos do bando estavam fazendo.

— Bem, se cê lembra, a última vez que a gente veio pra este século novo, cavamos de volta pra 1959 e fomos de lá para Almumana. Nós passamos por aquele prédio fechado com tábuas que ficava na esquina da Mayorhold, onde a primeira prefeitura ficava, séculos atrás. O caso era-será que desta vez não queremos te mostrar Almumana como era-será em 1959. Queremos te mostrar como era-será agora, em 2006, e aqui não sobrou uma construção de pé por onde entrar. Mas tudo bem. Quando tivemos nossas aventuras no futuro, na Cidade de Neve e tudo mais, deixamos um buraco no ar por aqui, coberto com um pedaço de tapete, como o alçapão do nosso covil no chão perto da Lower Harding Street. Era-será o que a Phyllis tá procurando agora. Ei, Reggie! Essa era-será nossa chance! Olha debaixo da saia dela!

Balançando acima deles, Phyllis gritou através da luz pálida de sódio.

— Cê se atreva, Reggie Bowler, e vou mijar na sua cabeça. Agora fechem as matracas e se comportem. Acho que encontrei.

Fazendo movimentos de puxões na escuridão acima de si, como se arrastasse algo para o lado, a intrépida líder do Bando de Mortos de Morte revelava um pedaço irregular de azul-violeta que pairava ali em um céu nublado que, de resto, era completamente incolor. Tendo assim localizado a rota do bando para Almumana em meio aos gritos e às sirenes da noite, Phyllis em seguida dirigiu a subida. Disse aos três membros menores da equipe para subir a escada formada por seus companheiros, com Bill indo primeiro, depois Michael e então Marjorie. Isso feito, eles a ajudaram a subir e a passar pelo buraco no céu para que ela, por sua vez, pudesse ajudar John e Reggie. Depois que recolocaram os restos de tapete encharcados e imundos usados para esconder a abertura, o bando-fantasma ficou ao lado por um momento, avaliando seu novo e ameaçador ambiente. Michael ficou um pouco chateado, pois aquilo não sugeria o tratamento especial que esperava. Imaginou que os outros estavam apenas adiando as coisas para que fosse uma surpresa maior.

O espaço em que o bando estava, cavernoso e índigo, ainda era reconhecível como a mesma estrutura-fantasma que haviam escalado pouco antes da luta dos ângulos, embora em um estado de conservação muito pior. Pelo menos um dos andares-fantasmas havia desmoronado completamente, devido ao que parecia ser um dano causado por infiltração de água vinda de cima. Vigas encharcadas e quebradas se projetavam da metade de uma parede alta e danificada como costelas quebradas, e a luz azulada estava por toda parte, tornando-se roxa onde as sombras se acumulavam.

Michael se lembrou de que, em 1959, a construção era toda em preto e branco, sem nenhum tom até que se subisse para Almumana por aquele pequeno lance de escadas inúteis e estreitas no último andar. Parecia que o mundo do Andar de Cima vazava cores, entre outras coisas. Michael não conseguia se lembrar de toda aquela água ali antes, escorrendo como prata pelas paredes abandonadas e imponentes, ou se acumulando em cavidades como piscinas de pedra atapetadas no meio dos escombros do chão. Também parecia que a qualidade do som em Almumana havia se infiltrado no reino fantasma, geralmente abafado, junto com toda a umidade e a luz colorida e melancólica. Cada pingo, gotejo, respingo e tilintar vítreo reverberava de maneira assustadora sobre a ruína ecoante com cheiro de umidade, que parecia apenas um enorme galpão depois de um incêndio proposital para acionar o seguro.

Cheiro de umidade? Michael percebeu que, junto com o som e a cor vazando de cima, seu olfato havia começado a se aproximar da capacidade rica e avassaladora de sentir odores que tinha no Andar de Cima, onde o mero cheiro das coisas transmitia histórias inteiras. Ele começava, por exemplo, a detectar o fedor da estola de pele de Phyllis, junto com os perfumes de mofo, podridão e — o que era isso, aquela outra coisa? Ele farejou o ar para constatar, confirmando suas suspeitas. Era fumaça, um leve toque, e Michael não sabia de onde vinha.

Estava com seus cinco amigos fantasmas, que pareciam todos silenciados pela espessa atmosfera de desolação que recaía sobre eles — junto com a luz de cobalto e as cascatas de água — a partir de cima. Apesar de desconfiar que eles estavam apenas fingindo para esconder a surpresa que tinham reservado para ele, Michael estava um pouco decepcionado com sua festa de despedida e esperava que fosse ficar melhor em algum momento. Olhou para a penumbra azul gotejante mais acima e escutou os ruídos de torneira vazando, o jorro e os respingos, trinados líquidos borbulhantes que quase soavam como uma conversa sussurrada.

— Aah, meu Deus, aah, meu Deus, Doug, acho que ele se foi. O que vamos fazer?

— Guenta firme, Doreen. Guenta, menina. É bem ali nos Mounts. Chegamos num minuto...

Ainda sem ninguém falando muito, Michael se juntou a seus companheiros fantasmagóricos quando começaram a subir pelo interior da construção desmoronada. Isso se mostrou muito mais difícil do que quando estiveram por ali antes. Por um lado, a escada em ruínas que usaram parecia ter desaparecido havia muito tempo, exigindo que as seis crianças escalassem as paredes em ruínas como aranhas sem metade das pernas. O corajoso John foi o primeiro, apontando os apoios para os pés e as mãos, entalhes no reboco de gesso, para ajudar os cinco jovens espectrais que o seguiam.

Por outro lado, além de haver vestígios do som, do cheiro e da cor de Almumana ali embaixo na costura-fantasma, que normalmente sufocava os sentidos, também eram evidentes os vestígios das sensações cada vez maiores de peso e gravidade do mundo superior. Se tivessem caído da face escarpada da parede, ainda teriam descido devagar o bastante para não se machucarem de verdade, mas é óbvio que voar pelo ar ou quicar como bolas de praia lunares não funcionaria. Todos pareciam muito pesados e muito sólidos, o que significava que não havia outra escolha a não ser uma lenta e sofrida escalada pela parede alta. Ainda tinham algumas pós-imagens desprendendo-se deles, mas, à medida que subiam, elas ficavam mais frágeis e fracas, até que desapareceram de vez.

Parte do andar superior ainda não havia desmoronado por completo, restando algumas áreas de tábuas de assoalho e vigas de suporte, embora estivessem vergadas e parecessem precárias. Depois do que pareceu a Michael pelo menos uma hora de escalada, o Bando de Mortos de Morte chegou, enfim, a ilhas rangentes de relativa segurança. A criança temporariamente morta se arrastou de barriga sobre as tábuas encharcadas que eram a borda da plataforma, com Phyllis empurrando por trás e John grandalhão puxando pela frente. Era bom poder ficar de pé — mesmo que apenas nas partes mais robustas e reforçadas com vigas do piso — e descansar um pouco depois de todo aquele esforço.

Enquanto todos se recuperavam, Phyllis distribuiu alguns dos chapéus-de-puck nanicos encontrados nos hospícios, nos quais as fadinhas tinham apenas um centímetro e meio de altura. Michael descobriu que, quando comidos mais próximos de Almumana, onde todos os sentidos despertavam, o gosto e o cheiro eram ainda melhores do que na costura-fantasma. Com o sumo doce brilhando no queixo, ele se sentou apoiado a um batente de porta pela metade, com seus pés calçando pantufas pendurados nas bordas do piso apodrecido, balançando as pernas acima do abismo cor de safira.

Ele pensou em onde estiveram, nas coisas que viram e ouviram. Foram tomar chá e comer bolos na casa do sr. Doddridge, e então caminharam por aquela ponte engraçada até os manicômios. Os manicômios eram onde mantinham as pessoas que ficaram malucas e, como as pessoas assim estavam todas com a cabeça confusa, os manicômios ficaram todos confusos e misturados também. Era um lugar peculiar, com todos os fogos de artifício de luz colorida, e depois os outros Bill e Reggie do futuro aparecendo e roubando a maioria das maçãs malucas. O que lhe pareceu a coisa mais estranha, porém, foi a maneira como Phyllis, John e Marjorie agiram quando toparam com aquelas duas mulheres vivas sentadas no banco. Ambas pareciam bem normais e estavam apenas conversando, do jeito que os adultos às vezes faziam. Michael não estava ouvindo direito, mas achou que a mais alta e de aparência mais frágil havia dito que seu cachorro costumava subir na cama com ela. Parecia o tipo de coisa que um cachorro de estimação faria e, pensando bem, era provavelmente a razão pela qual sua mãe nunca o deixou ter um, mas ele não conseguia compreender por que Phyllis e John pareceram tão chateados. Talvez viessem de lares mais ordeiros e metódicos que o seu.

Foi depois que voltaram dos manicômios, porém, quando chegaram a este século esquisito que tanto o desagradou na última vez que estiveram aqui, que as coisas começaram a ficar um pouco horríveis. Quando pularam do Ultraduto para a Chalk Lane em zero-seis ou onde quer que estivessem, começava a escurecer, o que Michael sempre achava um pouco perturbador. Na época em que ainda estava vivo, se tinha sonhos em que era noite, sempre se transformavam em pesadelos. Por um longo tempo pensou que essa fosse a definição de um pesadelo: sonhos nos quais as coisas estranhas aconteciam sempre à noite. Então, quando a escuridão começou a cair enquanto o bando-fantasma vasculhava aquele lugar com a grande lagoa, ele se sentiu um pouco apreensivo desde o início.

A jornada que fez com Bill, Marjorie e Reggie — cujo propósito não tinha entendido por completo — foi até um pouco divertida, pelo menos as partes que envolviam brincar de trenzinho ou voar pelo céu noturno. Mas Michael não gostou muito daquele pátio varrido pelo vento e com todos aqueles barris de metal. Por mais miserável e pouco convidativo que o lugar parecesse, havia algo que a criança achava perturbadoramente familiar, embora nunca tivesse visitado o lugar antes. Talvez o tivesse visto durante uma das inúmeras passagens da vida que Phyllis e os outros lhe garantiram que já havia vivenciado, apesar de não se lembrar de nenhuma delas. Talvez o pátio sem graça estivesse em algum lugar com o qual ele um dia se familiarizaria, mas percebeu que esse pensamento o enchia de uma mágoa inexplicável.

Foi depois que eles voltaram pelo céu noturno para a lagoa, no entanto, que a situação piorou. Ele chorou um pouco quando Phyllis e companhia o deixaram ir dar uma olhada no gramado nu na St. Andrew's Road, sem nada mostrando que ele e sua família tivessem vivido ali, mas o choro não era algo ruim. Era apenas Michael começando a aceitar as coisas como elas eram, o jeito como, no mundo mortal, as pessoas e os lugares passavam e se acabavam em um instante. Assim era a vida, mas no final nada disso importava, porque a morte era diferente. A morte e o tempo não estavam de fato acontecendo, o que significava que todas as pessoas e todos os lugares continuavam existindo para sempre em Almumana. A casa dele ficava em algum lugar lá em cima, com a porta de um vermelho desbotado, o cisne de porcelana na janela e o limpador de botas praticamente sem uso na parede ao lado da soleira da porta. Ele se sentiu reconfortado por isso, então enxugou os olhos e partiu com o resto do bando para a Mayorhold, e foi quando as coisas realmente ruins começaram.

A primeira e talvez a pior foi o que aconteceu naquela pequena garagem murada na extremidade inferior da Bath Street. Todo mundo se amontoou em volta do carro estacionado como se quisesse impedir Michael de ver o que estava acontecendo lá dentro, mas ele tinha espiado o bastante para saber que um homem mau havia prendido uma mulher debaixo dele e a machucava, socando-a como se fosse um boxeador. Então, quando Bill, de quem Michael começou a gostar, levou-o para longe do veículo, viram a outra pessoa sentada no banco do motorista. Foi quando ele se deparou com o tempestuoso Sam O'Day e ficou tão assustado que seu coração quase começou a bater.

Sabia que estava destinado a encontrar o diabo pelo menos mais uma vez, com a inevitabilidade de um pesadelo ou um programa assustador na televisão. Só não esperava que fosse naquele momento, nem achou que o demônio se lembraria de toda aquela história de Michael matar alguém. Ficava ao menos aliviado por ter conseguido evitar fazer uma coisa terrível como aquela. Aquele arrogante Sam O'Day se achava muito inteligente, mas ainda não tinha conseguido transformar Michael em um instrumento da morte, o que era um motivo de orgulho para o menino.

No entanto, assim que frustraram o demônio com o truque simples e bem-sucedido de fugir gritando, foram para aquele pub terrível no qual Michael não queria nem pensar. Nas poucas ocasiões em que foi levado como mortal para uma taverna pela mãe e pelo pai, achou o ambiente dos pubs um pouco ríspido, adulto e intimidador para seu gosto, mas aquilo não era nada em comparação com a forma como tinha se sentido no Jolly Smokers. O homem de rosto móvel e aquelas pobres coisas de madeira que aparentemente tinham acabado de emergir do piso do salão, Michael tinha certeza de que aquelas imagens ficariam em sua mente pelo resto da vida, por mais que todos dissessem que tudo isso seria esquecido uma vez que o trouxessem de volta para dentro de seu corpo e ele de alguma forma fosse reanimado. Michael se perguntou como essa parte estaria avançando, mas se lembrou de que agora estava em zero-seis e que o caso de asfixia foi encerrado quase cinquenta anos antes, então em vez disso se perguntou como tudo aquilo tinha terminado.

– *Michael? Vamos, Michael. Respira. Respira pra sua mãe.*

Quando todos comeram o suprimento de emergência de chapéus-de-puck, Phyllis abriu caminho pelo que restava do piso superior da construção em deterioração, seguindo pelas tábuas e vigas mais seguras até o que na visita anterior era um pequeno escritório em uma extremidade, mas agora parecia um espaço anônimo e aberto, encharcado de água. Contra uma das duas paredes sobreviventes, com alguns de seus estreitos degraus desaparecidos desde a última vez que o viram, estava a Escada de Jacó que levava a uma porta torta de aparência nebulosa no teto. Isso, pensou Michael, seria quando todos iriam pular e gritar "surpresa" e mostrar todos os sorvetes, balas de goma e presentes de sua festa de despedida.

Mas não havia nenhum tratamento especial à espera de Michael em Almumana. Não havia nenhuma festa. Mal havia Almumana.

A porta torta parecia nebulosa porque toda a área do térreo das Obras estava cercada por enormes e ondulantes nuvens de fumaça branca. Isso se devia ao fato de que uma vasta parede do salão do tamanho de uma catedral estava em chamas, com construtores e algumas formas maiores e mais indeterminadas visíveis através da névoa espessa, todos trabalhando duro para apagar o fogo. Organizando-se em correntes, passavam taças gigantes de mão em mão, já que aparentemente havia poucos baldes em Almumana. O derramamento, gotículas saltitantes de quebra-cabeças de marfim chinês da água mais-que-3D que Michael tinha visto, havia se espalhado pelas enormes lajes do chão e era talvez responsável por todo o estrago provocado pela água lá embaixo.

O Bando de Mortos de Morte se elevou das extensões azuis úmidas e tristes da construção fantasma até o lugar ainda pior mais acima. De pé, amontoados em volta da porta torta colocada no piso de lajotas das

Obras, o grupo de pivetes ficou assustado ao espiar os montes de fumaça que corriam por toda parte. Com uma sensação de desânimo, Michael percebeu que os olhares ansiosos não tinham sido para encobrir uma celebração muito bem planejada. Eram exatamente o que pareciam, expressões aterrorizadas nos rostos de crianças pequenas que veriam o Céu em chamas.

Phyllis segurava o cardigã de lã — que agora estava rosa-sorvete de novo — para proteger a boca e o nariz da fumaça acre. Pelo menos, pensou Michael com os olhos azuis lacrimejando, não dava para sentir o cheiro do colar de coelhos dela quando essa fumaça estava por todo lado. Ela deu suas ordens entre tossidas.

— Certo, vamos fazer fila, com todo mundo preso no casaco ou na blusa da criança da frente, assim ninguém se perde. Vamos tentar atravessar o patamar até onde as escadas estavam na última vez que viemos aqui, assim podemos sair lá fora na sacada. Vamos, pessoal. A coisa não vai ficar melhor se a gente ficar aqui de enrolação.

Obediente, Michael prendeu o colarinho do roupão com uma das mãos, segurando-o sobre a boca e o nariz, enquanto com a outra mão pegava a parte de trás da cintura das calças de John, à sua frente na fila. Atrás dele, Michael sentiu Phyllis segurar o cinto xadrez que havia amarrado na cintura. Desse modo, em uma fila indiana, como se fossem exploradores em uma selva de vapor, saíram pelo patamar que sabiam ser vasto, apesar do fato de que no momento tudo além de um metro deles estava escondido pela fumaça que subia.

A turma tinha avançado só um pouco quando Michael se recordou das decorações demoníacas, de todos os padrões de diabo intrincados e entrelaçados que se contorciam com uma vitalidade maligna nas seis dúzias de pedras imensas que formavam o chão daquele trecho. Ele olhou alarmado para a enorme laje de pavimentação sobre a qual suas pantufas xadrezes se arrastavam, meio que esperando ver algum desenho grotesco de escorpiões e águas-vivas encaixados em quebra-cabeças, mas o que enxergou foi apenas pedra rachada e quebrada, o que de alguma forma conseguia ser pior. Sob um véu deslizante de fumaça cinzenta e uma dispersão dos folhetos que Michael havia lido na visita anterior, havia apenas a pavimentação quebrada, fissurada em pedaços monstruosos, como se partida e empurrada por raízes de árvores ou alguma outra grande força vinda de baixo. Não encontrou nenhum sinal das representações coloridas e diabolicamente envolvidas dos setenta e dois demônios. Não estavam quebrados com as pedras em que tinham sido pintados, nem desbotados ou escondidos atrás de pichações. Haviam sumido, como se aquelas presenças medonhas e resplandecentes tivessem vazado de seus retratos assim que o esmalte foi fraturado. Ainda segurando o roupão sobre o nariz como um lenço de caubói, Michael olhou ao redor, apreensivo, para as ondas de fumaça. Se os demônios não estavam presos em suas pinturas, onde estariam?

As seis crianças, seguindo para a parede sul do enorme local de trabalho em sua fila trôpega de acorrentados, não tinham atravessado muito do chão de fábrica coberto de fumaça antes que a criança tivesse uma resposta à sua pergunta: da fumaça amarga diante deles saiu uma enorme carroça, um grande carro plano com oito poderosas rodas de carreta de cada lado. O veículo era lentamente puxado com numerosas cordas grossas e cobertas de piche em direção ao extremo norte da edificação pelo que pareciam ser pelo menos trinta dos construtores de baixo escalão com suas vestes cor de pombo, com mais outros agrupados na parte traseira do carro colossal, empurrando por trás enquanto os companheiros puxavam e arrastavam na frente.

Aqueles trabalhadores celestiais comuns pareciam muito mais desgastados em comparação com os funcionários ágeis e diligentes que eram quando o Bando de Mortos de Morte tinha vindo a Almumana pela última vez, em 1959, para assistir à luta de ângulos. Suas mãos estavam arranhadas e calejadas, e alguns não usavam sandálias. Enquanto puxavam as cordas rangentes, Michael podia ver que suas delicadas vestes coloridas estavam rasgadas e chamuscadas, e os rostos melancólicos, manchados de fuligem e graxa. Mantinham os olhos baixos nas lajes lascadas a seus pés, talvez para evitar pensar na impossibilidade colossal que tentavam mover, o gigante despreocupadamente agachado sobre sua plataforma móvel.

A princípio, Michael achou que fosse uma estátua ou algum tipo de ídolo, um sapo gigantesco esculpido do que parecia ser diamante sólido, maior que uma igreja ou catedral. Então percebeu que as laterais deslumbrantes abriam e fechavam, e percebeu um movimento de respiração. Ao se dar conta de que estava na presença de uma criatura viva, na certa um dos demônios desaparecidos das lajes, Michael olhou mais de perto.

A cabeça obtusa, plana e larga como se tivesse sido esmagada, estava inclinada imperiosamente para trás sobre vários queixos salientes, grandes acúmulos de gordura feitos de diamante, como camadas de um sanduíche de pedra preciosa e zepelim. Sete olhos de porquinho minúsculos, dispostos em forma de anel, arranjavam-se em sua preciosa testa. Cada um deles piscava com indiferença após intervalos prolongados, sem nenhuma sequência distinguível, e depois voltavam a olhar altivamente para as nuvens brancas ou azul-amarronzadas que escondiam das vistas a parte superior das Obras. Parecia considerar ser arrastado em um carrinho uma terrível indignidade, e Michael se perguntou se sentia vergonha de seu tamanho e peso.

Do que quer que fosse realmente feito — diamante ou, como Michael não tinha como saber, até vidro lapidado —, era translúcido, e o menino teve a impressão de que o monstro era completamente oco, como um ovo de Páscoa. Além do mais, quando olhou através de suas laterais inchadas, pensou que podia ver uma espécie de movimento borrado, como se o leviatã estivesse cheio de água até a metade. Pela forma como franziu a boca larga, a criatura parecia desconfortável, e Michael pensou que ter todo aquele líquido em sua barriga, transformando-o em um enorme jarro de cristal, poderia explicar isso.

A grande carroça avançou aos poucos em direção à parede norte do recinto enevoado pelo fogo, enquanto a fila de crianças-fantasmas passava por ela arrastando-se e tossindo, indo na direção oposta. Michael gostaria de poder perguntar a Phyllis por que essas coisas horríveis estavam acontecendo, mas todo mundo estava com casacos ou suéteres cobrindo a boca e o nariz, então ninguém podia falar.

Só quando a carroça e sua tremenda carga passaram quase completamente pelo bando de fantasmas, um dentre os muitos ângulos que empurravam na retaguarda notou o grupo desalinhado de crianças mortas e deu o alarme.

— Oven entru relf nian?

Isso significava "*O que vocês estão fazendo aqui entre essas ruínas e essas relíquias fumegantes se não passam de crianças?*", e mais um parágrafo ou algo assim na mesma linha, traduzível grosseiramente como: "Ei! Vocês! Caiam fora!"

Todos ficaram paralisados, sem saber o que fazer, e até Phyllis pareceu desconcertada. Uma coisa era ser desobediente e atrevido com fantasmas ou demônios, mas, se os construtores mandassem alguém fazer alguma coisa, mesmo os construtores de baixo escalão, não tinha discussão. Todos faziam o que eles diziam. Simplesmente faziam. Por sorte, foi naquele momento que um segundo operário vestido de pomba se destacou da equipe principal que se esforçava para empurrar a traseira da enorme carroça, intervindo em nome do bando. Ele chamou seu companheiro mais belicoso em um tom convivial e tranquilizador.

— Nocupe mais banmortas!

"*Não se preocupe, meu irmão, pois este é o Bando de Mortos de Morte de que lhe falei alguns séculos atrás...*" e assim por diante. Era o sr. Aziel, o construtor que os levou para visitar o sr. Doddridge depois do Grande Incêndio de Northampton no século XVI. O primeiro ângulo, que havia gritado com as crianças, agora se virou para Aziel, incrédulo.

— Oban nelesp dismarfe?

"*O Bando de Mortos de Morte que lemos naquele esplêndido livro? Meu irmão, por que não disse antes? Aquela é a Marjorie Afogada, com todos aqueles coelhos fedorentos em volta do pescoço?*" Quando todos os significados da explosão ofegante do outro construtor diminuíram, o sr. Aziel fez que não com um gesto. O rosto comprido e lúgubre ainda era reconhecível sob a máscara de suor e poeira negra, sacudindo a cabeça enquanto respondia ao companheiro.

— Npain vo comjorc.

"*Não, é Phyllis Painter. Devo acompanhá-los em sua jornada. Está escrito*". Com isso, o sr. Aziel deu as costas ao colega e começou a caminhar pelas lajes em ruínas, dirigindo-se às crianças com um sorriso carinhoso aparecendo através do escurecimento inadvertido.

— Olm jovam granfil?

"*Olá, meus jovens amigos. Devo levá-los para ver o grande fim de todas as maravilhas?*"

Todas as outras crianças assentiram, pois consentir verbalmente significaria baixar as tendas de roupas que cobriam suas bocas. Embora Michael não soubesse ao certo com o que estava concordando, acenou com a cabeça junto ao resto do Bando de Mortos de Morte, para não ser o diferente.

Aziel guiou a fila cambaleante e ofegante, com John altão segurando firme uma dobra traseira da túnica verde, cinza e violeta chamuscada do artesão. Embora ainda levasse séculos para chegar à parede sul, onde estavam todos os degraus de rastros de cometa, chegaram antes do que conseguiriam sem o construtor para guiá-los. Além disso, estavam menos intimidados por todas as formas imponentes e artificiais que espreitavam ou deslizavam por eles nas nuvens misericordiosamente obscuras, indo na outra direção. Por fim, o ângulo, que parecia impermeável à fumaça, anunciou que estavam na base da escada da parede sul. Seus gradis e balaústres de carvalho haviam desaparecido ou estavam reduzidos a tocos carbonizados, mas as escadas azul-noite, com suas constelações embutidas, continuavam intactas. Ainda agarrados às roupas um do outro, pois ainda não estavam acima do nível da fumaça turva, os rufiões subiram cautelosamente no encalço do sr. Aziel.

Quando estavam mais ou menos na metade do primeiro dos longos lances de escada em ziguezague... quinze ou vinte metros acima do chão do local de trabalho pela estimativa de Michael... romperam a superfície do oceano de vapor coagulado em algo que era mais parecido com ar. Michael, no entanto, pensou que deveria ter inalado acidentalmente um pouco de fumaça, porque ainda estava com dificuldade para recuperar o fôlego.

— *Sai do caminho! Sai do caminho, seu tonto inútil! Não tá vendo que tamo com pressa?*
— *Aah, Doug, ele tá morto. Nosso Michael tá morto. O que vamos fazer? O que eu vou falar pro Tom quando ele voltar do trabalho? Aah, Deus. Aaahhh, meu Deus...*

Assim que saíram da neblina asfixiante por vários degraus grandes e salpicados pela meia-noite, o construtor deixou as crianças fazerem uma pausa para remover os lenços improvisados e apreciar a vista de seu novo e elevado ponto de observação.

Todo o nível inferior do vasto galpão celestial estava preenchido por um cubo de fumaça com cerca de dezoito metros de profundidade, e a visão das crianças era como se estivessem acima das nuvens, como pessoas em um avião. O arranjo de lajes rachadas que antes mantinha os demônios presos estava invisível sob o cobertor que se movia e sufocava, assim como todos os muitos construtores ocupados na luta contra a conflagração que ameaçava a parede norte. As únicas coisas que Michael podia ver acima do nível da poluição atmosférica eram o que ele rapidamente percebeu que deviam ser os antigos ocupantes do piso arrebentado.

Algo que parecia uma libélula ou um arranha-céu de vidro passou devagar pelo alto, com suas doze pernas de cristal incrivelmente finas. Bem menor, mas ainda grande o suficiente para emergir da fumaça, havia uma tremenda aranha com três cabeças. A mais próxima parecia a cabeça de um gato grande como uma baleia, enquanto a do meio era a de um homem de cabelos compridos, rindo com batom nos lábios e maquiagem nos olhos, usando uma coroa dourada. A terceira cabeça da aranha estava muito longe de Michael para ser vista direito, mas ele achou que poderia ser um peixe ou um sapo. Horrores colossais andavam de um lado para outro através dos campos cinzentos de escuridão que se estendiam abaixo de seu ponto de vista nas escadas manchadas de galáxias com seus balaústres transformados em tocos pretos. Para a perplexidade de Michael, pareciam estar ajudando na luta contra o incêndio.

No extremo norte do enorme recinto, Michael podia ver o sapo de diamante em seu carrinho, ou pelo menos podia ver a cabeça e os ombros, onde se erguiam acima da fumaça. Suas bochechas impagáveis estavam infladas como balões e, com uma expressão veemente em seu círculo de olhos de porquinho, ele expelia uma grande tromba d'água contra a parede em chamas, fazendo jatos quentes de vapor subirem para se juntar ao torvelinho ao redor. Michael teria gostado de observá-lo por mais tempo, mas foi então que o sr. Aziel sugeriu que seguissem em frente.

Eles continuaram subindo as escadas cravejadas de estrelas. As janelas altas das Obras mais acima, que davam para o céu azul-claro da última vez que Michael esteve ali, agora brilhavam em um vermelho sombrio. Alarmado, ele olhou para o grande selo das Obras, o disco em relevo com a balança e o pergaminho, só para ter certeza de que ainda estava tudo bem, e parecia mais ou menos intocado. Ele não sabia ao certo por que achava a preservação do desenho grosseiro tão reconfortante, a menos que significasse que, mesmo em toda essa confusão e angústia, a Justiça ainda estava acima da rua.

Um tanto consolado, Michael continuou sua subida. Ninguém do bando segurava as blusas uns dos outros, agora que podiam ver para onde estavam indo, e Michael se certificou de ficar bem longe da borda externa da escada, onde havia apenas tocos de balaústres enegrecidos entre ele e a longa queda para as lajes quebradas abaixo. Por fim chegaram ao patamar mais baixo da escadaria da construção, onde se situava a porta de vaivém pesada que dava para a varanda. Os vitrais grossos do portal, descoloridos, estavam quebrados em um canto inferior. A placa de latão estava agora completamente escurecida de fuligem, exceto pelas manchas cor de manteiga deixadas pelos dedos do sr. Aziel ao empurrá-la, abrindo a porta para a varanda. Uma parede de ar espesso e quente como molho atingiu o construtor e as crianças, fazendo-os piscar e ofegar. Ainda seguindo o triste ângulo de baixo escalão, o Bando de Mortos de Morte saiu pela entrada das outrora majestosas passarelas de Almumana.

John fez o sinal da cruz, enquanto Phyllis gemia como se estivesse atormentada. Reggie Bowler apertou mais o chapéu e cuspiu catarro espectral sobre os restos do gradil revestido de piche. Uma luz infernal de braseiro de tortura rastejou sobre o rosto das crianças, nas tábuas rachadas aos seus pés, e se esgueirava por toda parte na escuridão predominante. Com a expressão agora mais melancólica do que o habitual, o sr. Aziel gentilmente guiou as crianças-fantasmas para o patamar sem fim, conduzindo-os em direção a uma seção intacta da balaustrada de madeira para que pudessem ver o grande poço da Mayorhold astral, a arena onde os gigantescos Mestres de Obras lutaram em 1959. De sua parte, Michael não queria olhar e, em vez disso, concentrou sua atenção nas varandas superiores que cercavam a antiga praça da cidade desdobrada, bem acima do que estava fornecendo o brilho de tons infernais que iluminava tudo por baixo.

Parecia haver mais atividade nas passarelas elevadas do que no piso térreo fumegante das Obras. Ângulos debatiam com demônios enquanto observavam a Mayorhold. Grupos de trabalho demoníacos trocavam comandos uns com os outros em vozes que eram de pássaros carniceiros ou insetos, muito amplificadas. No entanto, não havia multidões fantasmagóricas de espectadores enchendo as sacadas como na visita anterior de Michael, e os poucos fantasmas solitários e errantes que conseguia distinguir pareciam assustadores ou um pouco loucos.

Ele viu um homem gorducho, com roupas antiquadas e um rosto redondo e rosado de bebê, parado na calçada em frente e cantando um velho hino religioso em uma doce voz de tenor acima do barulho e do zumbido dos diabos trabalhando. Na acústica infinita de Almumana, cada palavra do cantor era audível apesar da distância: "É, embora eu ande pelo vale da sombra da morte, não temerei mal nenhum..." A expressão do homem, mirando petrificado o brilho do inferno, contradizia a letra da música. Parecia ter muito medo do mal. Em outro lugar no patamar,

Michael viu um pequeno ajuntamento de homens e mulheres idosos que se agarravam desesperadamente uns aos outros enquanto gritavam, choravam e imploravam por libertação. A julgar pelo fato de que todos estavam nus ou vestidos apenas com roupas íntimas manchadas, Michael concluiu que deviam ser pessoas tendo um sonho muito desagradável.

O caminhante mais perturbador nas varandas, no entanto, era uma figura solitária no mesmo trecho em que estavam as crianças, alguém que Michael reconheceu. Vindo na direção deles do outro lado do patamar queimado e parcialmente arruinado estava a bola retumbante de fogo congelado que andava sobre duas pernas, o homem explodindo que as crianças tinham visto naquele mesmo local da última vez que estiveram ali, quase cinquenta anos antes. Parecia o mesmo de então, em meio ao mesmo enxame de vespas de luz e estilhaços, andando com as mesmas pernas rígidas e passo cauteloso, como se tivesse feito seu negócio nas calças. O som lento e prolongado da explosão que o matou, estendendo-se e reverberando enquanto se locomovia em torno de sua forma extasiada e desintegrada, era audível mesmo através da distância que separava Michael da explosão da bomba ambulante, um zumbido baixo modulado que rosnava agressivamente para o limiar mais baixo da audição do menino. John altão, de pé ao lado de Michael, também viu o fantasma em detonação ininterrupta.

— Ah. Aquele idiota se explodindo aos pedaços está por aqui também. Se ele está voltando por Almumana, então imagino que deve ter sido por agora que se detonou. Não posso dizer que é uma surpresa, considerando a aparência das coisas por essas partes. Se a própria Almumana estava em chamas nesse século novo, então causa algum espanto as pessoas vivas fazendo coisas estúpidas assim?

John apontou com o queixo para o homem em questão, que ainda estava a alguma distância e se aproximava muito devagar.

— Pelo que Bill disse, estão preparados para se explodir porque acham que vão parar no Céu. Imagino que era-será o que eu pensava também, e era-será o que todos os alemães achavam, e todos os japoneses. Somos todos meio tontos, todos nós. Como se existisse algo a mais dentro de nós além do que fazemos de nós mesmos e da nossa vida enquanto ainda estamos vivos. A pessoa que somos quando estamos vivos é quem somos para sempre, pirralho. Como aquele mané tonto em pedaços ali na passagem.

John colocou uma das mãos sobre o ombro da criança, puxando os dedos para trás quando percebeu que tocavam as manchas descoloridas onde a baba de Sam O'Day havia pingado. Em silêncio, o garoto mais alto conduziu Michael até o fragmento de gradil sobrevivente onde o construtor queimado e de aparência triste estava com seus quatro amigos.

— Vamos. Pelo que Phyll me disse enquanto esperávamos na frente do Jolly Smokers, você foi trazido aqui pra gente te mostrar o Destruidor. Melhor acabar logo com isso, assim podemos te levar para casa.

Michael de repente sentiu medo e se afastou da beirada do patamar, protestando irritado para o garoto mais velho de aparência determinada.

— Mas eu viela antros, na Birth Street. Era-será como uma roda pecatória, toda cheia de fumaça e horremenda e piuizando tudo em mormaços!

A expressão decidida de John se suavizou. Ele percebia o quanto Michael estava assustado pelo nível em que as habilidades linguísticas do menininho foram prejudicadas por uma única menção à palavra "Destruidor". Com firmeza, mas também empatia, ele balançou a cabeça.

— Não, pirralho. Você não viu daqui de cima antes, e isso faz toda a diferença, confie em mim. Veja bem, na Bath Street, no mundo dos vivos, tudo o que as pessoas veem são os efeitos do Destruidor, todas as, hã, as prostitutas. A bebida, as drogas e todas as brigas, que sempre existiram por lá, mas muito piores, foi-será assim que ele entrou nesses tempos. Então, se você tá com os moradores de rua na costura-fantasma, pode ver a coisa em si, ou pelo menos um pedaço: o centro, aquele redemoinho enorme e escuro que cê viu em Bath Street. Mas aqui em cima, em Almumana, cê vê uma imagem maior. Consegue ver a totalidade dele.

A essa altura, os dois estavam mais próximos de seus amigos e do sr. Aziel. Phyllis Painter estendeu o braço e pegou Michael pela mão.

— Então, é importante cê saber sobre isso. Isso vai te mostrar por que as coisas eram-serão como eram-serão. Olha, cê lembra que te contamos tudo sobre o monge que trouxe a cruz de Jerusalém até aqui para marcar o centro do território? Bem, esse lugar era-será o centro de qualquer forma. Fica no meio do país, verdade, e tá no meio do espírito do país, também. É onde todas as grandes mudanças e levantes religiosos começam, e onde as guerras terminam. Só que o mais importante é que tamo' bem no centro do... como era-será o nome, John? As coisas todas presas juntas em uma peça?

— A estrutura.

— Estrutura, essa era-será a palavra. Os Boroughs estão no pedaço do meio da estrutura da Inglaterra. Era-será o nó que mantém o tecido unido, se quiser pensar assim. E, quando todo mundo meio que entendia isso, entendia de coração, então mesmo quando os tempos eram-serão ruins, eles ainda tinham aquela grande estrutura, aquele tecido, como uma rede de proteção onde cair. Mas chegou um tempo — pra mim foi lá por volta da Primeira Guerra — quando tudo começou a mudar. As pessoas começaram a se esquecer das coisas que eram-serão tão importantes pra elas cinquenta anos antes. Não tavam tão convictas sobre Deus, o rei ou o país, e começaram a demolir os Boroughs, deixando tudo estragar. Consegue ver onde tô chegando? Era-será o centro do território, da estrutura da Inglaterra, e deixaram caindo aos pedaços. Ergueram o Destruidor, e durante anos toda a merda de Northampton saiu por aquela chaminé — perdoe minha finesse — e tinha fumaça fedida da Grafton Street até Marefair. Isso virou um símbolo do jeito como as pessoas viam os Boroughs, mesmo a gente que morava aqui, como um lugar para onde mandar todo o lixo. Foi-será esse desrespeito que fez isso, se quer saber a minha opinião. Era-será o que faz uma chaminé imunda ter tanto poder sobre a mente das pessoas.

Nesse ponto, o sr. Aziel interrompeu.

— Cixt vemin psvitelo fernaça.

É um toro, é a forma secreta do espaço e do tempo. Os toros cercam os buracos necessários no tecido da existência, mas sua propagação põe tudo em perigo. O homem que roubou meu cinzel, Snowy Vernall, aprendeu com o pai que uma chaminé é um toro. Por isso passou a maior parte de sua vida em telhados, de olho nas coisas infernais, quando o tempo todo era a chaminé da Bath Street que representava a única ameaça séria.

Uma chuva de faíscas irrompeu da boca da Mayorhold, correndo para a escuridão atrás da silhueta do construtor. A madeira estava desmoronando em algum lugar mais abaixo. Michael ainda tentava olhar para qualquer lugar, menos para a vista além das grades. Os velhos de roupas de baixo ainda estavam amontoados em uma massa chorosa e lamentosa de rosa enrugado e cinza desleixado. O homem com cara de bebê ainda cantava o mesmo hino, com os olhos brilhando enquanto olhava fixamente para a névoa de calor com uma determinação louca. A pessoa que explodia mais abaixo na sacada parecia ter parado para apreciar a vista, um espetáculo olhando com admiração para outro. Em algum lugar próximo, talvez no patamar acima, uma equipe de demônios bombeiros discutia a logística para os demônios que tinham asas fazerem voos de reconhecimento acima da fogueira da antiga praça da cidade. Michael tentou ganhar tempo.

— Vás eu não estendo! Como podre uma charmené castrar todo esse diz turbo?

John suspirou.

— Por causa de onde estava e o que significava, simples assim. Não era-será só o lixo de Northampton que o Destruidor deveria destruir, era-será toda a comunidade onde foi-será construído. Destruindo os sonhos e esperanças das pessoas de um futuro melhor para seus filhos, para isso é preciso um tipo especial de fogo, um fogo que as pessoas no mundo dos vivos nem conseguem ver, nem quando está transformando todas as casas, escolas e clínicas em destroços. A questão era-será que um fogo assim você não apaga simplesmente destruindo o incinerador de lixo onde começou. Quando o Destruidor foi demolido, nos anos trinta, os efeitos tinham se espalhado para o jeito como as pessoas pensavam sobre os Boroughs e sobre elas mesmas. Esse tipo especial de fogo já tinha se espalhado para o âmago das coisas. Lá no meio-mundo, todos os nossos fantasmas e memórias estavam queimando, até que a própria Almumana pegou fogo. Está em chamas, pirralho, o Céu está em chamas. Venha dar uma olhada por si mesmo, assim podemos todos ir embora daqui.

Ainda não convencido, mas motivado pela promessa de uma saída antecipada daquela situação terrível, Michael deu um passo escorregadio em direção à borda do patamar. Ele não sabia se era o medo que fazia sua garganta ficar tão dolorida e apertada ou se era o cheiro de Noite de Guy Fawkes no ar, mas quase sentiu como se sufocasse.

— *Doug, aquele policial apitou pra gente.*
— *Não ligo. Agora é só seguir pela York Road. Guenta firme.*

Quase nas grades banguelas, Michael achou ter ouvido a voz da mãe acima de todo o clamor dos demônios e do homem de voz alta que ainda cantava o mesmo hino, mas percebeu que devia ter apenas imaginado. Ladeado por John e Phyllis, aproximou-se do pequeno trecho de balaustrada restante e olhou para baixo, entre as barras revestidas de piche, para a boca rugidora e rodopiante do Destruidor.

Era para todas as cucuias, o ralo, a fumaça que tudo estava indo, ou para baixo, ou para cima. Era tortura, ruína e o destino das boas intenções. Era as outras pessoas. Era o que o Diabo alarga quando se declara guerra. Era onde abraçamos o capeta se lá estamos, o lugar mais difícil de ir do que o céu.

Uma luz rosa irrompeu nas bochechas de Michael, na testa, e abaixo a Mayorhold era um redemoinho de mais de um quilômetro e meio de largura, todo em chamas. E o pior, como John havia explicado, não era o fogo comum que acendia um cigarro ou queimava uma casa. Em vez disso, era uma poesia de fogo pura e terrível, que incendiava a moralidade, a confiança e a felicidade humanas, que transformava em cinzas os fios frágeis que ligavam as pessoas. Era fogo suficiente para queimar a decência, ou o respeito próprio, ou o amor. Michael olhou para o abismo que cuspia e crepitava. Através dos escombros flamejantes girando numa agitação de magma, percebeu que não consumia nada físico, apenas um combustível mais precioso de desejos, imagens, ideias e lembranças. Era como se algo tivesse reunido milhares de álbuns de família cheios de fotografias no melhor canto da casa, momentos relembrados que foram importantes para alguém um dia e, em um ataque de infelicidade ou raiva, tivesse jogado tudo na fornalha. Acontecimentos com bolhas e imagens escaldantes circulavam lentamente no redemoinho vulcânico, no preto e vermelho em constante rotação.

Ele viu fileiras de casas geminadas tombando umas sobre as outras em uma corrida de dominós de demolição, emaranhados complexos de vielas e becos dos fundos sendo simplificadas em prédios de apartamentos que eram como armários de arquivo gigantes. Centenas de carrinhos de bebê desciam chacoalhando e rangendo por uma ladeira esfumaçada até o abismo. Os animais de estimação de todos morreram, inúmeras gaiolas de periquitos vazias exceto por merda e papel sujo rolavam sem parar na escuridão avermelhada. Os brinquedos favoritos de todos se perdiam. Garotas pequenas que queriam ser enfermeiras, equitadoras ou estrelas de cinema pulavam corda, envelhecendo a cada batida para se tornar criadas, mães por acidente ou operárias com redes de cabelo que eram meros pares de mãos em uma linha de produção. Meninos pequenos que queriam ser craques de futebol chutavam e chutavam e chutavam e nunca percebiam que seu objetivo de chegar ao gol era inatingível, a não ser nos desenhados com giz na alvenaria surrada. Os envelopes caíam com um suspiro em capachos eriçados trazendo más notícias da linha de frente, do banco ou do hospital. Um dono de pub em situação de desespero assassinou uma prostituta com um martelo no quintal do seu estabelecimento, e no início da Scarletwell Street homens de camisa preta com bigodes e crânios raspados até a têmpora realizaram comícios, gritaram bordões e cruzaram os braços como deuses. Tudo queimava e não sabia que queimava. Essas eram as imagens naquele apavorante fogo final.

A Sheep Street parecia ter se rompido no meio, com a ponta mais próxima se tornando uma ladeira íngreme quase vertical, em que tombavam cinquenta anos de Paradas das Bicicletas. Garotas vestidas de fadas chacoalhando suas latas de coleta, bicicletas deliberadamente tortuosas com rodas ovais e homens cujas cabeças de papel machê com pinturas leprosas e descascadas eram muito maiores do que seus corpos — tudo isso desceu pela rampa para a conflagração escancarada da Mayorhold e foi perdido. Uma banda marcial montada pela Brigada de Rapazes foi rolando atrás em uma percussão pesada de tambores e címbalos, um glockenspiel solitário tentando executar "It's a Long Way to Tipperary" antes de ser engolido pela luz, pelo trovão, pelo colapso. Garotos de onze anos com cabelos emplastrados que cheiravam a cloro, com rocamboles úmidos de toalha e calção de banho dentro de suas mochilas de ombro, escorregavam pelas pedras inclinadas, tentando parar de deslizar. Nada estava seguro, a sensação de segurança do distrito foi a primeira coisa a pegar fogo.

Uma fileira de açougues, barbearias, quitandas e confeitarias entrou, e depois uma igreja inteira que ele pensou que poderia ser a de St. Andrew. Michael a viu cair e deslizar em direção à borda brilhante e depois tombar, com seus contrafortes de calcário desmoronando da estrutura principal, caindo na tempestade de fogo em uma chuva de vitrais quebrados e hinários fumegantes. Seus bancos ainda com as pessoas minúsculas ajoelhadas rezando saíam dos prédios caídos através das portas e janelas quebradas, caindo na fogueira mortal que tudo consumia como móveis indesejados de casa de bonecas. Com os olhos ardendo, Michael viu a própria casa na St. Andrew's Road, com as janelas cobertas de metal corrugado, enquanto afundava impotente em uma areia movediça de grama áspera, e a chaminé finalmente desaparecendo sob o pedaço de gramado que se arrastava para o oblívio flamejante, descendo uma Scarletwell Street inclinada. Cavalos puxando carros de leite tilintantes estremeceram e bufaram em aflição, soltaram panquecas fibrosas fumegantes, boas para rosas, que foram rapidamente colocadas em baldes de lata pelas crianças sujas que caíam atrás deles na inclinação súbita. Tudo foi para a pira, escorregando para a panela em chamas.

Michael entendeu o significado do que era transformado em cinzas ali, e não ficou surpreso que muitos dos cenários ardentes e sombrios fossem significativos apenas para ele. Viu a avó magricela, Clara, cair abruptamente no chão brilhante da cozinha que não era de ladrilhos vermelhos e azuis como os que tinham na St. Andrew's Road. Viu a avó May apertando o busto caído enquanto tropeçava pela passagem de um pequeno apartamento moderno em algum lugar que não era a Green Street, tentando alcançar a porta da frente e o ar fresco, caindo de cara e deitando-se imóvel em vez disso. Viu uma centena de outros velhos e velhas se mudarem dos lares condenados onde criaram suas famílias, despejados em distritos distantes sem ninguém que conhecessem e sem sobreviverem ao transplante. Às dúzias, desabavam nas escadas bem iluminadas de suas casas novas; nos banheiros internos desconhecidos; nos até então inéditos tapetes; nas almofadas dos quartos pintados de magnólia nos quais não conseguiram acordar. Incontáveis funerais caíram nas chamas da Mayorhold, e furtivos casos de amor de adolescentes e amizades entre crianças enviadas para escolas diferentes, que começaram a entender que provavelmente nunca se casariam com o colega de classe que esperavam. Todo o tecido de afetos e associações tornou-se cinzas. Michael percebeu que estava chorando, e já fazia algum tempo.

Nos padrões inconstantes da lava do poço infernal, podia ver que tudo aquilo, a dissolução de sua vizinhança, tinha sido, era ou seria em vão. O declínio e a pobreza que marcaram os Boroughs eram uma doença no coração humano que não melhoraria derrubando seus edifícios mais antigos e, inevitavelmente, mais bem construídos. Espalhar os moradores desalojados só espalharia o desgosto e o mal-estar para outras áreas, como tentar apagar uma pilha de folhas em chamas com um ventilador elétrico. Michael sabia que essa propagação da doença dos Boroughs foi a pior parte de todo esse desastre. Michael sabia como tinha acontecido e como tudo iria funcionar. Viu tanto o passado quanto o futuro em escombros queimados circundando o pesadelo do ralo da praça da cidade astral.

Havia vereadores e planejadores sépia em escritórios eduardianos mudando a maneira como pensavam sobre os pobres, que em vez de pessoas com problemas passaram a ser encarados como os próprios problemas, questões de custo e contabilidade que poderiam ser resolvidas em propostas de prédios altos ou em colunas em um livro contábil. Viu cartazes azuis com o rosto de uma mulher de olhos aflitos, como alguém que está envergonhado por você, mas cujas boas maneiras não lhe permitem dizer, e um nariz construído apenas para olhar de cima para baixo. Dos painéis, ela observava com condescendência uma paisagem onde as áreas desoladas se multiplicavam, com a Inglaterra se desmantelando do centro para as beiradas até que em quase todos os lugares predominassem o álcool, o desemprego e a violência, como nos Boroughs. Todas as regiões começaram a descer a mesma ladeira que levava até ali, à fuligem, às faíscas e à aniquilação. Nos cartazes, as cores de fundo foram alteradas, e a foto da mulher foi retirada para ser substituída por outras de homens cujos sorrisos pareciam forçados ou falsos, isso quando conseguiam sorrir. Câmeras de espionagem floresciam em postes de luz e os nomes dos pubs se desfaziam em algaravias. As pessoas brandiam os punhos, depois facas, depois revólveres. Ele podia ver dinheiro, fluxos farfalhantes de papel azul, rosa e violeta sangrando de escolas esfaqueadas e equipamentos públicos retalhados. Podia ver um mundo inteiro caindo em espiral na boca incendiária do Destruidor.

Do outro lado da praça, de pé sobre uma camada do que parecia ser um bolo de casamento de concreto feio e desdobrado, o homem de rosto rosado recomeçou seu hino desde o início. Em outros lugares, um por um, os aposentados malvestidos e em prantos sumiram da existência ao acordarem de seus sonhos aterradores para voltar aos lençóis molhados, às enfermarias ou aos asilos. Mais abaixo, no patamar danificado em que o construtor e as crianças-fantasmas estavam empoleirados, a bola ambulante de luz, barulho e estilhaços interrompeu sua contemplação da queda de Almumana e recomeçou sua caminhada paciente, com as calças sujas, arrastando os pés pela varanda em direção a eles, chorando vapor, com pregos e rebites voando como uma auréola. Era a hora de ir. Michael tinha visto o suficiente.

Voltaram a entrar nas Obras pela porta de vaivém e desceram os blocos esculpidos de firmamento que eram as escadas, puxando os roupões ou suéteres sobre o nariz muito antes de chegarem ao nível onde a fumaça começava. Acima do agitado oceano de vapor, Michael podia ver a parte superior dos demônios maiores enquanto atravessavam as braças fumegantes para atacar as chamas no extremo norte. Algo que tinha a cabeça e os ombros de um imenso camelo — se camelos fossem feitos de chiclete sujo — esguichava globos giratórios de hiperágua na parede norte em chamas. Formando de novo uma fila e agarrando-se às roupas do fantasma da frente, o Bando de Mortos de Morte foi conduzido pelo sr. Aziel para dentro da mortalha sufocante.

– *Tá ali! Tá ali, o hospital! Corre, Doug. Corre.*

Demorou um pouco para fazerem o caminho de volta sobre as lajes quebradas e abandonadas pelos demônios até a porta torta no canto, onde o construtor triste apertou suas mãos e se despediu deles, o que demorou uns bons cinco minutos. O bando navegou pelo último andar em desintegração da construção-fantasma abaixo das Obras, depois desceu cuidadosamente pelos andares encharcados e escancarados mais abaixo, mão após mão, da mesma maneira como tinham subido. Ninguém falou muito. Não havia muito a dizer depois que testemunharam o Destruidor. Antes que Michael percebesse, estava caindo pelo alçapão secreto do bando-fantasma no chão encharcado da ruína fantasmagórica, descendo para a calçada iluminada por lâmpadas do lado de fora da casa do Exército da Salvação na Tower Street. As seis crianças se reuniram com suas fileiras de sósias no caminho afundado, novamente inodoros e incolores agora que estavam de volta ao meio-mundo, e aguardavam o comando de Phyllis.

— Certo, então. Vamos cavar de volta pra 1959, assim podemos subir pra Almumana quando não está queimando. Se o Michael aqui for voltar pro corpo, isso precisa ser feito dos Sótãos do Alento, do mesmo jeito que ele subiu aqui. Todo mundo ajuda, assim cavamos mais rápido, e tomem cuidado pra parar de cavoucar antes de chegarmos àquela maldita tempestade-fantasma. Se voltarmos logo depois que os dois Mestres de Obras brigaram, acho que vai dar certo.

E foi isso que fizeram, removendo uma camada de cerca de cinquenta anos de Mayorhold até que todos pudessem escalar pelo buraco resultante para o porão iluminado por lâmpadas da revistaria do feioso Harry Trasler, no fuso horário nativo de Michael. Abriram caminho através de todas as revistas de aventuras americanas, montanhas arrogantes e lascivas que provavelmente intimidavam as pilhas arrumadas e nervosas de *Woman's Realm* ao lado das quais estavam. Subindo as escadas flutuando e atravessando a loja desordenada, onde o dono e sua mãe idosa se desentendiam em silêncio, o bando e suas pós-imagens se derramaram na calçada esburacada pela grama que cercava Mayorhold.

Era algum tempo depois da ocasião anterior que estiveram lá, mas não muito. A antiga praça mortal da cidade ainda desfrutava de sua tarde ensolarada, e os meninos com as balas azedas que tinham visto brigando mais cedo pareciam ter feito as pazes. Quanto à costura-fantasma, também parecia ter voltado a algo parecido com a normalidade. A super-chuva havia acabado, deixando poças fantasmagóricas borbulhando nas sarjetas de paralelepípedos, invisíveis para os vivos, e embora o roupão de Michael fosse eriçado por rajadas suaves de um vento espectral permanente, ele achou que a tempestade-fantasma já devia ter acabado. As áreas de distorção visual semelhantes a lentes que ondulavam ao redor do local e sinalizavam a presença dos Mestres de Obras briguentos no mundo mais acima havia desaparecido, assim como as duas mulheres-fantasmas assassinas que tentavam fazer picadinho uma da outra diante do Green Dragon. Os únicos indícios da atmosfera violenta que havia tomado conta da Mayorhold mais cedo eram os dois fantasmas de aparência judaica, rindo e tirando a poeira das mãos enquanto saíam dos banheiros públicos do outro lado da praça, onde Michael, mais cedo, os tinha visto arrastar um daqueles homens de camisa preta que apareciam por ali de vez em quando. A não ser por isso, era um dia agradável por lá em 1959, na confluência das oito ruas que outrora compunham o antigo município. Phyllis, com um braço em volta do ombro de Michael, assumiu o controle da situação.

— Bom, então parece que tá na hora de levar nosso mascote pra casa. Vamos todos pela velha prefeitura até as Obras, aí levamos ele através dos Sótãos até o hospital.

Marjorie Afogada a interrompeu nesse ponto, parecendo um pouco irritada.

— Phyll, isso vai levar um tempão. Você sabe como tudo era-será muito maior no Andar de Cima. Por que não podemos só levar ele pela costura-fantasma e então ir para o Andar de Cima quando chegarmos... ah. Ah, certo. Entendi. Não está mais aqui quem falou.

Phyllis assentiu, satisfeita pelo arremedo de desculpas de Marjorie.

— Entende o que quero dizer? Lá no hospital não tem nenhuma Escada de Jacó, então não podemos ir até o Andar de Cima. Sei que é uma caminhada longa por Almumana, mas não tem outro jeito de fazer isso.

Bill, que estava sozinho e olhando pensativo para os banheiros públicos ao pé da Silver Street, se manifestou nesse momento.

— Tem sim. Sei de um jeito para chegar lá mais rápido. Reg, cê vem comigo. Quanto aos outros, vamos encontrar vocês no Andar de Cima em cinco minutos.

Com isso, agarrando a manga de um desconcertado Reggie Bowler, Bill correu pelo lado oeste da Mayorhold antes que Phyllis pudesse proibir o que planejava. Os dois garotos viraram à direita um pouco mais à frente, desaparecendo no trecho superior da Scarletwell Street que havia sido as calçadas afundadas da Tower Street em 2006, apenas dez minutos antes. No momento em que o bando chegou à esquina em que seus amigos haviam desaparecido, onde ficava o Jolly Smokers mortal, Reggie e Bill já haviam cavado um buraco no tempo estreito e se esgueirado por ele. Estavam do outro lado da abertura, preenchendo apressadamente a lacuna que haviam feito arrastando fios de dia e noite pela abertura, que desapareceu antes que Phyllis e os outros a alcançassem.

— Aah, aquele merdinha irritante. Espera até eu botar minhas mãos nele e no maldito Reggie! Como se as coisas já não estivessem difíceis o suficiente sem eles fugindo desse jeito. Bom, eles que se lasquem. Vamos levar Michael para casa sem eles. Vamos.

Com o fio de coelhos balançando furiosamente, ela marchou pelos paralelepípedos da Scarletwell Street até o lugar abandonado na esquina em frente ao Jolly Smokers. Michael, John e Marjorie a seguiram, com a fumaça de escapamento das pós-imagens partindo-se contra o rosto deles. Michael notou que Phyllis lançava olhares nervosos por cima do ombro para o Jolly Smokers, como se esperasse que Mick Malone ou aquele homem com o rosto rastejante saísse de lá e a devorasse.

Infiltrando-se pela porta da prefeitura esquecida, o quarteto de crianças-fantasmas encontrou o lugar quase na mesma condição de quando haviam passado por ali para ver os ângulos lutando. O mesmo papel de parede pendurado no reboco como uma queimadura de sol, a mesma salsicha de cocô ainda enrolada ali em seu ninho de garrafas de Double

Diamond. O edifício abandonado ainda era uma construção de tijolos e argamassa em 1959, onde a luz do sol entrava pelas ripas e cobria o chão bagunçado com uma faixa de pedestres em chamas. Não havia indicação do prédio-fantasma danificado pela água onde haviam subido recentemente, o que seria tudo o que restaria ali em menos de cinquenta anos. Michael subiu com os outros a escada semidesmoronada, grato por não precisarem subir como aranhas por aquela parede traiçoeira e gotejante de novo.

No último andar, seguiram para o depósito em ruínas no final, onde um confete de tons pálidos se difundia no cinza da costura-fantasma através da porta torta no topo da rangente Escada de Jacó, com cores fugidias que se infiltravam do mundo superior. A turma subiu os degraus rasos e inúteis em fila indiana, encarando o rosa, o azul e o laranja como se fossem contornos em um livro de colorir. Os sons de Almumana brotaram ao redor deles como a música-tema nos últimos cinco minutos de um filme.

Quando as crianças emergiram no ecoante e movimentado chão de fábrica das Obras, Michael ficou satisfeito ao ver que tudo estava como se lembrava da primeira vez que passou por ali. Os construtores de baixo escalão, com suas vestes tingidas como pescoços de pombos, corriam por toda parte pelas setenta e duas lajes maciças que agora se contorciam com imagens pintadas novamente, e os ocupantes demoníacos do calçamento todos de volta ao lugar, cintilando com malevolência. Não havia ângulos de rosto manchado ou enormes sapos de diamante empenhados em combater um incêndio e não havia fumaça... ou, pelo menos, não ainda. Só em quarenta anos ou mais. A criança se sentia assombrada por um péssimo sentimento toda vez que se lembrava do Destruidor; quando pensava naquela roda de moinho incendiária reduzindo a casa, o mundo e as avós de Michael a nada enquanto consumia o paraíso. Como aquilo podia existir? Como esse reino de construção e ordem poderia ir tão literalmente para o inferno em algumas décadas, dentro ainda da vida renovada de Michael? Como o céu poderia estar pegando fogo a menos que fosse o fim de tudo, apenas alguns anos no futuro? Isso o perturbou mais do que qualquer um dos sustos ou aberrações que testemunhou na costura-fantasma, e não gostava de pensar no assunto.

Habilmente, o Bando de Mortos de Morte abriu caminho na complicada coreografia dos construtores industriosos, seguindo por breves lacunas nas procissões contínuas dos trabalhadores de mantos cinza, pulando vários folhetos descartados de "Bem-vindo às Obras" deixados no piso decorado por demônios. Não estavam indo para a parede sul, que tinha a escada estelar e o emblema grosseiro, e sim para o lado leste do recinto, onde parecia haver uma porta que dava para o nível da rua, e não para as sacadas elevadas. Como as saídas do andar de cima, era um portal vaivém, com um painel de vitral semelhante aos que se veem às vezes em pubs. Eles a abriram e a brisa matinal de Almumana os inundou, quase dissipando o aroma do colar rançoso da líder.

Era um belo dia lá no Andar de Cima, com aquele cheiro de terra tostada que paira sobre as ruas de verão depois de uma tempestade. Na extensão de um quilômetro e meio da Mayorhold desdobrada havia muitos fantasmas bem-vestidos conversando animadamente sobre a briga recém-terminada entre os construtores. Enquanto isso, outros espíritos tentavam arrancar fragmentos das poças sólidas de ouro endurecido que jaziam em manchas deslumbrantes ao redor do quadrado que Michael, com alguma consternação, percebeu serem sangue de ângulo seco. Era óbvio que a luta tinha acabado fazia pouco tempo, e Michael se pegou pensando nos combatentes e no que estariam fazendo agora, mas de alguma forma já sabia.

Em sua mente, viu o construtor de cabelos brancos, que agora estaria caminhando furiosamente pelas passarelas acima dos Sótãos do Alento, com um olho enegrecido e os lábios partidos. Estaria voltando para o salão de trilhar para dar a tacada interrompida quando encontraria o sarcástico Sam O'Day lá nas varandas sobre a vasta galeria. Nesse exato momento, em outro lugar de Almumana os dois inimigos eternos se confrontavam no patamar enquanto, em algum lugar abaixo deles, o próprio Michael olhava para cima e se perguntava quem eram. E se conseguisse fazer o bando levá-lo para os Sótãos agora, para que pudesse encontrar a si mesmo e a outra Phyllis enquanto atravessavam o gigantesco corredor de portas no chão? Só que ele não podia fazer isso, porque não foi o que aconteceu.

Com seus três amigos-fantasmas, Michael atravessou a versão do Andar de Cima da Mayorhold, o ringue de boxe desdobrado onde os dois construtores titânicos haviam acabado de brigar. Por um céu tão azul que era quase turquesa, navegavam nuvens brancas muito parecidas com suas equivalentes terrestres, mas as formas e rostos de mármore que se via nelas eram muito mais bem definidos, muito mais bem acabados: pinguins, Winston Churchill, um trombone, tudo esculpido nos montes de neve aéreos.

Agora o Mestre Ângulo estaria à vista do salão de trilhar, com seu passo marcado pela batida rítmica do cajado de ponta azul que carregava, batendo nas passarelas de Almumana a cada dois passos. Ele cruzaria o caminho de seu adversário de cabelos escuros, que retornaria ao salão de sinuca celestial por um caminho diferente, e as duas entidades reluzentes acenariam uma para a outra sem falar nada enquanto se dirigiam para a mesa enorme para retomar a partida. Michael quase podia ver o sistema solar cheio de bolas agrupadas aleatoriamente sobre o largo pano verde, quase podia ver a própria esfera lisa e polida equilibrada de maneira precária, tremendo na borda da caçapa decorada com a caveira.

As crianças-fantasmas haviam progredido o que parecia apenas um centésimo da distância sobre a antiga praça da cidade desdobrada. Bill, ao que parecia, estava certo. Levaria dias para chegarem ao hospital naquele ritmo. Os pensamentos de Michael estavam apenas começando a se voltar para a enorme mesa de jogo e a tacada da qual tudo dependia quando o som mais estranho que já ouviu de repente retumbou atrás dele, rolando e reverberando na acústica aumentada do Segundo Borough. Era como se mil monges orientais tocassem suas trombetas de fêmur de uma só vez e, considerando onde estavam, Michael estava preocupado que pudesse ser a grande explosão anunciando o Dia do Juízo Final que tinha escutado a avó mencionar uma vez. O barulho soou novamente. Com Phyllis, John e Marjorie, ele se virou para olhar boquiaberto o que trovejava na praça em direção a eles.

Parecia ser algum tipo de elefante. Contra os painéis e fachadas gloriosamente decorados de Almumana, com suas estrelas de circo pintadas e giros de bate-bate de parque de diversões, de alguma forma não parecia tão deslocado ali.

Fosse o que fosse, estava se aproximando deles em uma velocidade tremenda, devorando o espaço que havia entre eles enquanto saía do que devia ser a versão mais alta da St. Andrew's, jogando a tromba para trás em intervalos para soar seu trepidante e inspirador grito de guerra junto da cavalaria de ecos que se seguia imediatamente. Quando chegou ao alcance da visão cristalina do pós-vida de Michael, ele notou que não era muito parecido com os elefantes que já tinha visto em pôsteres. Para começar, não era cinza, mas sim de um marrom-avermelhado adorável. Então, ou estava vestido com um casaco de pele de tamanho gigante, ou estava coberto por uma camada de pelos. A ideia de que pudesse estar vestido com algum tipo de roupa não parecia muito provável, embora Michael estivesse preparado para considerá-la, já que o elefante desgrenhado também estava usando algum tipo de chapéu moderninho em cima de seu crânio maciço.

Esse capacete pequeno, porém, após uma inspeção mais detalhada, revelou-se um anão de jardim ornamental de gesso segurando uma vara de pescar. Então, depois de alguns segundos, quando o bicho chegou a uma distância mais próxima, ficou claro que era Bill sentado no crânio da criatura, segurando a vara de pescar improvisada com Reggie Bowler pendurado logo atrás. Pelo amor dos céus, o que era tudo isso? E de quem era a voz que tinha acabado de ouvir, falando com alguém chamado Doug? Quem era Doug?

— *Entramos pelo caminho certo, Doug? Eles atendem emergências aqui na frente?*
— *Precisam receber. Abre a porta do seu lado, Doreen. Dou a volta e levanto ele...*

Michael estava ouvindo coisas de novo. Balançou a cabeça dourada para clarear os pensamentos no momento em que o enorme gigante trombeteiro desacelerou e parou a apenas três metros de distância.

Empoleirado na coroa do monstro, segurando uma vara da qual pendia um colar de chapéus-de-puck, Bill sorriu para Michael e o resto com Reggie Bowler fazendo caretas por trás de seu ombro.

— Pronto. Isso era-será uma maravilha ou não? Subam e vamos chegar no hospital bem rápido.

Phyllis lançou um olhar inexpressivo para o suposto irmão mais novo, então observou a coisa que ele montava, igualmente sem entender, e então se voltou para Bill.

— O que era-será isso?

Bill estava para responder quando John fez isso para ele.

— É um mamute-lanoso, Phyll, ou melhor, o fantasma de um. Estão extintos desde os tempos pré-históricos. Onde vocês dois encontraram um desses tão rápido?

Bill e Reggie estavam ambos rindo agora.

— Rápido? Cê está brincando. Perdemos quase seis meses para achar a Mammy aqui, treinando ela e tudo mais. Você devia fazer isso um dia.

Enquanto falava, Bill permitia que o animal aparentemente domesticado pegasse alguns dos chapéus-de-puck pendurados com a tromba, arrancando as flores das fadas do barbante em que estavam amarradas. Mastigou a fruta-fantasma ruidosamente, duas ou três em uma única bocada, babando ectoplasma ao fazê-lo.

— O que fizemos, logo depois que deixamos vocês, nós cavamos uns cinco minutos no futuro e fomos até os lavatórios públicos lá na esquina da Mayorhold, na costura-fantasma.

Reggie interrompeu aqui, incapaz de se conter.

— Vou te dizer, Marjorie, menina, foi a maior diversão! Vimos os dois camaradas judeus velhos saindo dos banheiros parecendo muito satisfeitos, e a gente se lembrou de que tinha visto eles arrastarem um desses caras de camisa preta lá pra dentro quando os dois construtores brigaram. Eu e Bill, nós entramos lá, certo, e ele tá lá e apanhou muito, com a cabeça raspada atrás e dos lados em cima da privada. Tava chorando, tipo, e lá tem aquele sujeito gay que o fantasma mora lá no banheiro, e ele tava ali só tirando sarro do cara com a camisa preta. Sério, você precisava ter visto.

Reggie, a essa altura, estava rindo demais para continuar, então Bill seguiu com a história.

— Então, Reggie e eu, a gente ajudou esse camisa-negra a ficar de pé, torceu o mijo-fantasma da perna da calça e ficou falan'o sobre nós sermos camaradas arianos e tudo isso. Não contei pra ele que meu pai jogou o Colin Jordan dentro do Tyne uma vez[21], porque a gente tava se dando bem e não quis estragar aquilo. Eu e o Reggie falamos que a gente ia ajudar o cara a voltar pra época dele, de volta aos anos trinta, quando os camisas-negras tinham a sede aqui na Mayorhold, com uns fantasmas camisas-negras pra ele andar por aí.

"Bom, nós cavamos com ele de volta até os anos trinta, e aí encontramo' os colegas fascistas dele, e contamo' que vimos os dois camaradas judeus saindo do banheiro parecendo todos satisfeitos e entramo' para encontrar o cara conversando com um homossexual bem conhecido. Eles agradeceram a gente por contar e arrastaram ele pro pátio de trás, pra chutar a cabeça dele, e eu e o Reg aqui roubamo' o fantasma ou sonho da grande bandeira da União Britânica de Fascistas e cavamo' nosso caminho até umas horas antes de a gente ir todo mundo pros hospícios, pra chegar lá antes e pegar a maioria dos chapéus-de-puck."

Phyllis, que Michael achava que fosse enlouquecer naquele ponto da narrativa, estava olhando de Bill para o mamute mastigador e depois para a fileira cada vez menor de maças malucas suspensas tentadoramente acima da cabeça da criatura. Por fim, um largo sorriso surgiu em suas feições pontiagudas de raposa, enquanto ela entendia o que havia acontecido.

— Ah, seu pestinha engenhoso. Quer me dizer que pegou todas as Jennies, embrulhou na bandeira e cavou o caminho de volta para...

Bill parecia tão inflado de orgulho que ia precisar de uma cabeça extra para encaixar seu sorriso presunçoso.

— ... até a Era do Gelo. Tava frio pra caramba. Vou te contar, dava para sentir o vento frio desde o terceiro século antes de Cristo, e quanto mais a gente voltava, pior ficava. No fim topamos com a Mammy aqui quando ela ainda tava viva, e então esperamos ela morrer, pra gente poder fazer amizade com ela oferecen'o os chapéus-de--puck. Isso foi o que tomou mais tempo. Depois que nos conhecemos, levamos Mammy de volta pelo buraco no tempo para 1959, então viemos com ela pra costura-fantasma, pra dar uma carona pra gente até o hospital. Vamos, subam. Vou te dizer, é como o Zoológico de Whipsnade aqui em cima.

Agora todos estavam sorrindo, e especialmente Michael. Era isso. O presente, a festa, a surpresa, a despedida que esperava. Com todos rindo, Phyllis, Michael, John e Marjorie tentaram descobrir como deveriam montar no mamute, finalmente escolhendo apenas subir pelas patas traseiras usando tufos grossos de pelo castanho-dourado como apoio para as mãos. Mammy não parecia se importar. Seus olhinhos piscavam de contentamento, bem fundos no vórtice de rugas de suas órbitas, enquanto ela habilmente destacava outro chapéu-de-puck do fio pendurado e o devorava. Como era o último, Bill passou a vara e a linha vazia para Reggie, que se sentou na corcunda eriçada do pescoço de Mammy atrás dele com um saco fascista meio cheio de Bedlam Jennies no colo. Rápida e habilmente — afinal, teve seis meses para praticar —, o moleque de chapéu-coco enfiou oito ou nove frutas-fantasmas maduras na isca e a devolveu a Bill.

Enquanto a operação de reabastecimento continuava, as outras quatro crianças-fantasmas se colocaram em posição em seu corcel pré-histórico. Marjorie Afogada subiu primeiro nas costas do mamute para poder sentar-se atrás de Reggie, com os braços em volta da cintura dele, como se estivesse sendo levada para passear na garupa de sua moto peluda da era do gelo. Michael foi a seguir, agarrando-se aos enormes pelos cor de torrada do fantasma, esfregando o rosto na pelagem e se embebendo do mosto antigo. Phyllis estava aconchegada nas costas de Michael, o que era uma sensação deliciosa, mas com um cheiro horrível, enquanto John ia sentado lá na ponta da cauda e segurava a líder do Bando de Mortos de Morte de modo protetor. O perfume da peliça de carniça de Phyllis Painter não parecia incomodar John.

A maioria dos vários fantasmas pela Mayorhold de Almumana naquela tarde azul e radiante parou o que estava fazendo para admirar o mastodonte, aquele grande espécime de três metros de altura com presas de quatro metros e meio que tão inesperadamente apareceu no meio deles. Até os garimpeiros, que ainda se esforçavam para arrancar um precioso fragmento de sangue angular coagulado das poças planas que estavam por toda parte, pararam seu trabalho para observar aquela última novidade. Que dia extraordinário, todos deviam estar pensando, mesmo pelos padrões extraordinários que se aplicavam ao Andar de Cima. Primeiro dois Mestres de Obras colossais saíram no tapa no meio da praça da cidade desdobrada, e agora isso! O que viria a seguir?

Aconchegado na película pré-histórica, Michael estava pensando em Mike Poderoso, seu homônimo com o cabelo ainda mais pálido, que naquele momento estaria andando nas margens de sete metros e meio da mesa de trilhar, estudando os ângulos e deliberando enquanto a multidão cinzenta de espectadores moradores de rua prendia a respiração para sempre. Com um nervo pulsando em um canto de seu olho danificado, triturava o cubo de giz com muita força contra o taco, com o olhar fixo e inabalável no globo esbranquiçado que pairava em perigo no canto da caveira, oscilando na beirada preta da queda da caçapa. O globo branco, claro, representava a alma de Michael.

Houve uma guinada repentina que interrompeu o devaneio de Michael, quase o desalojando de seu poleiro nas costas da criatura e fazendo com que se agarrasse com mais firmeza ao pelo cor de ferrugem. Bill bateu os pés contra os flancos emaranhados e girou a vara, fazendo a fileira de chapéus-de-puck pender tentadoramente alguns centímetros à frente da tromba de lagarta felpuda desenrolada de Mammy. O jóquei de mamute ruivo gritou para a estupenda câmara de eco de Almumana.

— Eia, Mammy! Aaaaande!

E eles partiram. Depois de dar um zurro magnífico através de sua tromba balançante e levantada, a representante aparentemente dócil do paleolítico começou um trote, depois meio galope, depois galope. Os pés peludos de guarda-chuva batiam na calçada sagrada, esmagando as crostas de ouro que sobraram da confusão entre os construtores, fraturando o brilho das poças endurecidas em uma fina teia de rachaduras de cerâmica. Todos os fantasmas de fantasias coloridas e os moradores de rua seminus reunidos na Mayorhold astral aplaudiram e agitaram suas boinas ou gorros. Das sacadas nos andares de acima, uma multidão de sonhos e fantasmas dava gritos de encorajamento. O gigante de cabeça raspada de uniforme de Cabeça Redonda que Michael havia escutado dizer que se chamava Thompson, o Leveller, batia rítmica e jubilosamente no corrimão enquanto observava, e o caubói etéreo e bonito de pele negra que tinham visto antes disparou os revólveres para o ar em comemoração.

O bando e sua montaria maravilhosa subiram estrondosamente uma versão desdobrada e mais elevada da Silver Street, uma das oito vias arcaicas que convergiam na praça original da cidade. Como Almumana era construída com nada mais que sonhos, poesia e associações perdidas, a rua alargada era toda feita de prata. O que não passava de uma viela estreita no reino mortal era ali uma faixa polida de paralelepípedos prateados, com a miniatura de olho de peixe de Mammy e sua carga de crianças-fantasmas nadando em cada pedra conforme passavam, atravessando poças de superchuva deixadas pelo aguaceiro recente, mandando borrifos de gotículas complexas que quicavam nas sarjetas demarcadas. De patamares de metal lunar com vista para a excelsa passagem, os ocupantes fantasmagóricos da Silver Street de vários séculos diferentes gritavam e aplaudiam enquanto o famoso Bando de Mortos de Morte passava em seu mamute de estimação.

Havia rapazes alegres lindamente pintados no lavatório público na extremidade inferior da alameda, ampliada em Almumana com seu tanque de quinze metros de comprimento e uma fileira interminável de cubículos, todos feitos de mármore branco. Vestidos com roupas de babados quase fluorescentes que nunca ousariam usar enquanto ainda estavam vivos, os lindos veadinhos arrulharam e gritaram como pássaros do paraíso, e um gritou "Nós te amamos, Marjorie", brandindo um livro de capa verde e dourada enquanto Mammy passava abaixo deles. Havia rabinos da sinagoga desaparecida na extremidade superior da passagem, onde ficava o cubo de tijolos de janelas altas que era o Mercado de Peixes no mundo material. Os sacerdotes hebreus aplaudiram e pareciam balançar afirmativamente a cabeça, embora Michael não soubesse para o quê. Sacadas e mais sacadas de ourives fantasmagóricos, prostitutas, taberneiros, instrutores de judô, penhoristas, mendigos resplandecentes e policiais antigos tinham vindo, ao que parecia, para ver a criança temporariamente morta ser ressuscitada. Michael agarrou-se ao pelo fino e viçoso de Mammy e sentiu-se um pouco intimidado com toda aquela atenção. Não tinha ideia de que era tão famoso. Tentou se encolher ainda mais nos pelos úmidos, mas descobriu que, como naquelas noites amargas de inverno, quando tentava dormir embaixo da roupa de cama, era difícil respirar.

— ... o menininho dessa senhora. Ele está com uma bala presa na garganta...
— Ele não respirou. Não respirou até agora!
— Ah, meu Deus. Passe ele para cá, querida. Enfermeira, pode buscar o dr. Forbes, por favor, e dizer que é urgente?

Saindo da antiga via dos metalúrgicos, o Expresso Pleistoceno embicou para a direita, em uma praça escancarada muito parecida com a extremidade inferior da Sheep Street, só que bem inflada. Mammy soltou uma fanfarra nasal enquanto passava pelo prédio antigo e imponente que ficava em frente à entrada da Silver Street, que, embora muito expandida, Michael reconheceu como a academia que viu nos azulejos de Delft do sr. Doddridge. Em seus terraços altos, os jovens e fervorosos estudantes aplaudiam, gritando sua aprovação em grego, latim, francês e hebraico, enquanto celebravam e acendiam foguetes improvisados com garrafas. Nos andares mais baixos do edifício glorioso, cem mil velas haviam sido dispostas para soletrar REI JORGE — NENHUM PRETENDENTE em coros aglomerados de chamas de prímula. O céu acima ficava violeta onde os fogos de artifício dos alunos explodiam ou chilreavam e espalhavam faíscas coloridas em grandes punhados quentes sobre o desfile do Bando de Mortos de Morte.

Empoleirada atrás de Michael enquanto desciam em avalanche pelo fantasma titânico da Sheep Street, Phyllis gritou em seu ouvido por cima do barulho da pirotecnia e do constante rufar dos passos que os carregavam.

— Olha, acabei de pensar. Pergunta pro Bill como ele e Reggie trouxeram essa coisa imensa aqui pra cima em Almumana. As pessoas já têm dificuldade de subir um lance da Escada de Jacó, então como eles fizeram a Mammy subir uma escada inteira?

Michael passou a pergunta obedientemente para Marjorie, à sua frente, que a transmitiu para Reggie. Este disse algo de volta para Marjorie e ambos riram antes que ela virasse e sussurrasse para Michael de modo conspiratório.

— Eles empurraram a Mammy para cima pelo fundo do nosso esconderijo perto da Lower Harding Street. Ao que parece, isso destruiu a toca, então sobrou só um buraco do tamanho de um mamute onde ele ficava. Se você contar para Phyllis, ela vai ficar furiosa. Então é só dizer que Reggie não consegue gritar alto o suficiente para Bill ouvir com todo esse barulho. Diga que ela vai precisar perguntar mais tarde.

Michael, hesitante, repetiu essa mentira inofensiva para Phyllis, que estreitou os olhos com desconfiança, mas parecia disposta a deixar o assunto de lado por ora. Continuaram descendo a Sheep Street, na direção da Market Square e da Drapery. Ao redor das pernas de tronco de árvore do gigante de estimação deles, a criança notou que se derramava uma maré branca feita de ovelhas, todas barulhentas e balindo idiotamente enquanto tentavam sair do caminho do brutamontes galopante. Imaginou que aquilo devia ser apenas parte da poesia da Sheep Street, como todos os postes de luz prateados, ralos e paralelepípedos pelos quais Mammy tinha acabado de passar na Silver Street. Esperava que não chegassem nem perto da Ambush Street ou da Gas Street[22].

Eles passaram por um Mercado de Peixe ampliado à direita, com a estrutura de telhado de vidro de alguma forma fundida em uma só construção com a sinagoga e a taverna Red Lion, que anteriormente ocupavam o local. Rapazes com longos cachos saindo por baixo de seus quipás serviam cerveja preta em tábuas de peixeiro lantejouladas de escamas e molhadas de realces. Homens com deslumbrantes casacos e chapéus brancos usando cutelos ou facas como joias repetiam orações judaicas enquanto cortavam os vívidos pedaços creme, rosa ou amarelo-hadoque que eram espalhados sobre um balcão envernizado. Todos olharam para cima e sorriram ou ergueram as canecas espumantes enquanto o bando de fantasmas passava galopando.

As pessoas estavam por toda parte enquanto eles seguiam por um enorme sonho da Drapery, onde imponentes casas feitas de couro tinham sido cortadas em formas fantásticas em cada lado da rua inclinada. Mansões palacianas em forma de botas ou sapatos pairavam sobre eles, além de pináculos vertiginosos como luvas de noite femininas. A loja de departamentos Adnitt era um impressionante espartilho com uma multidão de espectadores jubilosos sentados nas costuras dos níveis superiores enquanto davam gritos de apoio ou adulação. Havia construtores de baixo escalão em vestes cinza que ainda estavam prenhes de todos os tipos de outras cores, como uma nuvem de chuva. Havia fantasmas em roupas de festa jogando serpentinas; poltergeists surrados que apenas esticavam o polegar para cima e sorriam. As mulheres, os homens e as crianças da municipalidade mais alta alinhavam-se pelas ruas em uma multidão ruidosa, acompanhada por cães fantasmas e gatos espectrais esfumaçados, por periquitos fantasmagóricos libertados de suas gaiolas mortais e as almas brilhantes de peixinhos dourados, sem suas tigelas ou água confinantes, que apenas brilhavam no ar, olhando e murmurando, às vezes liberando uma pequena bolha para flutuar para cima como uma pérola sem peso.

Alguns na multidão seguravam faixas, enquanto outros carregavam cartazes com mensagens de apoio ou simplesmente berravam os nomes de seus membros favoritos do Bando de Mortos de Morte. Adolescentes póstumas gritavam e seguravam cartazes que diziam apenas "John", mas todas as seis crianças pareciam ter seus seguidores. Michael ficou um pouco irritado ao perceber que a maioria das bandeiras e placas acenando dizia "Marjorie", embora parecesse que ele era o segundo em popularidade, o que o animou um pouco.

Emergindo da parte baixa da Drapery, dispararam em torno de uma versão da igreja de Todos os Santos que parecia maior do que a Torre de Babel. No mundo superior, ainda tinha seu grande pórtico sustentado por grossas colunas, mas ali em cima havia pelo menos oito pórticos monstruosos colocados um sobre o outro, empilhados em um monólito de muitas camadas de calcário marrom e amarelo que parecia ouro velho contra os azuis e roxos inconstantes do céu. Reunidos abaixo dos pórticos mais altos estavam centenas de curiosos e fãs, assobiando e batendo os pés à passagem do animal anteriormente extinto, enquanto sob a ampla extensão do dossel mais baixo havia apenas alguns fantasmas privilegiados, como se a área fosse reservada a convidados especiais, celebridades ou membros da realeza. Atrás dele, Phyllis abaixou a cabeça para sussurrar no ouvido de Michael.

— Ali tá John Bunyan, e o velho sentado no nicho, aquele é John Clare. Ali tão Thomas Becket, Samuel Beckett e acho que o sujeito na ponta é John Bailes, o fabricante de botões que viveu até os cento e trinta. Santos e escritores, a maior parte. Olha, tão acenando pr'ocê. Por que não acena de volta?

Foi o que ele fez. Ao enveredarem para a George Row, uma plateia nos peitoris e nas saliências de um tribunal de alabastro aumentado jogou coroas de louros ou guirlandas de flores imaginárias, e algumas se enroscaram nas presas assustadoras de Mammy para balançar e farfalhar decorativamente no ar revigorante e límpido como cristal do Andar de Cima. Nesse exato instante, Michael sabia, o mestre construtor de cabelos brancos estaria agachado para sua tacada crucial, mirando o facho de luz ofuscante que era seu taco, fechando o olho escurecido e recuando o cotovelo. Tudo dependia daquele jogo.

Pétalas caíram sobre eles, além de papel picado, e até, o que não era nada adequado, calcinhas femininas. Uma dessas calcinhas ficou enroscada na presa de Mammy ao lado das guirlandas e dos tributos florais, mas, como tinha pequenas margaridas, não parecia totalmente fora de lugar.

Eles martelaram o chão da Saint Giles Street, lá em cima um bulevar alucinante. À esquerda estava a prefeitura, a Gilhalda de Almumana, uma imensa construção de pedra de cores quentes arranhando o céu, coberta de estátuas, relevos entalhados e brasões heráldicos. Era como se uma bomba arquitetônica tivesse sido detonada em câmera lenta, com inúmeras formas históricas explodindo do nada em granito sólido. Santos, guerreiros, poetas e rainhas mortas olhavam para eles através dos seixos cegos de seus olhos esmerilados, e acima de tudo, altos como um farol, estavam os contornos esculpidos do Mestre de Obras, Mike Poderoso, o herói local. Em uma das mãos, a grande imagem segurava um escudo e, na outra, o taco de trilhar. De suas costas se desdobravam asas de vidro cinzelado que se espalhavam pela maior parte da cidade iluminada, de modo que uma luz ondulante de aquário caía sobre os incontáveis casais que pareciam estar se casando nos grandes degraus da frente da prefeitura. Lindas noivas de branco virgem ou verde iridescente, de xales ou véus ou mantilhas intrincadas, jogavam seus buquês e mandavam beijos enquanto o Bando de Mortos de Morte, os queridinhos do pós-vida, passava com estrondo.

E, oh, o barulho e os gritos, a chuva de afeição e o brilho que todos eles exibiam, inflamados, isso era melhor do que cem chapéus-de-puck. Toparam com um Black Lion muito enobrecido, não o pub em Marefair por onde tinham passado nas travessuras com Cromwell, mas o outro, aquele com todos os fantasmas, que se debruçavam sobre as muitas janelas superiores extras da taverna astral, balançando chocalhos de madeira e soltando meia dúzia de balões de cores diferentes, cada um com um dos rostos das crianças estampado neles. Os balões voaram para as permutações cor de opala do céu inigualável de Almumana, e Michael notou com alguma satisfação que aqueles que tinham suas feições eram azul-claros.

Os espectros do Black Lion que lançaram a flotilha brilhante e oscilante para o céu, assombrações famosas que eram duplamente imortais graças à atenção que recebiam de todos os detetives psíquicos e dos ardorosos caçadores de fantasmas, eram em geral uma variedade de aparições mais antiquada e tradicional, o tipo de fantasmas sobre os quais se lê nas histórias. Alguns tinham correntes e outros carregavam a cabeça sob os braços como jogadores de futebol antes do pontapé inicial. Alguns haviam rasgado as roupas para revelar costelas nuas que enjaulavam um coração escarlate pulsante, enquanto outros, da velha guarda, não eram muito mais do que lençóis e brisas. Todos gritaram e assobiaram, lançando fenômenos psíquicos sobre as crianças que passavam como um tributo, tambores e trombetas de sessões espíritas, pedaços de musselina viscosa, mãos que apontavam sem corpo caindo em cascata sobre as pedras polidas onde manchas de sangue acusadoras floresciam de forma misteriosa e indelével ao redor do passo acolchoado do mamute.

O Bando de Mortos de Morte avançou pela St. Giles's Street em sua cavalgada de uma só montaria, e Michael se esforçou para gravar todos os detalhes em seus olhos azuis. Sabia que não deveria se esquecer daquilo nunca. Deveria manter essas ruas de glória dentro de si, essas hordas de rugidos celebratórios, e saber que em Almumana era importante. Em sua mente, podia ver os Mestres de Obras em seu monumental salão de trilhar, o herói de cabelos brancos agachado sobre a baeta, deslizando seu taco luminoso para a frente e para trás em ensaios hesitantes na ponta de seus dedos abertos. A haste lisa laqueada, lubrificada pelo suor, deslizou contra a teia de carne amortecida entre o indicador e o polegar quase diametralmente opostos. Toda a força e a energia potencial estavam presas, mantidas dentro do taco hesitante e concentradas na ponta azul e quente, vibrando e fervendo, esperando para explodir.

Erguendo a tromba para soar como um clarim, Mammy os carregou ao longo do grande trecho da St. Giles's Street até onde se confundia com a Spencer Parade, do lado de fora do espetáculo de pedra cor de mel da igreja de Saint Giles. A construção, monstruosamente aumentada, agora tinha a parte superior do campanário acastelado perdido entre as lindas nuvens que passavam acima: um cavalo-marinho e um bolo de aniversário; um mapa da Itália; um busto da rainha Vitória. Um grande distintivo ou emblema de pedra havia sido erguido da parte inferior da torre, em forma de peixe, com a figura de uma mulher no centro e as palavras "ALIMENTAR CORDEIROS". A grama do cemitério ao redor da hiperigreja havia se tornado uma savana da qual obeliscos altos e lápides se erguiam em penhascos de mármore com inscrições, e no topo do monumento mais alto dançava alguém que Phyllis, sussurrando para Michael por trás dele, disse ser Robert Browne, que deu início ao movimento Dissidente nos anos 1500 e morreu na cadeia de Northampton, um homem de oitenta anos que não podia pagar as taxas de sua paróquia. Em torno do espírito de Browne, no ar, efervescia uma coroa de sermões proibidos, palavras inflamadas e excomunhões, enquanto a figura agitada pulava como se estivesse radiante por estar naquele céu dissidente, um espectador daquele esplêndido cortejo. Todos se exaltaram enquanto as crianças-fantasmas conduziam o mamute-fantasma em direção à encruzilhada da York Road com a Billing Road, em direção ao coliseu com fachada de cantaria do Hospital Geral da Almumana, que crescia com suas baías e arcos, andar após andar, na névoa etérea que pairava acima da cidade.

Eles desviaram pela encruzilhada, com o carnaval do tráfego de Almumana parado nas outras aberturas do entroncamento para deixar o Bando de Mortos de Morte passar, um engarrafamento ruidoso de caravanas decoradas de tarô, carroças cravejadas de joias e palanquins enfeitados unidos em ovações acotoveladas, com seus passageiros e cocheiros fantasiados acenando com flâmulas vistosas ou com aqueles livros verdes e dourados dos quais todo mundo parecia ter uma cópia.

No canto oposto do cruzamento assomava um busto de Jorge IV, grande como uma cabeça do Monte Rushmore, e o monarca pareceu observar com certa perplexidade aquele bando de baderneiros correndo em direção a ele da abertura da Spencer Parade, montados sem sela no mamute lanoso. No alto do platô de mármore calvo do crânio do rei Jorge, estavam três pessoas que Michael reconheceu como o dr. Phillip Doddridge, a esposa dele, Mercy, e a filha adulta, Tetsy, que havia morrido dias antes de completar cinco anos. Todos sorriam para as seis crianças e sua montaria da Idade da Pedra, agitando os lenços recém-lavados. De pé ao lado da família, na cabeça do rei, estava uma quarta pessoa, divertida e libertina em seu andar, que Michael reconheceu das cenas comoventes que ladeavam a lareira de Doddridge. Era o imprestável John Stonhouse, que se converteu ao ouvir o reverendíssimo doutor falar e se tornou seu amigo mais próximo, cofundador, com ele, da primeira enfermaria a ser construída fora de Londres, em George Row. Tendo feito essa conexão, Michael entendeu o que Stonhouse e os Doddridge estavam fazendo ali: aquele hospital, o segundo e mais amplo local da antiga enfermaria, não existiria se não fosse pelos dois homens acima dele agora. O próprio Doddridge gritava com empolgação na direção do bando, enquanto Mammy saltava em volta do gigantesco crânio régio e através de um arco de proporções de catedral, logo abaixo do médico à esquerda.

— Não foi-será grandioso? Todo mundo leu sua obra-prima, srta. Driscoll. Foi-será por isso que tanta gente apareceu para ver você. Todos querem estar na última cena do capítulo doze! Vá com Deus, Michael Warren, em sua viagem selvagem de volta à vida! Vão com Deus, todos vocês!

Eles chacoalharam através da arcada e entraram em um auditório interminável que Michael pensou ser muito parecido com os Sótãos do Alento quando chegou no Andar de Cima, só que esse era pavimentado com ladrilhos brilhantes em vez de tábuas, e tinha o som de um lavatório público colossal ou uma piscina pública. Ainda um pouco intrigado com os comentários do reverendo dr. Doddridge, Michael cutucou Marjorie, que estava sentada à sua frente, e perguntou quem era a srta. Driscoll. Ela riu e disse "Sou eu", o que não o esclareceu muito. No murmúrio e no eco da enfermaria cavernosa, ele ouvia um milhão de vozes ansiosas sussurrando.

– Então, o que está acontecendo?
– Este menininho está sufocando, doutor. Eles acabaram...
– Ele engasgou com uma pastilha para tosse. Não respirou esse tempo todo. Está morto?
– Certo, acalme-se. Vamos dar uma olhada nele...

Michael pulava por toda a corcunda de Mammy, segurando-se com força enquanto ela tentava vencer as dificuldades causadas pelo piso de ladrilhos do salão de escala imensa, escorregando em seu brilho polido, com o reflexo invertido do mamute lutando para acompanhá-la enquanto ela andava de tobogã na porcelana escorregadia. Ao redor deles, assim como nos Sótãos do Alento, aberturas semelhantes a janelas tinham sido instaladas no piso, uma grade incompreensível que se estendia até as paredes em camadas da arcada de ambos os lados. Mais acima, através de um imenso dossel de vidro, as teias de linhas de facetas cristalinas que eram os diagramas de nuvens deslizavam e mudavam de forma contra um pano de fundo de um azul sublime. Ele estava convencido de que aquela era apenas a parte do sótão que ficava acima do hospital, com seu campo de alçapões abrindo-se para as enfermarias terrenas e as salas de cirurgia mais abaixo. Quando a montaria começou uma derrapagem em meio a trombetas e estrondos sem conseguir parar, Michael sentiu um choque agudo reverberando por ele e soube que lá embaixo, no salão de trilhar, o Mestre de Obras tinha dado sua tacada. O pequeno punho azul da ponta do taco tinha acabado de dar na bola o tranco necessário para que atravessasse a mesa lotada com um colar de pérolas de pós-imagens atrás de si. Quase podia sentir seu giro na trajetória descontrolada de Mammy pelo chão brilhante. Ele estava em jogo, e não havia nada que pudesse fazer a respeito.

Finalmente o grande petardo parou, a apenas uns doze metros de uma das grandes aberturas no chão dentro de uma moldura de azulejos brancos um pouco como a borda elevada de uma piscina infantil. Um grupo de quinze pessoas estava reunido em volta dessa abertura, possivelmente parentes já falecidos esperando alguém que estava morrendo no hospital terreno no andar de baixo. Eles olharam para cima com alarme quando Mammy parou com sua meia dúzia de cavaleiros infantis saltando de suas costas, todos rindo, para a superfície traiçoeira. Michael compreendia os olhares preocupados dessa multidão de recepção do pós-vida, considerando que, se seu corcel primordial tivesse ido um pouco mais longe, os entes queridos dessas pessoas moribundas acabariam obrigados a tentar entrar no céu enquanto um elefante peludo mergulhava no caminho oposto, e ninguém queria isso.

Lutando para ficar de pé e ajudando o seu mamute de estimação a fazer o mesmo, o Bando de Mortos de Morte começou a procurar nas fileiras de portas de chão nos azulejos enquanto tentavam encontrar o lugar e a hora para onde o corpo sem vida de Michael tinha sido trazido. Por toda parte na interminável câmara de eco do hiper-hospital, havia um cheiro de pureza e frescor, que depois de alguns minutos Michael percebeu ser o cheiro de desinfetante comum exposto em todo seu potencial em uma nova dimensão. De horizonte a horizonte desse grande espaço interno, um silêncio reverente quase de igreja pairava sobre tudo, e ao longe ele podia ver enfermeiras da Crimeia com seus gorros e saias pretas conferenciando com funcionárias de safra mais recente que usavam chapeuzinhos brancos alegres e meias de náilon azul. Também havia visitantes, que vinham dar as boas-vindas a amigos e familiares que morriam, às vezes em comitês de trinta pessoas ou às vezes sozinhos, e Michael até viu uma ou duas defunteiras movimentando-se pelos corredores eternos em suas missões mortais. E lá embaixo, na sala de trilhar, podia sentir a bola branca voando a uma velocidade vertiginosa em direção ao globo de marfim que o representava, equilibrado na borda da caçapa da caveira. O gemido dos moradores de rua que assistiam ao jogo paralisados se fundiu com o constante murmúrio da enfermaria celestial ao redor. *Sussurro, sussurro, sussurro.*

— *Deus! Essa criança tem o pior caso de amidalite que eu já vi. Me dê o abaixador de língua, assim eu posso...*

O devaneio de Michael foi interrompido por um grito de Reggie Bowler, o encarregado de Mammy, que estava dando chapéus-de-puck à dócil mamute enquanto a conduzia pelos caminhos largos e ladrilhados em xadrez.

— Phyll? Acho que esse ali era-será o saguão, aquele ali. Era-será onde devem trazer ele, tipo. Vem dar uma olhada, ver se o menininho reconhece alguém.

Obedientemente, todos se dirigiram para onde Reggie e sua montaria desgrenhada estavam, ao lado de uma das grandes aberturas de nove metros de comprimento feitas no chão. Inclinando-se sobre os ladrilhos elevados da borda, o bando olhou para o mundo vivo mais abaixo, onde formas de coral translúcidas, imóveis e cheias de cor, estavam entrelaçadas em um nó complicado, com todo o conjunto de animais de vidro suspenso em um cubo de gelatina do tempo.

Michael olhou para as joias, os estrangulamentos, as vinte e cinco mil noites. O espaço abaixo parecia ter o mesmo tamanho que sua sala de estar na St. Andrew's Road quando a viu dos Sótãos do Alento, depois de todas aquelas semanas de Almumana, que equivaliam a dez minutos mundanos. Adivinhou que estava olhando para algum tipo de consultório médico ou uma pequena sala ao lado do saguão do hospital. Havia quatro — não, cinco — formas distintas entrelaçando-se nas profundezas gelatinosas do cômodo e, com uma súbita onda de alegria, a criança identificou uma das figuras alongadas como sendo sua mãe, Doreen. Ele a conhecia pelo suave brilho verde que emanava de dentro dela, não um esmeralda gritante, mas o verde profundo e sincero que se vê nos pescoços dos patos-reais. Com Doreen na sala, havia quatro outras formas frondosas de gemas preciosas, com seus fluxos de trajetórias cruzando ou cortando a dela, com gestos elaborados. Uma das estátuas translúcidas estendidas tinha uma rica luz cor de terra dentro de si que fez Michael pensar, sem nenhuma boa razão, no simpático sr. McGeary, que morava ao lado deles na St. Andrew's Road, embora ele não entendesse o porquê do Sr. McGeary estar lá no hospital, perto de sua mãe.

Os outros três padrões de joias na sala mortal abaixo também estavam agrupados em cachos. Havia um azul calmo, como uma chama de gás, que a criança fantasmagórica pensou que poderia ser um médico, e um crescimento de cristal avermelhado que possivelmente era uma enfermeira. Essa estrutura tingida de rosa tinha babados translúcidos de braços ao longo de seus flancos sinuosos, com o par da frente se apertando na extremidade frontal de espremedor de pasta de dente, como se estivesse segurando algo na altura do peito, onde um busto se projetava da fachada da forma abstrata, assim como um rosto materno rechonchudo um pouco mais acima — ambos esculpidos em vidro rosa. A última forma de joia, menor do que as outras e de um cinza pálido e sem vida, estava presa na convergência das nadadeiras traseiras e erguida diante do seio da extravagância rubicunda. Michael compreendeu com um sobressalto que aquele era ele, aquela estrela do mar de vidro incolor no centro da tela. Aquele era seu pequeno corpo humano. A alta construção azul, enrolada mais acima como uma onda, parecia estar enfiando algo em um pequeno buraco na extremidade superior daquilo, dele.

— ... *eu estou vendo. Sai, praga. Aa! Quase peguei. Deixe eu só*...

A garganta dele doía, mas isso poderia ser apenas porque ia ter que se despedir de todos os seus amigos, aquele nó quente que às vezes sentia quando as pessoas iam embora. Ele se inclinou para trás da abertura e se virou para sentar no limite elevado, chutando os pés calçados com pantufas, com o Bando de Mortos de Morte e sua mamute de pé ao redor, sorrindo para ele com carinho. Bem, a mamute não estava sorrindo, mas também não estava olhando para ele ou parecendo ofendida. Phyllis se agachou para ficar na altura dos olhos dele e pegou sua mão.

— Bem, meu querido, parece que era-será isso. Está na hora de cê voltar pro seu lugar, voltar pra sua vida com sua mãe, seu pai e sua irmã. Vai sentir nossa falta?

Aqui ele começou a fungar um pouco, mas assoou o nariz no roupão até se controlar. Michael tinha quase quatro anos, não queria que as crianças mortas mais velhas achassem que ele era um bebê.

— Vou. Vou sentir muita saudade de todos vocês. Quero me despedir de verdade de todos.

Um a um, o resto dos membros da turma veio e se ajoelhou ou se agachou ao lado de Phyllis para se despedir. Reggie Bowler foi o primeiro, tirando o chapéu quando se abaixava como se estivesse na igreja ou em um funeral.

— Tchau, então, pequeno. Seja um bom menino com sua mãe e seu pai, e se o seu pai for para a prisão e sua mãe se jogar da janela do quarto, não vá dormir em um caixote, não se for inverno. Era-será o melhor conselho que posso oferecer. Você se cuide.

Reggie endireitou-se e foi ficar ao lado da mamute, que mastigava contente os chapéus-de-puck. Marjorie tomou o lugar de Reggie, ajoelhando-se na frente de Michael com os olhos nadando como girinos nos vidros de geleia de seus óculos.

— Você se cuide agora, certo? Parece que vai ser o personagem favorito de todos, no que parece ser o capítulo favorito de todos. Imagino que conseguimos resolver o Enigma da Criança Engasgada, então esse é o final do capítulo. Não vá ser atropelado por um carro em dois anos e estragar tudo, para me obrigar a reescrever. Mas quando morrer de velhice ou seja lá o que for, e voltar para cá, não se esqueça de procurar a gente. Podemos nos reunir para uma continuação.

Marjorie beijou Michael na bochecha e foi ficar com Reggie. Michael não tinha a menor ideia do que ela havia acabado de dizer, mas sentiu que era gentil mesmo assim. O seguinte na fila era Bill. Não muito mais alto do que Michael em sua forma atual, o maroto de cabelos ruivos não precisava se ajoelhar ou agachar, apenas estendeu o braço para apertar a mão livre do menino de pijama, a que Phyllis não estava segurando.

— Tchau, tchau, menino. Mande um oi para a Alma por nós quando topar com a louca, e imagino que vamos nos encontrar de novo em uns quarenta anos, por aí, lá embaixo, quando um não vai reconhecer o outro. Cê tem colhões, amigo. Foi-será bom te conhecer.

John grandalhão veio depois de Bill, tão alto que precisou se abaixar para olhar Michael nos olhos, mas sorriu de um modo que sugeria que não se importava.

— Adeus por ora, então, pirralho. Mande lembranças para seu pai, sua avó, todos os seus tios e tias. E pode me dizer uma última coisa? Seu pai Tommy algum dia falou sobre o irmão dele chamado Jack?

Embora intrigado com a referência, Michael assentiu.

— Ele era-será o que foi morto na guerra, acho. Papai fala dele o tempo inteiro.

John sorriu e pareceu muito satisfeito.

— Isso era-será bom. Isso era-será bom de se ouvir. Tenha uma boa vida, Michael. Você merece uma.

Levantando-se, John foi ficar ao lado dos outros, o que deixou apenas Phyllis abaixada diante dele com seus pés e rostos de coelho pendurados, com os joelhos descascando projetando-se abruptamente por baixo da bainha da saia azul-marinho enquanto ela se agachava.

— Adeus, Michael. E, se a gente tivesse se conhecido em outro lugar em uma vida diferente, ou um tempo diferente, eu teria amado ser sua namorada. Cê é um menino lindo. Cê tem a mesma beleza do John, e isso não era-será pouco. Agora, volta pra sua família e tenta não se esquecer de tudo que aprendeu aqui.

A criança assentiu com toda a seriedade enquanto Phyllis gentilmente separava sua mão da dele.

— Vou tentar. E vocês precisam cuidar uns dos outros e tentar não fazer tantos inimigos. Eu não ia gostar se alguém machucasse qualquer um de vocês. E, Phyllis, você precisa cuidar do seu irmãozinho e não ficar sempre brava com ele como a Alma fica comigo.

Phyllis pareceu confusa por um momento, então riu.

— Meu irmãozinho? Cê tá falando do Bill? Ele não é meu irmão, não. Agora vamos te levar para casa, antes que o diabo apareça aqui e faça algo pra te impedir.

Phyllis colocou as mãos nos ombros dele e se inclinou para a frente, beijando-o nos lábios. Ela recuou por um segundo, sorrindo maliciosamente para Michael após o primeiro e último beijo dos dois, e então o empurrou para trás, para dentro do buraco, antes que ele tivesse tempo de gritar.

No salão do trilhar, a bola branca bateu com tanta força no globo que representava Michael que se desfez em pó instantaneamente. A bola de Michael foi arremessada na caçapa da caveira escancarada, girando ali no espaço vazio acima daquele mergulho obliterante escuro, e ele estava morto, morto por dez minutos, embalado por sua mãe chorando enquanto o caminhão de verduras e legumes chacoalhava pela cidade em direção ao hospital, tão rápido quanto poderia, morto por dez minutos, pendurado lá no nada então bam! Sua bola bate contra a borda interna da caçapa do canto, ricocheteia no vazio para descer a baeta com todas as pós-imagens atrás de si, indo para a caçapa com a cruz de ouro, e ele está vivo de novo, e todos os homens vestidos de branco ao redor da mesa enorme, mesmo o de cabelos escuros que causou todos os problemas, todos jogam os braços para cima em leques de rêmiges ofuscantes e gritam "Iiiissssooo!", e os fantasmas e os moradores de rua que assistem vão à loucura.

Michael caía para trás com um respingar silencioso dentro da gelatina do tempo, rolando pelos momentos viscosos com seis pequenas figuras de pé acenando em uma espécie de canto que estava do avesso e acima dele. Com consternação, percebeu que já havia esquecido todos os nomes, as fadinhas sujas do canto. Como era que os chamava? Ou seriam nomes como leões, generais ou repolhos? Ele não sabia, não sabia de muita coisa. Nem tinha certeza do que era, apenas que era algo que tinha muitos braços e pernas xadrezes e que deixava um rastro amarelo brilhante que esperava não ser xixi atrás de si através do pesado óleo de relógio do mundo que respirava. Ele desceu, desceu, e no canto acima havia pequenas criaturas, insetos ou camundongos treinados, acenando para ele. Sons esticados o envolveram em longas fitas sussurrantes, e então aconteceu algo que foi como um ruído ou um clarão ou um impacto, e ele caiu em um saco de carne e ossos, um saco de substância sólida que era de alguma forma ele, e havia dedos em sua boca e vento assobiando por sua garganta em uma longa rajada que parecia uma lixa, e ele se lembrou da dor, da coisa desagradável e perturbadora que era, isso e nada mais. Qual era o nome dele? Onde estava e quem era essa mulher que o segurava e por que tudo tinha gosto de pastilha para tosse de cereja? Então o mundo plano e familiar se ergueu sobre o menino, e ele se esqueceu de todas as maravilhas.

Quando Michael acordou de fato, no dia seguinte, algo parecia errado em seu pescoço, e ele foi informado de que alguém havia retirado suas amígdalas, mas, como nem sabia que tinha isso, não se importou muito. No final da semana, o pai e a mãe vieram em um táxi e o levaram de volta para casa na St. Andrew's Road, onde todo mundo o tratou bem e ele ganhou gelatina e sorvete. Foi para a cama naquela noite e na manhã seguinte começou a se tornar um belo homem de quarenta e nove anos, com mulher e filhos, que se levantava todos os dias e batia em tambores de aço para ganhar a vida. Um dia estava achatando um tambor que, curiosamente, não tinha etiqueta de identificação. Cegado por uma onda de produtos químicos, desmaiou e voltou com a cabeça cheia de ideias impossíveis que contou para a irmã artista, em uma noite tranquila no Golden Lion. Não reteve todos os detalhes de suas aventuras no pós-vida, mas Alma garantiu que, se ele tivesse esquecido alguma coisa, não seria problema.

Ela simplesmente inventaria.

Notas da edição brasileira

1   Referência aos famosos livros juvenis da escritora Enid Blyton (1897-1968).

2   Nos anos 1930, o departamento de marketing da empresa que comercializava o achocolatado Ovomaltine na Inglaterra criou um clube para crianças chamado The League of Ovaltineys.

3   Há uma longa tradição entre os regimentos militares britânicos de adotar animais, incluindo bodes, como mascotes.

4   "Spring Lane" poderia ser traduzida como "Travessa da Fonte".

5   "Herbert" é gíria britânica que designa um rapaz não muito inteligente.

6   "Bowler hat", chapéu-coco em inglês.

7   Personificação nacional do Reino Unido, em especial da Inglaterra, como o tio Sam é dos EUA.

8   "Out of the strong shall come forth sweetness" é o slogan que aparece desde 1883 nos rótulos dos tradicionais tubos de melaço da Abram Lyle & Sons. É uma variação da frase de Sansão em Juízes 14:14: "Out of the Strong came something Sweet" ("do forte veio algo doce").

9   Famosa personagem da *The Dandy*, uma das mais populares revistas de quadrinhos britânicas.

10 Jogo que palavras com Beatles/beetles (besouros) e walrus (morsa).

11 Termo local para uma receita de pãozinho, servido com o prato principal, parecido com o Yorkshire pudding, como a personagem menciona abaixo, que é muito mais famoso.

12 Em julho de 1941, um bombardeiro britânico caiu em Northampton quando voltava de uma missão na Alemanha.

13 No original, "...and I would rather be anywhere else than here today". Letra de "Oliver´s Army", do disco Armed Forces (1979), de Elvis Costello.

14 Trecho de "To Be a Pilgrim", de John Bunyan.

15 2 Reis 9:34.

16 Atos 21:14.

17 Sequência de quadros de William Hogarth (1687-1764) que descreve a decadência de um playboy inglês do século XVIII: depois de uma vida de dissipação, o protagonista acaba no manicômio Bethlem, que tanto aparece por este livro. A sequência de Hogarth pode ser vista como uma obra pioneira das histórias em quadrinhos.

18 BUF é a sigla de British Union of Fascists, o partido fascista britânico, fundado por Oswald Mosley em 1932. NFC provavelmente aparece aqui como sigla de outra estupidez: a frase "No Fat Chicks" ("Fora garotas gordas"), impressa em adesivos populares entre os mais abestados dos misóginos anglo-saxões. George Davis (no grafite está grafado errado, como era bem comum na época) foi um homem preso em 1975 por um crime que não cometeu. Uma campanha por sua libertação tomou grande dimensão e acabou vitoriosa.

19 "Na casa de meu Pai há muitas moradas" diz Cristo, em João 14:2. Na Bíblia King James, porém, a palavra grega "monai" (plural de "mone", habitação) é traduzida como "mansions" (mansões) – "In my Father's house are many mansions" –, o que resulta em um sentido de moradia luxuosa.

20 Bisto é uma das maiores produtoras de alimentos industrializados do Reino Unido. Suas tradicionais propagandas costumavam ser estreladas por duas crianças maltrapilhas.

21 Colin Jordan (1923-2009), líder neonazista britânico.

22 Jogo de palavras com os nomes das ruas: Sheep Street (rua das ovelhas, em inglês); Silver Street (rua [de] prata); Ambush Street (rua da emboscada); e Gas Street (rua do gás).